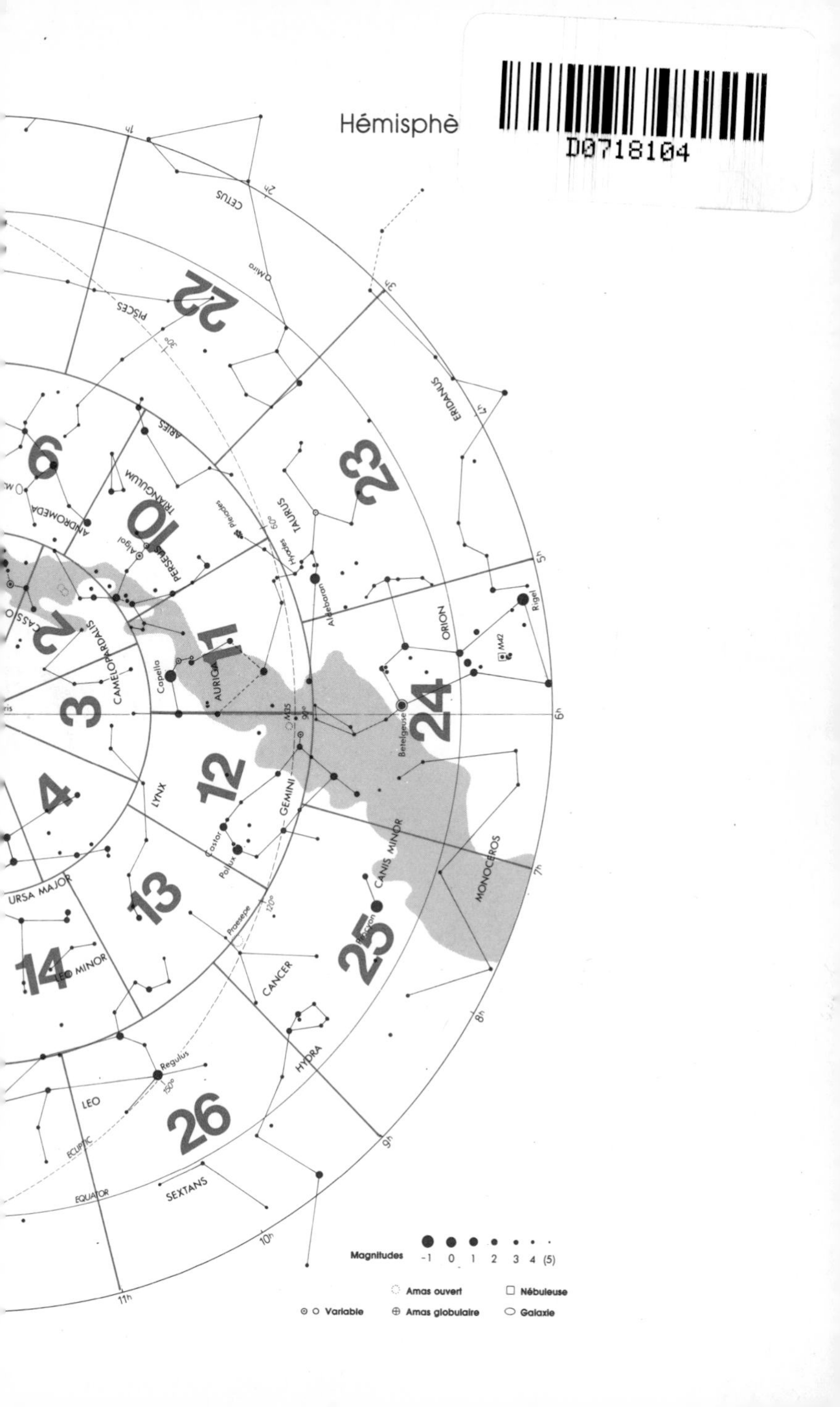
Hémisphè
CETUS
Mira
PISCES
ERIDANUS
ARIES
TRIANGULUM
ANDROMEDA
Algol
PERSEUS
Pleiades
TAURUS
Hyades
Aldebaran
ORION
Rigel
M42
CASSIO
CAMELOPARDALIS
Capella
AURIGA
M35
Betelgeuse
LYNX
GEMINI
Castor
Pollux
CANIS MINOR
MONOCEROS
URSA MAJOR
LEO MINOR
Praesepe
Procyon
CANCER
HYDRA
Regulus
LEO
ECLIPTIC
EQUATOR
SEXTANS
22
6
10
23
2
11
3
24
12
4
13
14
25
26
Magnitudes -1 0 1 2 3 4 (5)
Amas ouvert
Nébuleuse
Variable
Amas globulaire
Galaxie

GUIDE DES ÉTOILES ET PLANÈTES

DONALD H. MENZEL - JAY M. PASACHOFF

GUIDE DES ÉTOILES ET PLANÈTES

Traduction et adaptation françaises
MICHÈLE JOUSSON

Préface
MARCEL GOLAY
Directeur de l'observatoire de Genève

Troisième édition entièrement revue et augmentée

DELACHAUX ET NIESTLÉ

Préface du Fonds mondial pour la Nature (WWF)

Par une belle nuit étoilée, couchez-vous sur le sol et fermez un instant les yeux. Lorsque vous les ouvrez à nouveau, vous vous sentez transportés sur un radeau stellaire qui vous emporte dans la course folle des étoiles. Cette extraordinaire aventure de 15 milliards d'années a déposé dans un recoin de galaxie une bulle de savon, minuscule et fragile, sur laquelle s'est développée la vie, du plancton végétal à l'homme.

Quel déploiement gigantesque d'énergie et de masse il a fallu pour que dans un processus de complexification croissante apparaisse la vie. Quelle subtilité de loi de la physique et de la chimie que quelqu'un a dû placer dans cet univers pour qu'il en arrive là.

La survie de notre vaisseau spatial, la terre, dépend de chacun de ses éléments soigneusement mis en place au cours de l'évolution. Or au moment où nous découvrons physiquement les planètes qui nous entourent, et où nous perçons mieux que jamais les mystères de la création de l'univers, nous délaissons la terre. Reprenons-nous, respectons-la pour que la découverte de l'univers reste une passion, et qu'elle ne devienne pas une nécessité pour quitter une terre morte et empoisonnée.

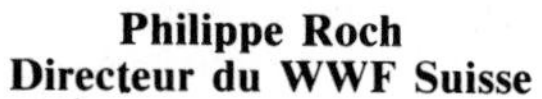

Philippe Roch
Directeur du WWF Suisse

Belgique : WWF - 608, Chaussée de Waterloo - B 1060 Bruxelles
France : WWF - 14, rue de la Cure - F - 75016 Paris
Suisse : WWF - 14, chemin de Poussy - CH 1214 Vernier-Genève

ISBN 2-603-00695-9

Cet ouvrage a paru en édition originale sous le titre:
A field guide to the Stars and Planets aux éditions Houghton Mifflin Company, Boston (USA).

Préface

Chaque jour, des articles de journaux, des émissions de radio ou de télévision, nous informent sur un ou plusieurs événements qui se produisent quelque part dans l'Univers, fort loin de nous. Ces phénomènes cosmiques nous les détectons, nous les mesurons, nous les analysons, nous les compliquons parfois; cependant, le plus souvent, ils sont une énigme de plus pour les scientifiques de notre temps.Trouver une explication à chacune de ces nouvelles énigmes exigera, la plupart du temps, des efforts de plusieurs centaines de chercheurs, durant de nombreuses années tout en utilisant les immenses moyens qu'offre la technologie moderne.

Il n'y a aucune commune mesure entre les moyens dont disposent les chercheurs d'aujourd'hui et ceux de 1964, date de la première édition du *Guide des étoiles et planètes* rédigé par Donald H. Menzel alors directeur de l'Observatoire de Harvard. La présente édition est la traduction de l'addition en anglais de 1983 du Guide des étoiles et planètes, version modernisée de celle de 1964 par Jay M. Pasachoff alors directeur de l'Observatoire de Hopkins (USA) et un brillant élève de Donald H. Menzel. La traduction française a été effectuée par Michèle Jousson qui a été pendant longtemps assistante à l'Observatoire de Genève. Une brève introduction a été ajoutée par Noël Cramer, astronome à l'Observatoire de Genève et vice-président de la *Société Astronomique Suisse*. La « Pincée de connaissances » que Noël Cramer ajoute au texte de Donald H. Menzel et Jay M. Pasachoff met en évidence l'immense importance, pour la compréhension de l'Univers, de quelques phénomènes apparus depuis 1983 et du progrès des nouvelles technologies mises en œuvre pour leur étude.

La communauté internationale des astronomes dispose au sol et dans l'espace des télescopes les plus puissants, à la limite des possibilités de la technologie moderne, instruments en plus équipés de récepteurs complexes d'une extrême sensibilité. Les ordinateurs actuels permettent de simuler des systèmes stellaires, des galaxies, des états physiques tant de la subtile matière interstellaire que de la matière hyperdense du cœur des étoiles. Les sondes interplanétaires analysent les comètes, ces messagers du milieu interstellaire, les autres planètes et leur environnement, nous permettant ainsi de reconstituer l'histoire de la formation du système solaire et de la Terre au cours de ces cinq derniers milliards d'années.

Les amateurs d'astronomie profitent aussi des progrès technologiques effectués dans nos observatoires. Leurs télescopes sont souvent comparables à ceux que nous avions dans nos observatoires universitaires en 1964, mais avec une puissance sérieusement augmentée en les équipant avec des caméras électroniques que l'on trouve aisément dans le commerce des appareils photographiques et cinématographiques. Quant à leurs observations, ils peuvent les analyser à l'aide de calculatrices de poche ou de modeste PC et, là encore, disposer de moyens auxquels l'astronome de 1964 n'osait même pas rêver.

Un immense champ d'exploration du ciel est donc à la portée de l'amateur d'astronomie de cette fin du 20e siècle. Nous n'avons, en effet, des connaissances sérieuses que sur quelques centaines de milliers d'étoiles parmi les 150 milliards de notre Voie Lactée. Nous ne connaissons, plus ou moins bien, que quelques milliers de galaxies sur les quelques milliards accessibles à nos instruments. Tous ces objets cosmiques sont si complexes que chacun d'eux, une fois bien étudié, révèle des phénomènes qui le diffèrent de tous les autres.

Les amateurs d'astronomie peuvent donc contribuer au progrès de cette science car ils sont nombreux. De plus ils sont répartis à la surface de toute la Terre et grâce à la sensibilité de leurs instruments ils sont capables de détecter des objets cosmiques nouveaux (astéroïdes, comètes, novae, supernovae) ou des variations imprévues parmi les astres accessibles à leurs instruments (parfois même sur des étoiles visibles à l'œil nu). Pendant ce temps les astronomes professionnels consacrent toute leur attention à étudier des phénomènes bien spécifiques avec des instruments puissants et spécialisés.

Un champ magnifique d'exploitation reste donc ouvert à l'amateur et le guide conçu à l'origine par Donald H. Menzel, reste encore aujourd'hui, le meilleur manuel d'astronomie pratique ainsi que l'affirmait Paul Conderc, excellent astronome de l'Observatoire de Paris, dans la préface de la première traduction française en 1971.

Marcel Golay
Professeur à l'Université de Genève
Directeur de l'Observatoire de Genève

Avant-propos
UNE PINCÉE DE CONNAISSANCES

Dans notre civilisation de plus en plus urbaine, l'éclairage public et la pollution atmosphérique font que de moins en moins de gens sont conscients du ciel étoilé qui s'offre à leur vue chaque nuit de beau temps.

L'astronomie vit pourtant actuellement l'aventure qu'ont connue les géographes et les naturalistes des trois derniers siècles. Si l'exploration de la Terre est en ce moment en grande partie achevée, l'expansion de notre vision de l'univers ne s'est jamais déroulée avec une telle rapidité qu'à l'heure actuelle. Une différence importante distingue cependant l'exploration du cosmos de celle de la surface terrestre: à part quelques corps célestes voisins de nous tels que notre Lune, et peut-être la Planète Mars et un petit nombre d'astéroïdes, il est pratiquement impossible à l'homme de se rendre sur place pour y faire ses observations. Le système solaire continuera donc encore longtemps à être exploré par des engins automatiques et par des observations faites à partir de la Terre. En effet, il a fallu presque deux semaines à nos astronautes pour effectuer le voyage Terre-Lune et retour, et douze ans à la sonde *Voyager 2* pour atteindre la planète Neptune en 1989.

Quand nous sortons de notre système solaire, les distances deviennent incomparablement plus grandes. Pour se faire une idée de ces distances, il est utile de les exprimer en termes de temps mis par la lumière pour les parcourir. Avec sa vitesse d'environ 300'000 km/sec, la lumière peut faire un peu plus de sept fois le tour de la Terre en une seconde. Elle met 1.3 secondes pour parcourir la distance Terre-Lune, et 5 heures et 30 minutes supplémentaires pour atteindre l'orbite de la planète Pluton, située aux confins du système solaire et découverte en 1930 après de nombreuses années de recherches. Pour rencontrer l'étoile la plus proche, visible dans la constellation du Centaure de l'hémisphère austral, la lumière doit encore voyager pendant plus de quatre ans. La sonde *Voyager 2* mettrait quelque 100 000 ans pour parcourir cette distance supplémentaire de quatre « années lumière »! On voit que déjà à cette toute première étape de l'exploration de l'univers nous sommes, par la force des choses, des spectateurs.

L'univers est pourtant bâti sur une échelle beaucoup plus vaste encore. Toutes les étoiles visibles à l'œil nu font partie d'une galaxie, notre « voie lactée », qui comprend près de deux cent milliards d'étoiles et s'étend sur un diamètre d'environ 150 000 années lumière. Notre galaxie est entourée d'autres galaxies de types et de dimensions diverses distantes entre elles de quelques centaines de mille à millions d'années lumière. Plusieurs millions de galaxies sont répertoriées actuellement ; les plus distantes connues se trouvent à presque 15 milliards d'années lumière. La lumière qui nous parvient de ces dernières a donc commencé son voyage au moment où l'univers était encore relativement « jeune », car les estimations de son âge se situent entre 15 et 20 milliards d'années.

On pourrait penser que nos moyens d'investigation sont de ce fait extraordinairement limités ; il semblerait aussi que notre extrême isolement fait que l'évolution de la vie sur Terre s'est faite indépendamment des processus physiques en cours dans le reste de l'univers. Nous verrons plus loin que ni l'une ni l'autre de ces suppositions n'est correcte.

Le principal lien entre les spectateurs que nous sommes et les astres est le rayonnement électromagnétique. La partie directement perceptible par nous de ce rayonnement est ce que nous appelons la « lumière » ainsi que, dans certaines limites, le rayonnement infrarouge qui produit une sensation de chaleur sur la peau. Le spectre électromagnétique s'étend loin au-delà de l'infrarouge vers les microondes et les ondes radio et, du côté des longueurs d'onde courtes, vers l'ultraviolet, les rayons X et gamma. Ces rayonnements nous sont imperceptibles ; de plus, la plus grande partie de ceux d'origine cosmique sont absorbés par la haute atmosphère et ne parviennent pas au sol.

Chaque téléspectateur sait qu'il est en permanence traversé par de grandes quantités d'information diffusées par les émetteurs locaux sous la forme d'ondes radio. Ce rayonnement lui est imperceptible jusqu'au moment où il s'équipe d'un récepteur approprié, muni peut-être en plus d'un décodeur. D'une manière semblable, nous recevons du rayonnement électromagnétique de presque chaque objet cosmique. Si l'on fait abstraction du rayonnement solaire, les flux d'origine cosmique sont beaucoup plus faibles que ceux captés par nos antennes TV ; mais ces rayonnements portent les signatures des conditions physiques qui règnaient au moment de leur émission dans des milieux lointains. Ces messages sont codés par les lois de la physique qui sont universelles. Leur décodage dépend de notre connaissance de la physique et de notre aptitude à utiliser ses lois, mais aussi de la qualité des moyens techniques disponibles. Ce sont les progrès réalisés dans ces deux domaines très interdépendants qui sont à l'origine du rapide avancement de l'astronomie moderne. Un événement récent en donne une bonne illustration:

Le 23 février 1987 se produisit dans l'hémisphère austral un événement qu'attendaient les astronomes depuis presque quatre siècles.

Dans le grand nuage de Magellan, une petite galaxie voisine de la nôtre et distante de quelque 170 000 années lumière, une étoile environ quinze fois plus massive que notre Soleil arriva au terme de son existence en explosant. De telles explosions de *supernovae* ont lieu deux à trois fois par siècle dans notre voie lactée; ce sont les événements les plus violents connus dans l'univers. Leur éclat intrinsèque peut atteindre pendant quelques semaines l'équivalent de dix milliards de Soleils, mais la grande quantité de poussière interstellaire répartie dans le plan de notre galaxie nous en cache le plus souvent la vue. La dernière supernova facilement visible à l'œil nu a été observée en 1604, et décrite par Kepler quelques années avant l'intervention du télescope. Plus de 600 supernovae ont été observées au cours de l'histoire. Presque toutes ont eu lieu à des distances énormes, dans des galaxies lointaines, et furent de ce fait difficiles à étudier. Celle du grand nuage de Magellan atteignit pendant quelques semaines l'éclat apparent des étoiles les plus brillantes.

L'apparition de *SN 1987A* (la dénomination officielle de cette supernova) dans le ciel fut signalée par un jeune astronome canadien, I. Shelton, qui se trouvait à l'observatoire de Las Campanas au Chili. Tous les observatoires favorablement placés pour observer le ciel austral se mirent aussitôt à l'œuvre; notamment l'observatoire européen à La Silla de l'ESO *(European Southern Observatory)*, situé également dans le désert d'Atacama au Chili, et actuellement le plus grand observatoire du Monde. Des radiotélescopes au Chili et en Australie se mirent à l'écoute. Le satellite astronomique IUE, conçu pour faire des observations du rayonnement ultraviolet lointain qui est totalement absorbé par l'atmosphère terrestre, enregistra l'intense flux UV initial et sa très rapide décroissance. Le satellite japonais GINGA qui venait d'être lancé, tenta de détecter du rayonnement X. Les astronautes à bord de la station spatiale soviétique MIR ainsi que les équipements automatiques du satellite américain SMM *(Solar Maximum Mission)*, destiné à la surveillance du Soleil et réparé auparavant en orbite par une équipe de la navette spatiale, cherchèrent à déceler le rayonnement gamma (les rayonnements X et gamma commencèrent à apparaître fin 1987, lorsque l'enveloppe gazeuse en expansion devint plus transparente). Des données dans l'infrarouge ont été obtenues par le *Kuiper Airborne Observatory*, un avion spécialement équipé pour ce type d'observations et muni d'un télescope de 90cm. Deux grands détecteurs souterrains, au Japon et aux États-Unis, destinés à la recherche de la désintégration du proton et contenant chacun plusieurs milliers de tonnes d'eau, enregistrèrent des événements qui ne pouvaient être que des neutrinos d'origine cosmique environ trois heures avant que la supernova ne devienne visible. Ces particules, les plus fugitives qui soient, ont une si faible probabilité d'interagir avec la matière qu'elles peuvent traverser la Terre sans être gênées. Ce fut le cas pour les neutrinos vus par ces détecteurs situés dans l'hémisphère nord; les dix-huit neutrinos comptés par ces instruments en l'espace de quelques secondes correspondent à un flux fantastique de 50 milliards de neutrinos par centimètre carré. Cette observation prouve que l'on a bien assisté à la formation d'une «étoile à neutrons» lors de l'explosion, comme le prédisait la théorie. Ces neutrinos ont été émis au moment où le noyau central de l'étoile s'est effondré, en quelques centièmes de seconde, en une étoile à neutrons (un neutrino est émis lors de la fusion d'un électron et d'un proton en un neutron). En cherchant sur des clichés faits auparavant par le télescope de Schmidt de 1 m du champ contenant la supernova, des chercheurs de l'ESO, aidés par des observations provenant du satellite IUE, purent identifier l'étoile progénitrice. Contrairement aux théories classiques cette étoile avait été une supergéante bleue, et non une supergéante rouge à l'atmosphère très étendue. Cette observation tendait à confirmer des calculs récents d'évolution stellaire faits par les astrophysiciens, qui tiennent compte de la perte de masse par vent stellaire et de la convention centrale chez les étoiles les plus massives. Quelques mois après l'explosion, les grands télescopes au Chili et en Australie, équipés de détecteurs CCD qui font des photographies électroniques susceptibles d'être immédiatement analysées par ordinateur, se mirent à suivre l'évolution de reflets de la lumière de l'explosion sur des nuages de poussière interstellaire proches de la supernova. Ces «échos lumineux» permettent de définir la forme et l'emplacement de ces nuages et d'en estimer la densité. Des observations spectroscopiques faites durant les premières semaines, où la supernova était encore très brillante, mirent en évidence plus d'une vingtaine de nuages répartis à des distances différentes le long de la ligne de visée, dans l'espace intergalactique, et dont l'existence avait été insoupçonnée.

Si notre système solaire s'était trouvé une vingtaine d'années lumière plus près du grand nuage de Magellan, ce qui en d'autres termes aurait signifié que cette supernova serait apparue vingt ans plus tôt dans le ciel austral, une grande partie de son message qui a voyagé 170 000 ans aurait été perdue! En effet, les grands observatoires situés au sud de l'équateur et équipés de puissants moyens instrumentaux n'existaient pas encore, les satellites astronomiques n'avaient pas été construits, la détection de neutrinos d'origine cosmique était encore hypothétique, les connaissances théoriques de l'évolution stellaire étaient encore rudimentaires à cause de la difficulté d'accès aux rares ordinateurs suffisamment puissants pour calculer des modèles d'étoiles.

Quelle relation cet événement bien lointain peut-il bien avoir avec la vie sur notre Terre ? En fait, la grande majorité des éléments plus lourds que l'hélium que l'on rencontre dans l'univers ont été synthétisés lors d'explosions de supernovae et éjectés dans l'espace. Nous sommes constitués de « cendres » provenant de la mort d'une multitude d'étoiles.

Aujourd'hui, nous nous trouvons sur le seuil de nouvelles découvertes fondamentales qui seront en partie dues à l'évolution instrumentale. La fin de ce siècle aura vu le lancement du Télescope Spatial qui augmentera d'un facteur 1 000 le volume de l'univers observable. Le satellite astrométrique Hipparcos de l'ESA *(Agence Spatiale Européenne)* aura amélioré d'un facteur supérieur à 10 la précision de la mesure des distances aux étoiles. D'autres satellites destinés aux observations des rayonnements infrarouge, X et gamma auront été lancés. Plusieurs télescopes géants auront été réalisés, dont le plus grand sera le VLT *(Very Large Telescope)* de l'ESO et consistera en quatre télescopes de 8 m de diamètre chacun qui, couplés, équivaudront à un télescope de 16 m de diamètre.

Avec cette constante accélération de notre savoir, il devient de plus en plus important que chacun puisse facilement accéder à une vision graphique de la structure de l'univers qui nous entoure, d'où l'utilité d'un guide comme celui-ci.

Et, pour conclure, quel « poids » représente en ce moment notre savoir ? Nous savons qu'il existe une relation très simple qui lie la masse à l'énergie, comme Einstein l'a démontré au début de ce siècle. Si nous estimons l'énergie totale captée par tous les yeux qui ont scruté le ciel depuis l'antiquité, et par tous les télescopes qui ont servi jusqu'à nos jours, et convertissons cette énergie en masse, nous obtenons l'équivalent d'une pincée de sel ! Une pincée de connaissances...

Noël Cramer
Observatoire de Genève

INTRODUCTION
COMMENT UTILISER CE LIVRE

Ce *guide des étoiles et planètes* s'adresse aussi bien au débutant qu'à l'astronome amateur. Il devrait permettre au lecteur de se familiariser avec le ciel et de mieux comprendre l'univers.

Il faut tout d'abord savoir reconnaître ce que l'on observe, savoir distinguer une étoile d'une planète par exemple, ou pouvoir se repérer parmi les constellations. Le Chapitre I vous conseillera dans vos premiers pas, le Chapitre II vous guidera dans vos promenades au fil des saisons et les cartes du ciel mensuelles du ciel du Chapitre III vous faciliteront l'apprentissage.

Dans le Chapitre IV sont présentés différents astres fixes, dont les étoiles, les nébuleuses, les galaxies. Nous y discutons de la vie d'une étoile. Dans ce chapitre, ainsi que dans les planches en couleurs, nous avons inclus quelques photographies spectaculaires de quelques-uns des plus beaux objets. Vous y trouverez également des sélections de différents types d'astres intéressants à observer.

De nombreux mythes sont associés aux constellations ; ils sont présentés dans le Chapitre V (une liste des constellations est donnée dans la table A-1 de l'Appendice).

Deux types d'astres particulièrement intéressants à observer, les étoiles doubles et variables, sont décrits dans le Chapitre VI. Des cartes d'observation et des tables vous aideront à les repérer.

Le Chapitre VII est constitué essentiellement par un atlas du ciel. 52 planches dessinées par Will Tirion pour l'époque 2000.0 montrent les étoiles et constellations brillantes tout comme les cartes mensuelles ; de nombreux autres astres sont également signalés. Ces planches présentent de façon plus détaillée chaque région du ciel. La plupart des astres signalés peuvent être observés à l'œil nu ou aux jumelles ; cependant vous trouverez ces cartes encore plus intéressantes si vous explorez le ciel avec un télescope. Des descriptions et des photographies accompagnent ces planches. Une clé visuelle pour ces planches d'atlas figure sur les pages de garde de ce guide.

Le Chapitre VIII décrit la Lune et présente un atlas de notre satellite constitué de 10 planches.

Les Chapitres suivants IX, X, XI, XII et XIII traitent du système solaire : planètes et leurs satellites, comètes, atéroïdes, météores et bien entendu Soleil. Les informations les plus récentes sont données pour chacun de ces objets. Vous saurez comment les observer et ce que vous pourrez voir avec des jumelles ou un télescope.

Finalement le Chapitre XIV fournit des explications sur le problème compliqué du temps, les positions des astres et les calendriers.

A la fin de ce livre, nous donnons quelques informations sur les télescopes, ainsi qu'un glossaire et une bibliographie.

CHAPITRE PREMIER

UN PREMIER REGARD DANS LE CIEL

Trouver son chemin dans le ciel, c'est un peu comme trouver son chemin dans une grande ville – c'est facile si vous vous y êtes déjà promené auparavant, sinon cela prend du temps de se familiariser avec les rues et les raccourcis. Dans ce chapitre du *guide des étoiles et planètes*, nous supposons que vous débutez dans l'observation du ciel. Nous vous indiquons les trucs de base pour vous orienter et repérer quelques-unes des étoiles et constellations les plus faciles à observer à l'œil nu ou aux jumelles.

Avant tout déterminez où se trouvent les quatres points cardinaux par rapport à votre lieu d'observation. Si vous n'avez pas de boussole, nous vous indiquons plus loin comment trouver le Nord à l'aide de la Grande Ourse et de l'étoile Polaire.

Une des premières choses que vous remarquerez quand vous commencerez l'étude du ciel, ce seront les différences d'éclats des objets dans le ciel. Une des manières les plus faciles de déterminer ce qui est quoi dans le ciel est, peut-être, de tenir compte de ce fait. Excepté la Lune, les objets les plus brillants du ciel sont des planètes. Les planètes changent légèrement de position de nuit en nuit par rapport aux étoiles de champ; dans le Chapitre IX nous indiquons comment repérer les planètes pour une nuit donnée.

Trois points caractéristiques nous signaleront rapidement si un objet est une planète ou non.

1. **L'éclat**. Quelques planètes sont simplement trop brillantes pour être des étoiles. Vénus, la planète la plus brillante, en est un exemple. Elle ne peut jamais être très éloignée du Soleil dans le ciel. Aussi quand un point extrêmement lumineux – nommé «étoile du soir» – apparaît dans le ciel à l'Ouest après le coucher du Soleil ou dans le ciel du matin vers l'Est avant le lever du Soleil – point alors nommé «étoile du matin» – c'est probablement Vénus. C'est souvent le premier ou le dernier objet visible dans le crépuscule. Mercure, que l'on peut voir dans les mêmes zones du ciel autour du coucher ou du lever du Soleil, n'est jamais aussi brillant ni aussi loin du Soleil que Vénus. Mercure apparaît seulement durant le crépuscule. Ces deux planètes ne restent jamais visibles toute la nuit.

Chaque fois qu'un point très brillant blanc jaune luit dans le ciel au milieu de la nuit, c'est vraisemblablement Jupiter. Au contraire de Mercure et de Vénus, Jupiter n'est pas toujours proche du Soleil, se levant bien après le coucher du Soleil. Mars est rarement plus brillant que Jupiter et l'éclat de Saturne n'est jamais égal à celui de Jupiter ou de Vénus. La planète Mars peut souvent être repérée par le fait qu'elle est légèrement, mais distinctement, colorée en rouge. Saturne par contre apparaît jaune. Les autres planètes sont trop faibles pour être visibles à l'œil nu.

2. **Le scintillement**. Les étoiles scintillent alors que la lumière des planètes semble stable. Le scintillement est un effet de la turbulence de l'atmosphère terrestre : comme de petites régions de l'atmosphère sont en mouvement, la lumière des étoiles traversant celle-ci est déviée. L'intensité lumineuse varie alors légèrement mais rapidement. Des observations avec un télescope montrent qu'une étoile semble bouger, mais à peine. Si les étoiles scintillent et non les planètes, c'est parce que les étoiles sont suffisamment éloignées pour paraître ponctuelles même vues à travers de grands télescopes tandis que les planètes sont assez proches de la Terre pour que leur image dans un télescope soit un disque. Les variations lumineuses provenant de différentes parties du disque se compensent et se corrigent. Ainsi l'éclat et la position de la planète paraissent relativement stables.

Si l'atmosphère est très turbulente ou si vous regardez un objet bas près de l'horizon (dans ce cas votre ligne de vue traverse obliquement l'atmosphère), alors même les planètes semblent scintiller. Dans ces conditions, l'objet que vous observez change également de couleur.

3. **La position**. Toutes les planètes apparaissent toujours près d'une ligne imaginaire qui traverse le ciel ; ainsi les objets qui sont situés loin de cette ligne ne peuvent être des planètes. Cette ligne est appelée l'*écliptique*. C'est le trajet apparent suivi tout au long de l'année par le Soleil. Il est suivi (plus ou moins) non seulement par les planètes mais aussi par la Lune. Toutes les planètes, dont la Terre, tournent autour du Soleil approximativement dans un même plan ; donc de notre point de vue les planètes et le Soleil doivent suivre environ le même trajet dans le ciel. La Lune tourne autour de la Terre sous un angle très faible par rapport au plan des planètes, aussi apparaît-elle toujours près de l'écliptique. L'emplacement de l'écliptique est dessiné sur les Cartes Mensuelles du Ciel du Chapitre III.

Pour l'observateur des latitudes Nord tempérées, Europe, Etats-Unis ou Canada, l'écliptique traverse la partie Sud du ciel. Tous les objets brillants qui sont au *zénith* – le point directement au-dessus de votre tête – ou dans le ciel Nord ne peuvent donc pas être des planètes.

Maintenant que vous êtes capable de dire si vous regardez une étoile ou une planète, vous pouvez observer le ciel et essayer d'identifier quelques-unes des étoiles les plus brillantes. Certains trouvent

Fig. 1. La Grande Ourse, avec une aurore dans le ciel. Notez que l'étoile du milieu du manche est double ; l'étoile la plus faible, Alcor, est au-dessus de la plus brillante, Mizar (Denis Milton).

plus facile d'identifier quelques étoiles individuelles brillantes; d'autres préfèrent localiser des constellations ou des configurations de quelques étoiles situées grossièrement dans la même direction et qui font partie d'une ou de plusieurs constellations.

La Grande Ourse (Ursa Major) est assurément une des constellations les plus frappantes du ciel Nord. Elle est facile à reconnaître, du moins ses sept étoiles principales qui suggèrent, soit un Grand Chariot, soit une Casserole ou même une Cuiller; de plus elle se trouve continuellement au-dessus de l'horizon pour une grande partie de notre globe. Les quatres étoiles composant le récipient de la Casserole forment un carré (actuellement un trapèze) de 10° de côté (dix degrés représentent environ la largeur de votre main quand vous avez le bras tendu vers le ciel). Le manche est dessiné par trois étoiles qui couvrent 15°. Toutes les étoiles du Grand Chariot, sauf celle qui lie le manche à la casserole, ont à peu près le même éclat, ce qui rend facile l'identification de cette configuration.

Les observateurs du ciel, aussi bien professionnels qu'amateurs, expriment l'éclat des étoiles en magnitudes, dont l'échelle est décrite en détail dans le Chapitre III. Plus la magnitude est petite, plus l'étoile est brillante. Les étoiles les plus brillantes du ciel ont une magnitude zéro (0), ou même une magnitude négative (-0.7 et -1.4 par exemple). Les figures 3 et 4 montrent les étoiles les plus brillantes du ciel; les plus faibles qui y sont indiquées ont une magnitude 3.5. A l'œil nu nous pouvons voir des étoiles environ 10 fois plus faibles, soit jusqu'à la magnitude 6, si les conditions d'observation sont parfaites.

Une différence importante entre les cartes ou planches de ce guide et le ciel observé, est que toutes les étoiles ressemblent à des points dans le ciel, même si elles sont d'éclats différents. Les planches représentent ces différences d'éclat par des cercles de tailles dissemblables.

Il est souvent intéressant de commencer par identifier les étoiles brillantes près du zénith. La table 1 indique les 21 étoiles les plus brillantes du ciel. A côté de cette table nous vous proposons un graphique (fig. 2) qui montre à quel moment les étoiles les plus brillantes visibles des latitudes Nord moyennes passent à leur plus haut point dans le ciel. A une date donnée, différentes étoiles culmineront à différents moments de la nuit ; toute la séquence change avec les saisons pendant que la Terre tourne autour du Soleil. Les positions des étoiles se répètent d'année en année.

Sur ce graphique, en fonction de la date et de l'heure d'observation, vous pouvez connaître le nom des étoiles brillantes qui *transitent* à ce moment-là. Un objet transite quand il passe à votre *méridien* – la ligne imaginaire qui relie le point exactement au Nord sur l'horizon et le point exactement au Sud sur l'horizon.

Tableau 1. Les étoiles les plus brillantes

Rang	Etoiles	Constellation	Magnitude		a.r. (époque 2000.0)	déc. (époque 2000.0)
1	Sirius	Canis Major	−1.46	(dbl)	$6^h\ 45^m$	−16° 43'
2	Canopus*	Carina	−0.72		$6^h\ 24^m$	−52° 42'
3	Rigil Kent*	Centaurus	−0.27	(dbl)	$14^h\ 40^m$	−60° 50'
4	Arcturus	Boötes	−0.04		$14^h\ 16^m$	+19° 11'
5	Véga	Lyra	+0.03		$18^h\ 37^m$	+38° 47'
6	Capella	Auriga	+0.08		$5^h\ 17^m$	+46° 00'
7	Rigel	Orion	+0.12	(dbl)	$5^h\ 15^m$	− 8° 12'
8	Procyon	Canis Minor	+0.38		$7^h\ 39^m$	+ 5° 14'
9	Achernar*	Eridanus	+0.46		$1^h\ 38^m$	−57° 14'
10	Bételgeuse	Orion	+0.50	(var)	$5^h\ 55^m$	+ 7° 24'
11	Hadar*	Centaurus	+0.61		$14^h\ 04^m$	−60° 22'
12	Altaïr	Aquila	+0.77		$19^h\ 51^m$	+ 8° 52'
13	Aldébaran	Taurus	+0.85	(var)	$4^h\ 36^m$	+16° 31'
14	Acrux*	Crux	+0.87	(dbl)	$12^h\ 27^m$	−63° 05'
15	Antarès	Scorpius	+0.96	(var)	$16^h\ 29^m$	−26° 26'
16	Spica	Virgo	+0.98		$13^h\ 25^m$	−11° 10'
17	Pollux	Gemini	+1.14		$7^h\ 45^m$	28° 02'
18	Fomalhaut*	Piscis Austrinus	+1.16		$22^h\ 58^m$	29° 37'
19	Deneb	Cygnus	+1.25		$20^h\ 41^m$	+45° 17'
20	Mimosa*	Crux	+1.25		$12^h\ 47^m$	−59° 41'
21	Régulus	Leo	+1.35		$10^h\ 08^m$	+11° 58'

Notes : (dbl) = étoile double ; c'est la magnitude combinée qui est donnée.
(var) = étoile variable ; c'est la magnitude la plus brillante qui est donnée.
a.r. = ascension droite, en heures et minutes.
déc. = déclinaison, en degrés et minutes.
* = étoile non visible des latitudes moyennes Nord.

Le graphique indiquant les périodes de visibilité montre quand les étoiles les plus brillantes du ciel Nord peuvent être observées (à partir des latitudes moyennes Nord) ; l'altitude aximale atteinte au-dessus de l'horizon est donnée pour chaque étoile (pour la latitude 40° N) entre parenthèses.

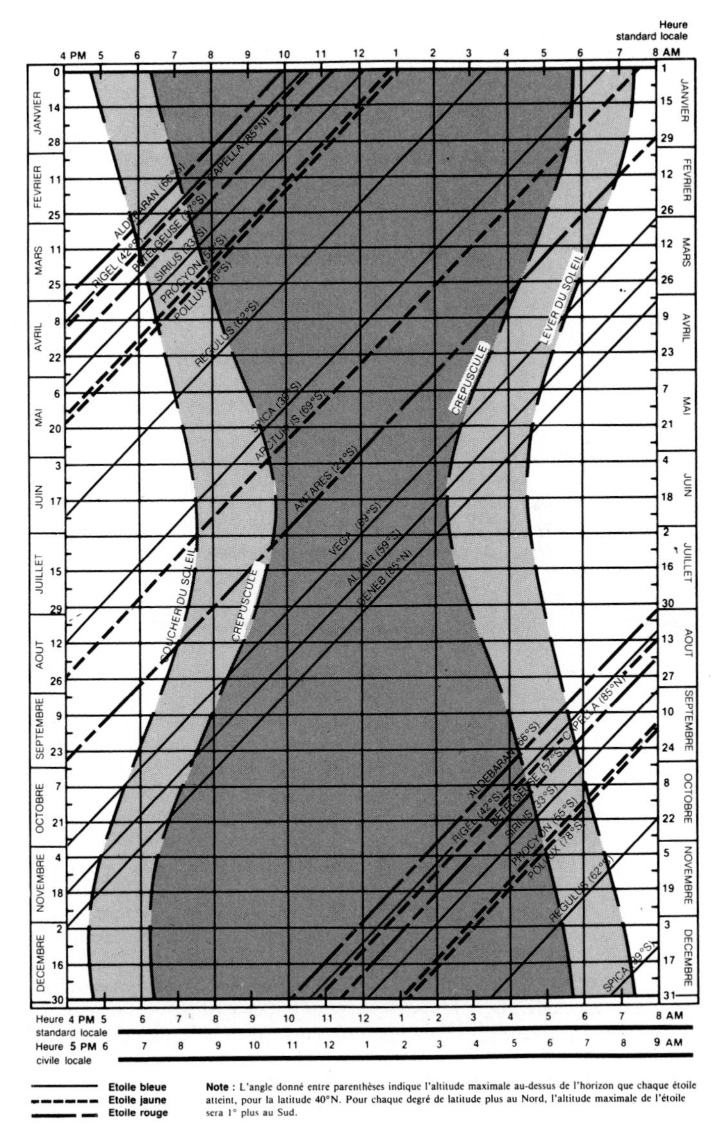

Fig. 2. Périodes de visibilité des étoiles brillantes (© 1982 Scientia, Inc.).

La figure 2 montre également la hauteur des étoiles dans le ciel – exprimée en degrés au-dessus de l'horizon – au moment de leur transit, pour un observateur situé à 40° N de latitude. Cette *altitude* au-dessus de l'horizon est le plus haut point que chaque étoile atteint sur l'arc qu'elle trace dans le ciel. Par exemple, Sirius, l'étoile la plus brillante du ciel atteint au maximum 33° au-dessus de l'horizon Sud – légèrement plus que 1/3 de l'altitude du zénith. Sachant que votre main, le bras tendu, couvre 10° du ciel, vous pourrez estimer l'altitude des étoiles au-dessus de l'horizon (vérifiez que 9 de vos mains couvrent bien les 90° de l'horizon au zénith).

Dans la région proche de l'écliptique, un objet brillant peut aussi bien être une étoile qu'une planète. Quand vous regarderez cette partie du ciel, il faudra savoir quelles sont les planètes déjà levées – au-dessus de l'horizon. (Les graphiques du Chapitre 9 vous donnent ces renseignements)

Les figures 3 et 4 sont des cartes du ciel centrées sur les pôles Nord et Sud respectivement. Les *pôles célestes* sont les points imaginaires où l'axe de la Terre, s'il était prolongé, rencontrerait la sphère céleste. Les pôles célestes Nord et Sud sont situés au-dessus des pôles terrestres Nord et Sud. Comme la Terre effectue une rotation sur elle-même en 24 heures d'Ouest en Est, le ciel paraît tourner aussi en 24 heures autour des pôles célestes dans le sens opposé, c'est-à-dire d'Est en Ouest. A mi-chemin entre les pôles célestes se trouve l'*équateur céleste*, situé sur la sphère céleste au-dessus de l'équateur terrestre. L'équateur céleste sépare le ciel en une moitié Nord et une moitié Sud.

La figure 3 montre la moitié Nord de la sphère céleste ; elle s'étend sur deux pages avec un léger recouvrement entre elles. Cette carte est centrée sur le pôle céleste Nord. Sous le pôle on peut voir la Grande Ourse. Comme le ciel paraît tourner autour des pôles Nord et Sud (suivant dans quel hémisphère vous vous trouvez), vous verrez toujours le pôle à une hauteur constante dans le ciel. (Si vous observez d'une latitude de 45°N, le pôle céleste sera à 45° au-dessus de l'horizon Nord ; si vous observez à la latitude 40° N, le pôle sera à 40°, etc.). Les observateurs des latitudes Nord moyennes, verront la Grande Ourse tourner autour du pôle céleste Nord en 24 heures. Pour ces observateurs, la Grande Ourse est assez proche du pôle céleste pour être toujours visible ; c'est une constellation *circumpolaire*.

La figure 4 montre la moitié Sud de la sphère céleste. Quelques étoiles proches de l'équateur céleste peuvent être observées des latitudes Nord moyennes, d'autres ne seront jamais levées pour ces latitudes.

Commençons nos pérégrinations dans le ciel par la Grande Ourse ; c'est une constellation particulièrement facile à reconnaître et elle permet de repérer d'autres objets intéressants. Les deux étoiles extérieures du Grand Chariot, appelées les *Gardes* de la Grande Ourse, sont un excellent point de départ. Prolongée vers le Nord, sur environ 30° (30° font environ 5 fois la distance qui sépare les deux gardes (5°1/2) ou 3 fois la largeur de votre main), la droite qui les relie conduit à l'Étoile Polaire, Polaris.

L'Etoile Polaire n'est pas une étoile très brillante, toutefois elle l'est suffisamment pour être vue à l'œil nu. C'est l'étoile la plus brillante dans cette région du ciel, ainsi n'est-il pas facile de la confondre avec une autre. La Polaire n'est qu'à 1° du vrai pôle céleste Nord. Elle peut donc orienter non seulement les marins, mais aussi les observateurs du ciel. Quand vous regardez l'Etoile Polaire, vous êtes face au Nord. C'est donc le premier objet à repérer dans le ciel pour vous orienter et utiliser les cartes de ce Guide.

Suivons la ligne qui passe par les Gardes de la Grande Ourse dans le sens opposé, nous arrivons dans la constellation du Lion (Leo) dont la crinière semble clairement dessinée par un groupe d'étoiles dont la forme caractéristique lui vaut parfois le nom de « Faucille ».

Lorsque vous arrivez à la Polaire en partant des Gardes et que vous tournez à droite de 90°, vous rencontrez une étoile très brillante, Capella, dans la constellation du Cocher (Auriga). Puis, continuant votre chemin en lui imprimant un angle de 60° à droite, vous vous dirigez à travers les Gémeaux (Gemini) vers Procyon dans le Petit Chien (Canis Minor).

Si, revenant à la Grande Ourse et partant cette fois d'Alioth, l'étoile du timon la plus rapprochée du Grand Chariot, vous cheminez en direction de la Polaire et prolongez votre route en ligne droite d'une longueur égale, vous arrivez à Cassiopée (Cassiopeia), en forme de W, qui se trouve dans la Voie Lactée. De là, en suivant la Voie Lactée, la première étoile brillante que vous rencontrez est Deneb de la constellation du Cygne (Cygnus). Deneb marque une des extrémités de la Croix du Nord. Si vous continuez un peu – environ 3 largeurs de doigt (6°) – dans la Croix du Nord vous voyez

Tableau 2. Angles dans le ciel

Dessus du récipient de la Grande Ourse	10°
Gardes de la Grande Ourse	5°1/2
Castor et Pollux (dans les Gémeaux)	4°1/2
Grand Carré de Pégase (largeur)	17°
Dernières étoiles du Baudrier d'Orion	3°
Baudrier d'Orion à Bételgeuse ou Rigel	9°
Fin du Baudrier d'Orion à Sirius	21°

Note : Un poing tendu couvre environ 10° dans le ciel

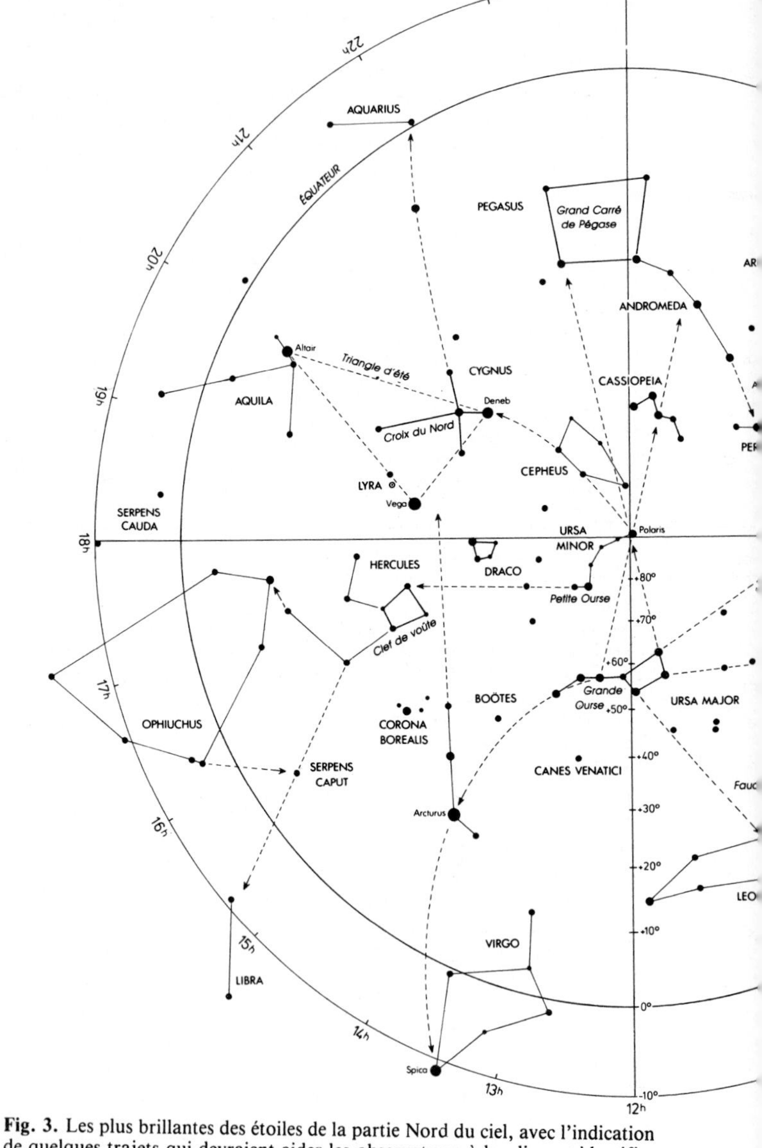

Fig. 3. Les plus brillantes des étoiles de la partie Nord du ciel, avec l'indication de quelques trajets qui devraient aider les observateurs à localiser et identifier les étoiles (Wil Tirion).

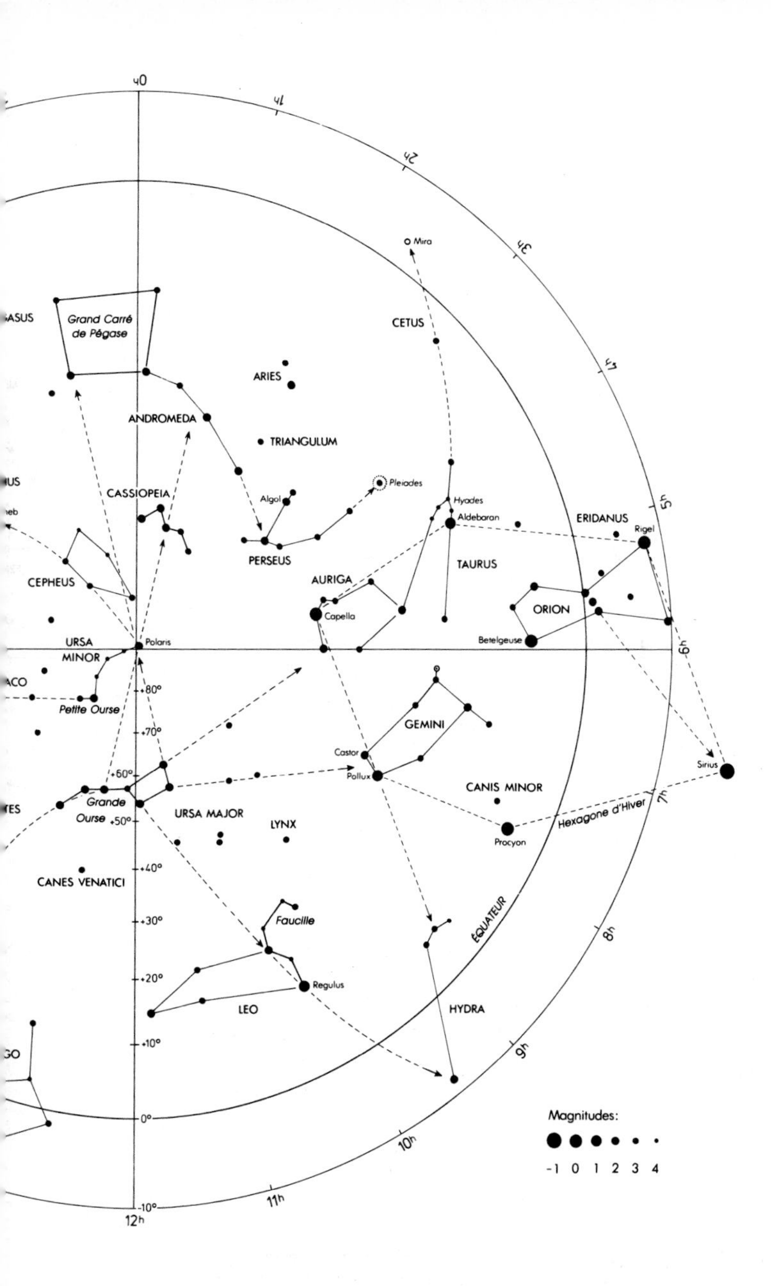

Grand Carré de Pégase
CETUS
ARIES
ANDROMEDA
TRIANGULUM
CASSIOPEIA
Algol
Pleiades
Hyades
Aldebaran
ERIDANUS
Rigel
PERSEUS
TAURUS
CEPHEUS
AURIGA
Capella
ORION
URSA MINOR
Polaris
Betelgeuse
Petite Ourse
GEMINI
Castor
Pollux
Sirius
CANIS MINOR
Grande Ourse
URSA MAJOR
LYNX
Procyon
Hexagone d'Hiver
CANES VENATICI
Faucille
ÉQUATEUR
Regulus
LEO
HYDRA
Mira
Magnitudes:
-1 0 1 2 3 4

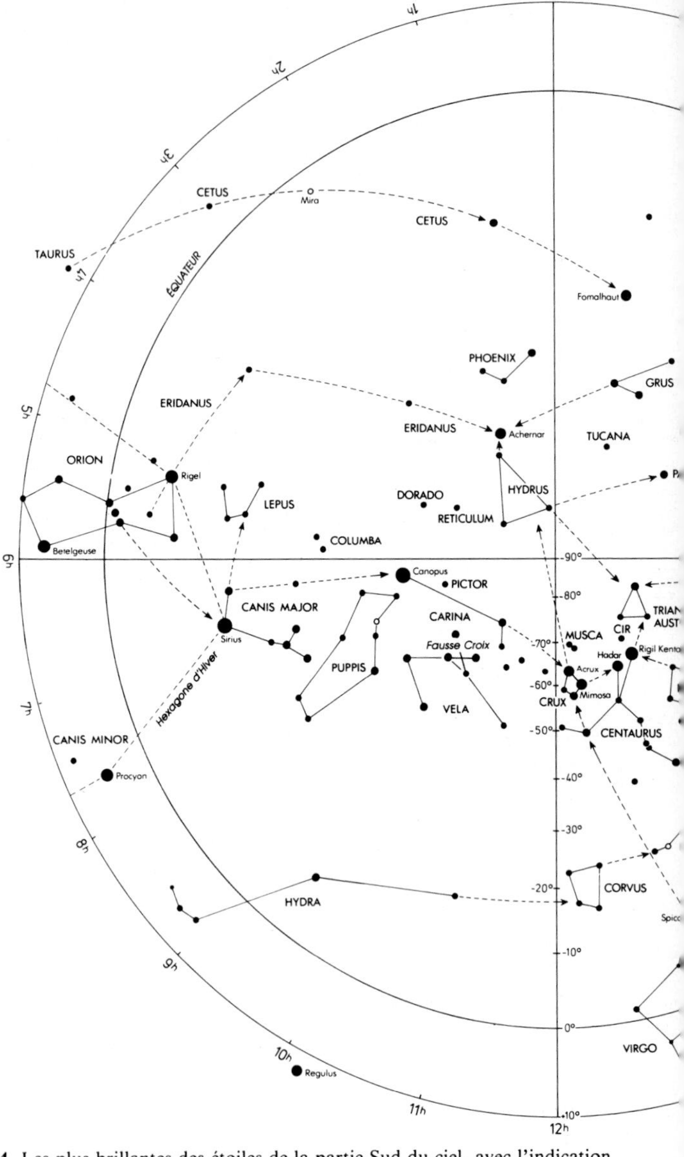

Fig. 4. Les plus brillantes des étoiles de la partie Sud du ciel, avec l'indication de quelques trajets qui devraient aider les observateurs à localiser et identifier les étoiles (Wil Tirion).

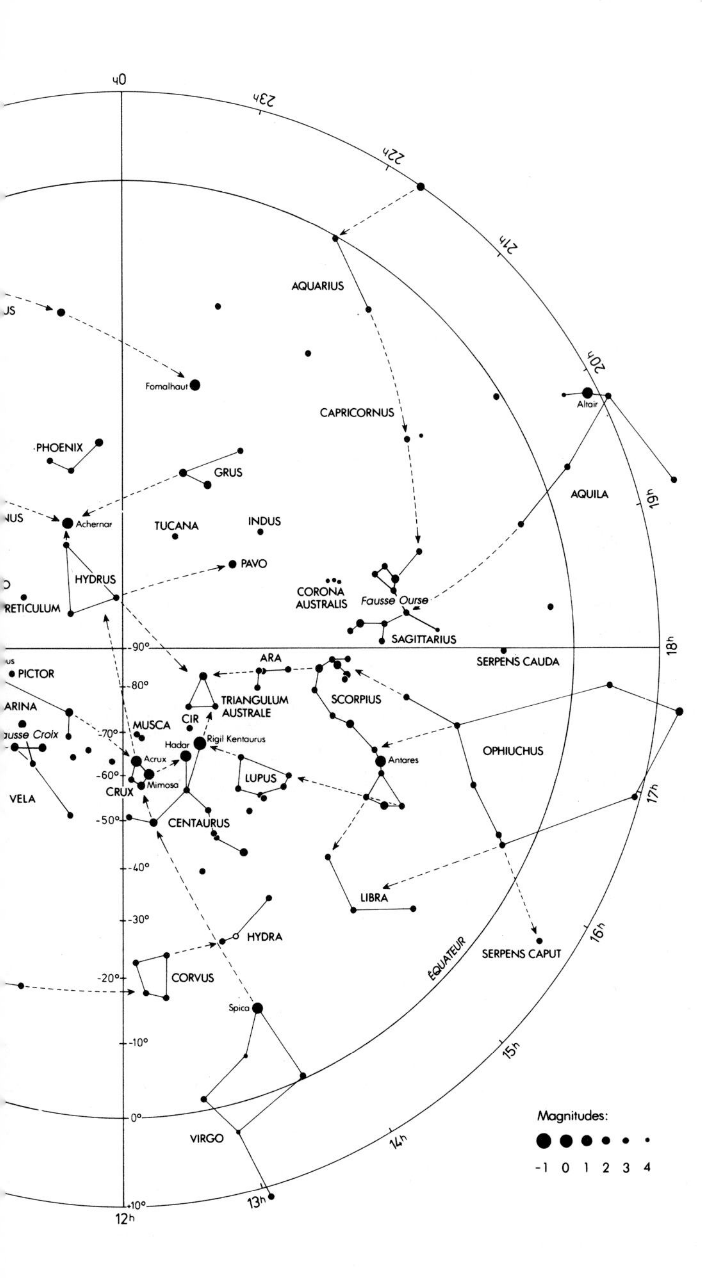
0h
23h
22h
21h
20h
19h
18h
17h
16h
15h
14h
13h
12h
AQUARIUS
Fomalhaut
CAPRICORNUS
Altair
AQUILA
PHOENIX
GRUS
Achernar
TUCANA
INDUS
PAVO
HYDRUS
RETICULUM
CORONA
AUSTRALIS
Fausse Ourse
SAGITTARIUS
SERPENS CAUDA
PICTOR
ARA
TRIANGULUM
AUSTRALE
SCORPIUS
ARINA
MUSCA
CIR
Rigil Kentaurus
Hadar
Acrux
Mimosa
CRUX
Antares
OPHIUCHUS
LUPUS
VELA
CENTAURUS
LIBRA
HYDRA
SERPENS CAPUT
ÉQUATEUR
CORVUS
Spica
VIRGO
-90°
-80°
-70°
-60°
-50°
-40°
-30°
-20°
-10°
0°
+10°
Magnitudes:
-1 0 1 2 3 4

une autre étoile. Cette étoile, Deneb et deux autres étoiles plus faibles forment l'axe principal de la Croix. Dans la direction perpendiculaire, à environ 4 largeurs de doigt (8°) vers la gauche et la droite de cette deuxième étoile, se trouvent les étoiles qui terminent la Croix.

Depuis Deneb, en suivant la Voie Lactée, regardez un peu en bas et à droite : vous voyez Altaïr, une étoile aussi brillante que Deneb. Si vous regardez maintenant un peu plus haut, vous rencontrez Véga l'étoile la plus brillante au-dessus de vous ; elle est notablement plus brillante que Deneb; elle fait partie de la constellation de la Lyre – Deneb, Véga et Altaïr dessinent un triangle isocèle, le Triangle d'été.

Repartez à nouveau de la Polaire, en ligne droite vers le Sud, en direction de l'étoile Caph, à l'extrémité Ouest de Cassiopée, jusqu'à Alpheratz (α Andromedae) : vous aboutissez au côté Est du Grand Carré de Pégase. Les pattes de derrière de ce cheval ailé s'appuient sur le Verseau (Aquarius). Juste au Sud du Carré de Pégase, un petit cercle d'étoiles, l'« Anneau », marque la tête du Poisson occidental de la constellation des Poissons (Pisces). A l'Est d'Andromède (Andromeda) se trouve Persée (Perseus). Une ligne tirée vers le Sud-Est, à partir des jambes d'Andromède, traverse successivement le Triangle (Triangulum), le Bélier (Aries) et la tête de la Baleine (Cetus).

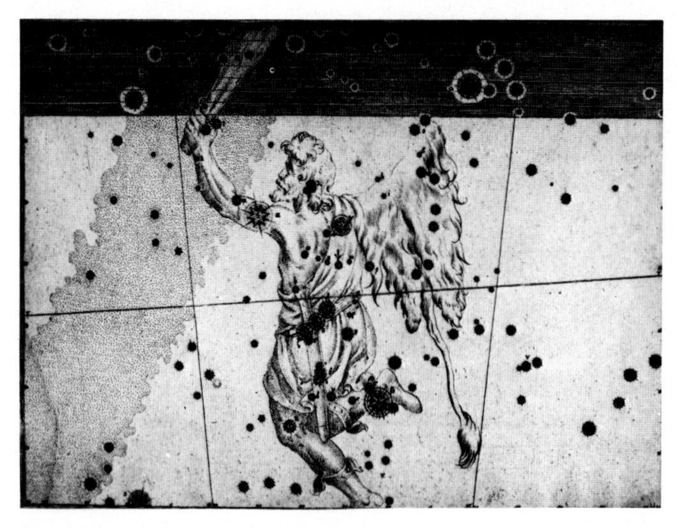

Fig. 5. Orion, le Chasseur, de l'Atlas de Bayer : la première édition fut publiée en 1603 (Smithsonian Institution Libraries).

Revenez une fois encore à la Polaire et essayez de repérer la Petite Ourse (Ursa Minor) dont la figure ressemble à celle du Grand Chariot. Suivez la ligne qui joint la Polaire à l'étoile du Petit Chariot d'où part le timon : en la prolongeant vers le Sud, elle vous conduit à un autre petit cercle d'étoiles, la constellation bien connue de la Couronne Boréale (Corona Borealis). Remarquez en passant comme le corps du Dragon (Draco) paraît protéger la Petite Ourse. La tête du Dragon a la forme et le nom de « Losange » ; elle est juste au Nord d'Hercule (Hercules) dont le centre est bien caractérisé par un quadrilatère d'étoiles. Représenté la tête en bas s'appuyant sur celle d'Ophiuchus, un autre géant, Hercule, vient de tendre son arc de lancer une flèche (Sagitta) sur le Cygne (Cygnus) et l'Aigle (Aquila) qui, semble-t-il, ont pu l'esquiver. Sur les anciennes cartes du ciel, la Lyre (Lyra), constellation voisine, était également désignée par un oiseau, un Vautour (Vultura).

Au Sud de l'Aigle se trouve le Sagittaire (Sagittarius) dont la partie centrale fait penser à une « mesure à lait » couchée : certains lui donnent parfois ce nom. Au Sud d'Ophiuchus, le Scorpion (Scorpius) se distingue par son étoile rouge Antarès et son aiguillon acéré situé sous le pied gauche du géant. Les Anciens voyaient dans la Balance (Libra), à l'Ouest du Scorpion, les pinces de celui-ci.

Retournez maintenant à la Grande Ourse ; tracez un arc dans le prolongement du timon du Grand Chariot en direction de l'étoile Arcturus et continuez la courbe jusqu'à une autre étoile, l'Epi (Spica). Considérez alors trois triangles remarquables : le triangle isocèle Arcturus, Spica et Denebola (β Leonis), le triangle rectangle Régulus, Procyon et Alphard (α Hydrae) et le triangle Procyon, Bételgeuse et Sirius. Neuf étoiles, Aldébaran, Capella, Castor, Pollux, Procyon, Sirius, Rigel, Bellatrix et Bételgeuse dessinent dans le ciel un grand G, qu'on appelle le « G céleste ».

Orion, le Chasseur, combat sans cesse le Taureau (Taurus). Le Lièvre (Lepus) est couché aux pieds d'Orion.

Pour vos promenades dans le ciel austral, utilisez la carte de la figure 4. Les étoiles du Baudrier d'Orion dirigent le regard vers l'étoile la plus brillante du ciel, Sirius, dans le Grand Chien (Canis Major). L'Eridan (Eridanus, le fleuve) prend sa source non loin de Rigel, sous le pied d'Orion, et déroule son long cours sinueux vers le Sud jusqu'à une étoile de première grandeur, Achernar. Canopus, étoile très brillante de la Carène (Carina), se voit juste au Sud de Sirius. Le triangle rectangle Canopus, Sirius, Rigel se détache nettement.

Canopus, Achernar et Toliman (α Centauri, également appelée Rigel Kent, la « jambe du Centaure ») forment, elles aussi, un triangle plus petit constitué par le Grand et le Petit Nuage de Magellan, et le pôle austral. Il n'y a pas dans l'hémisphère Sud d'étoile analogue à la Polaire.

On peut repérer le pôle Sud en tirant une droite du pied du Sagittaire vers le Paon (Pavo). Remarquez les positions rapprochées des quatre oiseaux : le Paon, le Toucan (Tucana), le Phénix (Phoenix) et la Grue (Grus). Venant du Nord, l'eau du Verseau (Aquarius) coule dans la gueule du Poisson Austral (Piscis Austrinus).

Une ligne quelque peu irrégulière aboutit aussi au pôle Sud ; partant de la queue du Scorpion en direction du Sud, elle traverse l'Autel (Ara) et le Triangle Austral (Triangulum Australe). L'Autel se trouve à l'Est du Loup (Lupus). Notez encore que le Centaure (Centaurus) est juste au Sud du Corbeau (Corvus), alors que le Triangle Austral se situe légèrement à l'Est du Centaure. Les deux étoiles les plus brillantes du Centaure donnent la direction de la Croix du Sud (Crux), toute proche à l'Ouest : ceci vous permettra de la distinguer de la « Fausse Croix », formée par les étoiles ι et δ et $\varkappa$ Velorum, qui est un peu plus grande. Toutes deux sont dans la Voie Lactée, et ont leurs bras sensiblement parallèles.

Dès que vous serez familiarisé avec les itinéraires que nous venons de décrire, il vous sera facile de trouver un nombre suffisant de constellations-clefs qui vous permettront d'en situer d'autres. A chaque nouvelle découverte il vous faudra vérifier et revérifier le cheminement suivi, et ceci d'une saison à l'autre, car les étoiles changent lentement de position par rapport au Soleil.

Les Chapitres II et III vous fourniront d'autres compléments très utiles.

CHAPITRE II

UNE PROMENADE DANS LE CIEL

Le Soleil domine le ciel diurne. Le rayonnement solaire diffusé par l'atmosphère terrestre rend le ciel bleu. Ce ciel bleu est plus brillant que n'importe quelle étoile : c'est pourquoi nous ne pouvons voir les étoiles durant la journée. Quand le ciel est assez clair, la Lune peut-être vue le jour, spécialement si vous connaissez sa position. Le Chapitre VIII parle des phases de la Lune et indique comment trouver la Lune dans le ciel.

Peu après le coucher du Soleil ou juste avant son lever, le ciel est suffisamment sombre pour que nous puissions voir les plus brillantes des planètes et des étoiles. Vénus est le plus lumineux de ces objets et peut parfois être assez brillant pour projeter des ombres perceptibles. Un autre objet très remarquable, car souvent encore plus proche du Soleil, est Mercure.

Les planètes visibles tard dans la nuit appartiennent au trio : Jupiter, Mars et Saturne, très éloignés du Soleil. La nuance rouge de Mars est subtile, néanmoins pas difficile à remarquer même à l'œil nu. Il faut au minimum un petit télescope pour discerner les anneaux de Saturne, de même pour les lunes, les ceintures et la Grande Tache rouge de Jupiter. Grâce aux graphiques du Chapitre IX vous pourrez savoir d'un coup d'œil quelles sont les planètes visibles au moment où vous observerez. Les caractéristiques qui vous permettent de distinguer les planètes des étoiles brillantes sont décrites dans le Chapitre I.

Au-delà du système solaire

Les étoiles deviennent visibles quand le ciel s'assombrit. En ville, seules quelques douzaines d'étoiles sont distinctes car le ciel reste très brillant même la nuit. Mais loin des brumes de la pollution et des reflets des lumières des villes, il est possible de voir environ 3000 étoiles à l'œil nu.Un nombre égal d'étoiles sont cachées sous l'horizon et seront vues plus tard dans la nuit ou à une autre époque de l'année. Les autres étoiles ne sont visibles que par des observateurs situés plus près de l'équateur ou dans l'autre hémisphère. Les planches de l'Atlas et leurs descriptions, dans le Chapitre VII, montrent tout le ciel – les étoiles et les constellations qui sont visibles aussi bien de l'hémisphère Sud que de l'hémisphère Nord. Cependant beaucoup de discussions sont basées sur des latitudes Nord moyennes car c'est là que se trouveront certainement la plupart des utilisateurs de ce Guide.

La région proche de l'Etoile Polaire est visible toute l'année à partir des latitudes Nord tempérées. De ces régions, vous pouvez facilement voir la Grande Ourse. Dans le ciel de soirée d'automne, la Casserole est à l'endroit, alors qu'elle apparaît la tête en bas dans le ciel de soirée au printemps. La figure 6 montre la Grande Ourse, de l'atlas céleste de Johannes Hévélius publié en 1690.

Les deux étoiles extérieures de la Grande Ourse, les Gardes, sont alignées en direction de l'Etoile Polaire à l'extrémité de la queue de la Petite Ourse. Pour trouver la Polaire, il faut suivre une ligne qui s'étend au Nord des Gardes sur environ 30°. Trente degrés représentent 1/3 de la distance entre l'horizon et le zénith. Tendez votre bras à l'horizontale et montez de 1/3 vers le zénith, cela vous donnera une idée de ce que représentent 30°. (30° c'est aussi environ 3 largeurs de main quand vous avez le bras tendu). L'altitude de la Polaire au-dessus de l'horizon est égale à votre latitude. Par exemple, si vous êtes à la latitude 45°, la Polaire est à 45° au-dessus de l'horizon. Si vous êtes au pôle Nord, latitude 90°, la Polaire est à 90° au-dessus de l'horizon, soit directement au-dessus de vous.

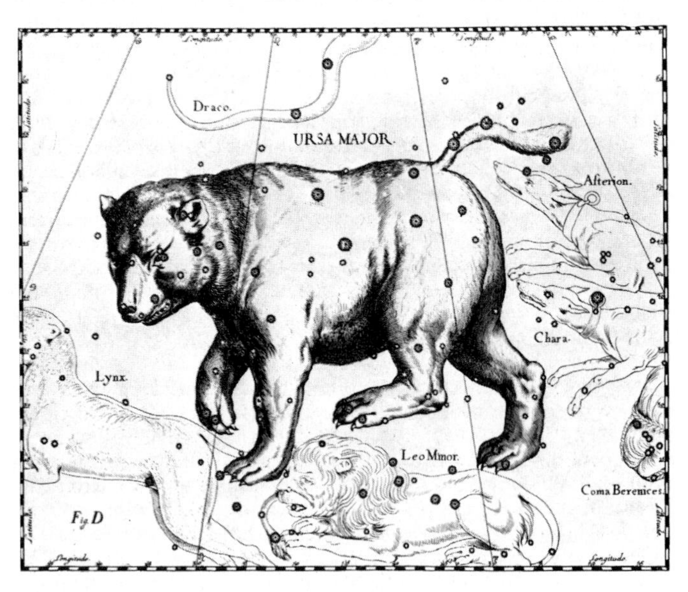

Fig. 6. Ursa Major, la Grande Ourse, de l'Atlas d'Hévélius (1690). Le manche de la Casserole est dans la queue de l'Ourse, et le récipient est dans son dos. La constellation est dessinée à l'envers par rapport à ce que l'on observe dans le ciel car Hévélius dessinait la sphère céleste comme elle devrait apparaître d'une étoile située à l'extérieur.

La Polaire reste au même endroit dans le ciel toute l'année. Comme sa position est stationnaire, la Polaire est visible durant toute l'année et apparaît sur toutes les cartes du ciel pour l'hémisphère Nord du Chapitre III. Vous pouvez utiliser la Polaire comme point de référence en toutes saisons pour repérer les autres étoiles. La Grande Ourse, la Petite Ourse et les autres constellations circumpolaires proches de la Polaire restent également visibles au-dessus de l'horizon toute l'année.

D'autres groupes d'étoiles, comme nous le verrons plus loin, sont visibles uniquement durant certaines périodes de l'année. Chaque nuit ces étoiles se lèvent vers l'Est, tournent autour de la Polaire, et ensuite se couchent sous l'horizon Ouest. Au fil des saisons, des groupes successifs de constellations traverseront ainsi le ciel.

Les promenades saisonnières

Pour chaque promenade, il vous faudra consulter la carte du ciel du Chapitre III qui convient. Beaucoup de ces sentiers invisibles dans le ciel sont indiqués sur les figures 3 et 4 du Chapitre I.

Le ciel d'automne

Dans le ciel sombre d'une soirée d'automne, les Gardes de la Grande Ourse pointent en montant vers l'Etoile Polaire. De la Polaire, suivez la Petite Ourse, qui est la tête en bas. Une légende des Indiens d'Amérique raconte que les couleurs de l'automne s'écoulent de la Casserole pour donner aux arbres leurs teintes lumineuses.

De la Polaire, prolongez votre route venant du Grand Chariot en ligne droite et sur une égale distance, vous arriverez dans une constellation importante en forme de W, Cassiopée (fig. 7). Cette constellation, comme la plupart des autres, était connue des Grecs anciens et a été nommée d'après un personnage de leur mythologie. Cassiopée était mariée à Céphée, roi d'Ethiopie, qui a sa propre constellation, en forme de maison avec un toit pointu et qui se trouve à l'Ouest de Cassiopée.

Si vous continuez au-dessus de Cassiopée, vous rencontrerez la constellation qui porte le nom de la fille de Cassiopée, Andromède. Dans Andromède, il est parfois possible de voir à l'œil nu une faible tache floue. Cette lumière vient du centre de la Grande Galaxie d'Andromède, la galaxie la plus proche de nous. (Une *galaxie* est un énorme groupe formé de milliards d'étoiles, de gaz et de poussières). La Galaxie d'Andromède (M31) est bien plus éloignée de nous que toutes les étoiles individuelles que l'on peut voir dans le ciel ; c'est l'objet le plus éloigné que nous puissions voir à l'œil nu. Un télescope est nécessaire pour voir la forme en spirale de cette galaxie.

Fig. 7. Cassiopée, de l'Atlas de Bayer (1603). L'objet le plus brillant était une étoile en explosion - une supernova - visible uniquement au moment où la carte fut dessinée. (Smithsonian Institution Libraries)

A présent, regardez haut dans le ciel, au Sud d'Andromède. Vous verrez quatre étoiles marquant les coins d'un carré, connu comme le Grand Carré de Pégase (fig. 8). Pégase était le cheval volant de la mythologie grecque.

S'il fait vraiment très sombre, vous pourrez également voir la Voie Lactée qui passe au-dessus de votre tête, directement au travers de Cassiopée. La *Voie Lactée* – un groupement d'étoiles, de poussières et de gaz de notre propre Galaxie – apparaît comme une bande brumeuse traversant le ciel, avec des bords chahutés, des taches sombres et des déchirures.

De Cassiopée, en suivant la Voie Lactée vers l'Est, vous arrivez dans la constellation de Persée. Dans la mythologie grecque, Persée était un héros qui trancha la tête de la Méduse, s'envola sur Pégase et de son cheval ailé vit Andromède qu'il sauva du monstre marin, Cetus (la Baleine). Des jumelles ou un télescope vous révéleront dans Persée, deux *amas ouverts*, groupes formés d'un grand nombre d'étoiles très proches les unes des autres.

De l'autre côté de Cassiopée, au-delà de Céphée en suivant la Voie Lactée, une étoile brillante est visible au-dessus de votre tête, Deneb.

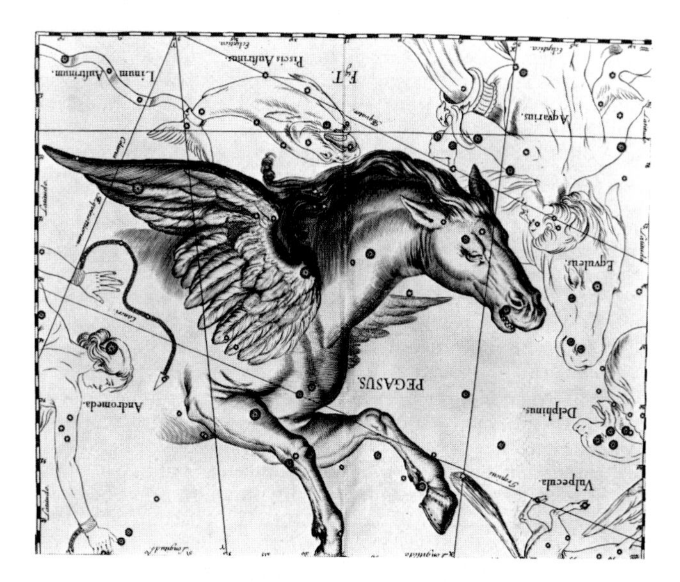

Fig. 8. Pégase (vu de derrière), de l'Atlas d'Hévélius (1690). Le Grand Carré de Pégase est marqué par quatre images d'étoiles plus grandes : une représente l'aile ; une autre, l'endroit où l'aile rejoint le dos ; une troisième, le haut de la patte ; et une quatrième, fait partie maintenant de la tête d'Andromède.

Elle fait partie d'un groupement d'étoiles, connu comme la Croix du Nord, situé dans la constellation du Cygne (Cygnus). Ce cygne semble voler vers le Sud, comme le font les oiseaux à cette époque de l'année. Deneb est l'étoile qui se trouve sur la queue du cygne. Légèrement à l'Ouest du Cygne, vous pouvez voir Véga, de la constellation de la Lyre (Lyra), qui est la troisième étoile la plus brillante visible des latitudes Nord moyennes.

Plus à l'Ouest, plus loin que Véga, vous arrivez dans la constellation d'Hercule, qui tient son nom du héros grec qui réalisa 12 grands travaux. A l'aide de jumelles ou d'un petit télescope, vous pourrez à peine voir un objet qui ressemble à une tache brumeuse. Cet objet est un *amas globulaire*, un groupe sphérique constitué de milliers d'étoiles. Il est nommé M13 d'après sa place dans le catalogue d'objets non-stellaires de Messier (table 13) compilé au XVIIIe siècle par Charles Messier.

Le ciel d'hiver

Au crépuscule d'un soir d'hiver, la Grande Ourse est basse dans le ciel. Les constellations qui étaient les plus faciles à voir en automne apparaissent maintenant, à la même heure, de nuit en nuit plus proches de l'horizon Ouest. Aux environs du 1er Janvier, le Cygne, est situé dans la partie Ouest du ciel en début de soirée ; Cassiopée est au-dessus de nous à notre Nord ; Persée est au plus haut dans le ciel.

La Voie Lactée, la bande brumeuse de gaz et de poussières qui donne son nom à notre Galaxie, apparaît également haute dans le ciel en début de nuit à cette époque de l'année. Notre Galaxie, la Voie Lactée, a une forme de disque. Nous pouvons voir de nombreuses étoiles et beaucoup de gaz et de poussières en regardant dans le plan du disque, alors que nous ne verrons que quelques étoiles et peu de poussières ou de gaz en regardant dans les autres directions. En suivant toujours la Voie Lactée vers le Sud-Est, la prochaine constellation rencontrée est celle du Cocher (Auriga) avec son étoile brillante Capella.

Dans la partie Sud de la Voie Lactée, un amas composé de 6 ou 7 étoiles proches, bien que faibles, attirent le regard. Ces étoiles sont les Pléiades, les sept sœurs de la mythologie grecque, filles d'Atlas. Les Pléiades sont en fait un amas de plus d'une centaine d'étoiles ; plus votre instrument d'observation sera puissant, plus vous verrez d'étoiles. La carte d'Atlas 10 du Chapitre VII est accompagnée d'une carte spéciale montrant les étoiles les plus brillantes des Pléiades.

Regardez encore plus au Sud, et consultez la carte pour l'horizon Sud. Le groupe d'étoiles le plus frappant dans ce ciel d'hiver est constitué de trois étoiles brillantes alignées. Elles forment le Baudrier d'Orion (fig. 9). En dessous du Baudrier il y a son épée. Sur son épaule, se trouve l'étoile rouge Bételgeuse, une des étoiles les plus lumineuses visibles des latitudes Nord tempérées. De l'autre côté du Baudrier, symétriquement vous trouvez l'étoile bleue, Rigel, marquant le talon d'Orion. La couleur d'une étoile nous renseigne sur sa température (cf. Chapitre IV) ; les étoiles rouges sont relativement froides – environ 3 000°C – et les étoiles bleues sont relativement chaudes – plus de 10 000°C.

A proximité de l'épée d'Orion (fig. 10) une région brumeuse, la Nébuleuse d'Orion, est visible avec des jumelles ou avec un petit télescope. La Nébuleuse d'Orion (PL.C.13) montre la présence de gaz et de poussières ; de nouvelles étoiles sont formées actuellement dans son voisinage. De nombreuses nébuleuses sont en fait des « nurseries », c'est-à-dire des lieux de formation stellaire continue ; nous discutons de cela plus en détail dans le Chapitre IV.

Orion semble combattre sans cesse le Taureau (Taurus), une constellation que vous trouvez au-delà du bouclier d'Orion. Entre le sommet de l'écu et les Pléiades luit un groupe d'étoiles en forme de V, les Hyades. L'étoile rouge Aldébaran marque l'extrémité d'un des côtés du V. Les Hyades indiquent la face du Taureau ; les Pléiades chevauchent les épaules du Taureau. Les Hyades et les Pléiades sont des *amas* d'étoiles *ouverts* (également appelés *amas galactiques*);

ces amas sont des groupes de formes irrégulières constitués de 100 étoiles ou plus très proches les unes des autres.

Au pied d'Orion se trouve son chien, Canis Major. Le Baudrier d'Orion pointe directement vers Sirius, l'étoile la plus brillante du ciel. Levée peu après Orion, Sirius semble blanc-bleu et fait partie de la constellation du Grand Chien. Cette étoile brillante forme un triangle équilatéral avec Sirius et Bételgeuse.

Le ciel de printemps

Quand le printemps arrive, Orion et les Hyades se rapprochent de l'horizon Ouest tous les soirs un peu plus et peuvent même disparaître de notre vue après le coucher du soleil. Maintenant apparaît une paire d'étoiles, les jumeaux Castor et Pollux, dans le ciel Ouest au crépuscule. Ces étoiles font partie de la constellation des Gémeaux (Gemini), nommée d'après deux dieux guerriers romains. Au Sud des Gémeaux, l'étoile brillante Sirius de la constellation du Grand Chien (Canis Major) domine le ciel Ouest. La constellation La Poulpe (Puppis), au Sud de Sirius, contient une étoile, Zeta Puppis, intrinsèquement brillante et chaude. Zeta Puppis est très éloignée de nous, c'est pourquoi elle ne paraît pas très brillante quand

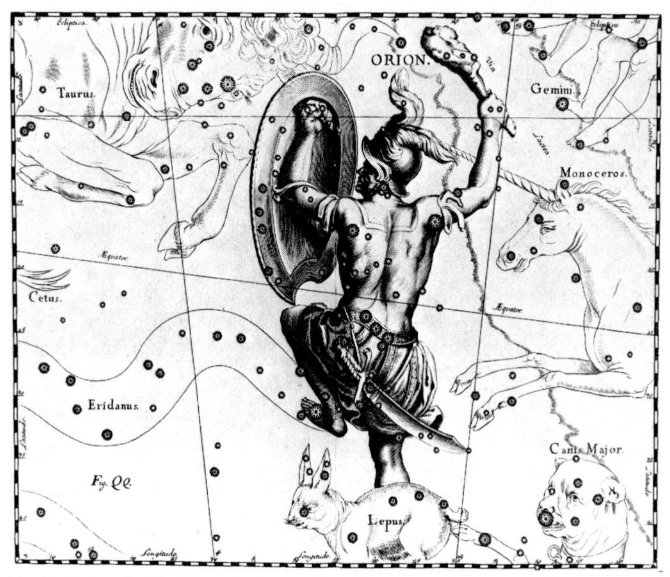

Fig. 9. Orion, le Chasseur (dessiné de derrière - comparez avec la Fig. 5) de l'Atlas Hévélius.

Fig. 10. Orion, photographié avec un télescope à grand champ. Notez les trois étoiles du Baudrier. Bien que Bételgeuse dans son épaule et Rigel dans son talon semblent avoir à l'œil le même éclat, Rigel est plus bleue et ainsi paraît plus brillante sur des films plus sensibles dans le bleu comme celui utilisé ici. L'Epée d'Orion avec sa fameuse Nébuleuse est directement sous l'étoile centrale du Baudrier. (Harvard College Observatory)

nous observons cette partie du ciel. La Poulpe, la Carène (Carina), les Voiles (Vela) et la Boussole (Pyxis) formaient autrefois une constellation géante, le Navire Argo (fig. 68).

La Grande Ourse ou Casserole est haute dans le ciel Nord des soirées de printemps. Elle est tellement inclinée que toutes sortes de choses imaginaires semblent s'en échapper. En suivant la direction indiquée par les Gardes, vous arrivez dans la constellation du Lion (Leo), juste au Sud du zénith. Pour beaucoup, le Lion ressemble plus à un point d'interrogation ou à une faucille qu'à une tête de lion. Une étoile brillante, Régulus, est située à la base de ce point d'interrogation, sur le cœur du Lion. A l'Est de Régulus, un triangle dessine le reste du corps du Lion (fig. 11).

Si vous suivez, vers le Nord, l'arc qui part des étoiles formant le manche de la Casserole, vous atteignez d'abord une étoile rouge brillante, Arcturus, de la constellation du Bouvier (Bootes) puis en continuant sur le même arc une autre étoile brillante, Spica. Cette étoile bleutée se lève à l'Est Sud-Est dans la constellation de la Vierge (Virgo).

Regardez à nouveau vers le Nord-Est, en bas à gauche du Bouvier et d'Hercule, qui se lèvent à l'Est le soir. Vous voyez Véga, une étoile plus brillante que Spica, dans la constellation de la Lyre.

Le ciel d'été

L'été, au coucher du Soleil, l'étoile la plus brillante près du zénith est Véga. Arcturus, très légèrement plus brillante que Véga, est l'étoile rouge aussi haute dans le ciel à l'Ouest. La constellation du Cygne, qui contient les étoiles qui forment la Croix du Nord, est à l'Est de Véga dans la partie la plus haute de la Voie Lactée. Hercule est à environ 10° à l'Ouest de Véga.

Depuis le Cygne, en suivant la Voie Lactée, vous arrivez dans la constellation en forme de W, Cassiopée. Andromède est au Sud-Est de Cassiopée, près de l'horizon. La Grande Galaxie d'Andromède, M31, est à peine visible à l'oeil nu. Le Grand Carré de Pégase est plus au Sud, du même côté de la Voie Lactée qu'Andromède.

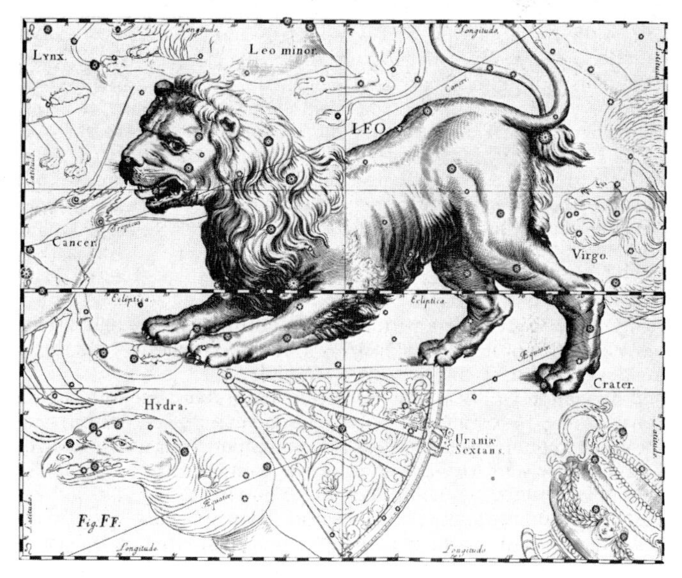

Fig. 11. Leo, le Lion (vu de derrière), de l'Atlas d'Hévélius.

Fig. 12. La Voie Lactée, de Cassiopée (à gauche) au Sagittaire (à droite). Les objets brillants au-dessus de la Voie Lactée vers la droite sont des étoiles et des amas d'étoiles du Scorpion. (Palomar Observatory).

L'étoile brillante Spica luit vers le Sud-Ouest, dans la constellation de la Vierge (Virgo). Au Sud, brille une étoile rouge, Antarès de la constellation du Scorpion (Scorpius) (Antarès signifie « comparable à Arès », le nom grec de Mars, car Antarès est très rouge comme Mars). La constellation du Scorpion est très étendue.

A l'Est du Scorpion, dans la constellation du Sagittaire (Sagittarius), se trouve le centre de notre Galaxie. Plus vous êtes au Sud, plus haut culmine le Sagittaire, et mieux vous verrez les beaux nuages d'étoiles situés dans la direction du centre de la Voie Lactée (fig. 12).

En vous déplaçant vers le Sud le long de la Voie Lactée, vous trouvez Altaïr, une étoile de la constellation de l'Aigle (Aquila). Altaïr, Deneb (dans le Cygne) et Véga forment le Triangle d'Eté.

Chaque été, autour du 12 Août, a lieu une pluie de météorites, les Perséides. Au maximum de cette pluie, il est possible de voir, peu avant l'aube, au moins un météorite brillant par minute. Ils traversent le ciel comme un éclair, comme des étoiles filantes, toutefois il n'y a que très peu de poussière interplanétaire qui brûle dans l'atmosphère terrestre. Les dates des principaux essaims de météorites sont données dans une table du Chapitre XII.

Maintenant que vous avez suivi ces promenades saisonnières dans le ciel, vous pouvez utiliser les Cartes Mensuelles du Ciel du chapitre suivant afin de trouver votre chemin dans le ciel à n'importe quel moment de l'année.

CHAPITRE III

LES CARTES MENSUELLES DU CIEL

Le ciel étoilé a l'apparence d'une voûte au-dessus de nos tête. Etablir une carte céleste, c'est donc le même travail que de faire une carte de la surface courbe de la Terre. Il est impossible de reproduire la surface d'une sphère sur une carte plane sans qu'apparaissent des distorsions. Il faut donc choisir une représentation qui distorde le moins possible les régions proches des pôles. Avec la projection de Mercator utilisée habituellement pour les cartes terrestres le Groenland est plus grand que l'Amérique du Sud.

Pour les cartes qui suivent, le ciel est montré comme il apparaît approximativement de la latitude de 45°, ce qui minimise les distorsions.

Comment utiliser les cartes du ciel

Ces Cartes Mensuelles du Ciel sont faciles à utiliser, elles ne nécessitent aucune connaissance des coordonnées célestes. La plupart des objets figurant sur ces cartes sont assez brillants pour être vus à l'œil nu (plus brillants que la magnitude 4.5).

Les 48 premières cartes sont faites pour des observateurs situés dans l'hémisphère Nord. Elles sont dessinées pour des latitudes entre 10° N et 50° N, tout en pouvant facilement être extrapolées pour d'autres latitudes.

Les 24 cartes suivantes sont faites pour des observateurs situés dans l'hémisphère Sud. Elles sont établies pour des latitudes comprises entre l'équateur et 40° S, pouvant elles aussi être extrapolées. Les mots « Carte du Ciel » ainsi que le numéro de la carte sont imprimés différemment (noir sur blanc) afin de les distinguer facilement des cartes de l'hémisphère Nord (blanc sur noir).

Au bas de chaque carte sont dessinées des courbes représentant l'horizon pour différentes latitudes d'observation. Le zénith correspondant est chaque fois indiqué par un signe plus, en haut au milieu. Les directions Est et Ouest sont toujours signalées.

Sur toutes les cartes le ciel s'étend au-delà du zénith afin de faciliter votre orientation. Vous repérerez certainement rapidement les positions des horizons Nord et Sud et du zénith correspondants à votre lieu d'observation. Certains trouveront peut-être utile de découper un masque en papier opaque cachant les étoiles situées sous leur latitude.

Chaque jeu de cartes est valable pour les heures et jours indiqués en bas à gauche. La table 4 résume les numéros de cartes à utiliser suivant la date et l'heure d'observation. Par exemple, la Carte du Ciel – valable à minuit le 1er janvier – est dessinée pour un *temps sidéral* (voir définition dans le Chap. XIV) de 6 h 40 mn. Deux cartes successives représentent le ciel avec un intervalle de deux heures pour la même date ou un mois plus tard à la même heure. Les flèches, près des points Est et Ouest, indiquent la direction de la rotation du ciel durant la nuit.

Au fur et à mesure que la Terre se déplace sur son orbite au cours de l'année, le Soleil avance lentement vers l'Est parmi les étoiles : ceci entraîne que les étoiles se lèvent chaque jour environ 4 minutes plus tôt que le jour précédent. L'avance atteint 1 heure en 15 jours, 2 heures en un mois et un jour en un an.

Chaque Carte Mensuelle du Ciel pour l'hémisphère Nord consiste en deux paires de cartes : les limites des constellations sont dessinées sur la première paire, non sur la deuxième. (Pour l'hémisphère Sud toutes les cartes montrent les limites des constellations). Pour chaque paire de cartes, la page de gauche montre ce que vous voyez en regardant face au nord et la page de droite montre ce que vous pouvez voir face au Sud. Quand vous êtes face au Nord, tenez votre livre avec son bord gauche contre vous. Dans cette position la carte correspond au ciel. Quand vous êtes face au Sud, tenez le livre avec son bord droit contre vous pour que la carte corresponde au ciel.

Sur les cartes la grosseur des points représentant les étoiles est proportionnelle à leur éclat (magnitude). L'échelle des magnitudes est décrite plus loin dans ce même chapitre. Dans cette partie, seuls des objets visibles à l'œil nu sont indiqués. En plus des étoiles, figurent la Voie Lactée et quelques objets particulièrement intéressants. Tous ces astres sont également montrés et décrits dans le Chapitre VII, où figurent 52 Cartes d'un Atlas Céleste. Ces Cartes d'Atlas sont beaucoup plus détaillées que les Cartes Mensuelles, ayant été faites initialement pour des observations avec des télescopes. Chaque Carte Mensuelle du Ciel Montre la moitié du Ciel visible à un moment donné.

Les cartes du ciel ont été soigneusement dressées d'après des catalogues astronomiques. La grosseur de chaque point donne approximativement l'éclat de l'étoile qui se mesure en *magnitude* (ou grandeur) : une échelle comparative est imprimée sur chaque carte de droite. Les étoiles de magnitudes 0 et 1 sont les plus brillantes. Une étoile de magnitude 6 est à peine visible à l'œil nu dans les meilleures conditions d'observation. Les étoiles notées sur nos cartes ont une magnitude inférieure à 4.55. Quelques étoiles plus faibles ont été également dessinées lorsque leur présence s'avère indispensable pour la reconnaissance d'une constellation.

L'échelle de magnitude

Pour distinguer les étoiles par leur éclat apparent, l'astronome grec Hipparque, au IIe siècle avant J.-C., les avait réparties en six grandeurs : les étoiles les plus brillantes étant de première grandeur, le groupe suivant en brillance de seconde grandeur, etc. Les étoiles les plus faibles visibles à l'œil nu étaient de sixième grandeur.

Un système de magnitudes, conservant l'échelle d'Hipparque, a été défini mathématiquement au milieu du XIVe siècle. Des mesures montraient qu'une différence de 5 magnitudes correspondait environ à un facteur 100 en éclat ; l'échelle de magnitude a donc été établie de façon à ce qu'un facteur 100 soit équivalent à 5 magnitudes. Cette échelle logarithmique est telle qu'une différence de magnitude de 1 unité signifie un rapport d'intensité lumineuse de 2.5. Ainsi une étoile de magnitude 2 est 2,5 fois plus brillante qu'une étoile de magnitude 3. La table 4 donne la correspondance entre magnitude et éclat.

L'étoile la plus brillante est Sirius, sa magnitude vaut –1.4. Ensuite vient Canopus, non visible de la majeure partie de l'hémisphère Nord, de magnitude de –0.7. Alpha Centauri (également non visible des latitudes Nord moyennes) est sensiblement plus faible, de même qu'Arcturus. Ces deux étoiles sont légèrement plus brillantes que la magnitude 0.0. Une douzaine d'étoiles ont une magnitude comprise entre 0.0 et 1.0. La plupart sont beaucoup plus faibles ; le nombre d'étoiles contenues dans chaque unité de magnitude augmente rapidement quand celle-ci diminue.

Notez que plus un objet est brillant, plus le nombre donnant sa magnitude est petit (il peut même être négatif).

Sirius est donc la plus brillante des étoiles avec une magnitude –1.4, mais la Lune ou quelques-unes des planètes peuvent être encore plus éclatantes. Vénus peut atteindre la magnitude –4.4. La pleine Lune a une magnitude de –12.6 et le Soleil –26.8.

Tableau 3. L'échelle de magnitude

Différence de magnitudes	Rapport des éclats
1 mag	2.512 fois
2 mag	6.31 fois
3 mag	15.85 fois
4 mag	39.81 fois
5 mag	100 fois
6 mag	251 fois
7 mag	631 fois
8 mag	1 585 fois
9 mag	3 981 fois
10 mag	10 000 fois
15 mag	1 000 000 fois

Tableau 4. Numéros des cartes à choisir pour une date et une heure données

Temps universel	Jan.		Fév.		Mars		Avril		Mai		Juin	
	1	**15**	**1**	**15**	**1**	**15**	**1**	**15**	**1**	**15**	**1**	**15**
18 h	10		11		12		1		2		3	
19 h		11		12		1		2		3		4
20 h	11		12		1		2		3		4	
21 h		12		1		2		3		4		5
22 h	12		1		2		3		4		5	
23 h		1		2		3		4		5		6
24 h	1		2		3		4		5		6	
1 h		2		3		4		5		6		7
2 h	2		3		4		5		6		7	
3 h		3		4		5		6		7		8
4 h	3		4		5		6		7		8	
5 h		4		5		6		7		8		9
6 h	4		5		6		7		8		9	

Note: Pour l'hémisphère Sud, ajouter 12 à chaque numéro de carte

Tableau 4 (suite). Numéros des cartes à choisir pour une date et une heure données

Juil.		Août		Sept.		Oct.		Nov.		Déc.		
1	15	1	15	1	15	1	15	1	15	1	15	Temps Universel
4		5		6		7		8		9		18 h
	5		6		7		8		9		10	19 h
5		6		7		8		9		10		20 h
	6		7		8		9		10		11	21 h
6		7		8		9		10		11		22 h
	7		8		9		10		11		12	23 h
7		8		9		10		11		12		24 h
	8		9		10		11		12		1	1 h
8		9		10		11		12		1		2 h
	9		10		11		12		1		2	3 h
9		10		11		12		1		2		4 h
	10		11		12		1		2		3	5 h
10		11		12		1		2		3		6 h

Note: Pour l'hémisphère Sud, ajouter 12 à chaque numéro de carte

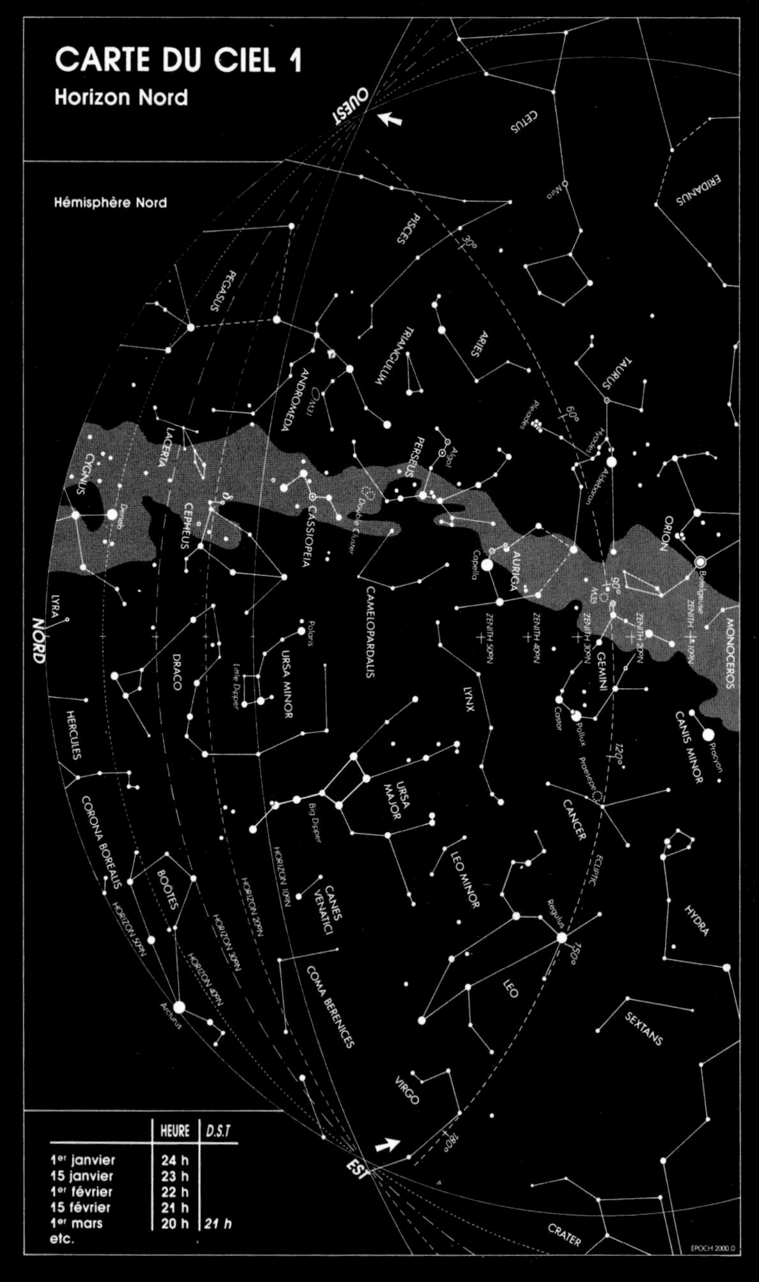

	HEURE	D.S.T
1er janvier	24 h	
15 janvier	23 h	
1er février	22 h	
15 février	21 h	
1er mars	20 h	21 h
etc.		

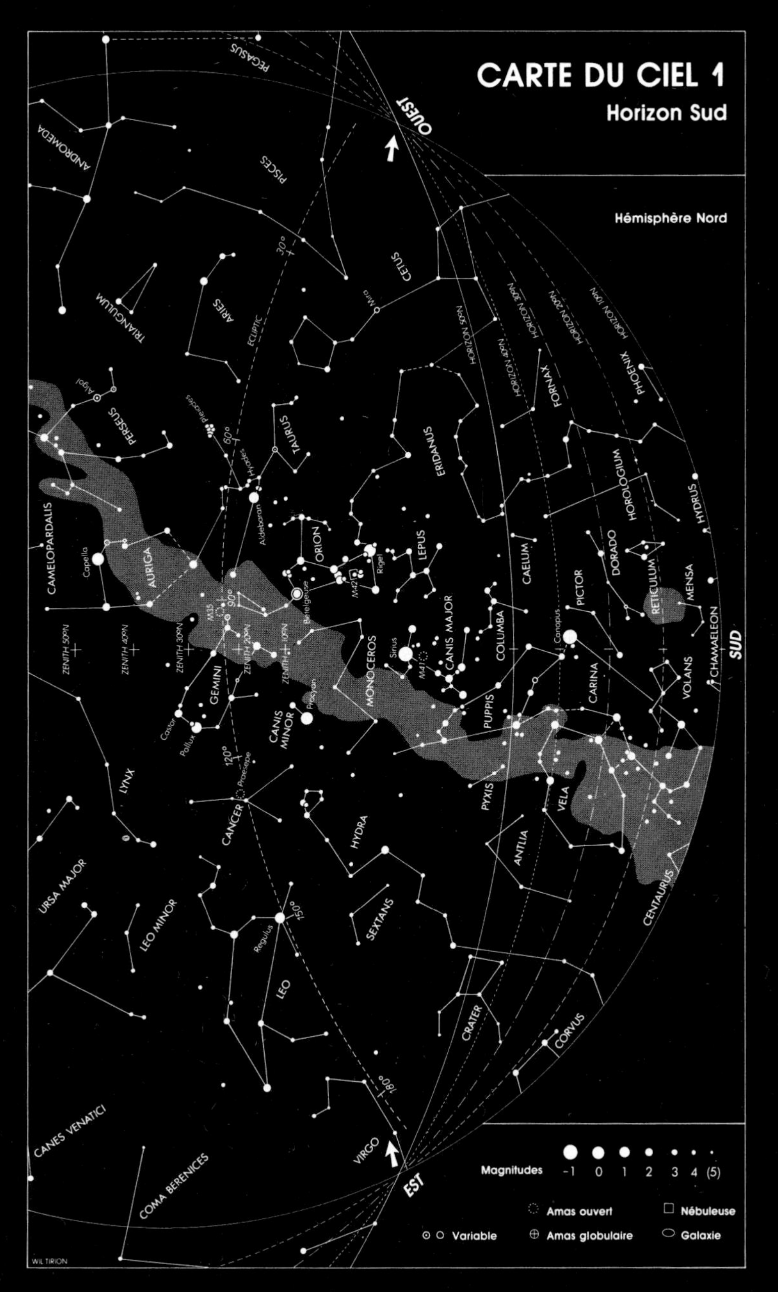
CARTE DU CIEL 1
Horizon Sud
Hémisphère Nord
OUEST
EST
SUD
PEGASUS
ANDROMEDA
PISCES
CETUS
Mira
TRIANGULUM
ARIES
ECLIPTIC
30°
60°
90°
120°
150°
180°
HORIZON 10°N
HORIZON 20°N
HORIZON 30°N
HORIZON 40°N
HORIZON 50°N
FORNAX
PHOENIX
Algol
PERSEUS
Pleiades
TAURUS
Hyades
Aldebaran
ERIDANUS
HOROLOGIUM
HYDRUS
CAMELOPARDALIS
Capella
AURIGA
ORION
Rigel
M42
LEPUS
CAELUM
DORADO
RETICULUM
MENSA
PICTOR
Betelgeuse
M35
ZENITH 50°N
ZENITH 40°N
ZENITH 30°N
ZENITH 20°N
ZENITH 10°N
MONOCEROS
Sirius
M41
CANIS MAJOR
COLUMBA
Canopus
CHAMAELEON
VOLANS
CARINA
GEMINI
Castor
Pollux
Procyon
CANIS MINOR
PUPPIS
Praesepe
LYNX
PYXIS
VELA
CANCER
HYDRA
ANTLIA
URSA MAJOR
LEO MINOR
Regulus
SEXTANS
CENTAURUS
LEO
CRATER
CORVUS
CANES VENATICI
VIRGO
COMA BERENICES
Magnitudes
-1 0 1 2 3 4 (5)
Amas ouvert
Nébuleuse
Variable
Amas globulaire
Galaxie
WIL TIRION

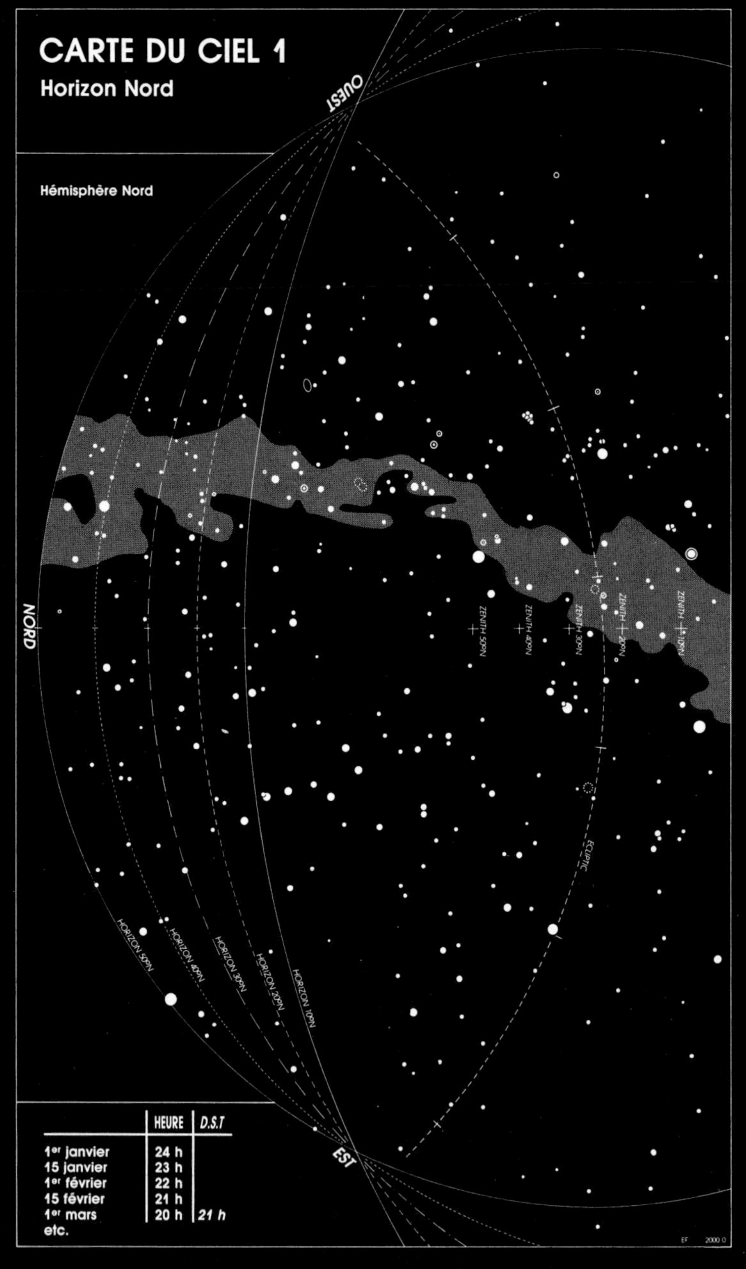
CARTE DU CIEL 1
Horizon Nord
Hémisphère Nord
OUEST
NORD
EST
ZENITH 50°N
ZENITH 40°N
ZENITH 30°N
ZENITH 20°N
ZENITH 10°N
HORIZON 50°N
HORIZON 40°N
HORIZON 30°N
HORIZON 20°N
HORIZON 10°N
ECLIPTIC
HEURE | D.S.T
1er janvier 24 h
15 janvier 23 h
1er février 22 h
15 février 21 h
1er mars 20 h 21 h
etc.
EF 2000.0

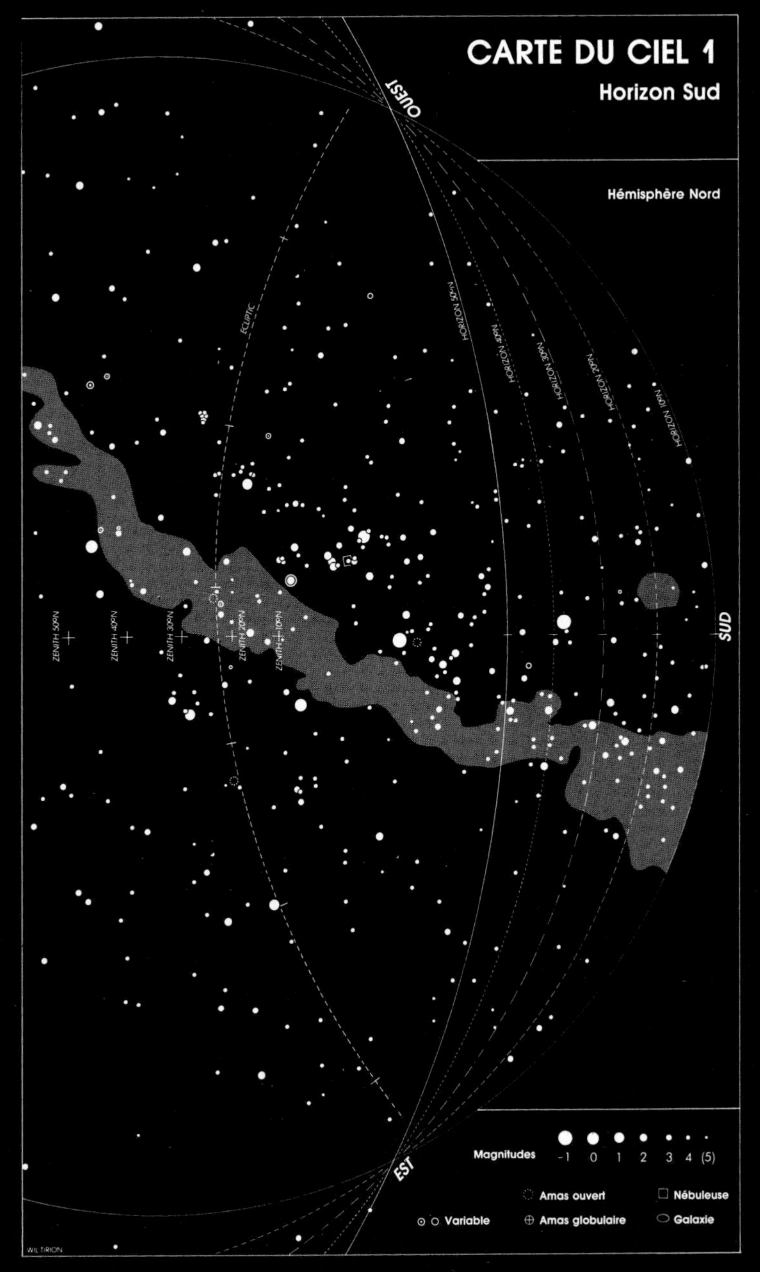
CARTE DU CIEL 1
Horizon Sud
Hémisphère Nord
OUEST
EST
SUD
ECLIPTIC
HORIZON 50°N
HORIZON 40°N
HORIZON 30°N
HORIZON 20°N
HORIZON 10°N
ZENITH 50°N
ZENITH 40°N
ZENITH 30°N
ZENITH 20°N
ZENITH 10°N
Magnitudes -1 0 1 2 3 4 (5)
Amas ouvert
Nébuleuse
Variable
Amas globulaire
Galaxie
WIL TIRION

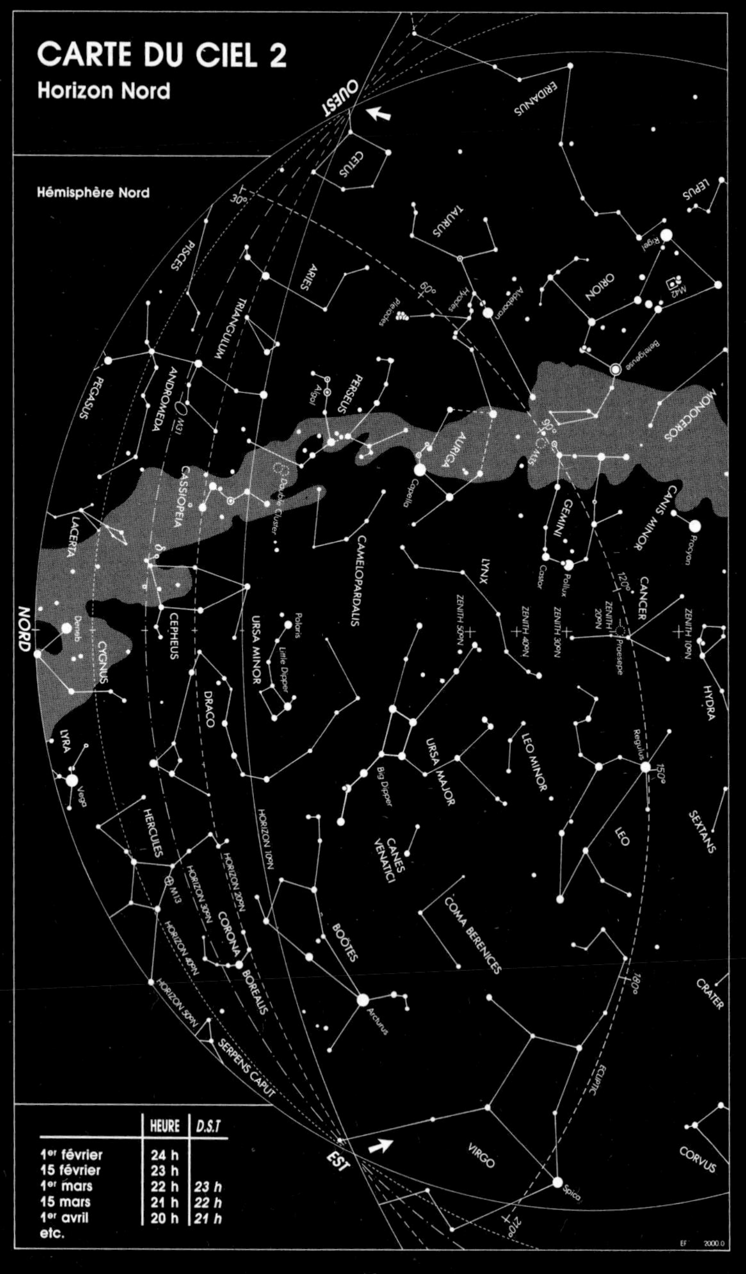

	HEURE	D.S.T
1er février	24 h	
15 février	23 h	
1er mars	22 h	23 h
15 mars	21 h	22 h
1er avril	20 h	21 h
etc.		

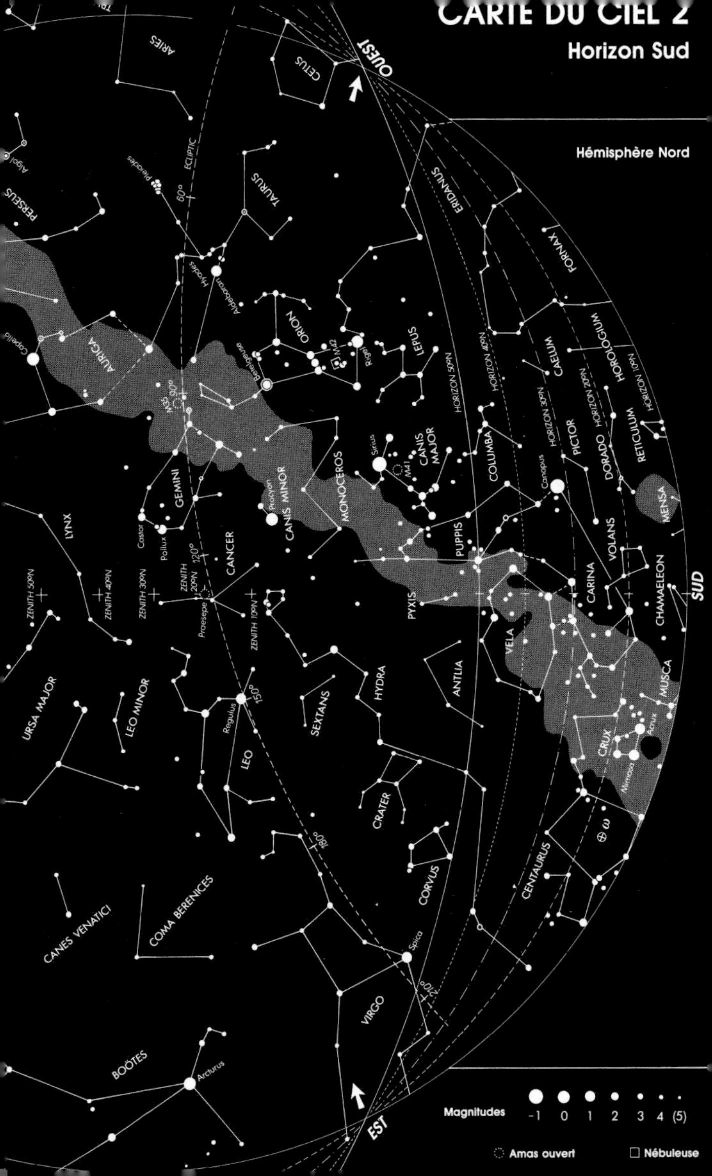
CARTE DU CIEL 2
Horizon Sud
Hémisphère Nord
OUEST
EST
SUD
ARIES
CETUS
PERSEUS
Algol
Pleiades
ECLIPTIC
60°
TAURUS
ERIDANUS
FORNAX
Hyades
Aldebaran
ORION
M42
Rigel
Betelgeuse
LEPUS
Capella
AURIGA
M35
90°
HORIZON 50ºN
HORIZON 40ºN
HORIZON 30ºN
HORIZON 20ºN
HORIZON 10ºN
CAELUM
HOROLOGIUM
COLUMBA
PICTOR
DORADO
RETICULUM
Sirius
M41
CANIS MAJOR
Canopus
MENSA
GEMINI
Procyon
CANIS MINOR
MONOCEROS
LYNX
Castor
Pollux
120°
CANCER
PUPPIS
VOLANS
CARINA
CHAMAELEON
ZENITH 50ºN
ZENITH 40ºN
ZENITH 30ºN
ZENITH 20ºN
ZENITH 10ºN
Praesepe
PYXIS
VELA
URSA MAJOR
LEO MINOR
Regulus
150°
SEXTANS
HYDRA
ANTLIA
MUSCA
CRUX
Acrux
Mimosa
LEO
CRATER
180°
CORVUS
CENTAURUS
ω
CANES VENATICI
COMA BERENICES
Spica
210°
VIRGO
BOÖTES
Arcturus
Magnitudes
-1 0 1 2 3 4 (5)
Amas ouvert
Nébuleuse

	HEURE	D.S.T
1er février	24 h	
15 février	23 h	
1er mars	22 h	23 h
15 mars	21 h	22 h

CARTE DU CIEL 2
Horizon Sud
Hémisphère Nord
OUEST
EST
SUD
ECLIPTIC
HORIZON 50°N
HORIZON 40°N
HORIZON 30°N
HORIZON 20°N
HORIZON 10°N
ZENITH 50°N
ZENITH 40°N
ZENITH 30°N
ZENITH 20°N
ZENITH 10°N
Magnitudes
-1 0 1 2 3 4 (5)
Amas ouvert
Nébuleuse
Variable
Amas globulaire
Galaxie
WIL TIRION

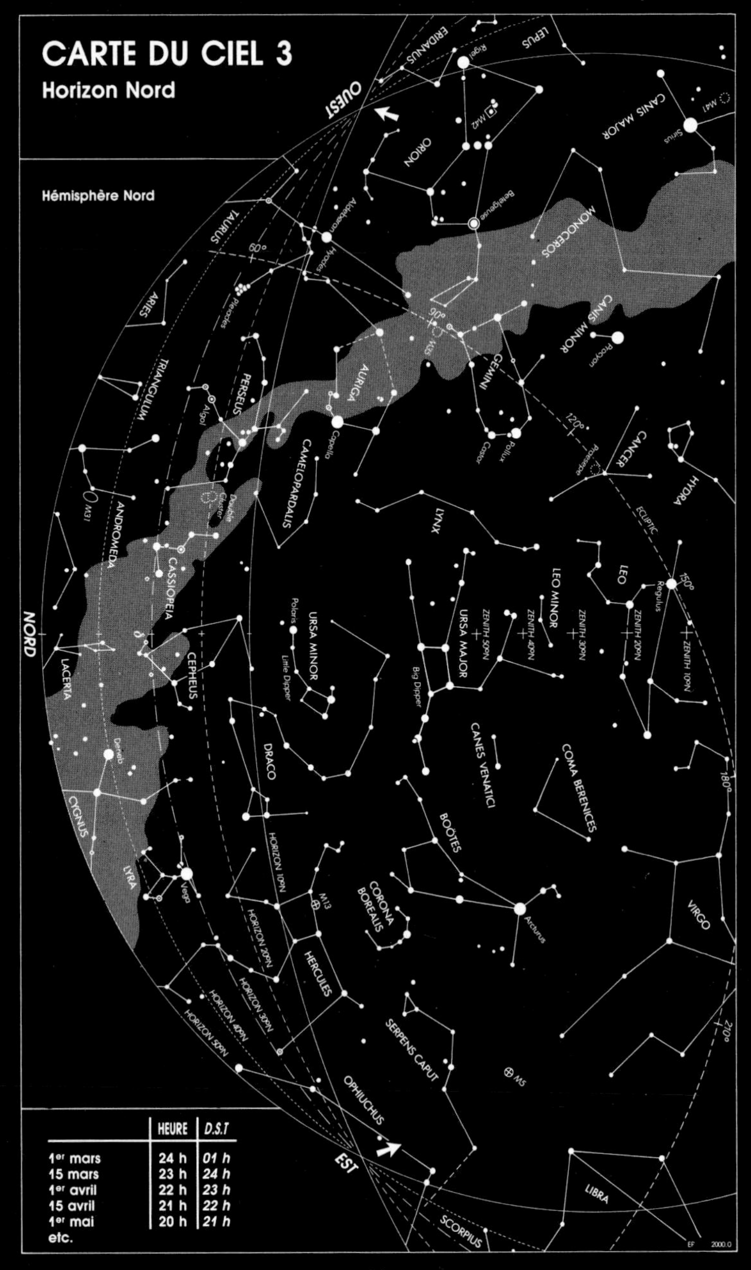

CARTE DU CIEL 3
Horizon Nord
Hémisphère Nord
HEURE | D.S.T
1er mars 24 h 01 h
15 mars 23 h 24 h
1er avril 22 h 23 h
15 avril 21 h 22 h
1er mai 20 h 21 h
etc.
OUEST
NORD
EST
ERIDANUS
LEPUS
Rigel
CANIS MAJOR
M41
Sirius
ORION
M42
Betelgeuse
MONOCEROS
TAURUS
Aldebaran
Hyades
Pleiades
60°
90°
M35
CANIS MINOR
Procyon
ARIES
TRIANGULUM
PERSEUS
Algol
AURIGA
Capella
GEMINI
Castor
Pollux
120°
CANCER
Praesepe
HYDRA
ECLIPTIC
CAMELOPARDALIS
Double Cluster
LYNX
ANDROMEDA
M31
CASSIOPEIA
LEO MINOR
LEO
Regulus
150°
URSA MINOR
Polaris
Little Dipper
URSA MAJOR
Big Dipper
ZENITH 50°N
ZENITH 40°N
ZENITH 30°N
ZENITH 20°N
ZENITH 10°N
LACERTA
CEPHEUS
DRACO
CANES VENATICI
COMA BERENICES
180°
Deneb
CYGNUS
LYRA
Vega
BOÖTES
HORIZON 10°N
HORIZON 20°N
HORIZON 30°N
HORIZON 40°N
HORIZON 50°N
M13
CORONA BOREALIS
Arcturus
VIRGO
HERCULES
SERPENS CAPUT
M5
210°
OPHIUCHUS
LIBRA
SCORPIUS
EF 2000.0

CARTE DU CIEL 3
Horizon Sud
Hémisphère Nord
OUEST
EST
SUD
ORION
TAURUS
PERSEUS
AURIGA
ERIDANUS
LEPUS
GEMINI
CANIS MINOR
MONOCEROS
CANIS MAJOR
COLUMBA
CANCER
LYNX
PUPPIS
PICTOR
PYXIS
CARINA
HYDRA
VOLANS
LEO MINOR
LEO
URSA MAJOR
SEXTANS
ANTLIA
VELA
CHAMAELEON
CRATER
CENTAURUS
CRUX
MUSCA
CORVUS
COMA BERENICES
CANES VENATICI
VIRGO
LIBRA
CIRCINUS
LUPUS
BOÖTES
CORONA BOREALIS
SERPENS CAPUT
SCORPIUS
OPHIUCHUS
HERCULES
ECLIPTIC
Magnitudes
-1 0 1 2 3 4 (5)
Amas ouvert
Nébuleuse
Variable
Amas globulaire
Galaxie
WIL TIRION

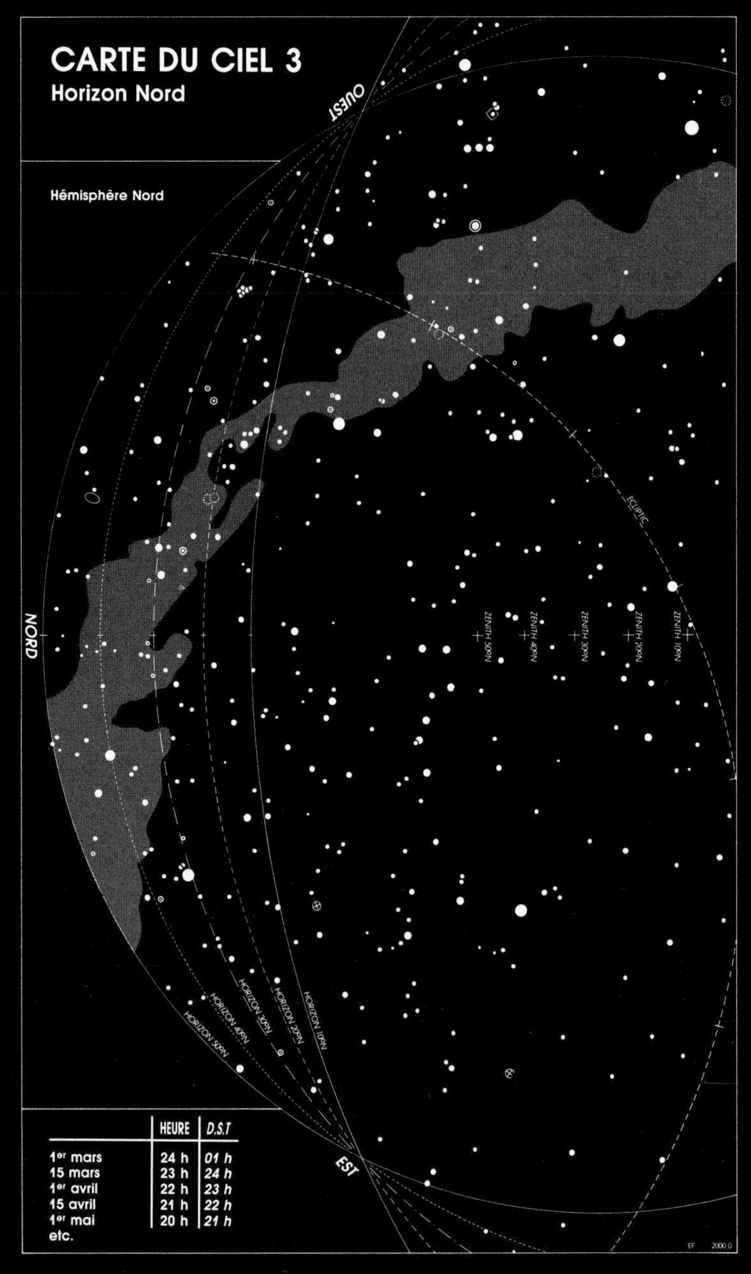

	HEURE	*D.S.T*
1er mars	24 h	*01 h*
15 mars	23 h	*24 h*
1er avril	22 h	*23 h*
15 avril	21 h	*22 h*
1er mai	20 h	*21 h*
etc.		

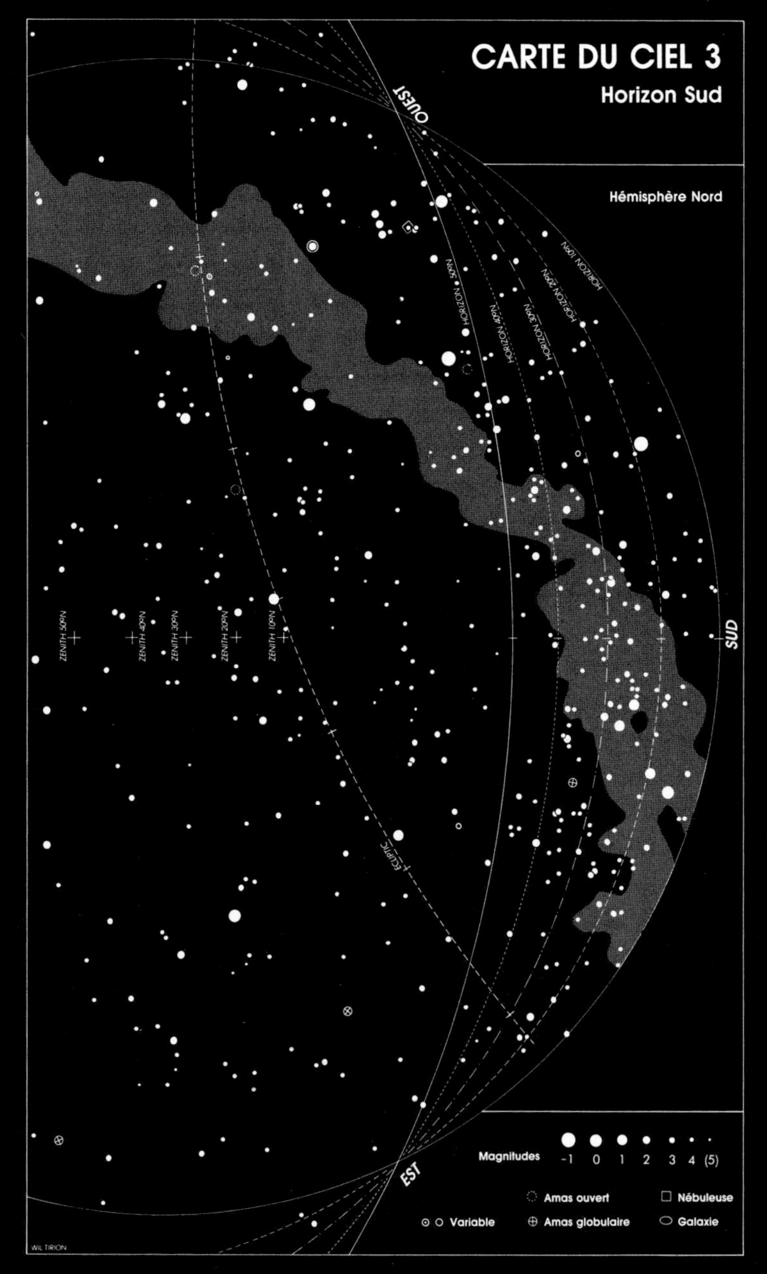
CARTE DU CIEL 3
Horizon Sud
Hémisphère Nord
OUEST
EST
SUD
HORIZON 10°N
HORIZON 20°N
HORIZON 30°N
HORIZON 40°N
HORIZON 50°N
ZENITH 50°N
ZENITH 40°N
ZENITH 30°N
ZENITH 20°N
ZENITH 10°N
ECLIPTIC
Magnitudes
-1 0 1 2 3 4 (5)
Amas ouvert
Nébuleuse
Variable
Amas globulaire
Galaxie
WIL TIRION

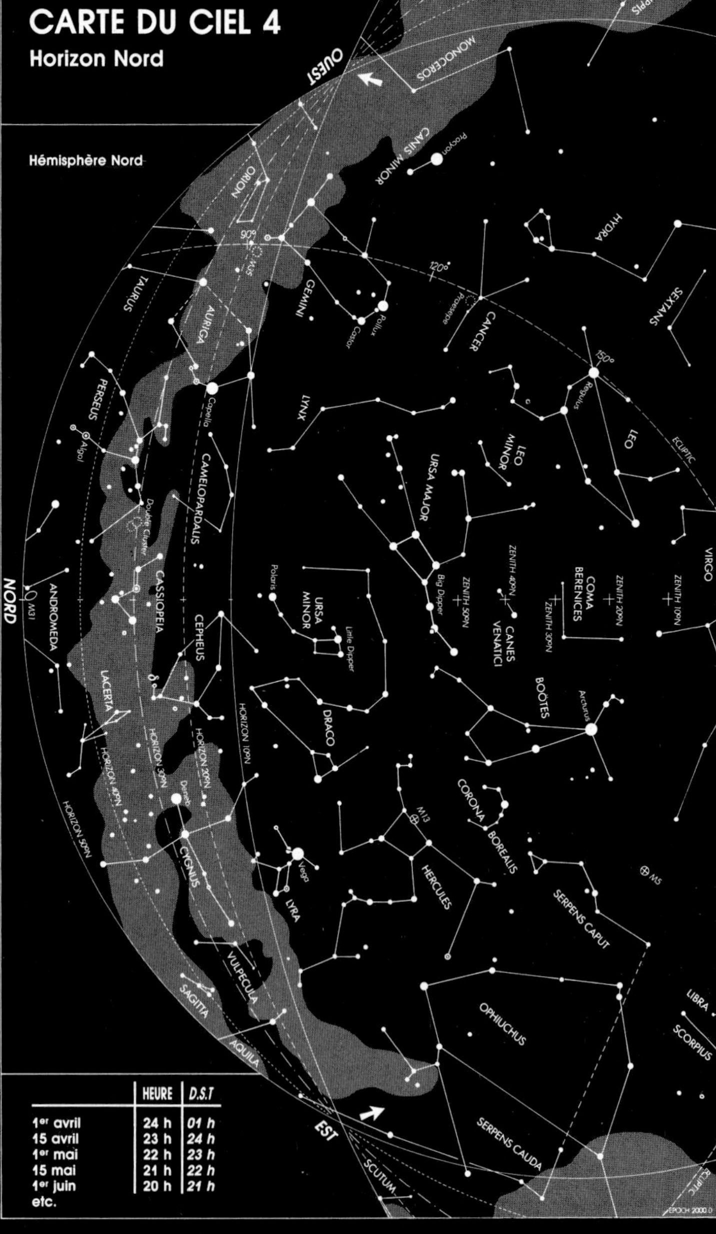
CARTE DU CIEL 4
Horizon Nord
Hémisphère Nord
OUEST
NORD
EST
HEURE D.S.T
1er avril 24 h 01 h
15 avril 23 h 24 h
1er mai 22 h 23 h
15 mai 21 h 22 h
1er juin 20 h 21 h
etc.
PUPPIS
MONOCEROS
CANIS MINOR
Procyon
ORION
HYDRA
SEXTANS
90°
120°
150°
M35
TAURUS
AURIGA
GEMINI
Pollux
Castor
Praesepe
CANCER
Regulus
LEO
ECLIPTIC
PERSEUS
Algol
Capella
LYNX
LEO MINOR
URSA MAJOR
CAMELOPARDALIS
Double Cluster
M31
ANDROMEDA
CASSIOPEIA
Polaris
URSA MINOR
Little Dipper
Big Dipper
ZENITH 50°N
ZENITH 40°N
ZENITH 30°N
ZENITH 20°N
ZENITH 10°N
CANES VENATICI
COMA BERENICES
VIRGO
CEPHEUS
LACERTA
DRACO
BOÖTES
Arcturus
HORIZON 10°N
HORIZON 20°N
HORIZON 30°N
HORIZON 40°N
HORIZON 50°N
Deneb
CYGNUS
CORONA BOREALIS
M13
HERCULES
Vega
LYRA
M5
SERPENS CAPUT
VULPECULA
SAGITTA
AQUILA
OPHIUCHUS
LIBRA
SCORPIUS
SERPENS CAUDA
SCUTUM
EPOCH 2000.0

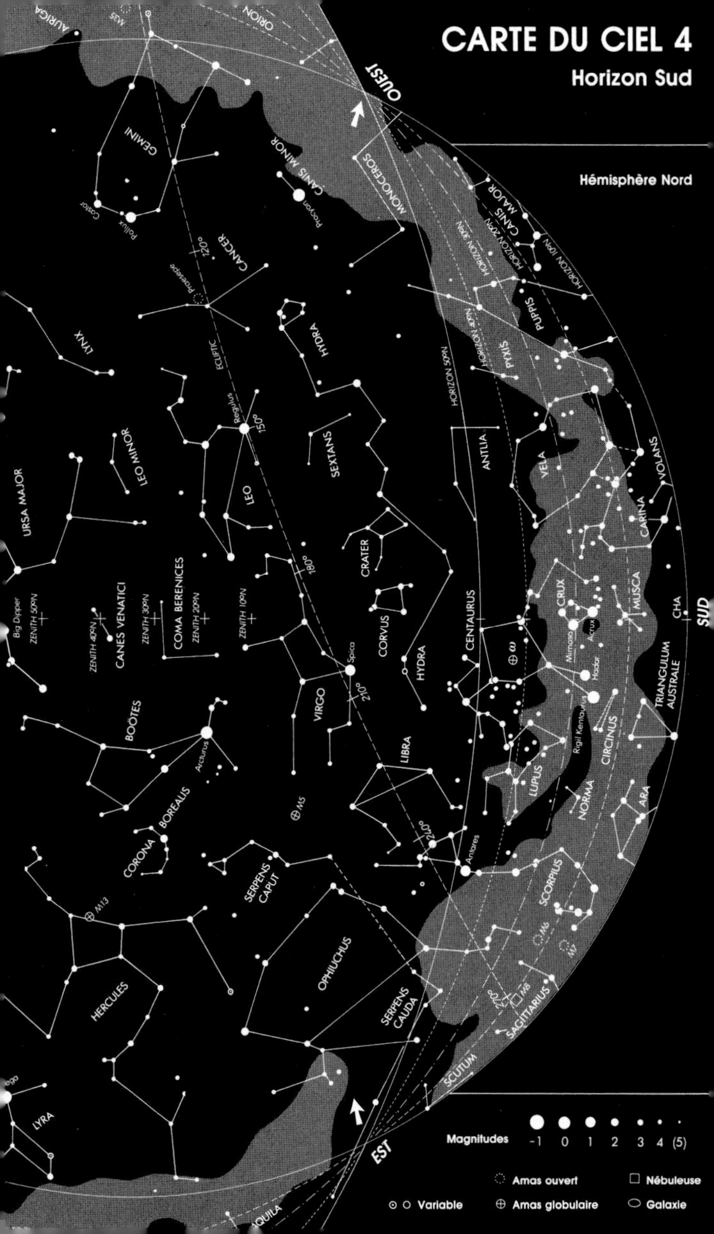
CARTE DU CIEL 4
Horizon Sud
Hémisphère Nord
OUEST
EST
SUD
AURIGA
ORION
M35
GEMINI
Castor
Pollux
CANIS MINOR
Procyon
MONOCEROS
CANIS MAJOR
HORIZON 10°N
HORIZON 20°N
HORIZON 30°N
HORIZON 40°N
HORIZON 50°N
CANCER
Praesepe
120°
LYNX
ECLIPTIC
HYDRA
PUPPIS
PYXIS
Regulus
150°
LEO MINOR
LEO
SEXTANS
ANTLIA
VELA
VOLANS
URSA MAJOR
CARINA
CRATER
180°
Big Dipper
ZENITH 50°N
ZENITH 40°N
CANES VENATICI
ZENITH 30°N
COMA BERENICES
ZENITH 20°N
ZENITH 10°N
CORVUS
CENTAURUS
CRUX
MUSCA
CHA
Mimosa
Acrux
Spica
HYDRA
Hadar
Rigil Kentaurus
TRIANGULUM AUSTRALE
210°
VIRGO
BOÖTES
Arcturus
LIBRA
CIRCINUS
LUPUS
NORMA
M5
CORONA BOREALIS
240°
Antares
ARA
M13
SERPENS CAPUT
SCORPIUS
M6
M7
HERCULES
OPHIUCHUS
SERPENS CAUDA
270°
M8
SAGITTARIUS
SCUTUM
Vega
LYRA
AQUILA
Magnitudes
-1 0 1 2 3 4 (5)
Amas ouvert
Nébuleuse
Variable
Amas globulaire
Galaxie

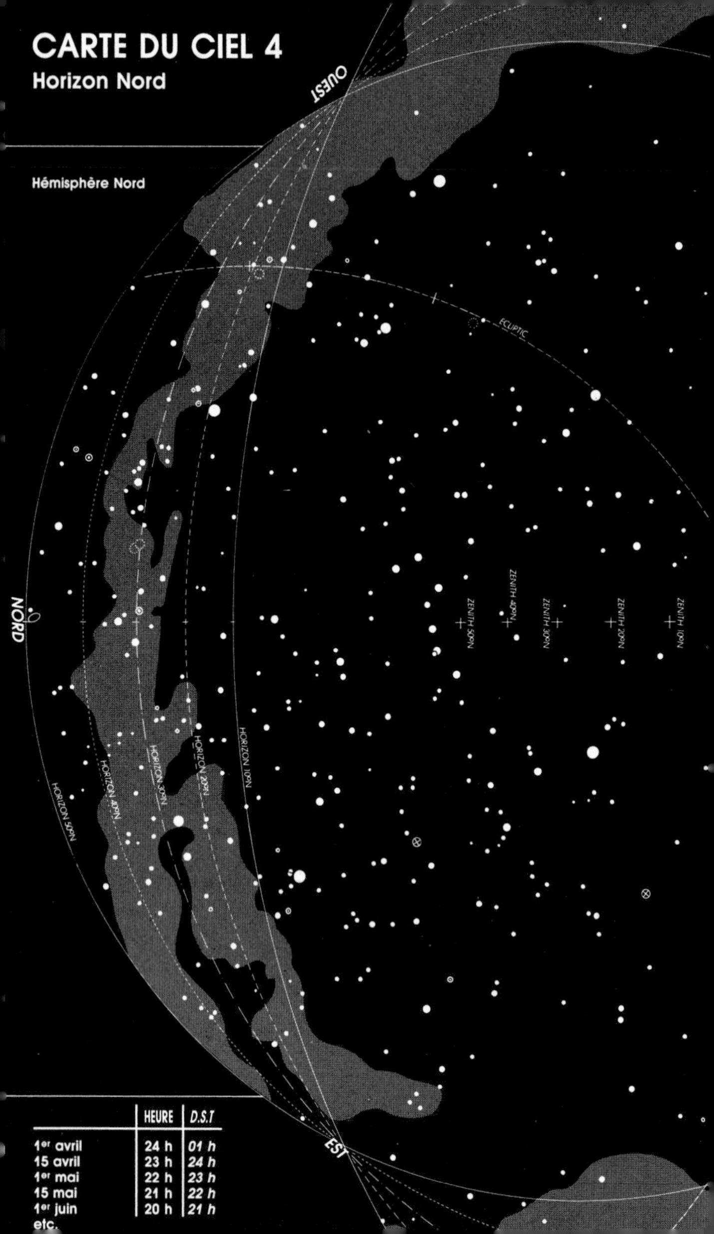

	HEURE	D.S.T
1er avril	24 h	01 h
15 avril	23 h	24 h
1er mai	22 h	23 h
15 mai	21 h	22 h
1er juin	20 h	21 h
etc.		

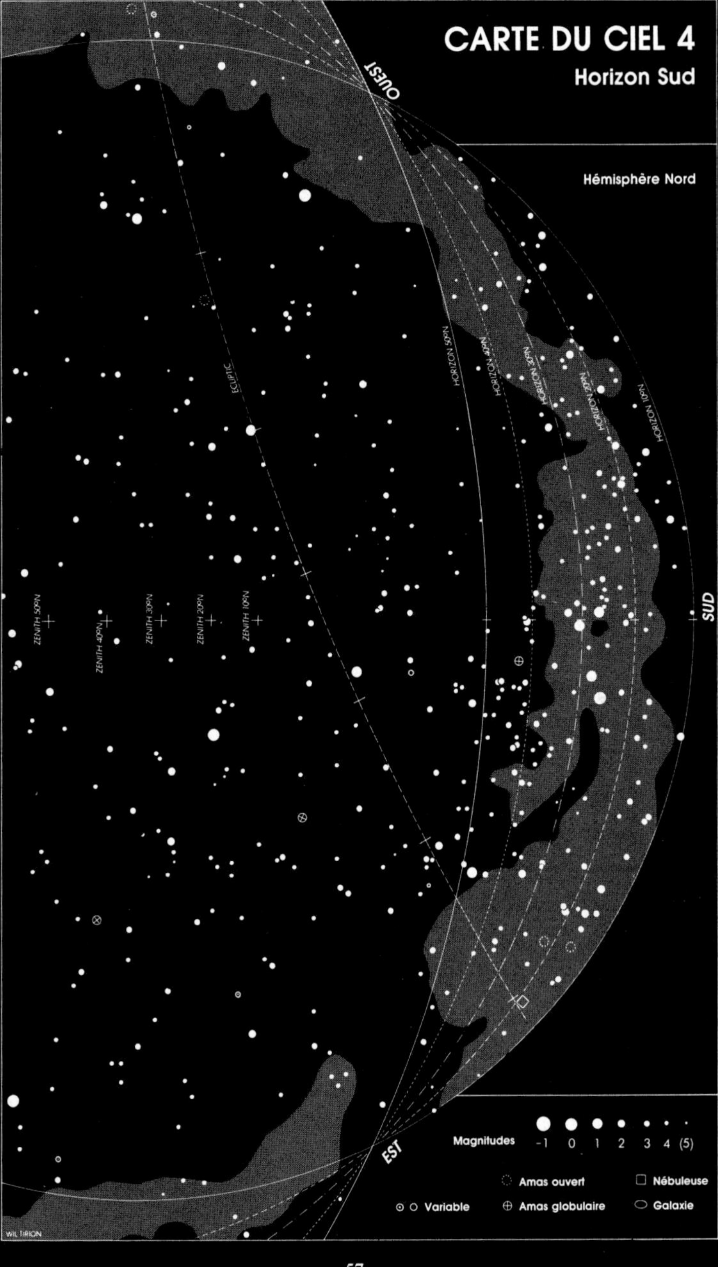
CARTE DU CIEL 4
Horizon Sud
Hémisphère Nord
OUEST
EST
SUD
ECLIPTIC
HORIZON 50°N
HORIZON 40°N
HORIZON 30°N
HORIZON 20°N
HORIZON 10°N
ZENITH 50°N
ZENITH 40°N
ZENITH 30°N
ZENITH 20°N
ZENITH 10°N
Magnitudes -1 0 1 2 3 4 (5)
Amas ouvert
Nébuleuse
Variable
Amas globulaire
Galaxie
WIL TIRION

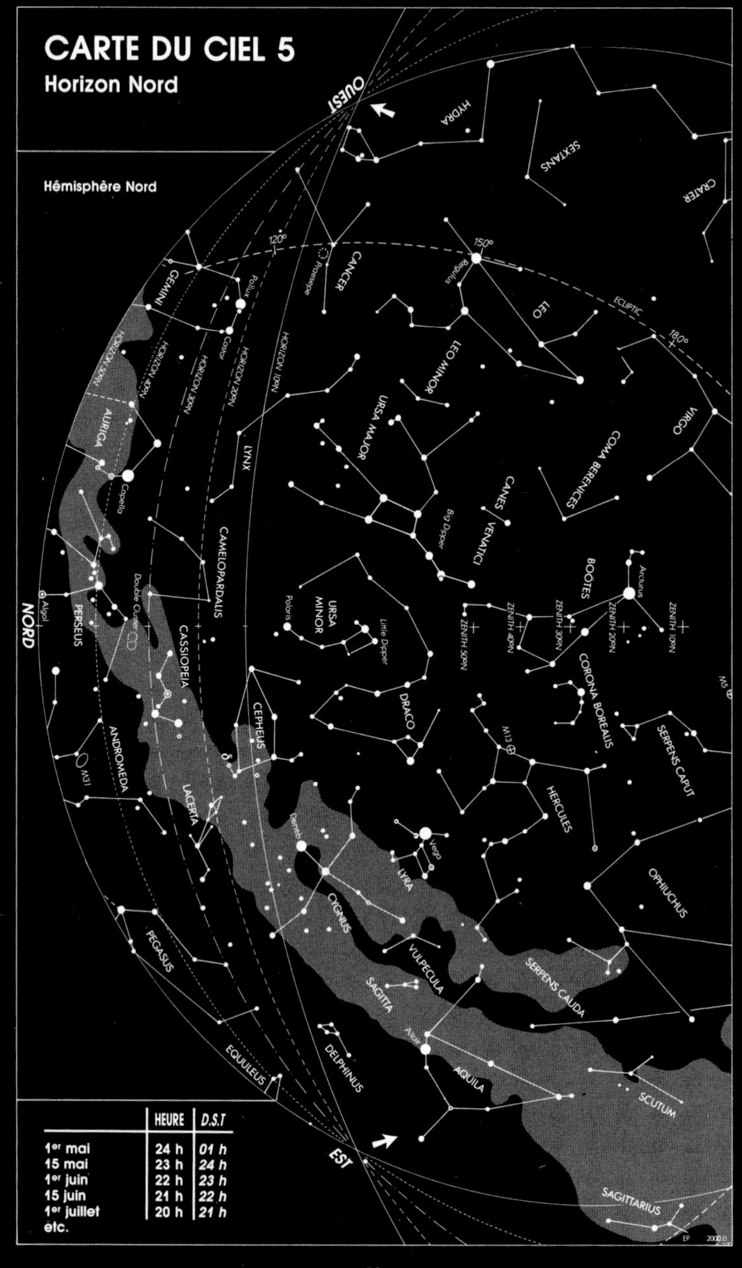

	HEURE	D.S.T
1er mai	24 h	01 h
15 mai	23 h	24 h
1er juin	22 h	23 h
15 juin	21 h	22 h
1er juillet	20 h	21 h
etc.		

CARTE DU CIEL 5
Horizon Sud
Hémisphère Nord
OUEST
EST
SUD
LYNX
CANCER
Praesepe
ECLIPTIC
HYDRA
Regulus
150°
LEO MINOR
LEO
SEXTANS
HORIZON 10ºN
HORIZON 20ºN
HORIZON 30ºN
HORIZON 40ºN
HORIZON 50ºN
ANTLIA
VELA
CRATER
CORVUS
180°
VIRGO
URSA MAJOR
CANES VENATICI
COMA BERENICES
Big Dipper
CENTAURUS
CRUX
CARINA
MUSCA
Spica
210°
HYDRA
Mimosa
Acrux
Hadar
Rigil Kentaurus
BOÖTES
Arcturus
ZENITH 50ºN
ZENITH 40ºN
ZENITH 30ºN
ZENITH 20ºN
ZENITH 10ºN
M5
LIBRA
LUPUS
NORMA
CIRCINUS
TRIANGULUM AUSTRALE
APUS
CORONA BOREALIS
DRACO
SERPENS CAPUT
240°
Antares
SCORPIUS
ARA
PAVO
M13
HERCULES
OPHIUCHUS
TELESCOPIUM
270°
SAGITTARIUS
CORONA AUSTRALIS
Vega
LYRA
SERPENS CAUDA
SCUTUM
VULPECULA
AQUILA
300°
CAPRICORNUS
CYGNUS
SAGITTA
Altair
DELPHINUS
Magnitudes
-1 0 1 2 3 4 (5)
Amas ouvert
Nébuleuse
Variable
Amas globulaire
Galaxie
WIL TIRION

CARTE DU CIEL 5
Horizon Nord
Hémisphère Nord
OUEST
NORD
EST
ECLIPTIC
HORIZON 50°N
HORIZON 40°N
HORIZON 30°N
HORIZON 20°N
HORIZON 10°N
ZENITH 50°N
ZENITH 40°N
ZENITH 30°N
ZENITH 20°N
ZENITH 10°N
HEURE D.S.T
1er mai 24 h 01 h
15 mai 23 h 24 h
1er juin 22 h 23 h
15 juin 21 h 22 h
1er juillet 20 h 21 h
etc.
EP 2000.0

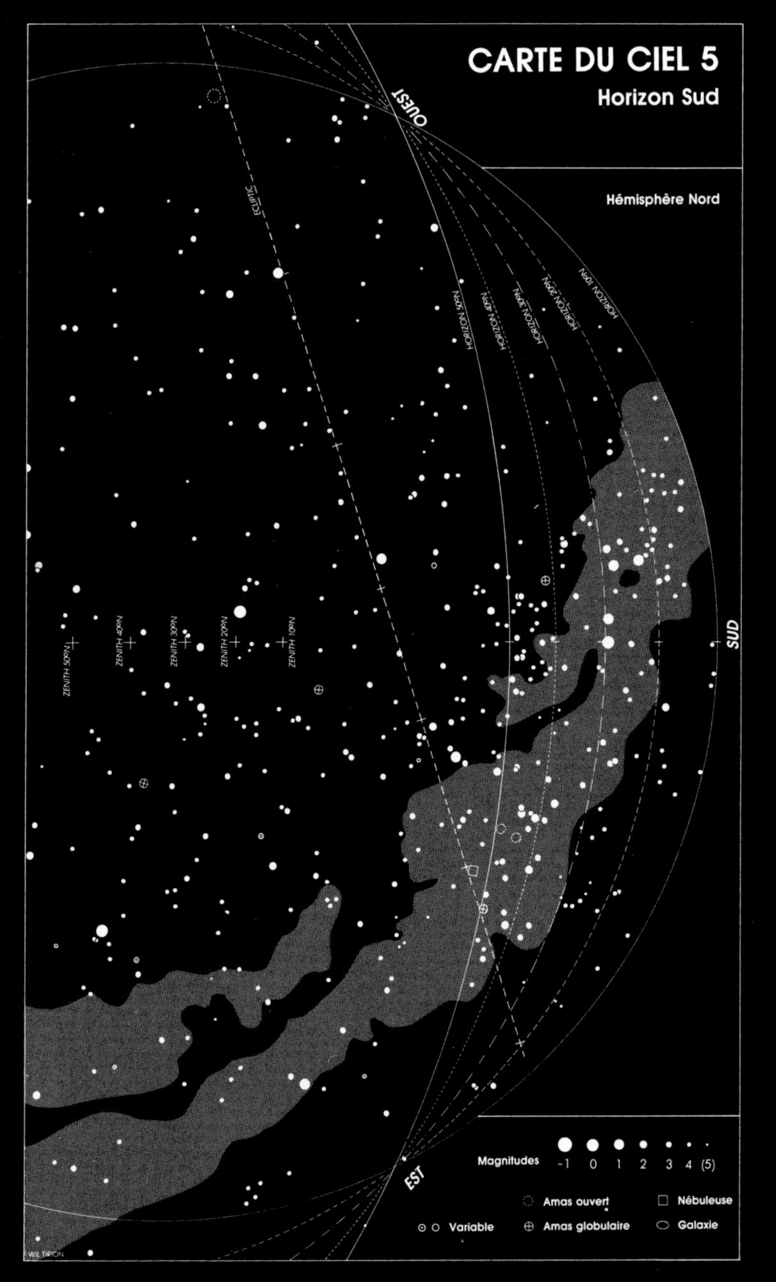

CARTE DU CIEL 5
Horizon Sud
Hémisphère Nord
OUEST
EST
SUD
ECLIPTIC
HORIZON 50°N
HORIZON 40°N
HORIZON 30°N
HORIZON 20°N
HORIZON 10°N
ZENITH 50°N
ZENITH 40°N
ZENITH 30°N
ZENITH 20°N
ZENITH 10°N
Magnitudes
-1 0 1 2 3 4 (5)
Amas ouvert
Nébuleuse
Variable
Amas globulaire
Galaxie
WIL TIRION

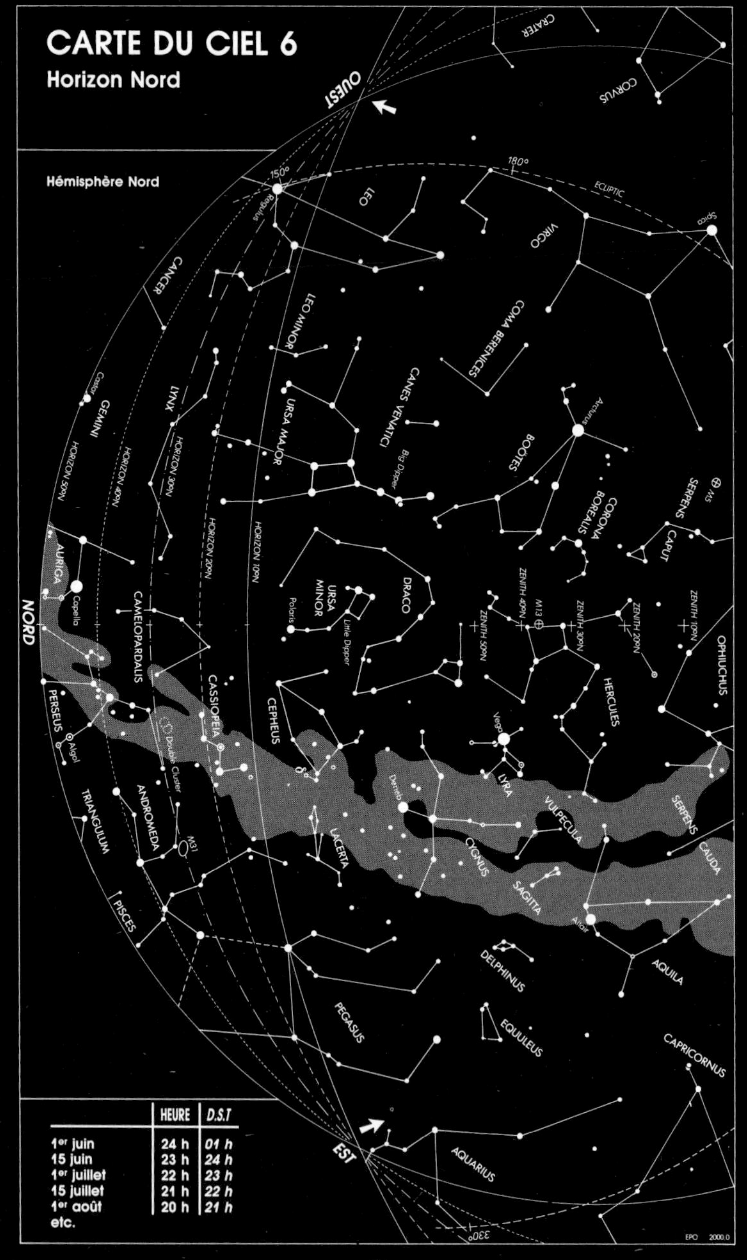

	HEURE	D.S.T
1er juin	24 h	01 h
15 juin	23 h	24 h
1er juillet	22 h	23 h
15 juillet	21 h	22 h
1er août	20 h	21 h
etc.		

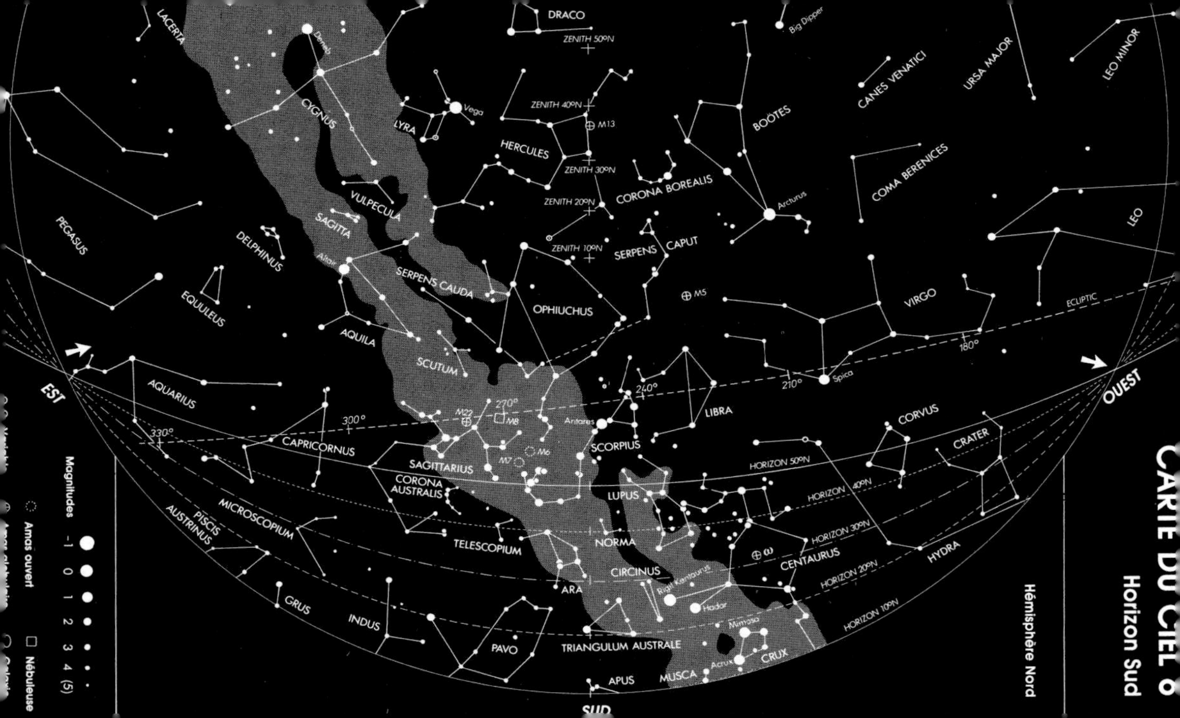

CARTE DU CIEL 6
Horizon Sud
Hémisphère Nord
OUEST
EST
SUD
ECLIPTIC
LEO MINOR
LEO
URSA MAJOR
CANES VENATICI
COMA BERENICES
VIRGO
CRATER
CORVUS
HYDRA
Big Dipper
BOÖTES
Arcturus
Spica
180°
210°
240°
270°
300°
330°
HORIZON 50°N
HORIZON 40°N
HORIZON 30°N
HORIZON 20°N
HORIZON 10°N
CENTAURUS
CRUX
Mimosa
Hadar
Acrux
MUSCA
LIBRA
M5
CORONA BOREALIS
SERPENS
CAPUT
SCORPIUS
Antares
LUPUS
NORMA
CIRCINUS
TRIANGULUM AUSTRALE
APUS
DRACO
ZENITH 50°N
ZENITH 40°N
ZENITH 30°N
ZENITH 20°N
ZENITH 10°N
M13
HERCULES
OPHIUCHUS
M6
M7
M8
M22
ARA
PAVO
TELESCOPIUM
Vega
LYRA
SERPENS CAUDA
SCUTUM
SAGITTARIUS
CORONA AUSTRALIS
CYGNUS
Deneb
VULPECULA
SAGITTA
Altair
AQUILA
INDUS
CAPRICORNUS
MICROSCOPIUM
GRUS
DELPHINUS
EQUULEUS
PISCIS AUSTRINUS
LACERTA
AQUARIUS
PEGASUS
Magnitudes
-1
0
1
2
3
4
(5)
Amas ouvert
Nébuleuse

CARTE DU CIEL 6
Horizon Nord
Hémisphère Nord
OUEST
ECLIPTIC
HORIZON 50ºN
HORIZON 40ºN
HORIZON 30ºN
HORIZON 20ºN
HORIZON 10ºN
NORD
ZENITH 50ºN
ZENITH 40ºN
ZENITH 30ºN
ZENITH 20ºN
ZENITH 10ºN
EST
HEURE
D.S.T
1er juin 24 h 01 h
15 juin 23 h 24 h
1er juillet 22 h 23 h
15 juillet 21 h 22 h

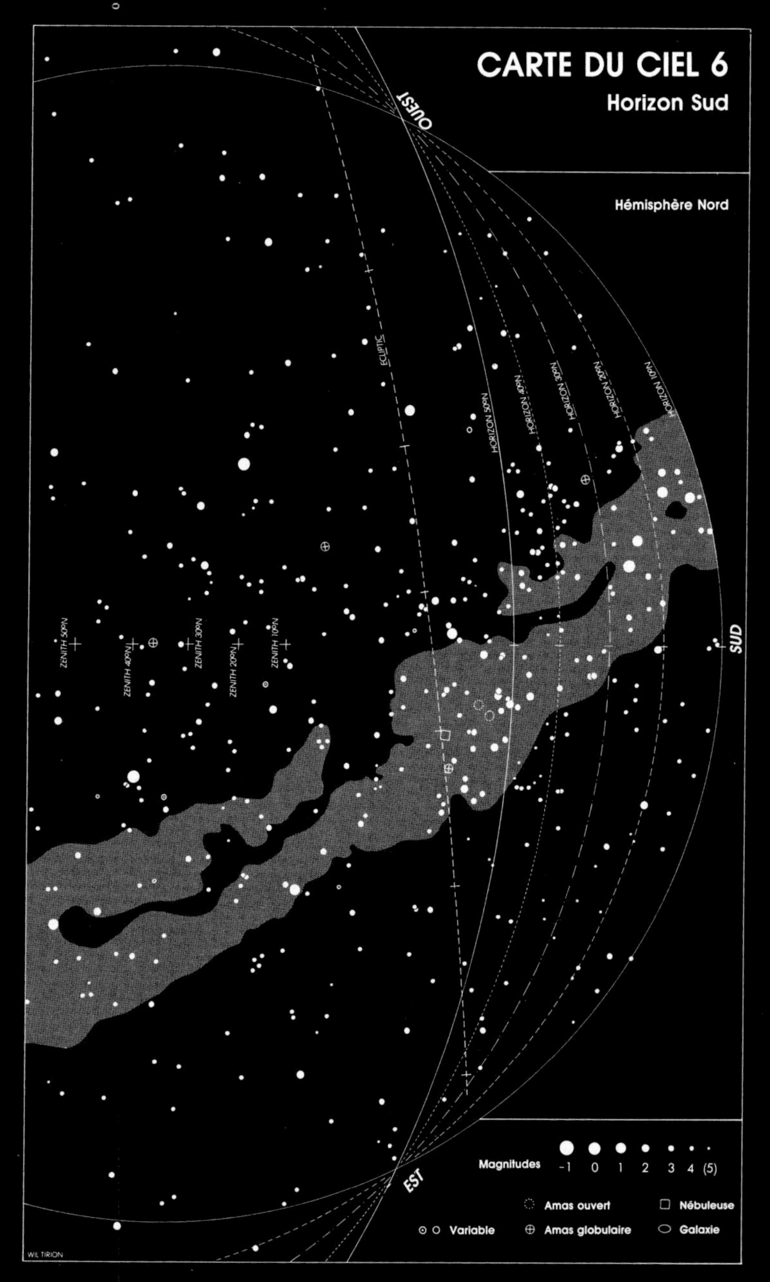
CARTE DU CIEL 6
Horizon Sud
Hémisphère Nord
OUEST
SUD
EST
ECLIPTIC
HORIZON 50°N
HORIZON 40°N
HORIZON 30°N
HORIZON 20°N
HORIZON 10°N
ZENITH 50°N
ZENITH 40°N
ZENITH 30°N
ZENITH 20°N
ZENITH 10°N
Magnitudes -1 0 1 2 3 4 (5)
Amas ouvert
Nébuleuse
Variable
Amas globulaire
Galaxie
WIL TIRION

	HEURE	D.S.T
1er juillet	24 h	01 h
15 juillet	23 h	24 h
1er août	22 h	23 h
15 août	21 h	22 h
1er septembre	20 h	21 h
etc.		

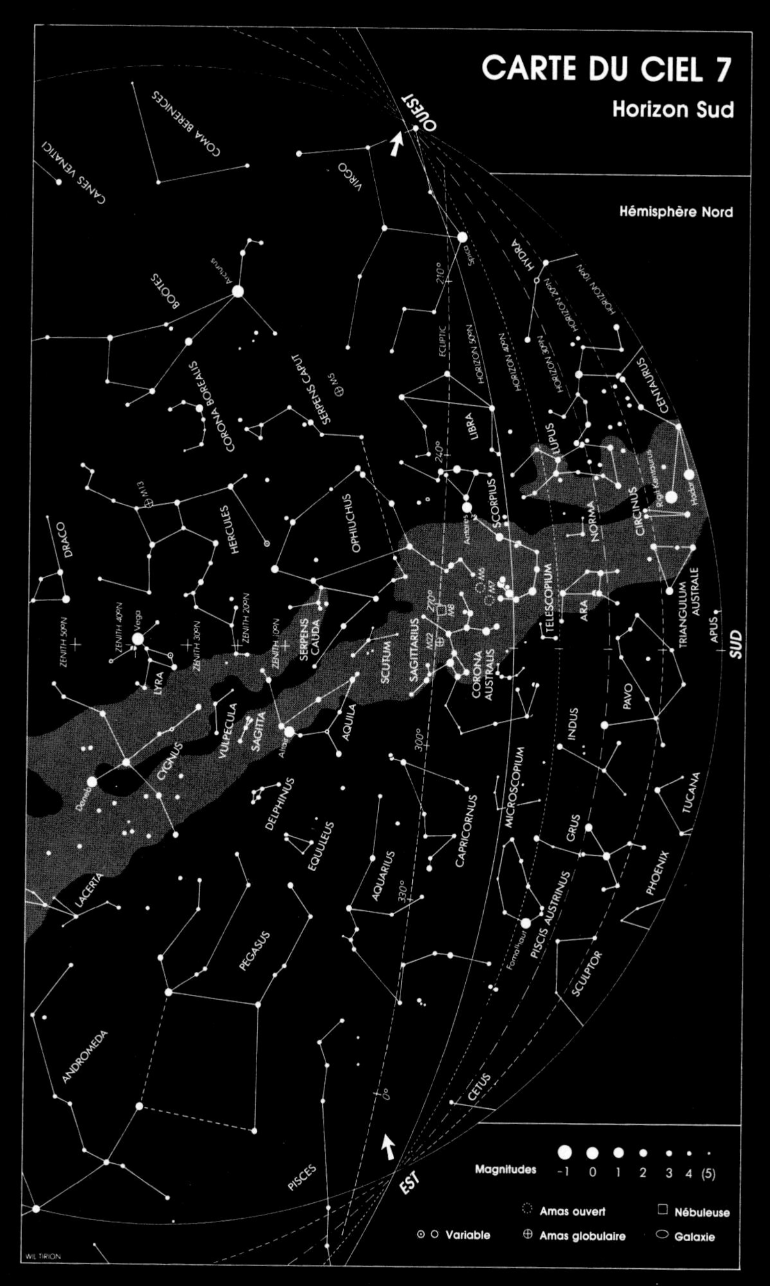
CARTE DU CIEL 7
Horizon Sud
Hémisphère Nord
OUEST
EST
SUD
Magnitudes
-1 0 1 2 3 4 (5)
Amas ouvert
Nébuleuse
Variable
Amas globulaire
Galaxie
COMA BERENICES
CANES VENATICI
VIRGO
BOOTES
HYDRA
SERPENS CAPUT
CORONA BOREALIS
LIBRA
LUPUS
CENTAURUS
HERCULES
OPHIUCHUS
SCORPIUS
NORMA
CIRCINUS
DRACO
LYRA
SERPENS CAUDA
SCUTUM
SAGITTARIUS
TELESCOPIUM
ARA
TRIANGULUM AUSTRALE
APUS
CORONA AUSTRALIS
PAVO
CYGNUS
VULPECULA
SAGITTA
AQUILA
INDUS
DELPHINUS
MICROSCOPIUM
CAPRICORNUS
GRUS
TUCANA
EQUULEUS
AQUARIUS
PISCIS AUSTRINUS
PHOENIX
LACERTA
PEGASUS
SCULPTOR
ANDROMEDA
CETUS
PISCES
ECLIPTIC
HORIZON 50°N
HORIZON 40°N
HORIZON 30°N
HORIZON 20°N
HORIZON 10°N
ZENITH 50°N
ZENITH 40°N
ZENITH 30°N
ZENITH 20°N
ZENITH 10°N
WIL TIRION

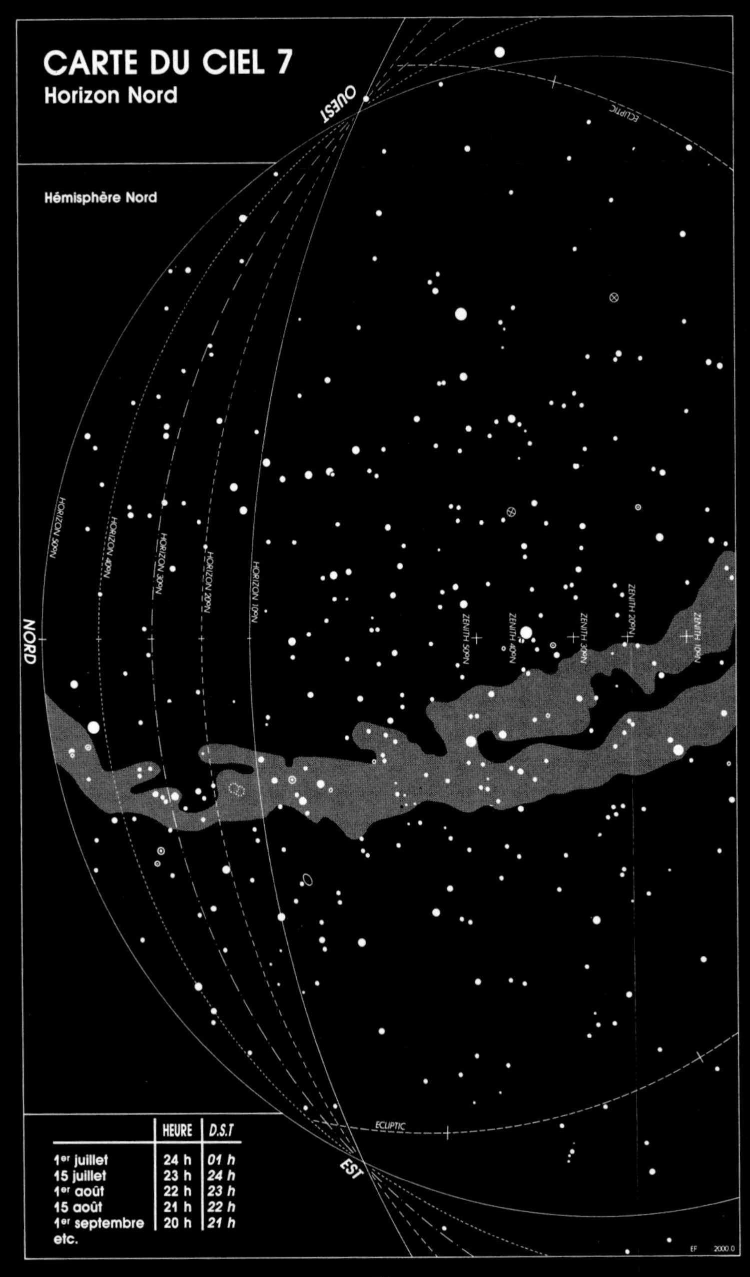

	HEURE	D.S.T
1er juillet	24 h	01 h
15 juillet	23 h	24 h
1er août	22 h	23 h
15 août	21 h	22 h
1er septembre	20 h	21 h
etc.		

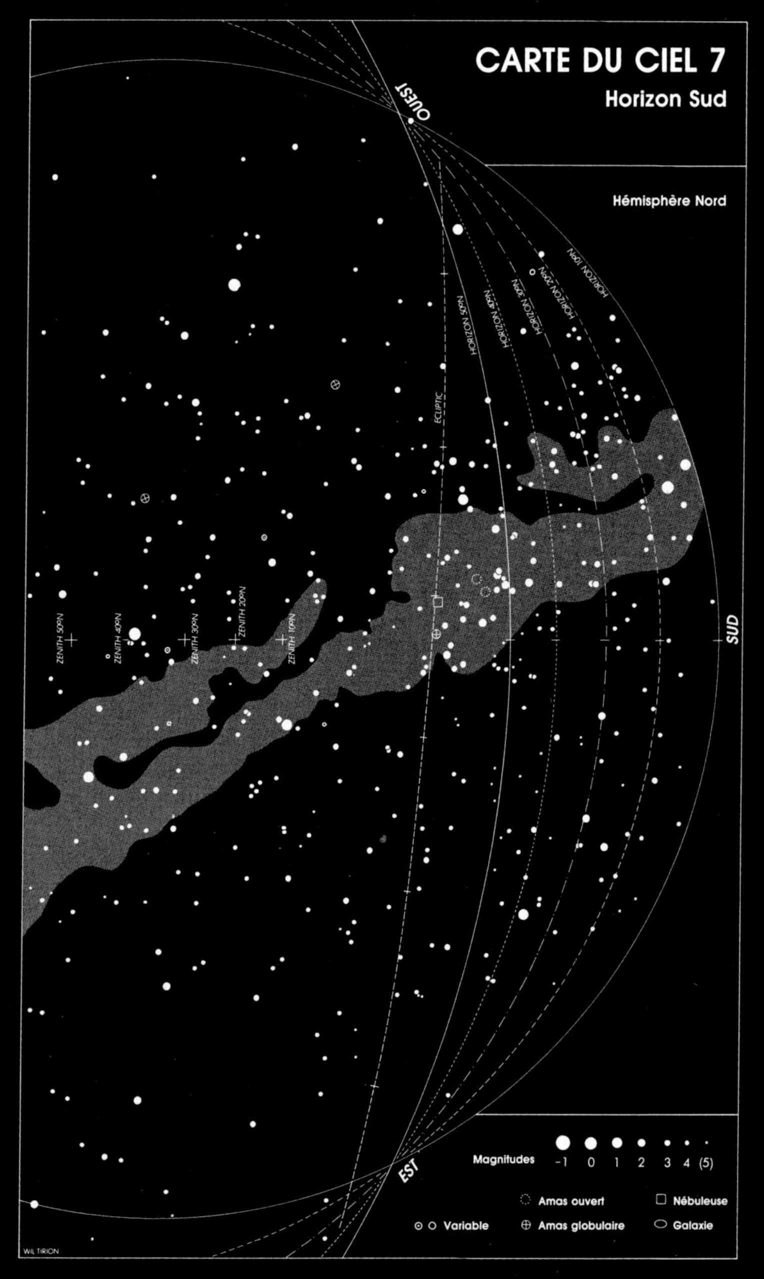

CARTE DU CIEL 7
Horizon Sud
Hémisphère Nord
OUEST
EST
SUD
ECLIPTIC
HORIZON 10°N
HORIZON 20°N
HORIZON 30°N
HORIZON 40°N
HORIZON 50°N
ZENITH 50°N
ZENITH 40°N
ZENITH 30°N
ZENITH 20°N
ZENITH 10°N
Magnitudes
-1 0 1 2 3 4 (5)
Amas ouvert
Nébuleuse
Variable
Amas globulaire
Galaxie
WIL TIRION

CARTE DU CIEL 8
Horizon Nord
Hémisphère Nord
OUEST
NORD
EST
	HEURE	D.S.T
1er août	24 h	01 h
15 août	23 h	24 h
1er septembre	22 h	23 h
15 septembre	21 h	22 h
1er octobre	20 h	21 h
etc.		
LIBRA
SCORPIUS
VIRGO
SERPENS CAPUT
OPHIUCHUS
COMA BERENICES
CANES VENATICI
BOOTES
CORONA BOREALIS
HERCULES
SERPENS CAUDA
URSA MAJOR
DRACO
URSA MINOR
VULPECULA
AQUILA
LYRA
SAGITTA
CYGNUS
CEPHEUS
DELPHINUS
EQUULEUS
LYNX
CAMELOPARDALIS
CASSIOPEIA
LACERTA
PEGASUS
AURIGA
ANDROMEDA
PERSEUS
TRIANGULUM
AQUARIUS
ARIES
PISCES
TAURUS
ECLIPTIC
CETUS
Arcturus
Big Dipper
Little Dipper
Polaris
Vega
Deneb
Altair
Capella
Double Cluster
Algol
M31
M13
Pleiades
Hyades
Mira
HORIZON 10°N
HORIZON 20°N
HORIZON 30°N
HORIZON 40°N
HORIZON 50°N
ZENITH 10°N
ZENITH 20°N
ZENITH 30°N
ZENITH 40°N
ZENITH 50°N
60°
30°
0°

CARTE DU CIEL 8
Horizon Sud
Hémisphère Nord
OUEST
EST
SUD
Magnitudes -1 0 1 2 3 4 (5)
Amas ouvert
Nébuleuse
Variable
Amas globulaire
Galaxie
BOOTES
CORONA BOREALIS
SERPENS CAPUT
VIRGO
LIBRA
HERCULES
OPHIUCHUS
SCORPIUS
LUPUS
NORMA
DRACO
LYRA
SERPENS CAUDA
SCUTUM
SAGITTARIUS
CORONA AUSTRALIS
ARA
TRIANGULUM AUSTRALE
CYGNUS
VULPECULA
SAGITTA
AQUILA
TELESCOPIUM
PAVO
DELPHINUS
EQUULEUS
CAPRICORNUS
MICROSCOPIUM
INDUS
OCTANS
LACERTA
PEGASUS
PISCIS AUSTRINUS
GRUS
TUCANA
AQUARIUS
SCULPTOR
PHOENIX
ANDROMEDA
PISCES
CETUS
FORNAX
TRIANGULUM
ARIES
PERSEUS
Arcturus
Vega
Deneb
Altair
Antares
Fomalhaut
Mira
ECLIPTIC
WIL TIRION

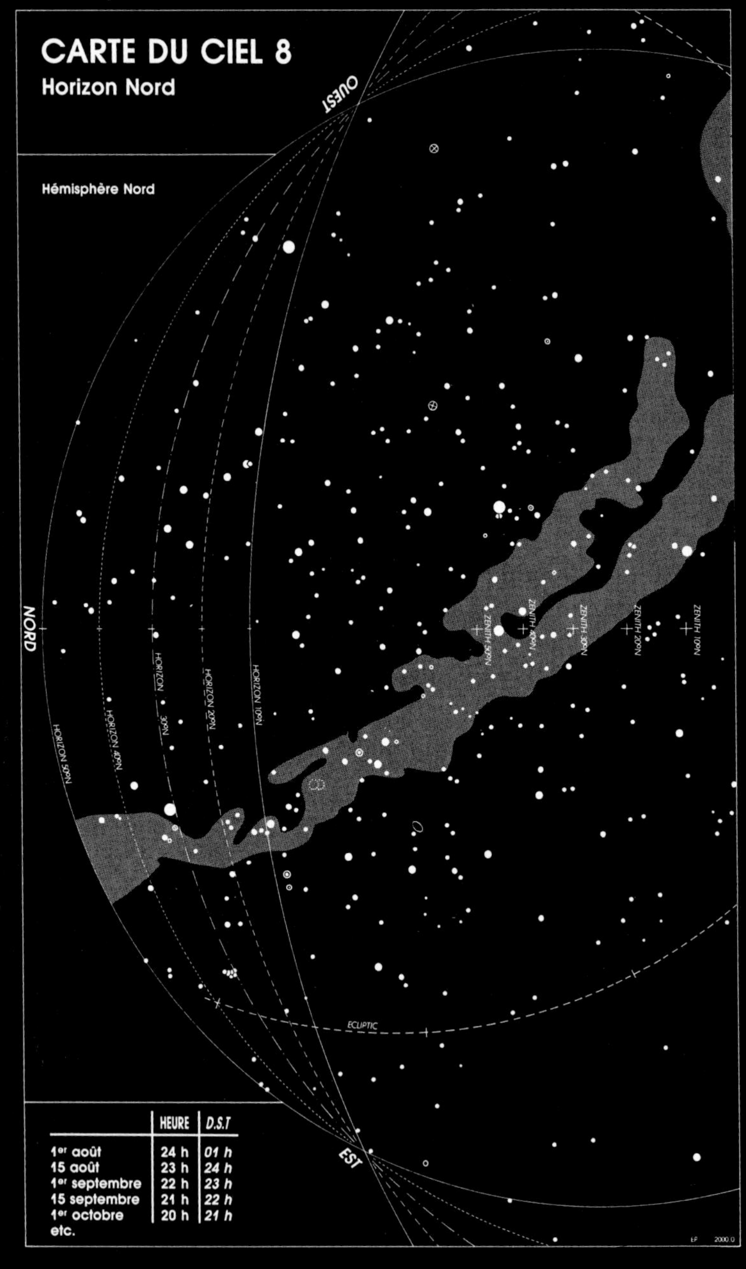
CARTE DU CIEL 8
Horizon Nord
Hémisphère Nord
OUEST
NORD
EST
HORIZON 50ºN
HORIZON 40ºN
HORIZON 30ºN
HORIZON 20ºN
HORIZON 10ºN
ZENITH 50ºN
ZENITH 40ºN
ZENITH 30ºN
ZENITH 20ºN
ZENITH 10ºN
ECLIPTIC
HEURE D.S.T
1er août 24 h 01 h
15 août 23 h 24 h
1er septembre 22 h 23 h
15 septembre 21 h 22 h
1er octobre 20 h 21 h
etc.
2000.0

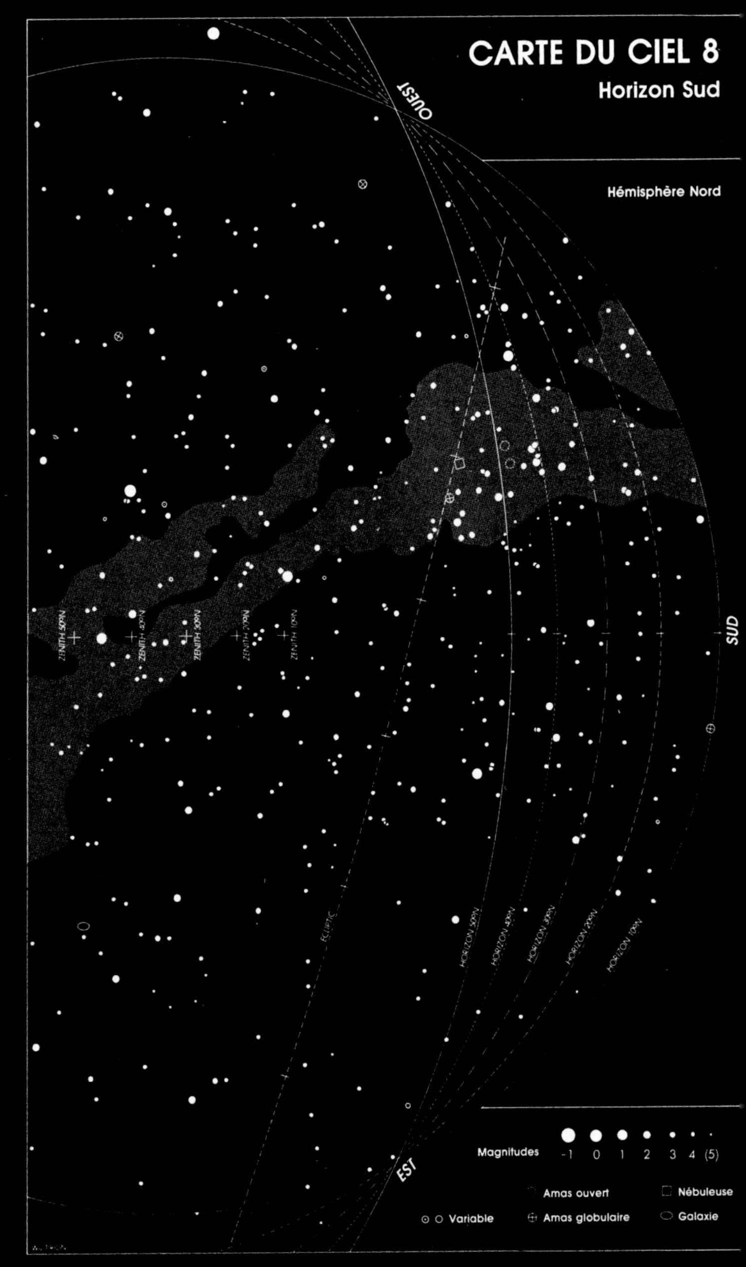
CARTE DU CIEL 8
Horizon Sud
Hémisphère Nord
OUEST
SUD
EST
ZENITH 50°N
ZENITH 40°N
ZENITH 30°N
ZENITH 20°N
ZENITH 10°N
ECLIPTIC
HORIZON 50°N
HORIZON 40°N
HORIZON 30°N
HORIZON 20°N
HORIZON 10°N
Magnitudes -1 0 1 2 3 4 (5)
Amas ouvert
Nébuleuse
Variable
Amas globulaire
Galaxie

CARTE DU CIEL 9

Horizon Nord

Hémisphère Nord

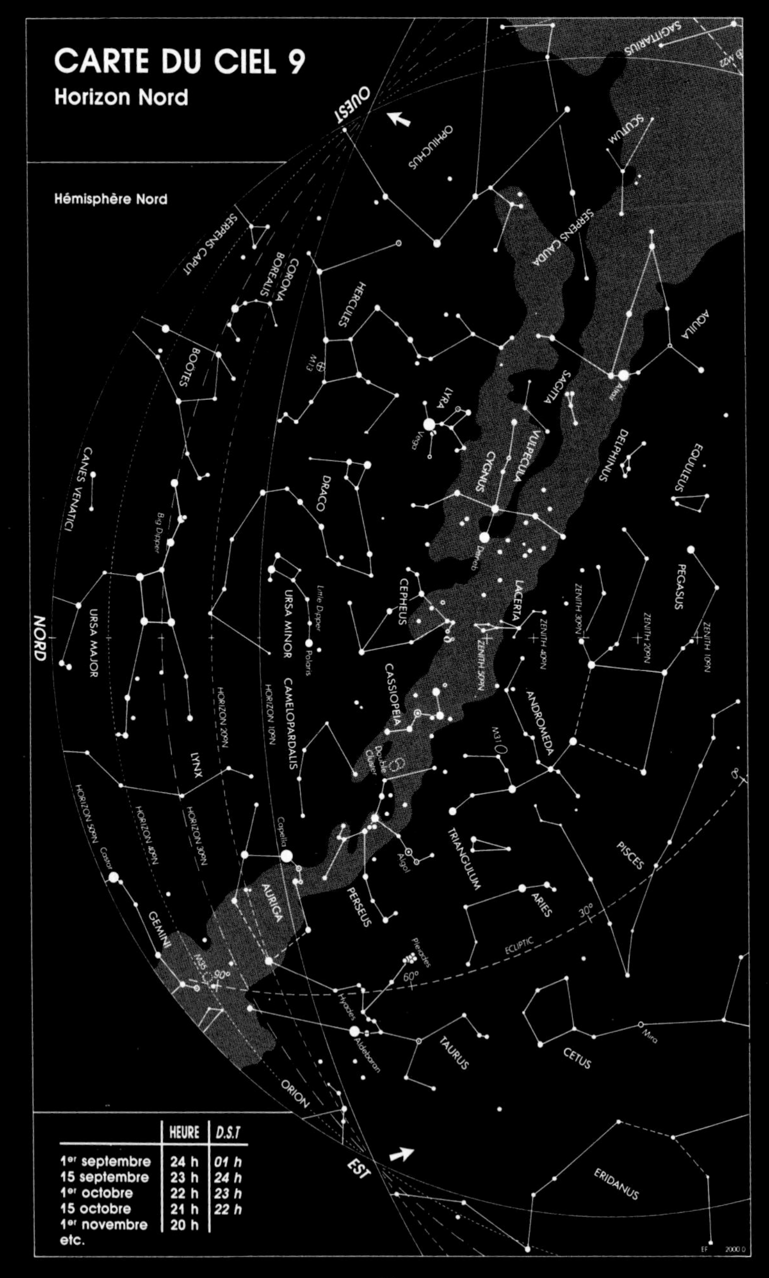

	HEURE	D.S.T
1er septembre	24 h	*01 h*
15 septembre	23 h	*24 h*
1er octobre	22 h	*23 h*
15 octobre	21 h	*22 h*
1er novembre	20 h	
etc.		

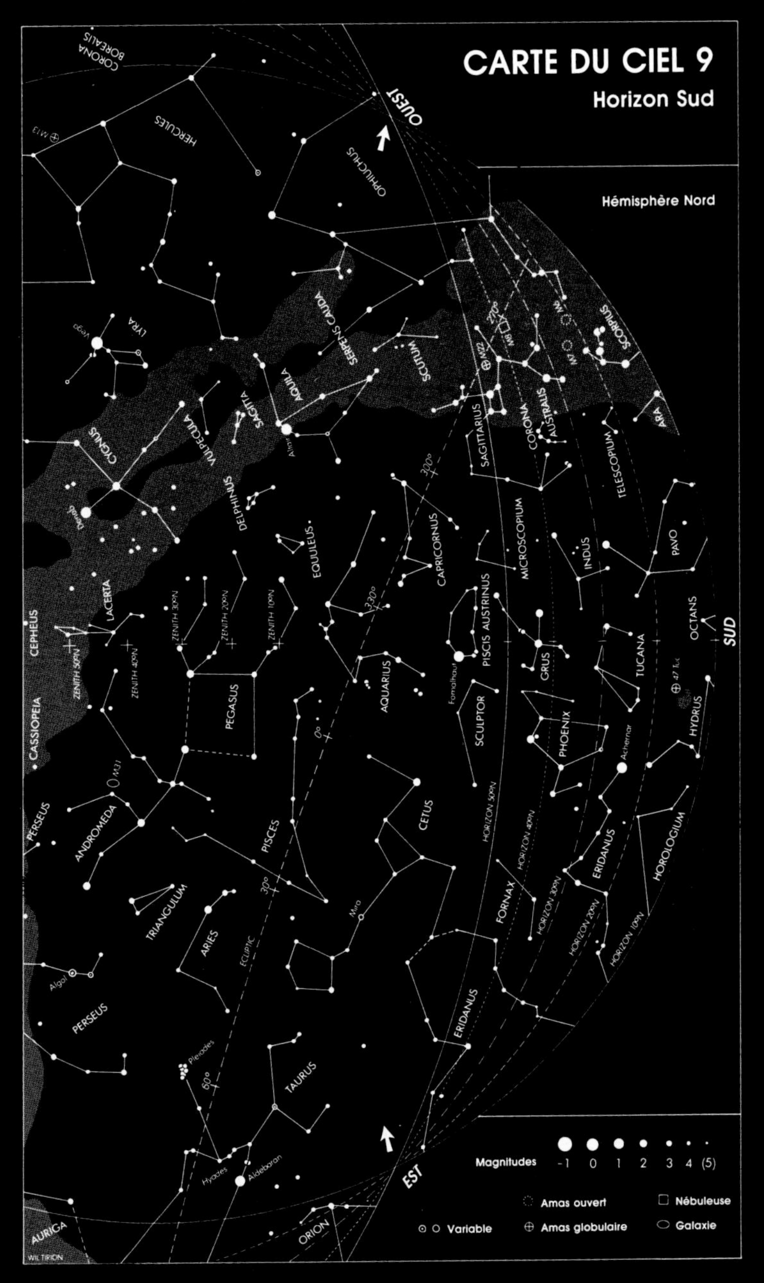

CARTE DU CIEL 9
Horizon Sud
Hémisphère Nord
OUEST
SUD
EST
CORONA BOREALIS
HERCULES
OPHIUCHUS
LYRA
Vega
SERPENS CAUDA
SCUTUM
SCORPIUS
SAGITTARIUS
CORONA AUSTRALIS
ARA
AQUILA
Altair
SAGITTA
VULPECULA
CYGNUS
Deneb
DELPHINUS
EQUULEUS
CAPRICORNUS
MICROSCOPIUM
TELESCOPIUM
INDUS
PAVO
LACERTA
CEPHEUS
CASSIOPEIA
PEGASUS
AQUARIUS
PISCIS AUSTRINUS
Fomalhaut
GRUS
TUCANA
OCTANS
SCULPTOR
PHOENIX
Achernar
HYDRUS
ANDROMEDA
M31
PERSEUS
PISCES
CETUS
ERIDANUS
HOROLOGIUM
TRIANGULUM
ARIES
ECLIPTIC
Mira
FORNAX
Algol
Pleiades
TAURUS
Hyades
Aldebaran
ORION
AURIGA
WIL TIRION
Magnitudes
-1 0 1 2 3 4 (5)
Amas ouvert
Nébuleuse
Variable
Amas globulaire
Galaxie

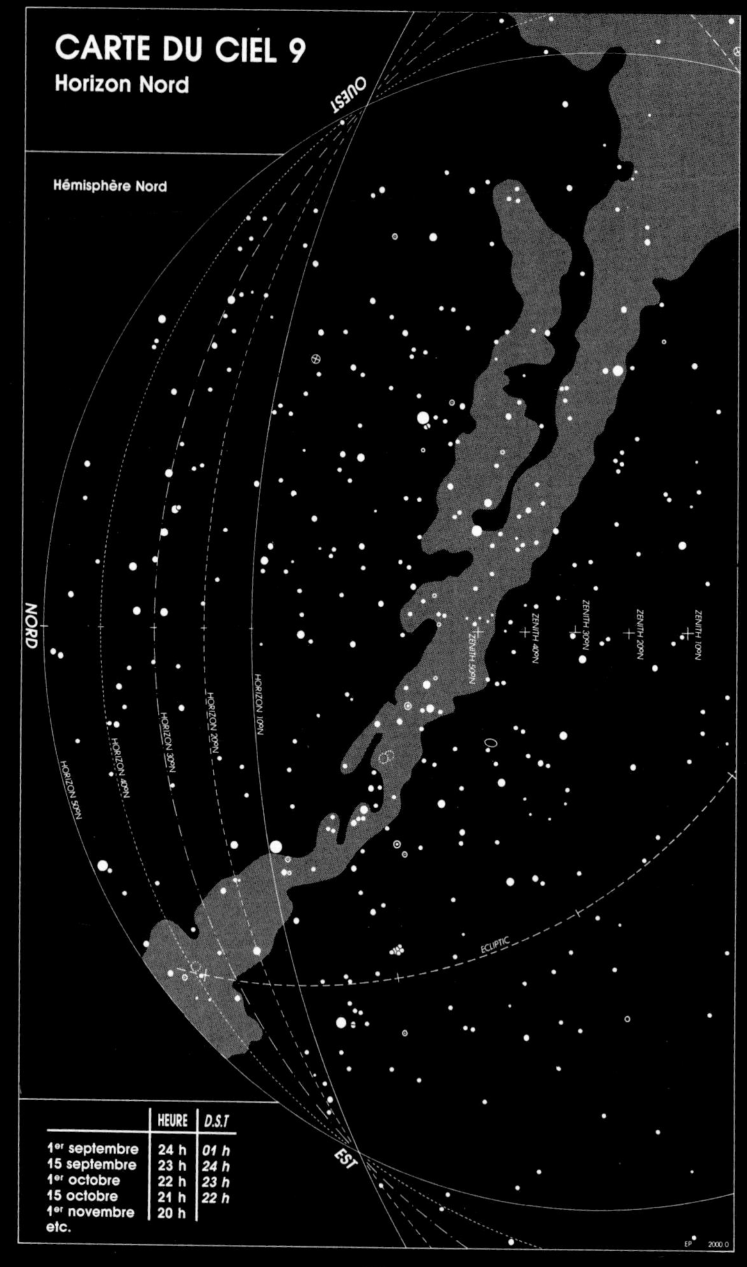

	HEURE	D.S.T
1er septembre	24 h	01 h
15 septembre	23 h	24 h
1er octobre	22 h	23 h
15 octobre	21 h	22 h
1er novembre	20 h	
etc.		

CARTE DU CIEL 9
Horizon Sud
Hémisphère Nord
OUEST
EST
SUD
ZENITH 50°N
ZENITH 40°N
ZENITH 30°N
ZENITH 20°N
ZENITH 10°N
ECLIPTIC
HORIZON 50°N
HORIZON 40°N
HORIZON 30°N
HORIZON 20°N
HORIZON 10°N
Magnitudes -1 0 1 2 3 4 (5)
Amas ouvert
Nébuleuse
Variable
Amas globulaire
Galaxie
WIL TIRION

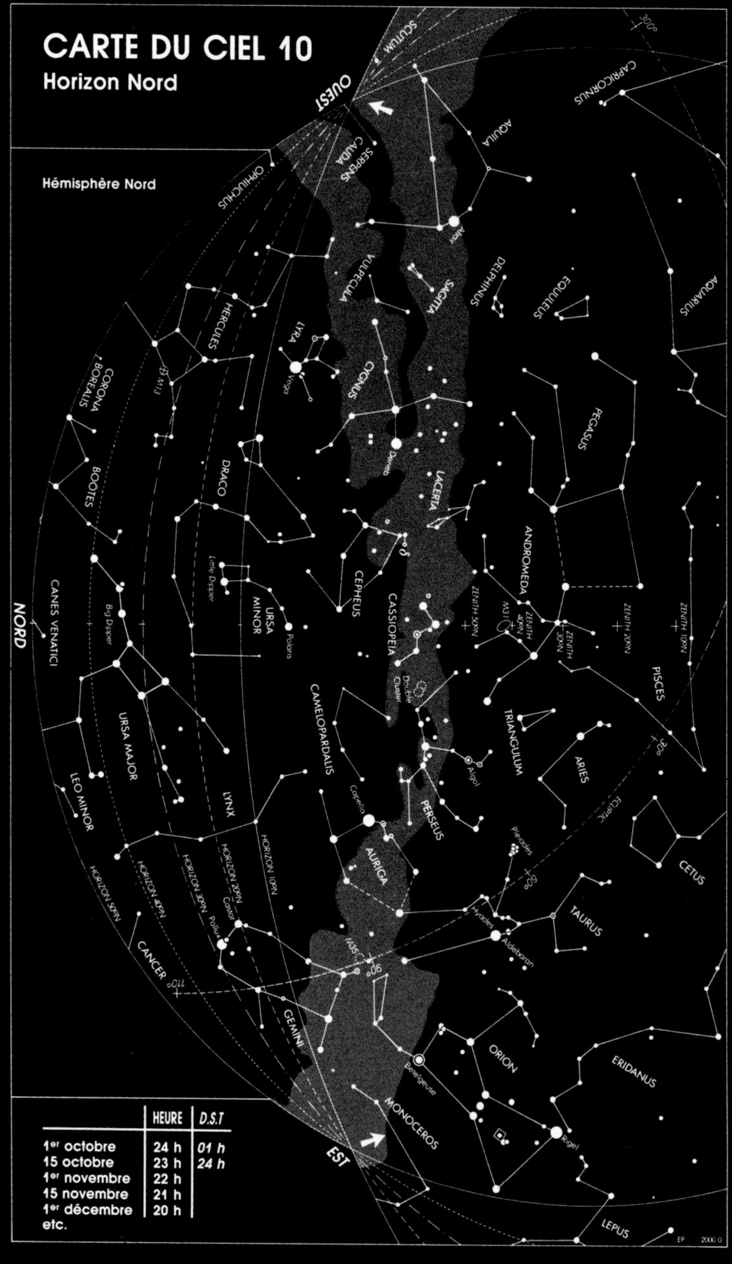
CARTE DU CIEL 10
Horizon Nord
Hémisphère Nord
OUEST
EST
NORD
	HEURE	D.S.T
1er octobre	24 h	01 h
15 octobre	23 h	24 h
1er novembre	22 h	
15 novembre	21 h	
1er décembre	20 h	
etc.		

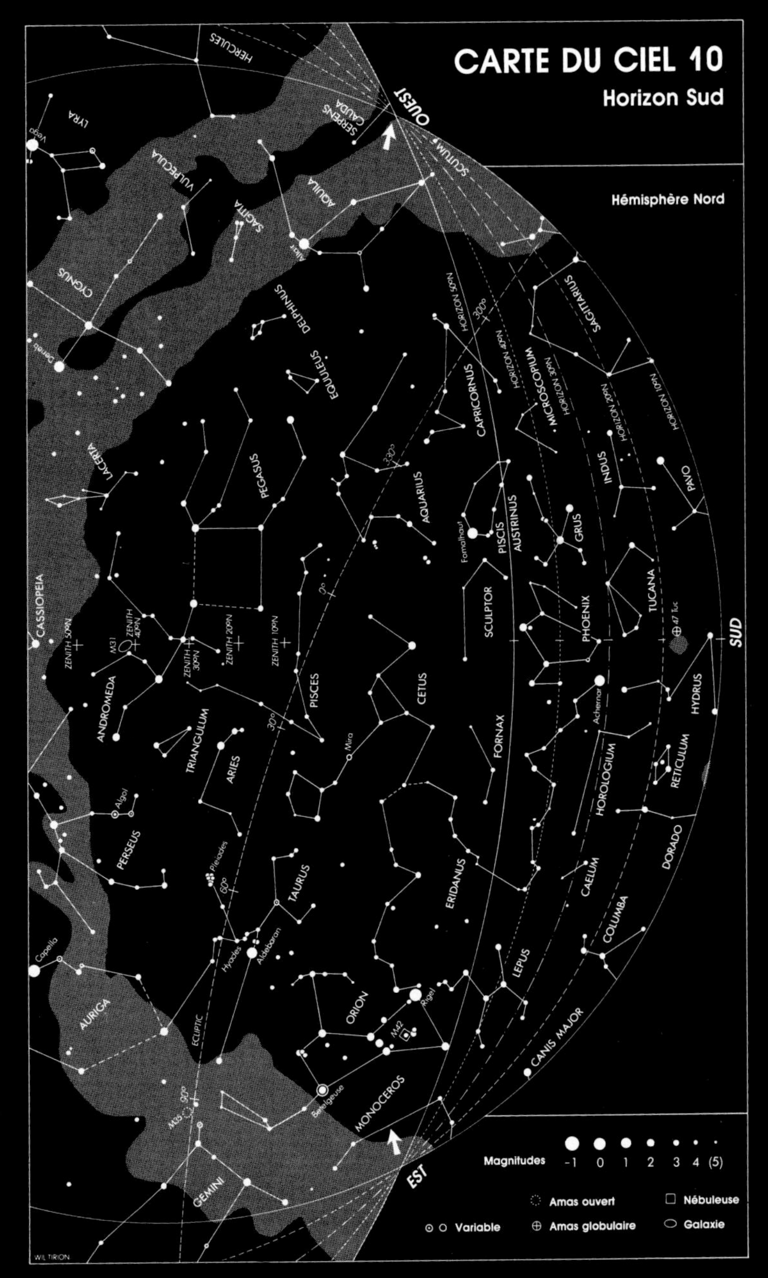
CARTE DU CIEL 10
Horizon Sud
Hémisphère Nord
OUEST
EST
SUD
HERCULES
LYRA
Vega
SERPENS CAUDA
SCUTUM
AQUILA
VULPECULA
SAGITTA
CYGNUS
Deneb
DELPHINUS
EQUULEUS
LACERTA
PEGASUS
CAPRICORNUS
AQUARIUS
SAGITTARIUS
MICROSCOPIUM
INDUS
PAVO
GRUS
PISCIS AUSTRINUS
Fomalhaut
SCULPTOR
PHOENIX
TUCANA
47 Tuc
HYDRUS
CASSIOPEIA
ANDROMEDA
M31
TRIANGULUM
ARIES
PISCES
CETUS
Mira
FORNAX
Achernar
HOROLOGIUM
RETICULUM
DORADO
PERSEUS
Algol
Pleiades
TAURUS
Aldebaran
Hyades
ERIDANUS
CAELUM
COLUMBA
LEPUS
Capella
AURIGA
ORION
Rigel
M42
ECLIPTIC
CANIS MAJOR
MONOCEROS
Betelgeuse
M35
GEMINI
HORIZON 50°N
HORIZON 40°N
HORIZON 30°N
HORIZON 20°N
HORIZON 10°N
ZENITH 50°N
ZENITH 40°N
ZENITH 30°N
ZENITH 20°N
ZENITH 10°N
Magnitudes
-1 0 1 2 3 4 (5)
Amas ouvert
Nébuleuse
Variable
Amas globulaire
Galaxie
WIL TIRION

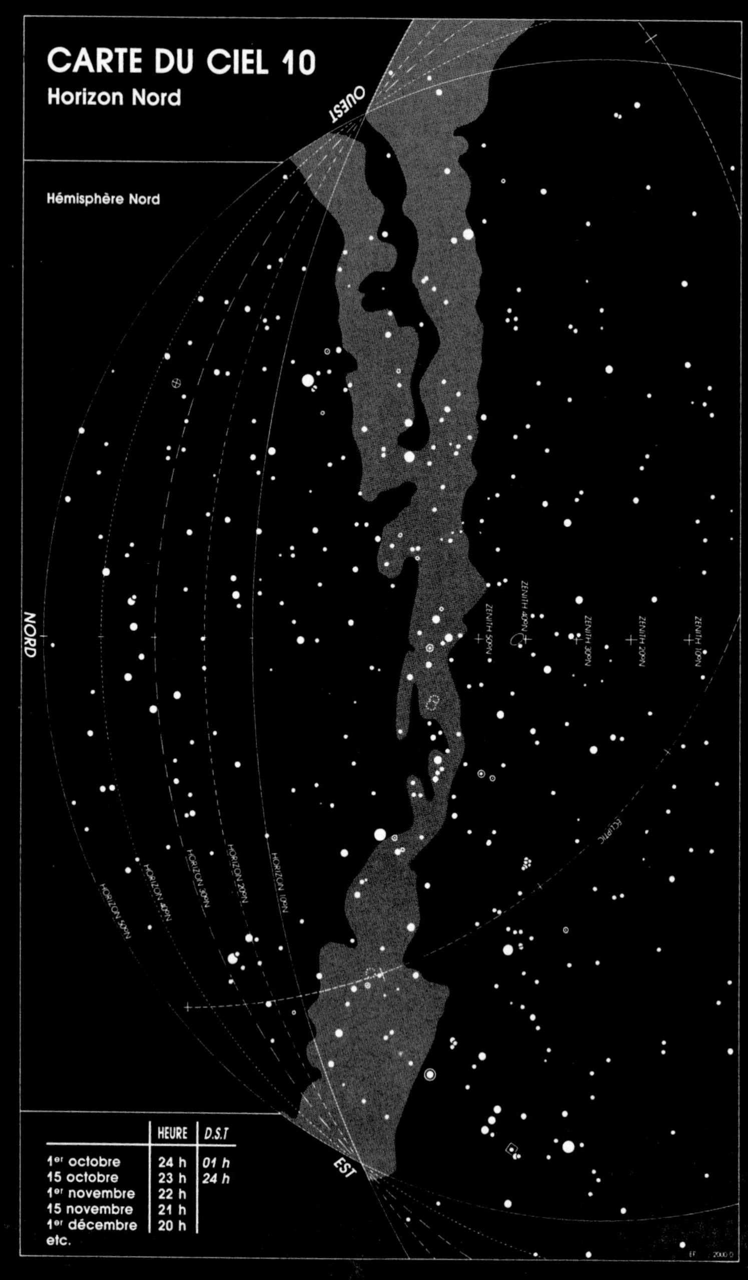

	HEURE	D.S.T
1er octobre	24 h	01 h
15 octobre	23 h	24 h
1er novembre	22 h	
15 novembre	21 h	
1er décembre	20 h	
etc.		

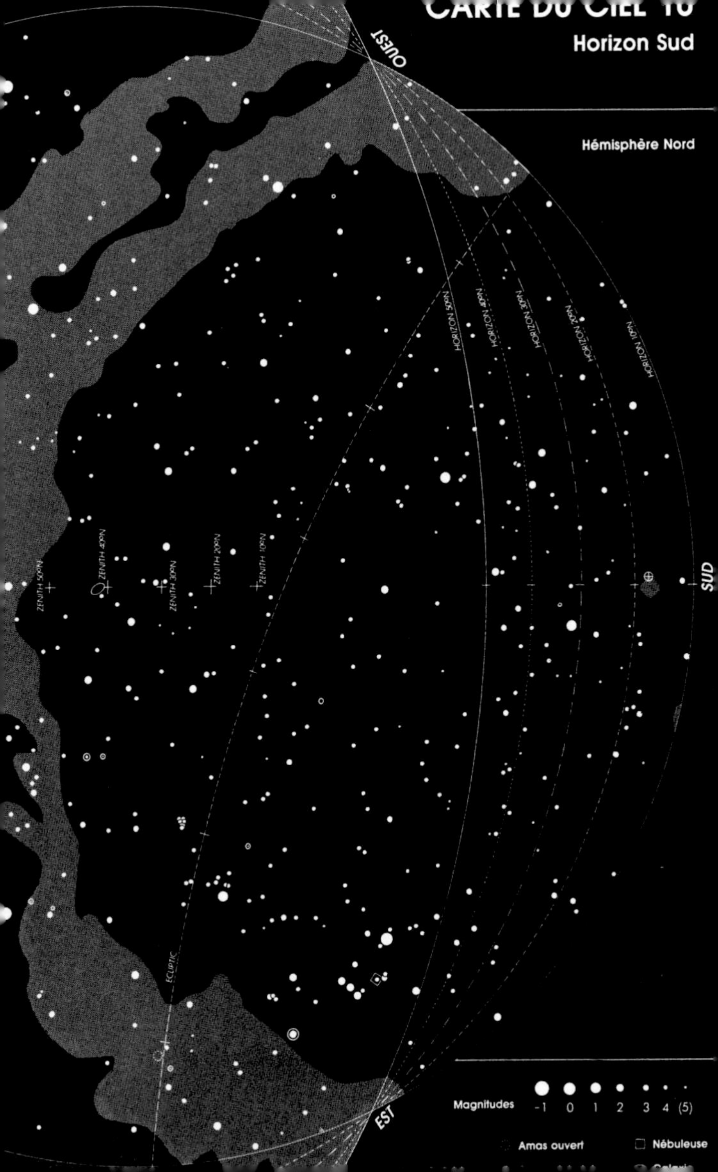

CARTE DU CIEL 10
Horizon Sud
Hémisphère Nord
OUEST
HORIZON 50°N
HORIZON 40°N
HORIZON 30°N
HORIZON 20°N
HORIZON 10°N
ZENITH 50°N
ZENITH 40°N
ZENITH 30°N
ZENITH 20°N
ZENITH 10°N
SUD
ECLIPTIC
EST
Magnitudes
-1 0 1 2 3 4 (5)
Amas ouvert
Nébuleuse

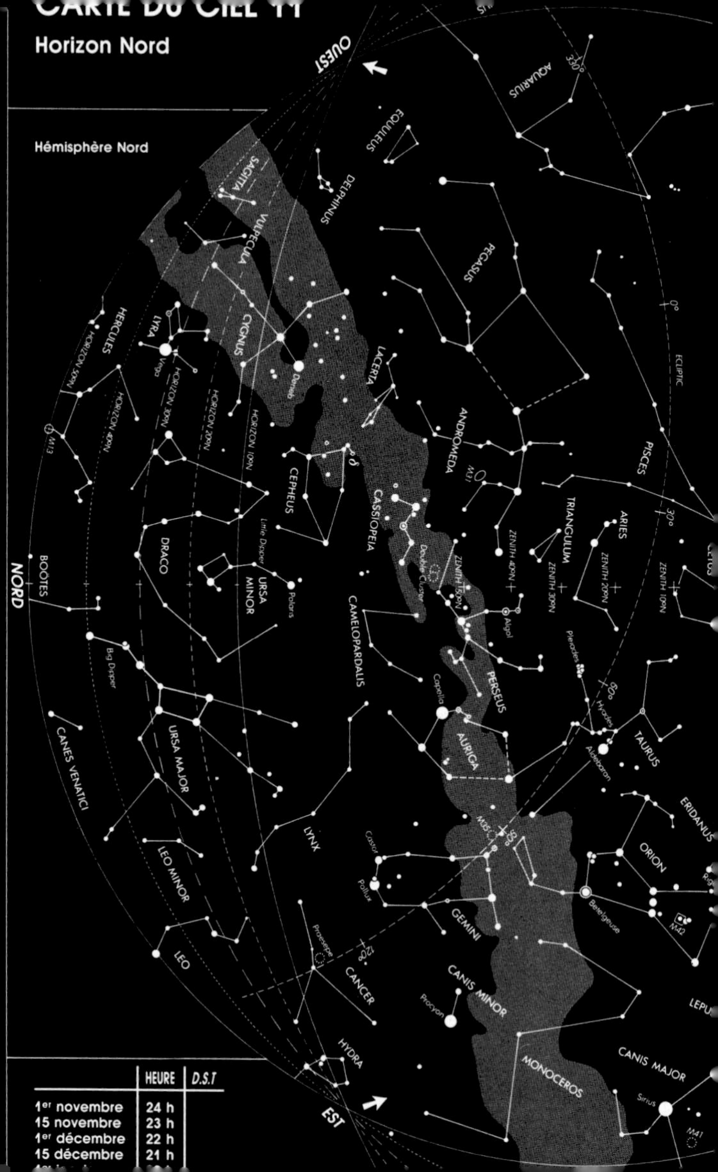
CARTE DU CIEL 11
Horizon Nord
Hémisphère Nord
OUEST
EST
NORD
HEURE
D.S.T
1er novembre 24 h
15 novembre 23 h
1er décembre 22 h
15 décembre 21 h
AQUARIUS
EQUULEUS
DELPHINUS
SAGITTA
VULPECULA
CYGNUS
LYRA
HERCULES
PEGASUS
LACERTA
ANDROMEDA
PISCES
CEPHEUS
CASSIOPEIA
TRIANGULUM
ARIES
DRACO
URSA MINOR
CAMELOPARDALIS
PERSEUS
BOÖTES
URSA MAJOR
AURIGA
TAURUS
CANES VENATICI
LYNX
ORION
ERIDANUS
LEO MINOR
GEMINI
LEO
CANCER
CANIS MINOR
HYDRA
MONOCEROS
CANIS MAJOR
ECLIPTIC
Deneb
Vega
Polaris
Little Dipper
Big Dipper
Double Cluster
Algol
Capella
Pleiades
Hyades
Aldebaran
Betelgeuse
Castor
Pollux
Praesepe
Procyon
Sirius
M13
M31
M35
M42
M41
HORIZON 50°N
HORIZON 40°N
HORIZON 30°N
HORIZON 20°N
HORIZON 10°N
ZENITH 40°N
ZENITH 30°N
ZENITH 20°N
ZENITH 10°N
ZENITH 50°N
330°
0°
30°
60°
90°
120°

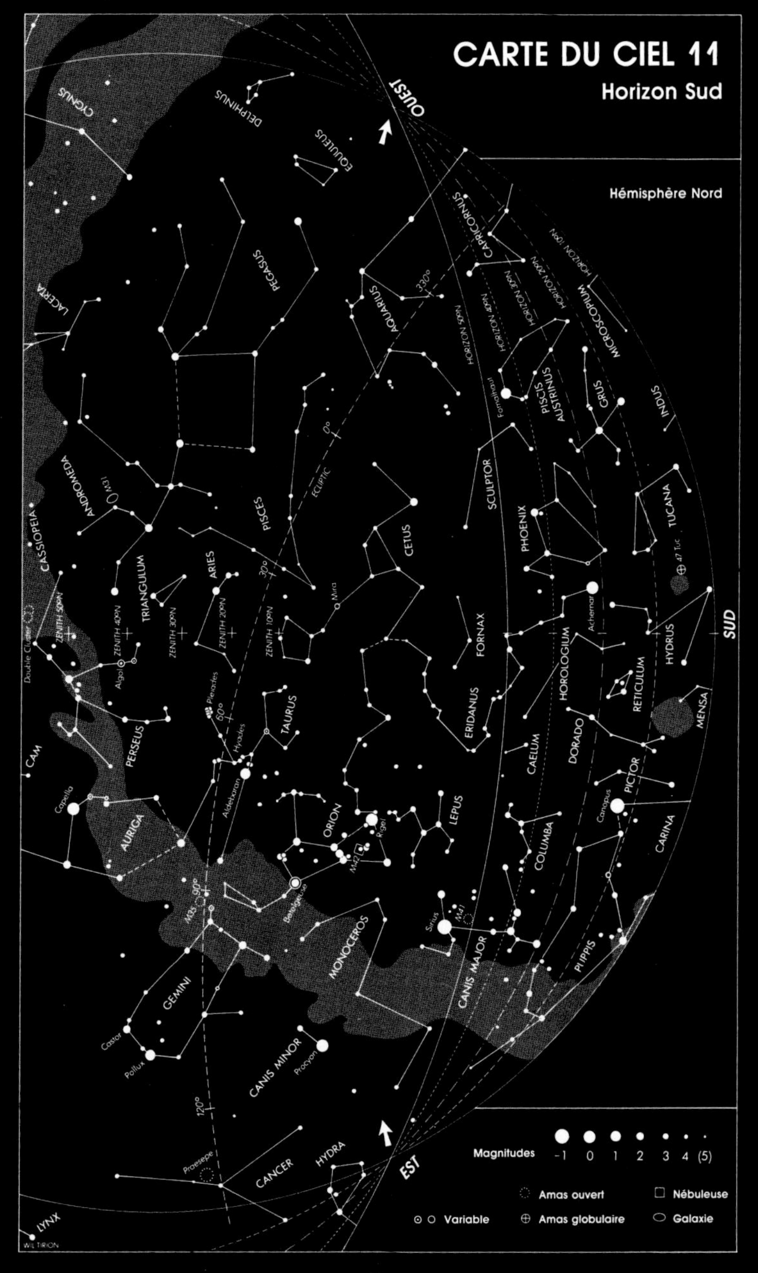
CARTE DU CIEL 11
Horizon Sud
Hémisphère Nord
OUEST
EST
SUD
CYGNUS
DELPHINUS
EQUULEUS
LACERTA
PEGASUS
AQUARIUS
CAPRICORNUS
MICROSCOPIUM
PISCIS AUSTRINUS
GRUS
INDUS
SCULPTOR
PHOENIX
TUCANA
ANDROMEDA
CASSIOPEIA
PISCES
CETUS
ARIES
TRIANGULUM
FORNAX
ERIDANUS
HOROLOGIUM
RETICULUM
HYDRUS
MENSA
DORADO
CAELUM
PICTOR
CARINA
COLUMBA
LEPUS
ORION
TAURUS
PERSEUS
AURIGA
CAM
GEMINI
MONOCEROS
CANIS MAJOR
PUPPIS
CANIS MINOR
CANCER
HYDRA
LYNX
ECLIPTIC
HORIZON 10°N
HORIZON 20°N
HORIZON 30°N
HORIZON 40°N
HORIZON 50°N
ZENITH 50°N
ZENITH 40°N
ZENITH 30°N
ZENITH 20°N
ZENITH 10°N
Fomalhaut
Achernar
47 Tuc
Mira
M31
Double Cluster
Algol
Pleiades
Hyades
Aldebaran
Capella
Rigel
M42
Betelgeuse
M35
Sirius
M41
Canopus
Castor
Pollux
Procyon
Praesepe
330°
0°
30°
60°
90°
120°
Magnitudes -1 0 1 2 3 4 (5)
Amas ouvert
Nébuleuse
Variable
Amas globulaire
Galaxie
WIL TIRION

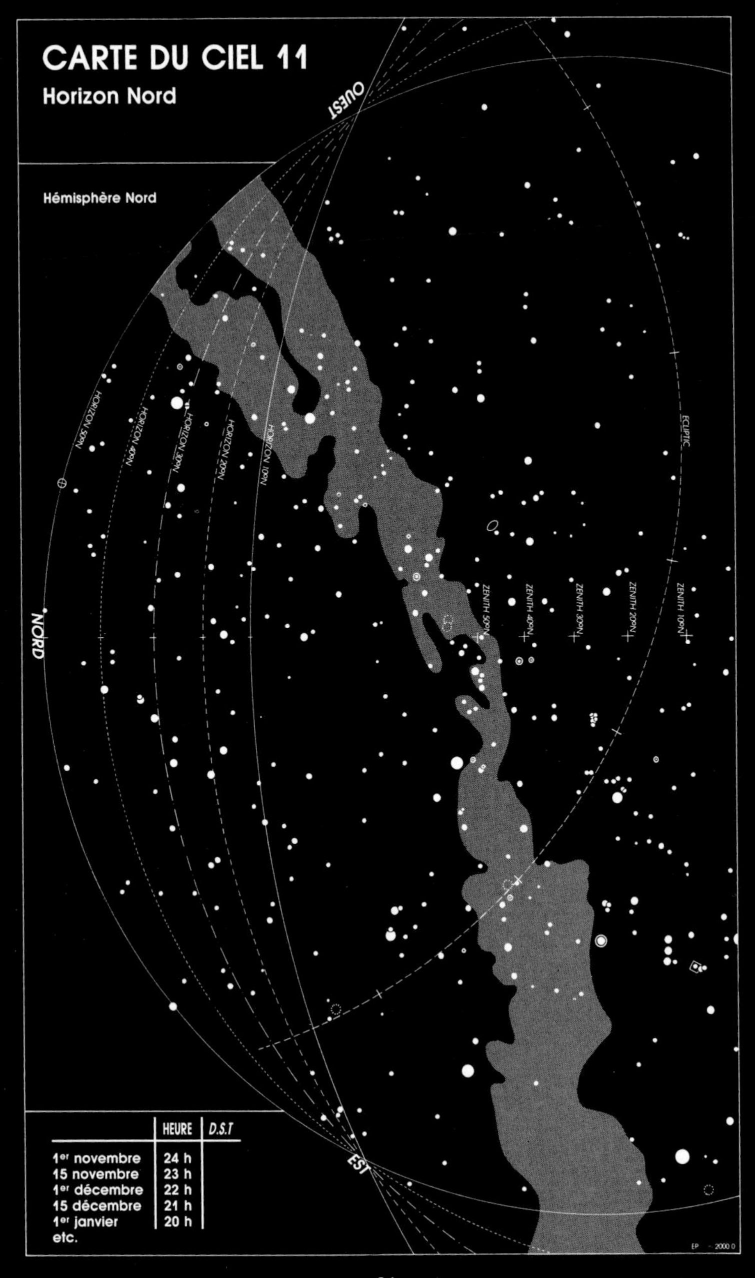

	HEURE	D.S.T
1er novembre	24 h	
15 novembre	23 h	
1er décembre	22 h	
15 décembre	21 h	
1er janvier	20 h	
etc.		

CARTE DU CIEL 11
Horizon Sud
Hémisphère Nord
OUEST
EST
SUD
HORIZON 10°N
HORIZON 20°N
HORIZON 30°N
HORIZON 40°N
HORIZON 50°N
ECLIPTIC
ZENITH 50°N
ZENITH 40°N
ZENITH 30°N
ZENITH 20°N
ZENITH 10°N
Magnitudes
-1 0 1 2 3 4 (5)
Amas ouvert
Nébuleuse
Variable
Amas globulaire
Galaxie
WIL TIRION

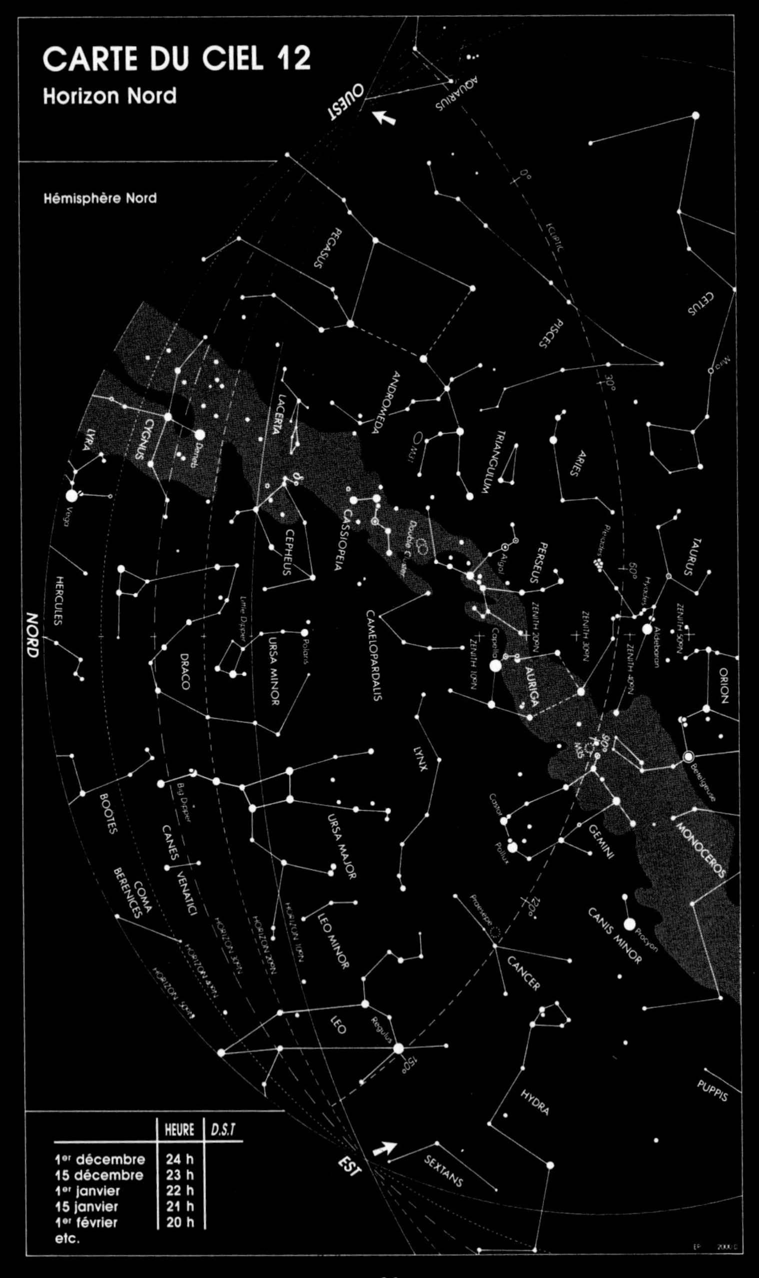
CARTE DU CIEL 12
Horizon Nord
Hémisphère Nord
OUEST
EST
NORD
PEGASUS
ANDROMEDA
CASSIOPEIA
CEPHEUS
LACERTA
CYGNUS
LYRA
Vega
Deneb
HERCULES
DRACO
URSA MINOR
Polaris
Little Dipper
CAMELOPARDALIS
PERSEUS
Algol
TRIANGULUM
ARIES
PISCES
CETUS
AQUARIUS
ECLIPTIC
TAURUS
Pleiades
Hyades
Aldebaran
AURIGA
Capella
ORION
Betelgeuse
GEMINI
Castor
Pollux
MONOCEROS
CANIS MINOR
Procyon
CANCER
Praesepe
LYNX
URSA MAJOR
Big Dipper
CANES VENATICI
COMA BERENICES
BOOTES
LEO MINOR
LEO
Regulus
HYDRA
SEXTANS
PUPPIS
Double Cluster
M31
M35
ZENITH 10°N
ZENITH 20°N
ZENITH 30°N
ZENITH 40°N
ZENITH 50°N
HORIZON 10°N
HORIZON 20°N
HORIZON 30°N
HORIZON 40°N
HORIZON 50°N
0°
30°
60°
90°
120°
150°
HEURE
D.S.T
1er décembre 24 h
15 décembre 23 h
1er janvier 22 h
15 janvier 21 h
1er février 20 h
etc.

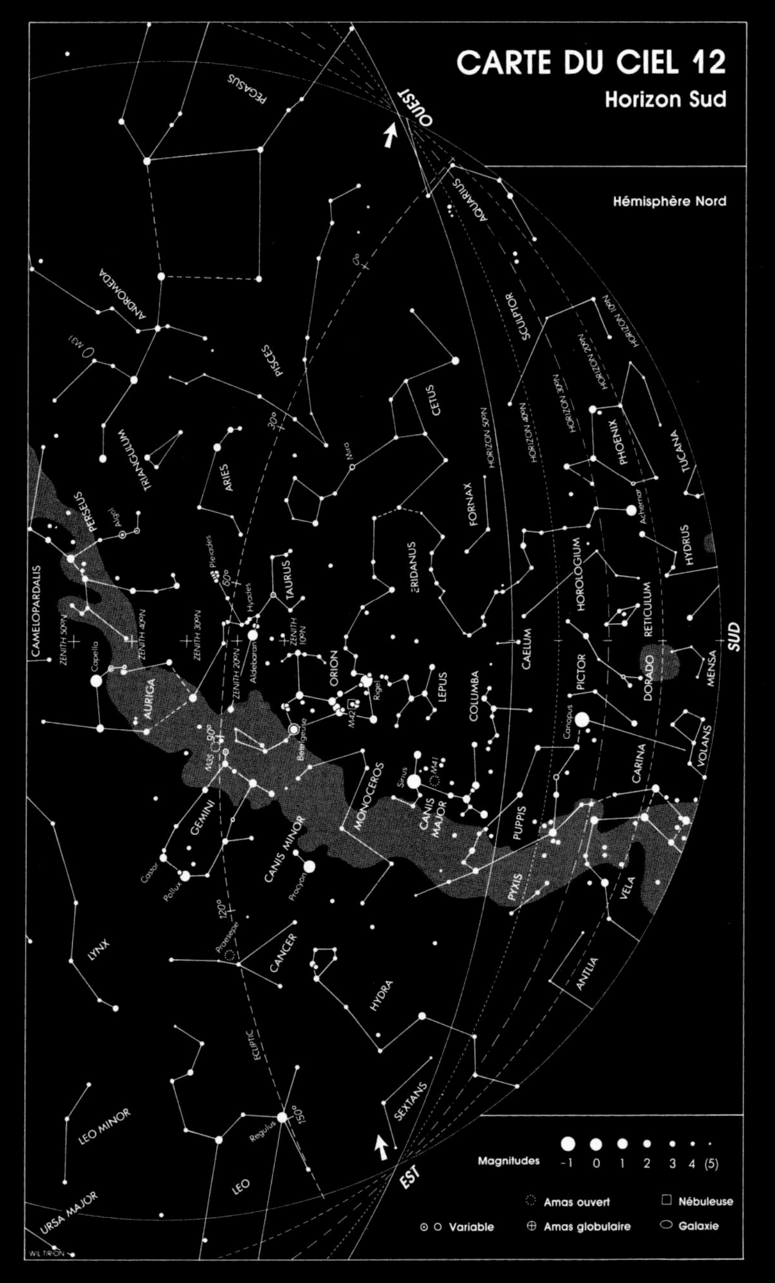
CARTE DU CIEL 12
Horizon Sud
Hémisphère Nord
OUEST
EST
SUD
PEGASUS
ANDROMEDA
PISCES
AQUARIUS
SCULPTOR
CETUS
TRIANGULUM
ARIES
PERSEUS
CAMELOPARDALIS
FORNAX
ERIDANUS
TAURUS
AURIGA
ORION
LEPUS
COLUMBA
CAELUM
HOROLOGIUM
PHOENIX
TUCANA
HYDRUS
RETICULUM
DORADO
PICTOR
MENSA
VOLANS
CARINA
PUPPIS
CANIS MAJOR
MONOCEROS
CANIS MINOR
GEMINI
LYNX
CANCER
HYDRA
PYXIS
VELA
ANTLIA
SEXTANS
LEO
LEO MINOR
URSA MAJOR
ECLIPTIC
Magnitudes
-1 0 1 2 3 4 (5)
Amas ouvert
Nébuleuse
Variable
Amas globulaire
Galaxie
WIL TIRION

	HEURE	D.S.T
1er décembre	24 h	
15 décembre	23 h	
1er janvier	22 h	
15 janvier	21 h	
1er février	20 h	
etc.		

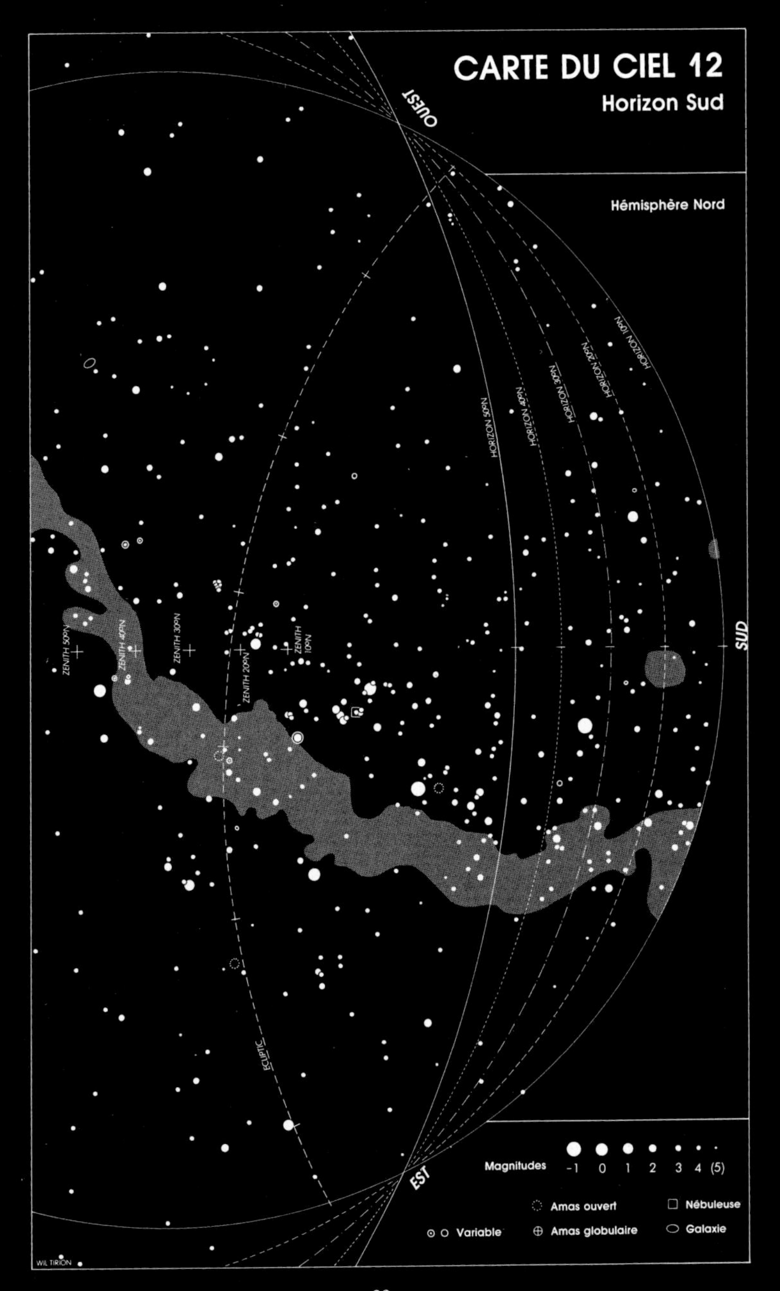
CARTE DU CIEL 12
Horizon Sud
Hémisphère Nord
OUEST
EST
SUD
HORIZON 10°N
HORIZON 20°N
HORIZON 30°N
HORIZON 40°N
HORIZON 50°N
ZENITH 50°N
ZENITH 40°N
ZENITH 30°N
ZENITH 20°N
ZENITH 10°N
ECLIPTIC
Magnitudes -1 0 1 2 3 4 (5)
Amas ouvert
Nébuleuse
Variable
Amas globulaire
Galaxie
WIL TIRION

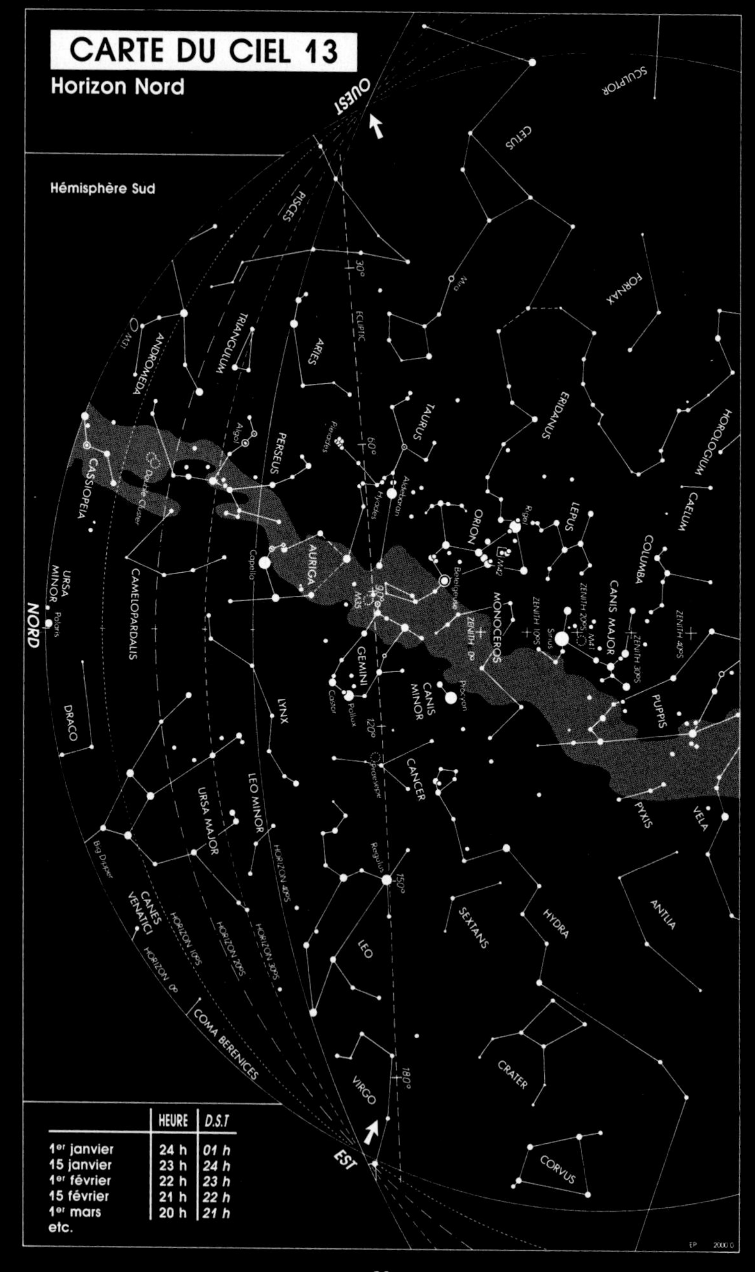

	HEURE	D.S.T
1er janvier	24 h	01 h
15 janvier	23 h	24 h
1er février	22 h	23 h
15 février	21 h	22 h
1er mars	20 h	21 h
etc.		

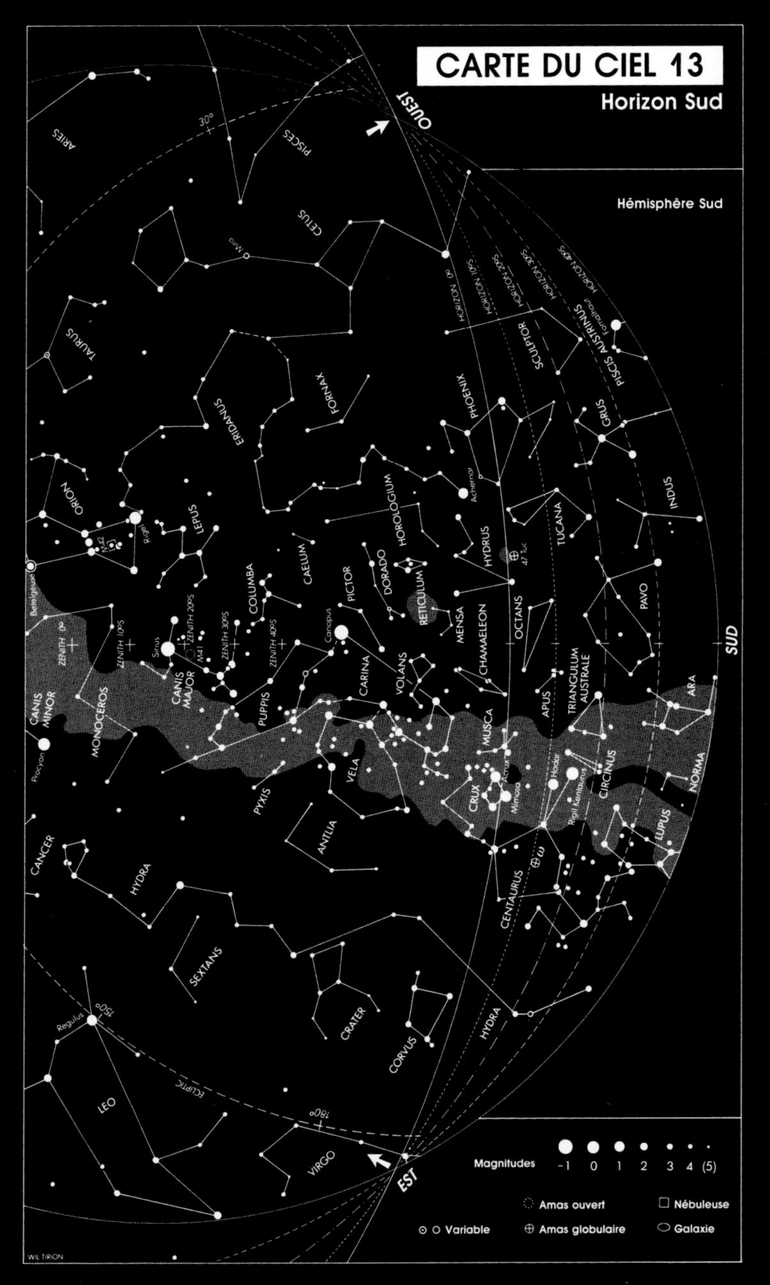

CARTE DU CIEL 13
Horizon Sud
Hémisphère Sud
OUEST
EST
SUD
ARIES
PISCES
CETUS
Mira
TAURUS
ERIDANUS
FORNAX
ORION
LEPUS
Rigel
M42
Betelgeuse
COLUMBA
CAELUM
PICTOR
DORADO
HOROLOGIUM
RETICULUM
PHOENIX
SCULPTOR
PISCIS AUSTRINUS
Fomalhaut
GRUS
Achernar
HYDRUS
TUCANA
47 Tuc
INDUS
PAVO
MENSA
OCTANS
CHAMAELEON
Canopus
Sirius
M41
CANIS MAJOR
CANIS MINOR
Procyon
MONOCEROS
PUPPIS
CARINA
VOLANS
MUSCA
APUS
TRIANGULUM AUSTRALE
ARA
VELA
PYXIS
ANTLIA
CRUX
Acrux
Mimosa
Hadar
Rigil Kentaurus
CIRCINUS
NORMA
LUPUS
CENTAURUS
ω
CANCER
HYDRA
SEXTANS
CRATER
CORVUS
LEO
Regulus
VIRGO
ECLIPTIC
30°
150°
180°
HORIZON 0°
HORIZON 10°S
HORIZON 20°S
HORIZON 30°S
HORIZON 40°S
ZENITH 0°
ZENITH 10°S
ZENITH 20°S
ZENITH 30°S
ZENITH 40°S
Magnitudes
-1 0 1 2 3 4 (5)
Amas ouvert
Nébuleuse
Variable
Amas globulaire
Galaxie
WIL TIRION

CARTE DU CIEL 14

Horizon Nord

Hémisphère Sud

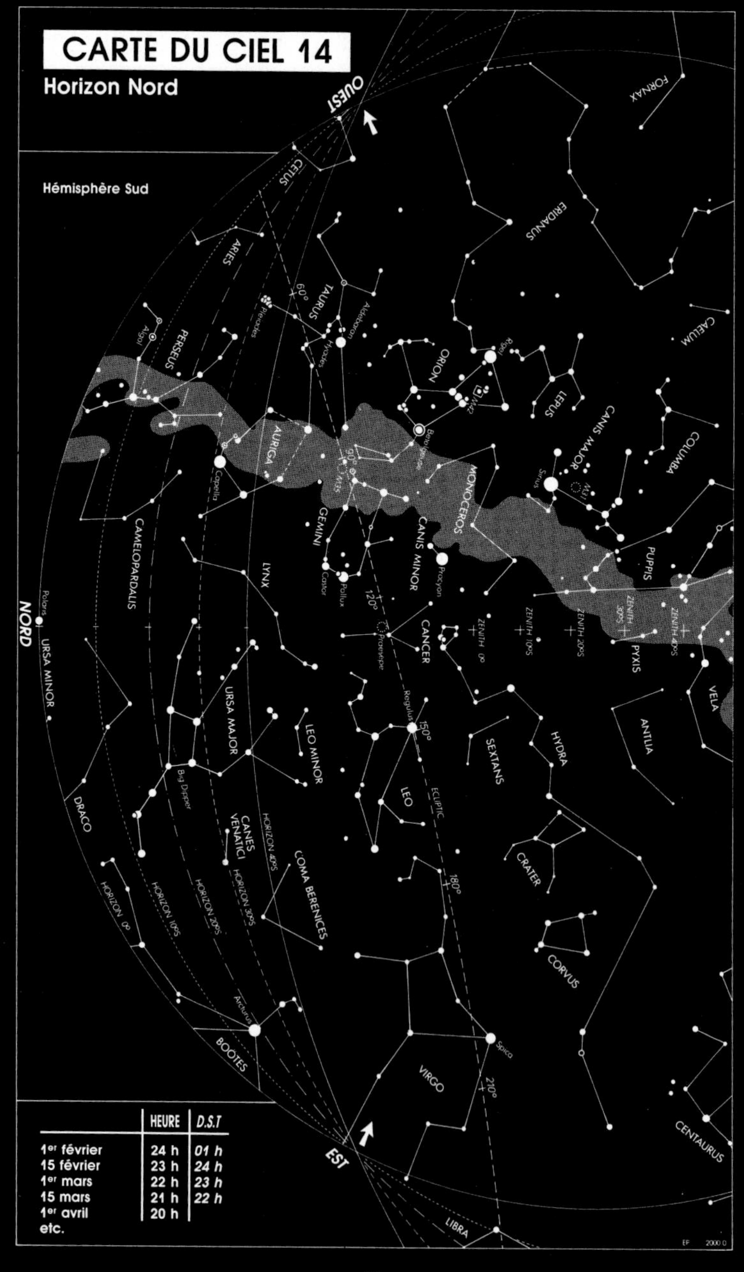

	HEURE	D.S.T
1er février	24 h	01 h
15 février	23 h	24 h
1er mars	22 h	23 h
15 mars	21 h	22 h
1er avril	20 h	
etc.		

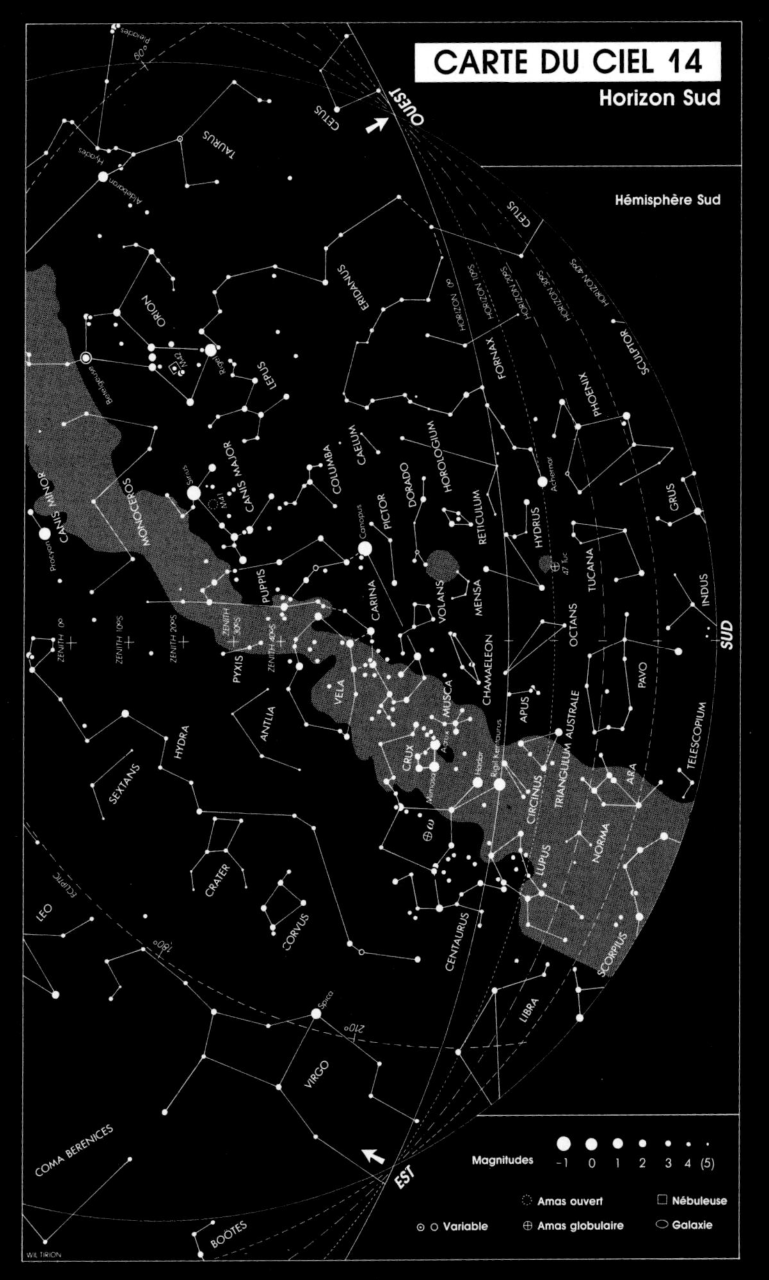
CARTE DU CIEL 14
Horizon Sud
Hémisphère Sud
OUEST
EST
SUD
Magnitudes
-1 0 1 2 3 4 (5)
Amas ouvert
Nébuleuse
Variable
Amas globulaire
Galaxie

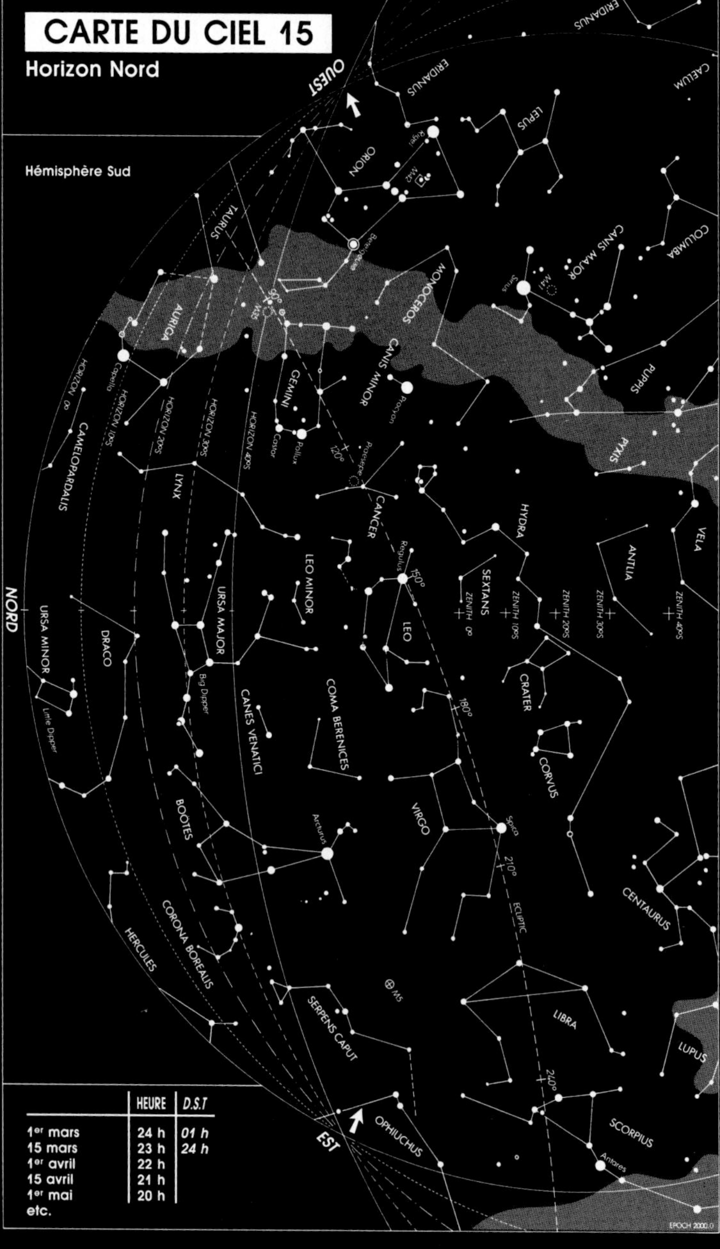

	HEURE	D.S.T
1er mars	24 h	01 h
15 mars	23 h	24 h
1er avril	22 h	
15 avril	21 h	
1er mai	20 h	
etc.		

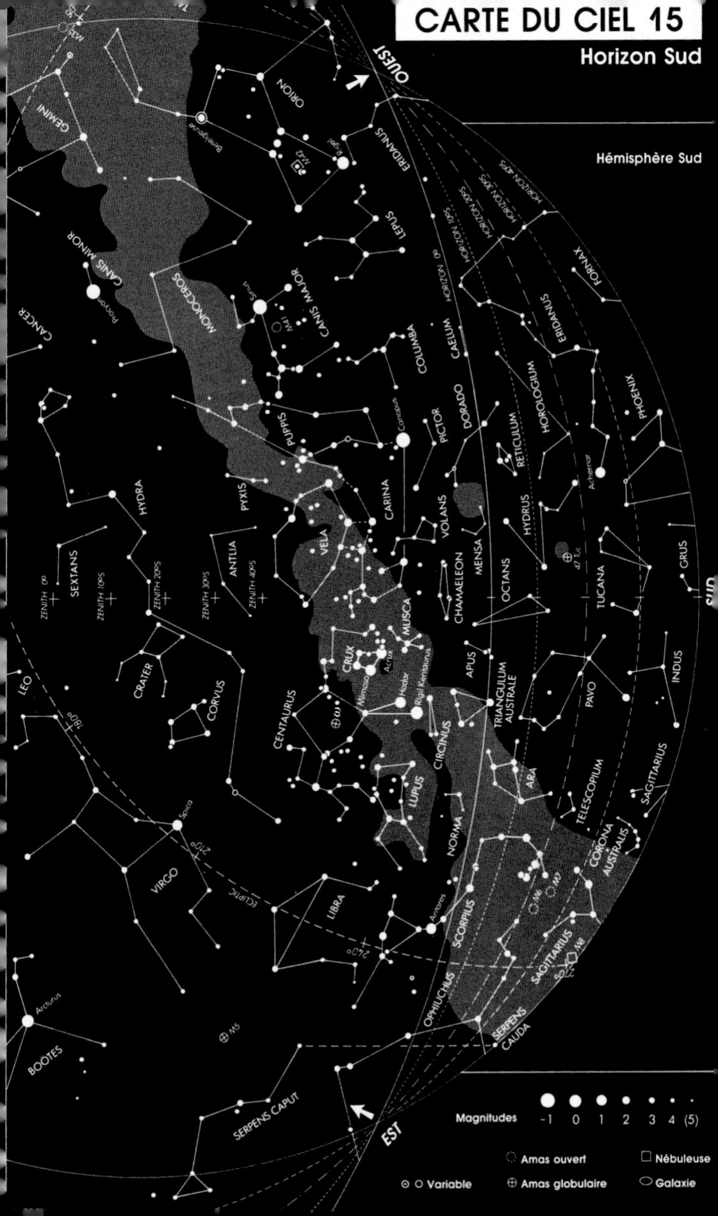
CARTE DU CIEL 15
Horizon Sud
Hémisphère Sud
OUEST
EST
SUD
GEMINI
ORION
Betelgeuse
Rigel
M42
ERIDANUS
LEPUS
CANIS MINOR
Procyon
MONOCEROS
CANIS MAJOR
Sirius
M41
CANCER
COLUMBA
CAELUM
HORIZON 0°
HORIZON 10°S
HORIZON 20°S
HORIZON 30°S
HORIZON 40°S
FORNAX
ERIDANUS
HOROLOGIUM
PHOENIX
PUPPIS
Canopus
PICTOR
DORADO
RETICULUM
Achernar
HYDRA
PYXIS
CARINA
VOLANS
HYDRUS
VELA
ANTLIA
SEXTANS
ZENITH 0°
ZENITH 10°S
ZENITH 20°S
ZENITH 30°S
ZENITH 40°S
CHAMAELEON
MENSA
OCTANS
47 Tuc
TUCANA
GRUS
MUSCA
CRUX
Acrux
Mimosa
Hadar
Rigil Kentaurus
CENTAURUS
CRATER
CORVUS
LEO
APUS
TRIANGULUM AUSTRALE
PAVO
INDUS
CIRCINUS
LUPUS
ARA
TELESCOPIUM
SAGITTARIUS
NORMA
CORONA AUSTRALIS
Spica
VIRGO
ECLIPTIC
LIBRA
Antares
SCORPIUS
M6
M7
SAGITTARIUS
M8
OPHIUCHUS
SERPENS CAUDA
Arcturus
BOÖTES
M5
SERPENS CAPUT
180°
210°
240°
270°
Magnitudes
-1 0 1 2 3 4 (5)
Amas ouvert
Nébuleuse
Variable
Amas globulaire
Galaxie

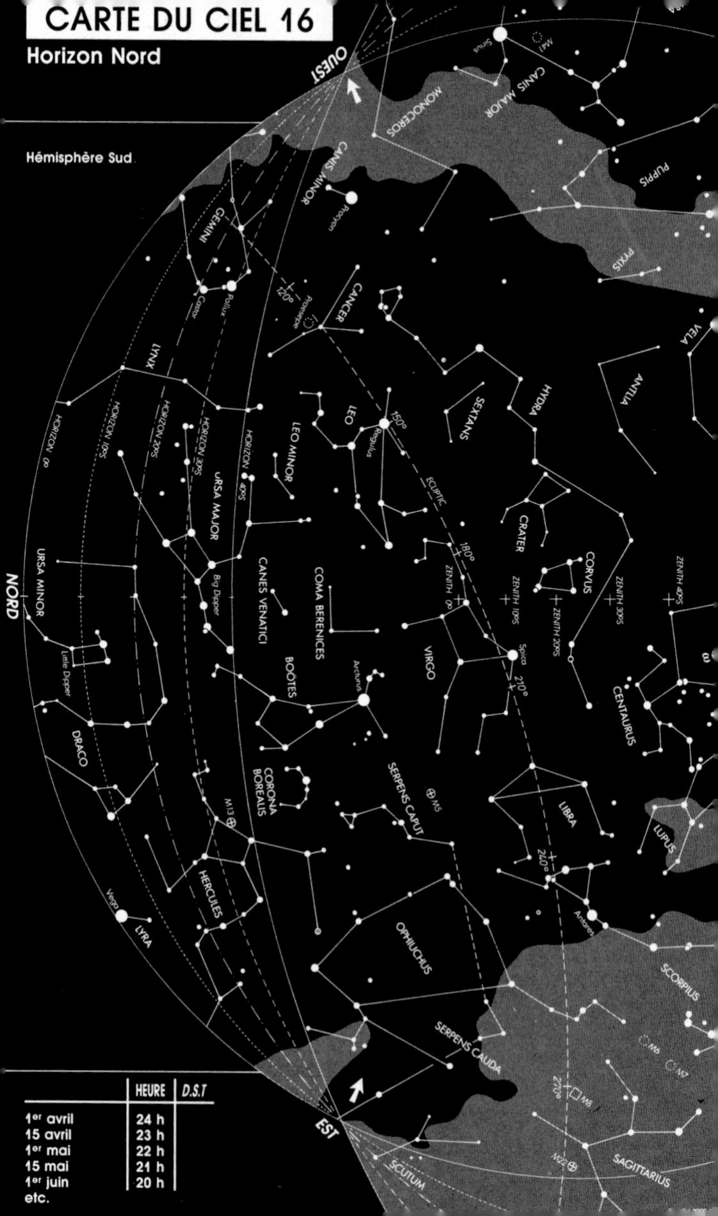
CARTE DU CIEL 16
Horizon Nord
Hémisphère Sud
OUEST
EST
NORD
HEURE
D.S.T
1er avril 24 h
15 avril 23 h
1er mai 22 h
15 mai 21 h
1er juin 20 h
etc.
CANIS MAJOR
Sirius
MONOCEROS
PUPPIS
PYXIS
VELA
ANTLIA
CANIS MINOR
Procyon
GEMINI
Castor
Pollux
Praesepe
120°
CANCER
LYNX
HYDRA
SEXTANS
LEO
Regulus
150°
LEO MINOR
ECLIPTIC
CRATER
CORVUS
HORIZON 0°
HORIZON 10°S
HORIZON 20°S
HORIZON 30°S
HORIZON 40°S
URSA MAJOR
Big Dipper
URSA MINOR
Little Dipper
CANES VENATICI
COMA BERENICES
180°
ZENITH 0°
ZENITH 10°S
ZENITH 20°S
ZENITH 30°S
ZENITH 40°S
VIRGO
Spica
210°
CENTAURUS
BOÖTES
Arcturus
DRACO
CORONA BOREALIS
SERPENS CAPUT
M5
LIBRA
LUPUS
M13
HERCULES
240°
Antares
Vega
LYRA
OPHIUCHUS
SCORPIUS
SERPENS CAUDA
M6
M7
270°
M8
M22
SAGITTARIUS
SCUTUM

CARTE DU CIEL 16
Horizon Sud
Hémisphère Sud
OUEST
EST
SUD
Magnitudes -1 0 1 2 3 4 (5)
Amas ouvert
Nébuleuse
Variable
Amas globulaire
Galaxie
GEMINI
CANIS MINOR
CANCER
MONOCEROS
CANIS MAJOR
LEPUS
LEO
SEXTANS
HYDRA
PYXIS
PUPPIS
COLUMBA
CAELUM
ANTLIA
VELA
CARINA
PICTOR
DORADO
HOROLOGIUM
ERIDANUS
CRATER
CORVUS
CENTAURUS
CRUX
MUSCA
CHAMAELEON
VOLANS
RETICULUM
MENSA
HYDRUS
OCTANS
VIRGO
TRIANGULUM AUSTRALE
APUS
TUCANA
PHOENIX
LUPUS
CIRCINUS
NORMA
PAVO
INDUS
GRUS
LIBRA
ARA
SCORPIUS
TELESCOPIUM
CORONA AUSTRALIS
MICROSCOPIUM
SERPENS CAPUT
SERPENS CAUDA
SAGITTARIUS
SCUTUM
OPHIUCHUS
HERCULES
ECLIPTIC
Sirius
Procyon
Regulus
Canopus
Achernar
Spica
Antares
Mimosa
Acrux
Hadar
Rigil Kentaurus
47 Tuc
M41
M5
M8
M22
ZENITH 0°
ZENITH 10°S
ZENITH 20°S
ZENITH 30°S
ZENITH 40°S
HORIZON 0°
HORIZON 10°S
HORIZON 20°S
HORIZON 30°S
HORIZON 40°S
120°
150°
180°
210°
240°
270°
WIL TIRION

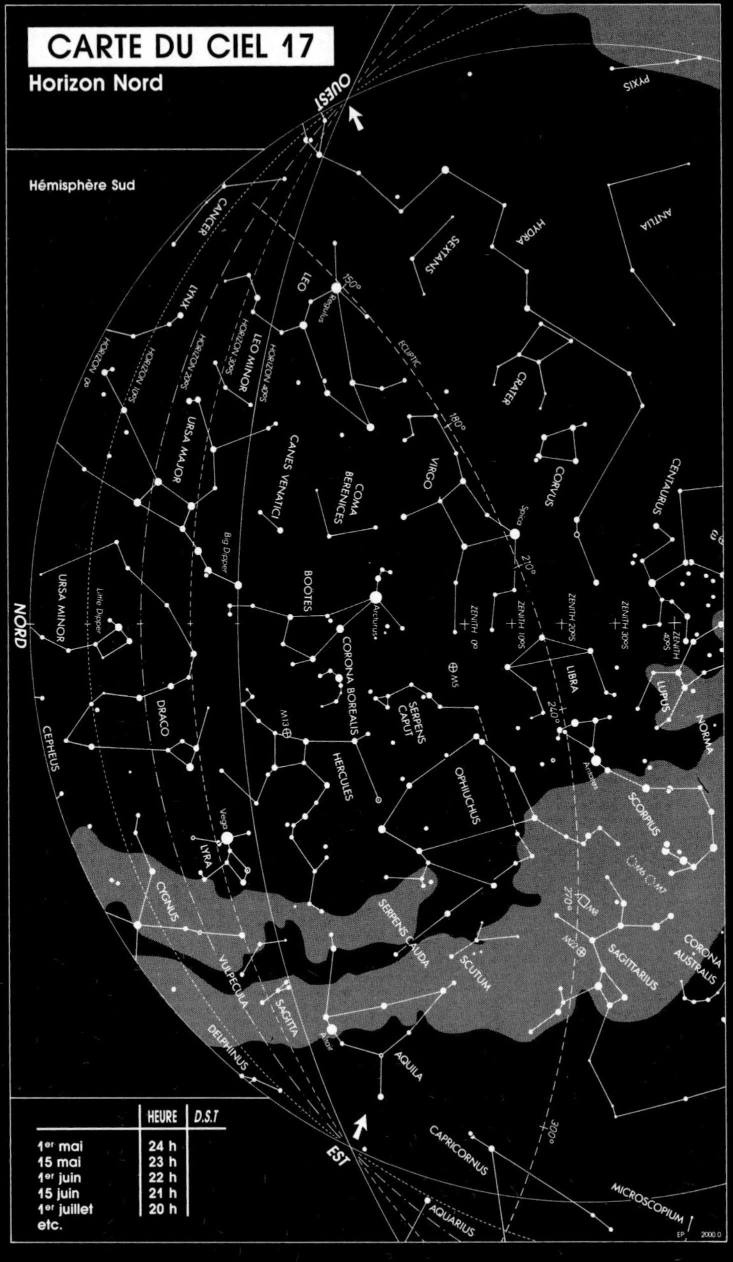
CARTE DU CIEL 17
Horizon Nord
Hémisphère Sud
OUEST
EST
NORD
	HEURE	D.S.T
1er mai	24 h	
15 mai	23 h	
1er juin	22 h	
15 juin	21 h	
1er juillet	20 h	
etc.		
CANCER
LYNX
LEO
LEO MINOR
URSA MAJOR
CANES VENATICI
COMA BERENICES
VIRGO
CORVUS
CRATER
HYDRA
SEXTANS
ANTLIA
PYXIS
CENTAURUS
BOÖTES
CORONA BOREALIS
SERPENS CAPUT
LIBRA
LUPUS
NORMA
URSA MINOR
DRACO
HERCULES
OPHIUCHUS
SCORPIUS
CEPHEUS
LYRA
CYGNUS
SERPENS CAUDA
SCUTUM
SAGITTARIUS
CORONA AUSTRALIS
VULPECULA
SAGITTA
DELPHINUS
AQUILA
CAPRICORNUS
MICROSCOPIUM
AQUARIUS
ECLIPTIC
Regulus
Spica
Arcturus
Antares
Vega
Altair
Big Dipper
Little Dipper
HORIZON 0°
HORIZON 10°S
HORIZON 20°S
HORIZON 30°S
HORIZON 40°S
ZENITH 0°
ZENITH 10°S
ZENITH 20°S
ZENITH 30°S
ZENITH 40°S
150°
180°
210°
240°
270°
300°
M5
M13
M6
M7
M8
M22
EP
2000.0

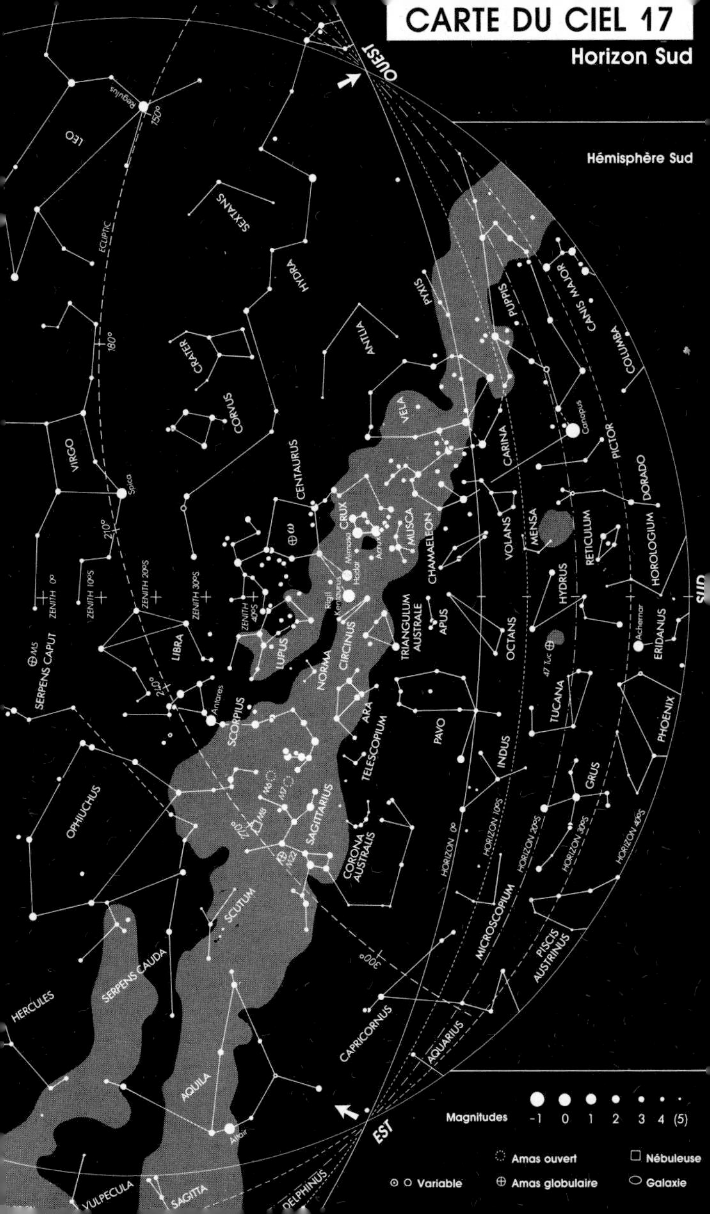
CARTE DU CIEL 17
Horizon Sud
Hémisphère Sud
OUEST
EST
SUD
LEO
Regulus
150°
SEXTANS
ECLIPTIC
HYDRA
PYXIS
PUPPIS
CANIS MAJOR
COLUMBA
ANTLIA
CRATER
CORVUS
VIRGO
180°
VELA
Canopus
CARINA
PICTOR
DORADO
CENTAURUS
Spica
210°
CRUX
MUSCA
CHAMAELEON
VOLANS
MENSA
RETICULUM
HOROLOGIUM
Mimosa
Hadar
Acrux
Rigil Kentaurus
ZENITH 0°
ZENITH 10°S
ZENITH 20°S
ZENITH 30°S
ZENITH 40°S
LUPUS
CIRCINUS
TRIANGULUM AUSTRALE
APUS
OCTANS
HYDRUS
Achernar
ERIDANUS
SERPENS CAPUT
LIBRA
NORMA
47 Tuc
240°
Antares
SCORPIUS
ARA
PAVO
TUCANA
PHOENIX
TELESCOPIUM
INDUS
OPHIUCHUS
SAGITTARIUS
270°
CORONA AUSTRALIS
GRUS
HORIZON 0°
HORIZON 10°S
HORIZON 20°S
HORIZON 30°S
HORIZON 40°S
SCUTUM
MICROSCOPIUM
PISCIS AUSTRINUS
SERPENS CAUDA
300°
HERCULES
CAPRICORNUS
AQUARIUS
AQUILA
Altair
VULPECULA
SAGITTA
DELPHINUS
Magnitudes
-1 0 1 2 3 4 (5)
Amas ouvert
Nébuleuse
Variable
Amas globulaire
Galaxie

	HEURE	D.S.T
1er juin	24 h	
15 juin	23 h	
1er juillet	22 h	
15 juillet	21 h	
1er août	20 h	
etc.		

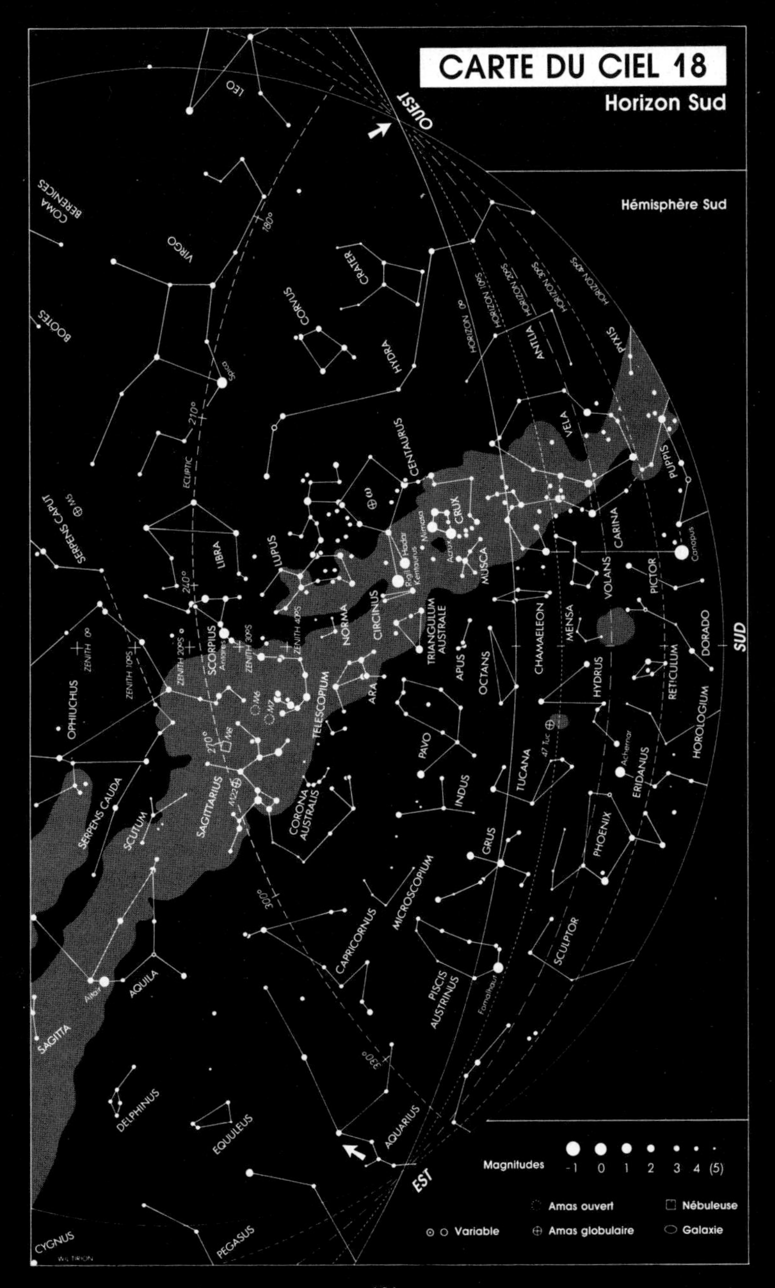
CARTE DU CIEL 18
Horizon Sud
Hémisphère Sud
OUEST
SUD
EST
Magnitudes -1 0 1 2 3 4 (5)
Amas ouvert
Nébuleuse
Variable
Amas globulaire
Galaxie
LEO
COMA BERENICES
VIRGO
BOOTES
CRATER
CORVUS
HYDRA
ANTLIA
PYXIS
VELA
PUPPIS
CARINA
CENTAURUS
CRUX
LIBRA
LUPUS
SERPENS CAPUT
SCORPIUS
NORMA
CIRCINUS
TRIANGULUM AUSTRALE
MUSCA
CHAMAELEON
MENSA
VOLANS
PICTOR
DORADO
RETICULUM
HOROLOGIUM
HYDRUS
OCTANS
APUS
ARA
TELESCOPIUM
OPHIUCHUS
SAGITTARIUS
CORONA AUSTRALIS
PAVO
INDUS
TUCANA
ERIDANUS
PHOENIX
GRUS
SERPENS CAUDA
SCUTUM
AQUILA
SAGITTA
MICROSCOPIUM
CAPRICORNUS
PISCIS AUSTRINUS
SCULPTOR
DELPHINUS
EQUULEUS
AQUARIUS
PEGASUS
CYGNUS
Spica
Antares
Canopus
Achernar
Altair
Fomalhaut
ECLIPTIC
180°
210°
240°
270°
300°
330°
HORIZON 0°
HORIZON 10°S
HORIZON 20°S
HORIZON 30°S
HORIZON 40°S
ZENITH 0°
ZENITH 10°S
ZENITH 20°S
ZENITH 30°S
ZENITH 40°S
M6
M7
M8
M22
47 Tuc
Acrux
Mimosa
Hadar
Rigil Kentaurus

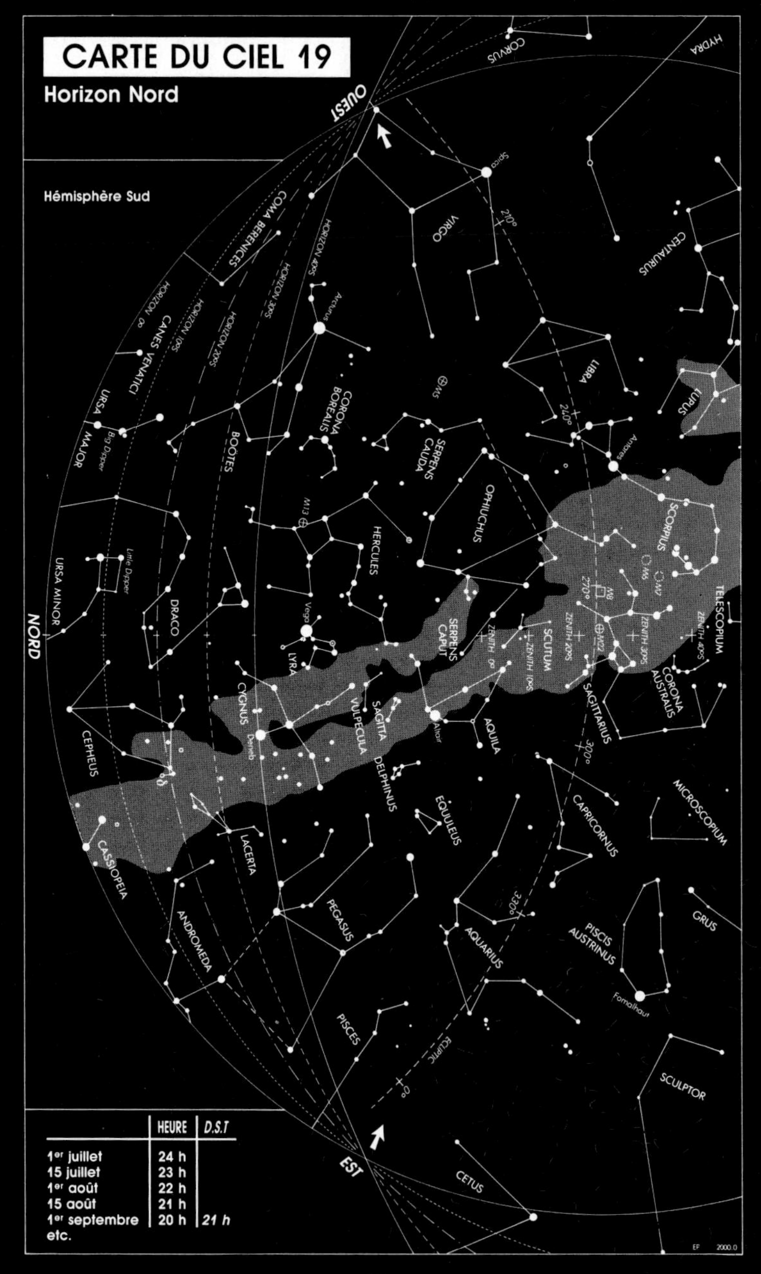

	HEURE	D.S.T
1er juillet	24 h	
15 juillet	23 h	
1er août	22 h	
15 août	21 h	
1er septembre	20 h	21 h
etc.		

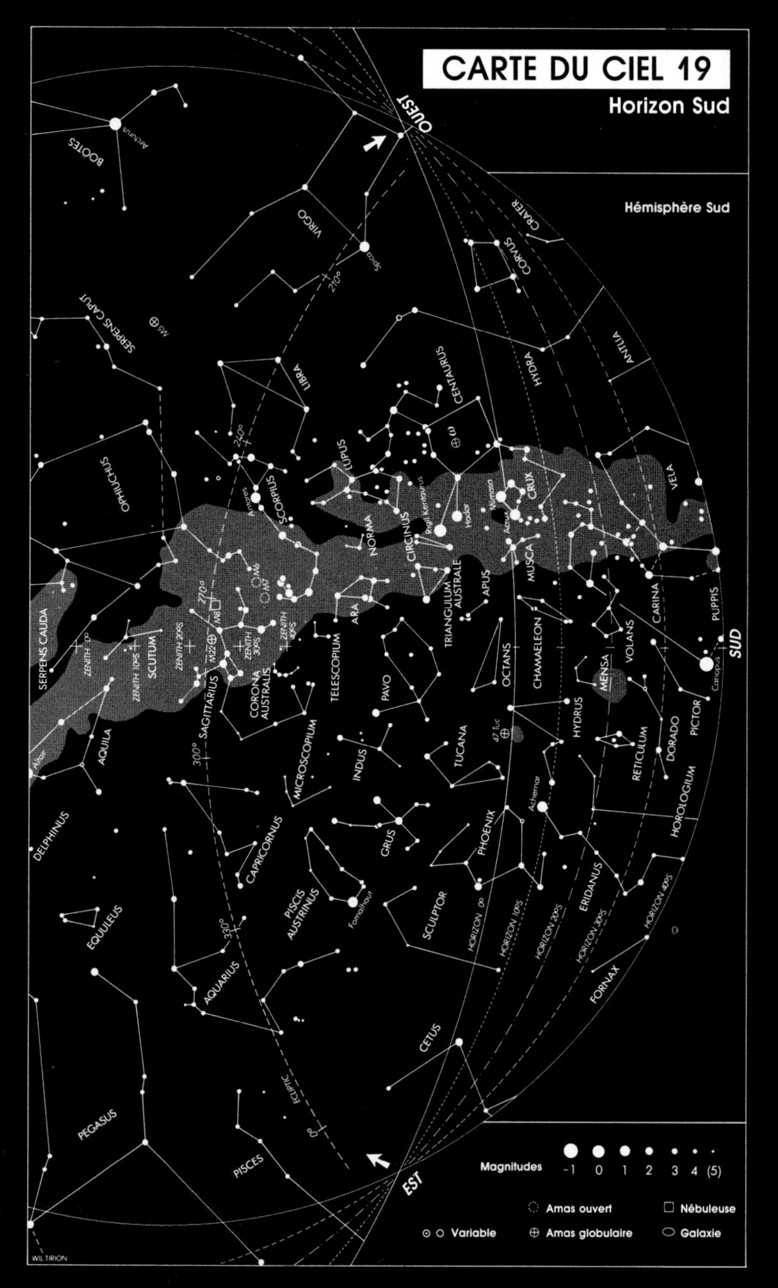
CARTE DU CIEL 19
Horizon Sud
Hémisphère Sud
OUEST
SUD
EST
Magnitudes
-1 0 1 2 3 4 (5)
Amas ouvert
Nébuleuse
Variable
Amas globulaire
Galaxie
WIL TIRION

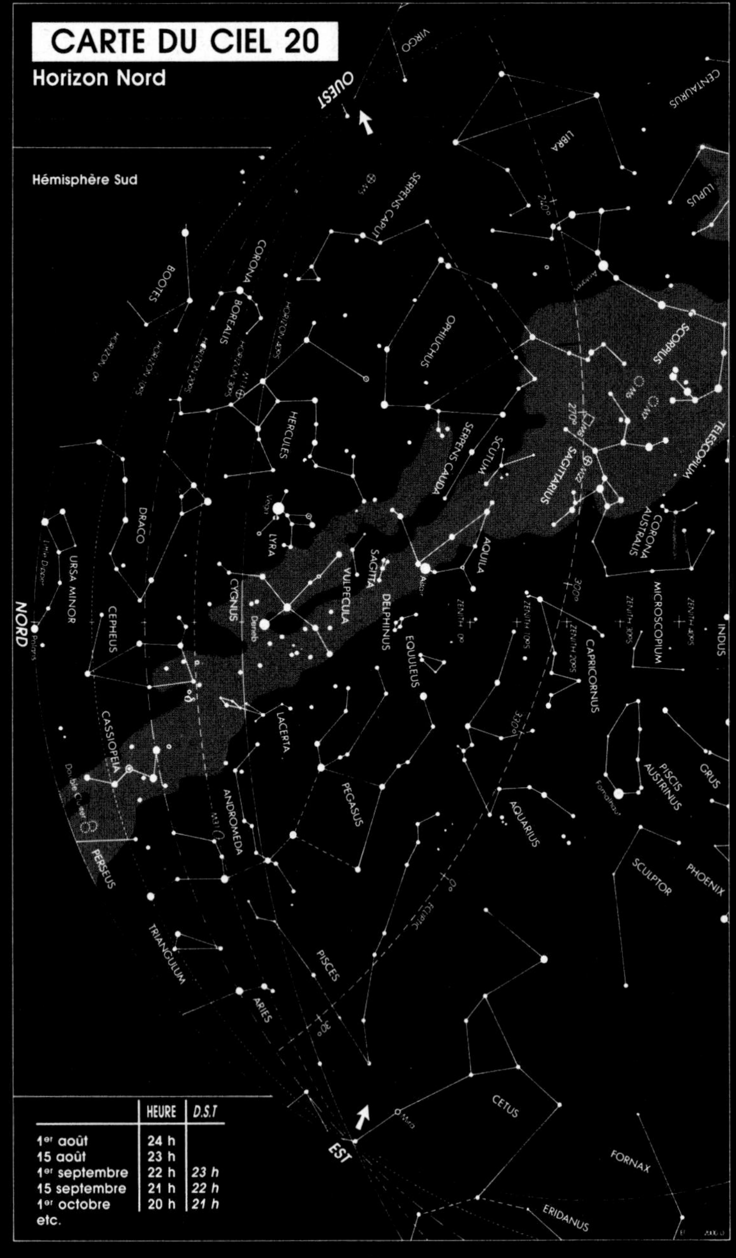
CARTE DU CIEL 20
Horizon Nord
Hémisphère Sud
OUEST
NORD
EST
VIRGO
CENTAURUS
LIBRA
LUPUS
SERPENS CAPUT
CORONA BOREALIS
BOOTES
OPHIUCHUS
SCORPIUS
HERCULES
SERPENS CAUDA
SCUTUM
SAGITTARIUS
TELESCOPIUM
CORONA AUSTRALIS
DRACO
LYRA
URSA MINOR
CYGNUS
VULPECULA
SAGITTA
AQUILA
DELPHINUS
EQUULEUS
MICROSCOPIUM
INDUS
CEPHEUS
CAPRICORNUS
CASSIOPEIA
LACERTA
PEGASUS
ANDROMEDA
AQUARIUS
PISCIS AUSTRINUS
GRUS
PERSEUS
SCULPTOR
PHOENIX
TRIANGULUM
PISCES
ARIES
CETUS
FORNAX
ERIDANUS
HEURE
D.S.T
1er août
15 août
1er septembre
15 septembre
1er octobre
etc.
24 h
23 h
22 h
21 h
20 h
23 h
22 h
21 h

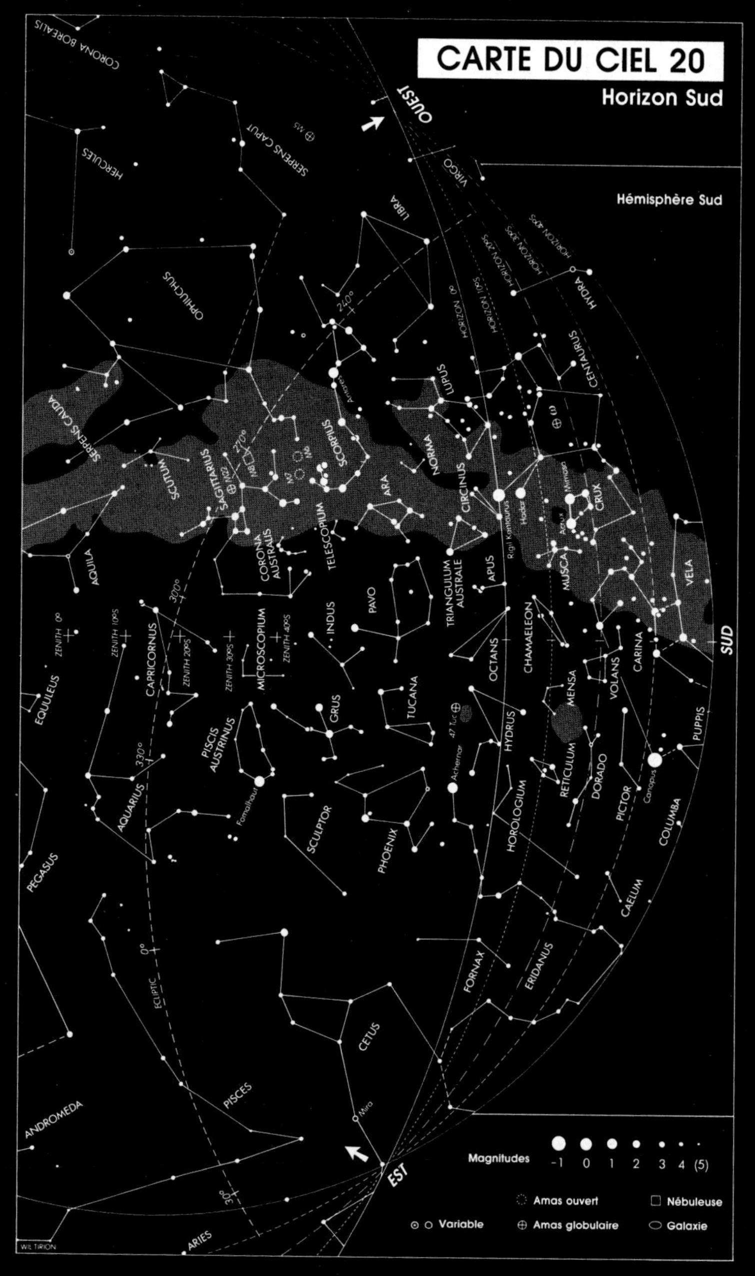
CARTE DU CIEL 20
Horizon Sud
Hémisphère Sud
OUEST
SUD
EST
HORIZON 0°
HORIZON 10°S
HORIZON 20°S
HORIZON 30°S
HORIZON 40°S
ZENITH 0°
ZENITH 10°S
ZENITH 20°S
ZENITH 30°S
ZENITH 40°S
ECLIPTIC
CORONA BOREALIS
HERCULES
SERPENS CAPUT
VIRGO
LIBRA
OPHIUCHUS
HYDRA
LUPUS
CENTAURUS
SERPENS CAUDA
SCUTUM
SAGITTARIUS
SCORPIUS
NORMA
CIRCINUS
ARA
CRUX
VELA
AQUILA
CORONA AUSTRALIS
TELESCOPIUM
TRIANGULUM AUSTRALE
APUS
MUSCA
CARINA
INDUS
PAVO
OCTANS
CHAMAELEON
VOLANS
MENSA
CAPRICORNUS
MICROSCOPIUM
EQUULEUS
TUCANA
GRUS
HYDRUS
PISCIS AUSTRINUS
PUPPIS
RETICULUM
DORADO
AQUARIUS
SCULPTOR
PHOENIX
HOROLOGIUM
PICTOR
COLUMBA
PEGASUS
CAELUM
FORNAX
ERIDANUS
CETUS
PISCES
ANDROMEDA
ARIES
Antares
Rigil Kentaurus
Hadar
Mimosa
Acrux
Achernar
Canopus
Fomalhaut
Mira
47 Tuc
ω
M5
M8
N22
240°
270°
300°
330°
0°
30°
Magnitudes
-1 0 1 2 3 4 (5)
Amas ouvert
Nébuleuse
Variable
Amas globulaire
Galaxie
WIL TIRION

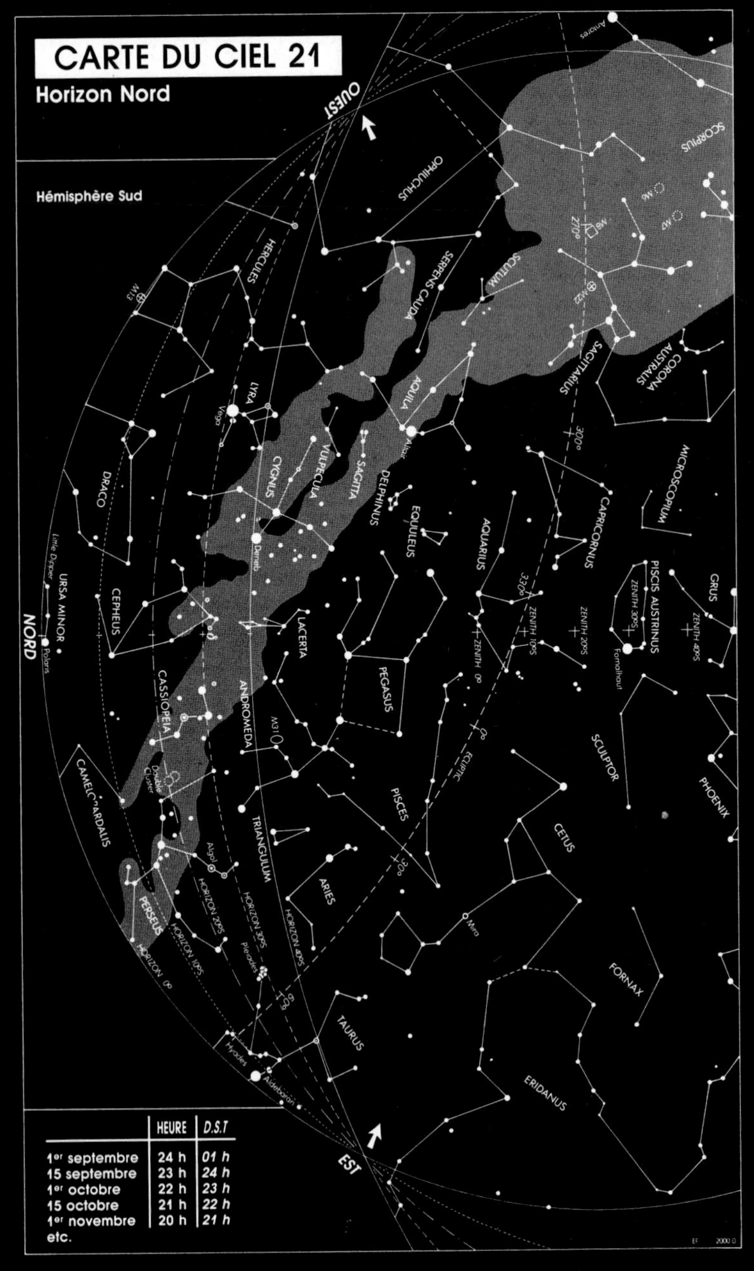
CARTE DU CIEL 21
Horizon Nord
Hémisphère Sud
OUEST
EST
NORD
HEURE
D.S.T
1er septembre 24 h 01 h
15 septembre 23 h 24 h
1er octobre 22 h 23 h
15 octobre 21 h 22 h
1er novembre 20 h 21 h
etc.
Antares
SCORPIUS
OPHIUCHUS
HERCULES
M13
SERPENS CAUDA
SCUTUM
M22
SAGITTARIUS
CORONA AUSTRALIS
LYRA
Vega
AQUILA
Altair
CYGNUS
VULPECULA
SAGITTA
DELPHINUS
DRACO
EQUULEUS
AQUARIUS
CAPRICORNUS
MICROSCOPIUM
PISCIS AUSTRINUS
Fomalhaut
GRUS
Deneb
URSA MINOR
Little Dipper
Polaris
CEPHEUS
LACERTA
PEGASUS
CASSIOPEIA
ANDROMEDA
M31
ECLIPTIC
SCULPTOR
PHOENIX
CAMELOPARDALIS
Double Cluster
PISCES
TRIANGULUM
CETUS
Algol
ARIES
PERSEUS
Mira
FORNAX
Pleiades
TAURUS
Hyades
Aldebaran
ERIDANUS
HORIZON 0°
HORIZON 10°S
HORIZON 20°S
HORIZON 30°S
HORIZON 40°S
ZENITH 0°
ZENITH 10°S
ZENITH 20°S
ZENITH 30°S
ZENITH 40°S
270°
300°
330°
0°
30°
60°

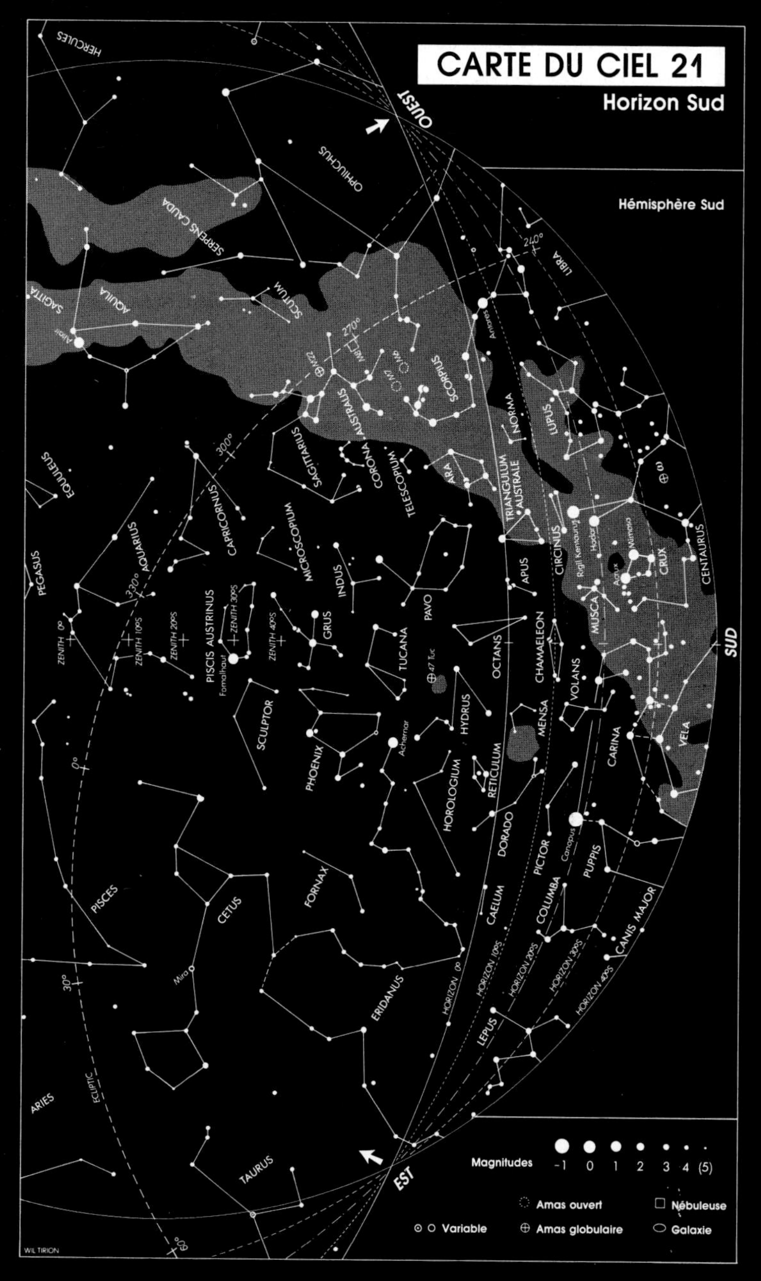
CARTE DU CIEL 21
Horizon Sud
Hémisphère Sud
OUEST
EST
SUD
Magnitudes
-1 0 1 2 3 4 (5)
Amas ouvert
Nébuleuse
Variable
Amas globulaire
Galaxie
WIL TIRION

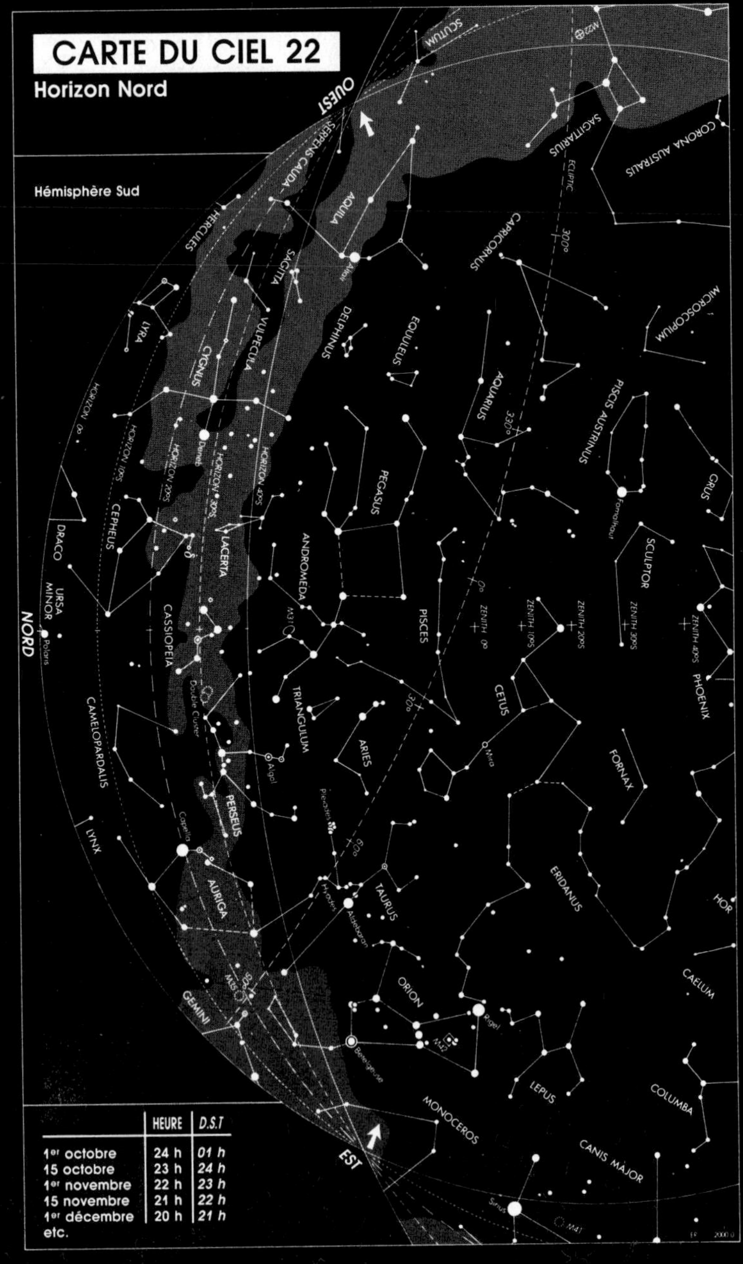

	HEURE	D.S.T
1er octobre	24 h	01 h
15 octobre	23 h	24 h
1er novembre	22 h	23 h
15 novembre	21 h	22 h
1er décembre	20 h	21 h
etc.		

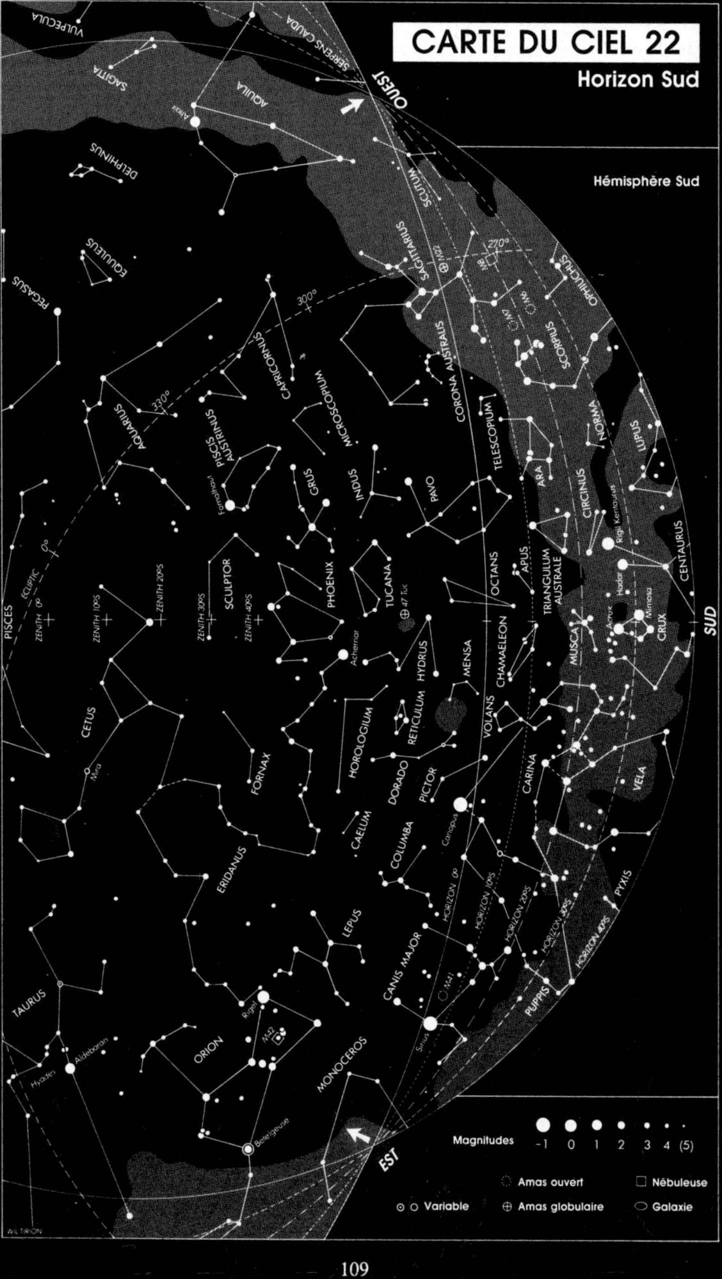

CARTE DU CIEL 22
Horizon Sud
Hémisphère Sud
OUEST
EST
SUD
VULPECULA
SAGITTA
SERPENS CAUDA
AQUILA
Altair
DELPHINUS
EQUULEUS
PEGASUS
SCUTUM
SAGITTARIUS
M22
M8
270°
OPHIUCHUS
M7
M6
SCORPIUS
CORONA AUSTRALIS
300°
CAPRICORNUS
MICROSCOPIUM
AQUARIUS
330°
PISCIS AUSTRINUS
Fomalhaut
GRUS
INDUS
PAVO
TELESCOPIUM
ARA
NORMA
LUPUS
CIRCINUS
Rigil Kentaurus
CENTAURUS
PISCES
ECLIPTIC
0°
ZENITH 0°
ZENITH 10°S
ZENITH 20°S
ZENITH 30°S
ZENITH 40°S
SCULPTOR
PHOENIX
TUCANA
47 Tuc
OCTANS
APUS
TRIANGULUM AUSTRALE
Hadar
Acrux
Mimosa
CRUX
MUSCA
Achernar
HYDRUS
MENSA
CHAMAELEON
CETUS
Mira
HOROLOGIUM
RETICULUM
VOLANS
FORNAX
DORADO
PICTOR
CARINA
VELA
Canopus
CAELUM
COLUMBA
ERIDANUS
PYXIS
HORIZON 0°
HORIZON 10°S
HORIZON 20°S
HORIZON 30°S
HORIZON 40°S
LEPUS
CANIS MAJOR
M41
PUPPIS
TAURUS
Rigel
M42
ORION
Sirius
MONOCEROS
Aldebaran
Hyades
Betelgeuse
Magnitudes
-1 0 1 2 3 4 (5)
Amas ouvert
Nébuleuse
Variable
Amas globulaire
Galaxie
WIL TIRION

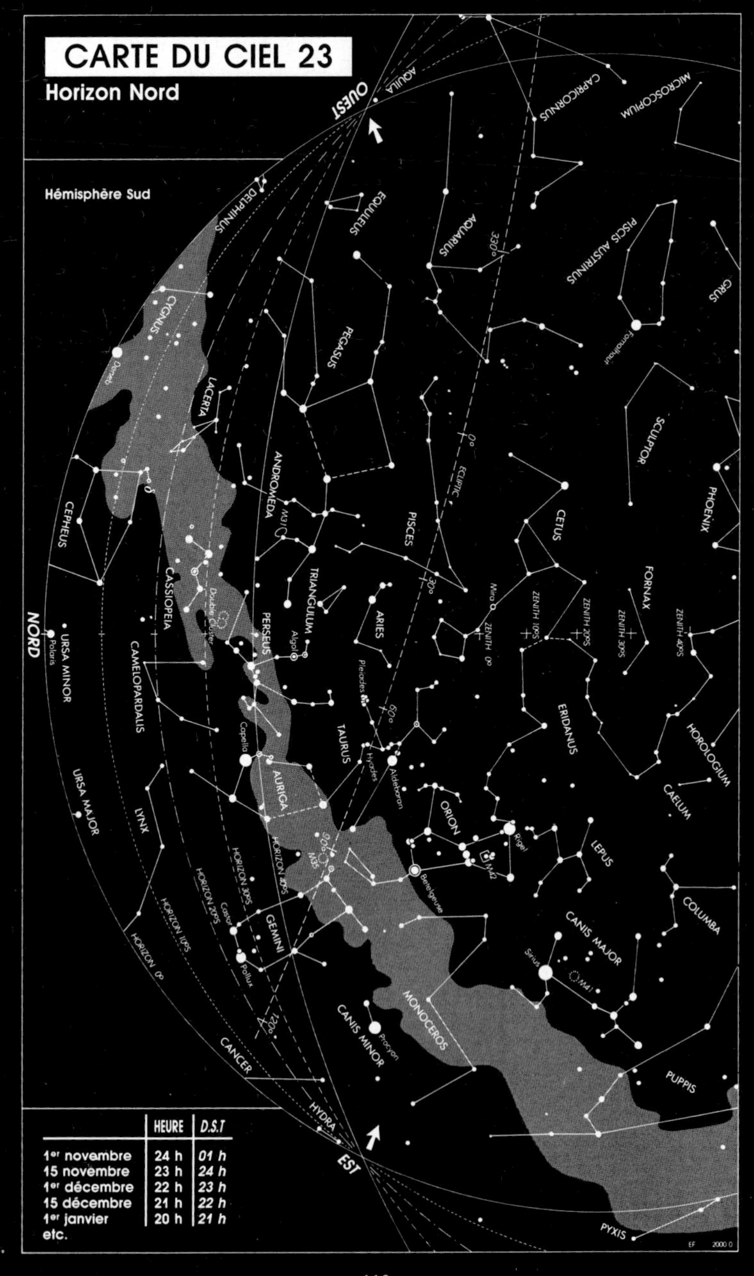

	HEURE	D.S.T
1er novembre	24 h	01 h
15 novembre	23 h	24 h
1er décembre	22 h	23 h
15 décembre	21 h	22 h
1er janvier	20 h	21 h
etc.		

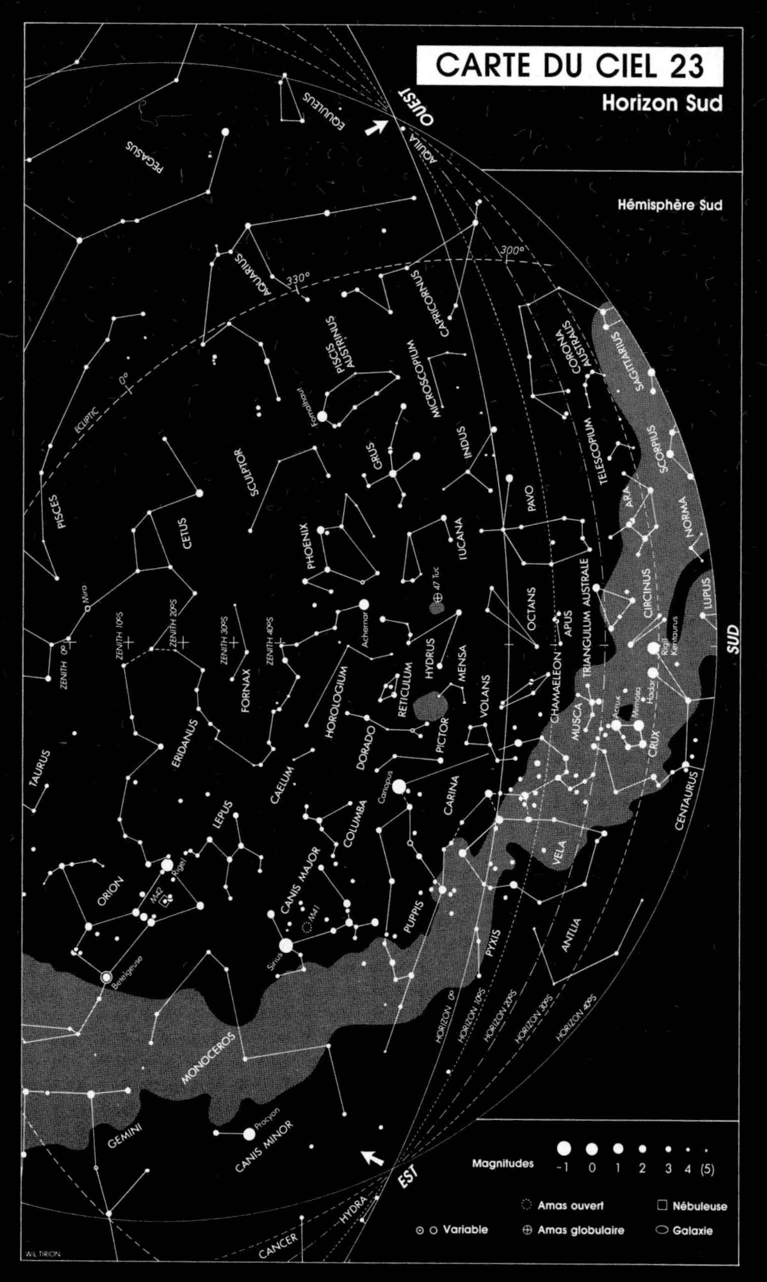
CARTE DU CIEL 23
Horizon Sud
Hémisphère Sud
OUEST
EST
SUD
Magnitudes -1 0 1 2 3 4 (5)
Amas ouvert
Nébuleuse
Variable
Amas globulaire
Galaxie
PEGASUS
EQUULEUS
AQUILA
AQUARIUS
CAPRICORNUS
PISCIS AUSTRINUS
MICROSCOPIUM
CORONA AUSTRALIS
SAGITTARIUS
SCORPIUS
TELESCOPIUM
INDUS
GRUS
SCULPTOR
PISCES
CETUS
PHOENIX
TUCANA
PAVO
ARA
NORMA
LUPUS
CIRCINUS
TRIANGULUM AUSTRALE
APUS
OCTANS
HYDRUS
MENSA
CHAMAELEON
MUSCA
CRUX
CENTAURUS
VOLANS
RETICULUM
HOROLOGIUM
FORNAX
ERIDANUS
TAURUS
ORION
LEPUS
CAELUM
DORADO
PICTOR
CARINA
COLUMBA
CANIS MAJOR
PUPPIS
VELA
PYXIS
ANTLIA
MONOCEROS
GEMINI
CANIS MINOR
HYDRA
CANCER
ECLIPTIC
Fomalhaut
Mira
Achernar
Canopus
Rigel
Betelgeuse
Sirius
Procyon
Rigil Kentaurus
Hadar
Acrux
Mimosa
47 Tuc
M42
M41
ZENITH 0°
ZENITH 10°S
ZENITH 20°S
ZENITH 30°S
ZENITH 40°S
HORIZON 0°
HORIZON 10°S
HORIZON 20°S
HORIZON 30°S
HORIZON 40°S
330°
300°
0°
WIL TIRION

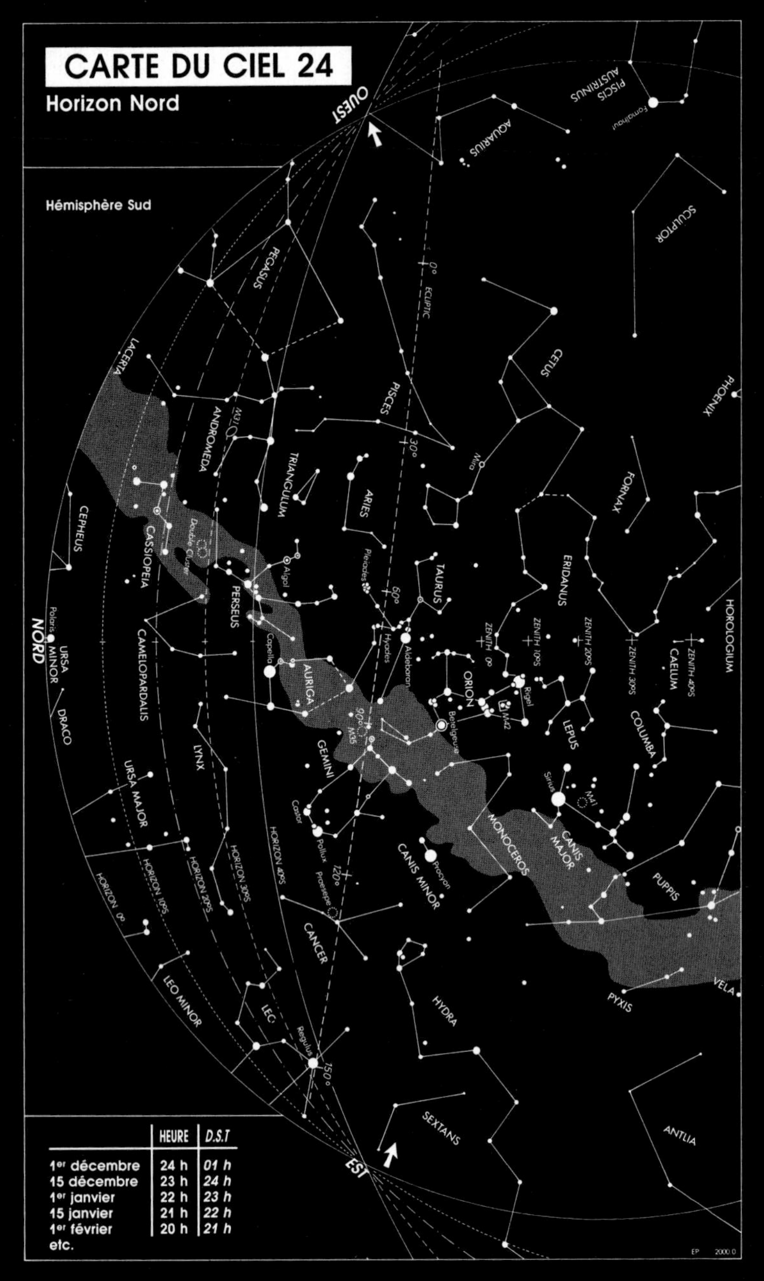

	HEURE	D.S.T
1er décembre	24 h	01 h
15 décembre	23 h	24 h
1er janvier	22 h	23 h
15 janvier	21 h	22 h
1er février	20 h	21 h
etc.		

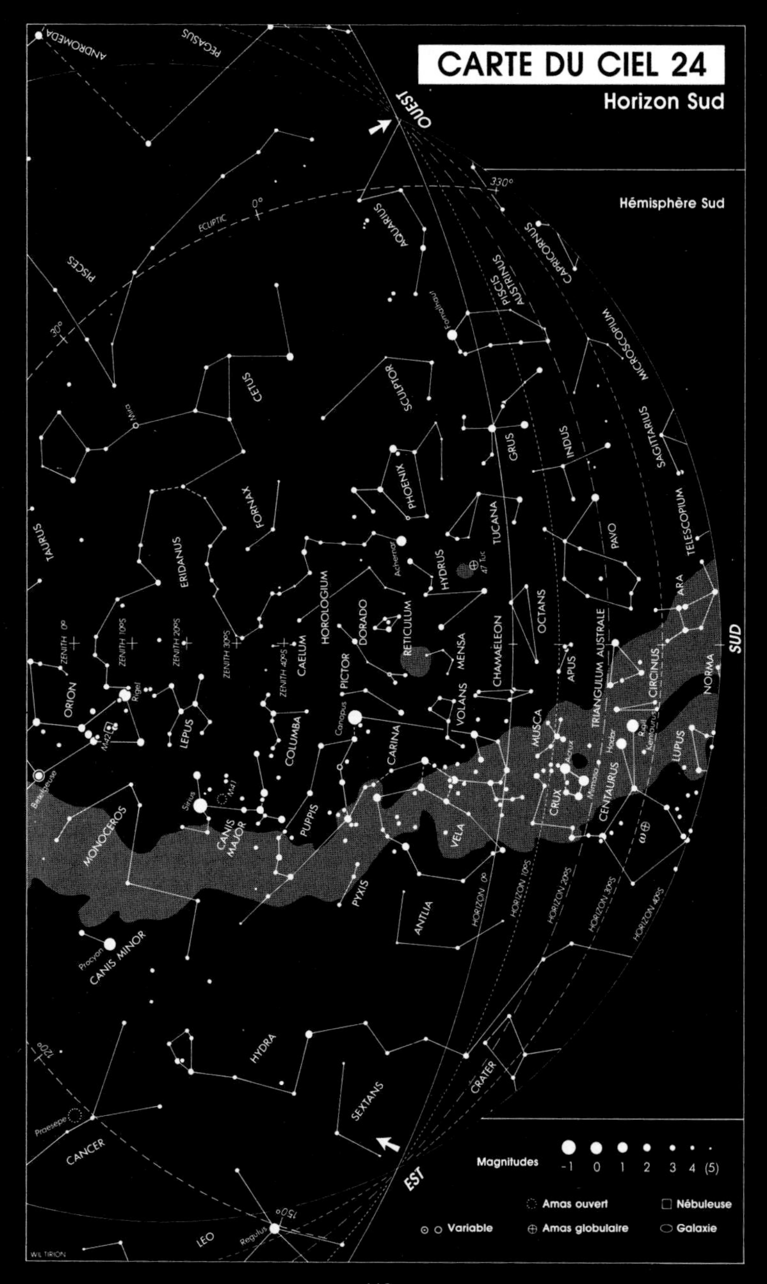
CARTE DU CIEL 24
Horizon Sud
Hémisphère Sud
OUEST
EST
SUD
ANDROMEDA
PEGASUS
PISCES
AQUARIUS
CAPRICORNUS
PISCIS AUSTRINUS
MICROSCOPIUM
SAGITTARIUS
CETUS
SCULPTOR
GRUS
INDUS
TELESCOPIUM
TAURUS
ERIDANUS
FORNAX
PHOENIX
TUCANA
PAVO
HYDRUS
HOROLOGIUM
RETICULUM
DORADO
CAELUM
PICTOR
MENSA
CHAMAELEON
OCTANS
APUS
TRIANGULUM AUSTRALE
ARA
CIRCINUS
NORMA
ORION
LEPUS
COLUMBA
VOLANS
MUSCA
CRUX
CENTAURUS
LUPUS
CARINA
MONOCEROS
CANIS MAJOR
PUPPIS
VELA
PYXIS
ANTLIA
CANIS MINOR
HYDRA
SEXTANS
CRATER
CANCER
LEO
ECLIPTIC
Magnitudes -1 0 1 2 3 4 (5)
Amas ouvert
Nébuleuse
Variable
Amas globulaire
Galaxie
WIL TIRION

CHAPITRE IV

ETOILES, NEBULEUSES ET GALAXIES

L'Univers contient différents types d'objets et la plupart d'entre eux figurent sur les cartes du ciel du Chapitre VII. Dans ce chapitre, nous décrivons brièvement les objets qui ont des positions fixes dans le ciel par rapport à la sphère céleste, une boule fictive qui semble tourner autour des pôles célestes. A la fin du chapitre, nous donnons des listes et des graphiques d'une sélection d'objets parmi les plus intéressants du ciel. Nous avons choisi ces objets de façon à ce qu'il y en ait toujours quelques-uns de visibles à tout moment de l'année.

LES ETOILES

Les astronomes mesurent l'éclat apparent des étoiles en termes de *magnitude* (cf. Chapitre III). Les plus brillantes d'entre elles sont énumérées dans la table A-2 de l'Appendice et dessinées sur les cartes mensuelles du Chapitre III. Ces cartes et les planches détaillées de l'Atlas du Chapitre VII utilisent des cercles de tailles différentes pour représenter les magnitudes des étoiles. Dans des conditions parfaites d'observation, l'œil nu peut distinguer des étoiles jusqu'à la magnitude 6 mais l'acuité visuelle individuelle et l'éclat du ciel nocturne abaissent souvent cette limite. Si le ciel est assez clair, seules les étoiles plus brillantes que la 3e magnitude sont visibles. En fait, l'éclairage urbain rend le ciel tellement brillant qu'il est parfois impossible de voir les étoiles.

Température des étoiles

Toutes les étoiles sont des boules de gaz si chaudes qu'elles rayonnent. Les étoiles ont des températures allant de 2100°C à 50 000°C. Tout comme une barre de fer qui rayonne toujours plus quand on la chauffe, commençant par être rouge pour devenir blanche quand la température s'élève, de même la couleur d'une étoile est un bon indicateur de sa température superficielle. Les étoiles les plus froides sont des boules de gaz rouges ; les plus chaudes rayonnent dans le blanc-bleu. Ces couleurs peuvent même être distinguées à l'œil nu. Dans la constellation d'Orion, par exemple, il n'est pas difficile de voir que l'étoile Bételgeuse, dans le Baudrier, est beaucoup plus rouge et donc plus froide que l'étoile Rigel, dans le talon d'Orion.

Les astronomes indiquent toujours les températures des étoiles en degrés Kelvin, échelle qui utilise les degrés Celsius mais qui commence au zéro absolu (−273°C), la température la plus basse possible.

Types spectraux

Une meilleure évaluation de la température est fournie par le *type spectral* de l'étoile, déterminé par l'examen du spectre – la bande colorée continue semblable à l'arc en ciel – observé après le passage de la lumière au travers d'un prisme. L'arc en ciel montre la partie visible du spectre : rouge, orange, jaune, vert, bleu, indigo, violet. Ce spectre est barré de raies sombres, les *raies spectrales*, qui sont les signatures des différents éléments chimiques présents dans l'atmosphère de l'étoile. Le spectre continu et les raies spectrales sont caractéristiques des conditions physico-chimiques régnant dans les couches extérieures de l'étoile. Le spectre nous renseignera donc sur la composition chimique de l'atmosphère stellaire, sur ses conditions de température et de pression. Ces raies spectrales sont noires car elles ont absorbé une partie de l'énergie des couches profondes de l'atmosphère du Soleil ou de l'étoile ; ce sont des *raies d'absorption*. Toutes les étoiles ont des spectres : bandes continues de rayonnement barrées de raies d'absorption.

Quand un gaz chaud rayonne par lui-même, il peut produire des *raies d'émission*, de couleurs spécifiques plus brillantes que les couleurs adjacentes. Quelques étoiles ont un spectre avec des raies d'émission et des raies d'absorption ; la présence de ces raies d'émission indique en général que du gaz chaud entoure l'étoile.

Les ondes électromagnétiques émises par les étoiles et les nébuleuses ne se limitent pas aux ondes visibles, les seules captées par les traditionnels instruments optiques (œil, jumelles, télescope). Les astronomes professionnels étudient toujours plus les autres parties du spectre. Les rayonnements γ, X et U.V. sont caractérisés par une fréquence plus grande que celle de la lumière visible ; les rayonnements I.R. et radio par une fréquence plus petite. Les ondes visibles, une partie des ondes I.R. et les ondes radio traversent l'atmosphère terrestre et sont accessibles aux astronomes amateurs.

A l'origine, les types spectraux des étoiles ont été désignés par des lettres majuscules dans l'ordre alphabétique en fonction de l'intensité des raies d'hydrogène par rapport aux raies des autres éléments (A représentait la plus grande intensité). Mais, par la suite, les astronomes ont réalisé que le rayonnement de l'hydrogène était plus fort pour les étoiles de températures intermédiaires que pour les étoiles les plus chaudes ou les plus froides. Ainsi la désignation des types spectraux en fonction de la température n'est plus dans l'ordre alphabétique. Du plus chaud au plus froid, nous avons les types O B A F G K M. Chacune de ces 7 classes spectrales a été subdivisée en 10 sous-classes numérotées de 0 à 9. La table A-3 de l'Appendice indique les correspondances entre les types spectraux, les températures et d'autres propriétés stellaires. La table A-2 donne certaines caractéristiques, dont les types spectraux des 287 étoiles les plus brillantes.

Quelques étoiles froides ont un spectre n'entrant pas dans cette classification ; ce sont les étoiles rouges et particulières des classes R, N et S. A l'opposé, des étoiles très chaudes, ordinairement environnées par une sphère gazeuse étendue sont classées W.

Etoiles doubles et variables

La plupart des étoiles apparaissent simples, mais sont en fait des systèmes de deux objets ou plus qui orbitent les uns autour des autres. Sirius, par exemple, est une *étoile double* ou *binaire* : l'étoile brillante, blanc bleu, que nous voyons à l'œil nu possède un compagnon beaucoup plus faible (Sirius B). Les étoiles doubles (appelées doubles même si 3 étoiles ou plus sont présentes) sont intéressantes à observer, tout particulièrement quand le système multiple présente un beau contraste en couleurs aux jumelles ou au télescope (voir table 5).

Parfois de véritables changements se produisent dans les conditions physiques qui règnent dans les couches extérieures de l'étoile (changement de taille, d'éclat) ; ce sont des *étoiles variables*.

Comme les étoiles doubles et variables sont particulièrement passionnantes à observer, tant pour les observateurs occasionnels que pour les astronomes amateurs, nous leur consacrons un chapitre entier (Chapitre VI). Deux courtes tables d'étoiles doubles et variables faciles à observer sont données à la fin de ce chapitre ; les heures de visibilité au-dessus de l'horizon sont montrées dans un graphique (fig. 24). Vous trouverez d'autres cartes utiles dans le Chapitre VI.

Distance des étoiles

Les distances des étoiles sont si grandes qu'on les mesure en *années de lumière* ou en *parsecs*. Une année de lumière (a.l.) est le chemin parcouru par la lumière en une année, c'est-à-dire $9{,}46.10^{15}$ mètres (la lumière se propage à la vitesse de 300 000 km/s ou 1 080 000 000 km/h). Ainsi la lumière parcourt la distance Terre-Lune en un peu plus d'une seconde et nous arrive du Soleil en 8 minutes et 20 secondes. Elle met plus de 4 ans pour parvenir de l'étoile la plus proche, Proxima du Centaure. Seules quelques dizaines d'étoiles sont à moins de 20 années de lumière du Soleil. Un parsec vaut 3.26 années de lumière.

Les astronomes mesurent la distance des étoiles les plus proches par une méthode de triangulation, la *parallaxe trigonométrique*. On appelle parallaxe le déplacement angulaire apparent de la position d'un objet céleste lorsque celui-ci est observé de deux endroits différents. En effet, les étoiles proches paraissent bouger légèrement par rapport aux étoiles plus lointaines au cours d'une révolution terrestre.

Pour voir un effet similaire, levez votre pouce le bras tendu et regardez-le tout d'abord en fermant un œil, et ensuite, sans bouger la tête, regardez-le en fermant l'autre œil. Maintenant faites la même chose mais après avoir rapproché votre pouce de vos yeux, votre pouce paraîtra bouger plus. De la même façon, plus une étoile semble bouger, plus la parallaxe est grande, plus l'étoile est proche.

Un déplacement angulaire de 1 seconde d'arc définit une nouvelle unité de distance : le parsec (parallaxe-seconde).

Pour comparer les étoiles entre elles, il est utile et important de connaître leur *magnitude absolue*, c'est-à-dire l'éclat qu'elles auraient si elles se trouvaient toutes à la même distance. La distance standard adoptée par les astronomes est 10 parsecs ou 32.6 a.l.

Diagramme magnitude absolue-température

Au début du siècle, Ejnar Hertzsprung et Henry Norris Russel ont eu l'idée de porter sur un même diagramme un grand nombre d'étoiles de magnitude absolue et de températures connues. Les points représentant la majeure partie des étoiles sont groupés le long d'une bande étroite : la *séquence principale*. Les étoiles les plus brillantes sont en général les plus chaudes et les étoiles les plus faibles les plus froides. Quelques étoiles sont plus brillantes que les étoiles de la séquence principale ayant la même température. Ces étoiles exceptionnelles sont des *géantes* ; d'autres bien moins nombreuses sont encore plus brillantes : ce sont les *supergéantes*. Les géantes et les supergéantes sont des étoiles de grande taille. Quelques étoiles sont plus faibles que les étoiles de la séquence principale de même température : ce sont des *naines blanches*. Leur taille est voisine de celle de la Terre.

La vie des étoiles

Ces dernières décennies, de nombreuses recherches astronomiques ont été consacrées à l'étude des cycles de vie des étoiles. Des nuages de gaz s'effondrent, se fragmentent et donnent naissance à des étoiles quand la fusion nucléaire de l'hydrogène en hélium démarre dans leur intérieur. A ce stade, les étoiles rejoignent la séquence principale. Pendant cette période de leur vie, l'énergie libérée par la fusion crée une force de pression dirigée vers l'extérieur qui contrebalance la force de gravité dirigée vers l'intérieur. Selon leur température et leur éclat, les étoiles passent plus ou moins de temps sur la séquence principale. Les étoiles les plus chaudes, plus massives que le Soleil utilisent leur combustible à un rythme tellement rapide qu'elles ont une durée de vie relativement courte – peut-être seulement 100 000 ans. Les étoiles comme le Soleil vivent encore 10 milliards d'années sur la séquence principale ; le Soleil est maintenant au milieu de sa vie. Les étoiles plus froides et plus faibles que le Soleil peuvent vivre encore plus longtemps, 50 milliards d'années ou plus.

L'évolution d'une étoile dépend de sa masse. Considérons tout d'abord les étoiles de masse voisine de celle du Soleil (de 0,07 à 2 masses solaires). L'hydrogène consommé par la fusion nucléaire n'est pas inépuisable. L'énergie libérée par la fusion au cœur de l'étoile décroît. La gravité l'emporte et l'intérieur se contracte. La contraction dégage de l'énergie, les couches externes sont repoussées. Ces couches s'étendent et se refroidissent : l'étoile devient une *géante rouge*.

Parfois les couches extérieures des géantes rouges peuvent être expulsées de l'étoile, emportant jusqu'à 20 % de la masse stellaire dans l'espace. Cette coquille de gaz en expansion devient une nébuleuse planétaire. Les nébuleuses planétaires sont indiquées par un symbole spécial sur les planches de l'Atlas du Chapitre VII. Les couches éjectées mettent à nu les couches intérieures de l'étoile qui apparaissent bleues car elles sont très chaudes, plus chaudes même que les étoiles normales les plus chaudes. Les couches extérieures froides colorées et l'étoile centrale d'une nébuleuse planétaire sont visibles sur les Planches Couleur 17, 20, 27, 48 et 50.

Après seulement 50 000 ans, un court instant dans la vie d'une étoile, la nébuleuse planétaire se dissipe et l'étoile se refroidit. Eventuellement l'étoile centrale se contracte jusqu'à atteindre la taille de la Terre. Si une masse inférieure à 1,4 masse solaire est perdue, l'étoile reste à ce stade indéfiniment. C'est alors une *naine blanche*.

Remarquez que des objets comme les géantes rouges, les nébuleuses planétaires et les naines blanches, définies à l'origine comme des objets de classes différentes, ne sont en réalité que des étapes successives de la vie des étoiles ordinaires.

Parfois une naine blanche fait partie d'un système d'étoiles doubles et sa gravité attire la matière de l'autre étoile du système. Cette matière en atteignant la surface de la naine blanche peut faire démarrer une nouvelle fusion nucléaire. Le système se met alors à briller considérablement. C'est une *nova*. Les novae ne sont pas de nouvelles étoiles comme leur nom l'indique, mais simplement des étoiles qui soudainement deviennent plus brillantes et donc mieux visibles. Les novae les plus importantes sont indiquées sur les cartes.

Une étoile de masse supérieure à deux fois la masse du Soleil a une fin plus spectaculaire. Après le stade de géante rouge, son diamètre continue de croître. A ce stade, elle peut exploser complètement, devenant une *supernova* (Pl. C.26). Une supernova peut devenir plus brillante que toute la galaxie dans laquelle elle se trouve. Ce n'est qu'en 1920 que l'on a réalisé que les supernovae et les novae étaient des phénomènes complètement différents. L'explosion détruit complètement l'étoile et rejette dans l'espace les éléments lourds fabriqués à l'intérieur de celle-ci. Les éléments les plus lourds du corps humain (tous ceux qui sont plus lourds que le fer) ont été formés dans des supernovae qui ont explosé avant que notre système solaire n'existe. Il semble de plus en plus probable qu'un nuage de gaz enrichi en éléments lourds par l'explosion d'une supernova proche ait donné naissance au Soleil et à ses planètes. Une telle supernova a donc été importante pour l'existence de l'humanité. La nébuleuse du Crabe (Pl.C. 1) est un exemple de résidus d'une supernova visibles dans l'espace. De nombreuses supernovae sont détectées par les ondes radio ou les rayons X qu'elles émettent.

Le 24 février 1987 une nouvelle supernova (SN 1987 A) visible à l'œil nu a été découverte par un astronome canadien dans le Grand Nuage de Magellan (GNM). Un véritable événement pour les astronomes qui attendaient une telle apparition depuis 1604. Elle offre une occasion extraordinaire de vérifier et d'améliorer nos connaissances sur l'évolution stellaire et la nucléosynthèse.

Classée SN II à cause de ses raies d'hydrogène, il s'est avéré qu'elle présentait de nombreuses particularités (moins lumineuse et plus froide que la normale). En effet son précurseur, SK $-69° 202$, est une supergéante bleue de type B3 ayant un rayon d'environ 40 rayons solaires et une masse initiale d'environ 20 masses solaires. Et sa luminosité dans le visible est restée 10 fois moindre que celle attendue.

De très nombreuses observations de cette supernova ont été faites à partir du sous-sol (émission de neutrinos), du sol et de l'espace (satellites et ballons) dans les longueurs d'onde radio visibles, UV, IR, X et γ .

L'histoire de SN 1987 A est loin de s'achever. De l'étoile qui a explosé (il y a 160 000 ans) ne doit plus subsister à présent que le noyau dégénéré, d'une dizaine de kilomètres de rayon. Les couches de gaz éjectées lors de l'explosion sont appelées à varier considérablement d'ici un an ou deux (dans le visible et l'UV). Il est possible qu'elle explose à nouveau d'ici 10 à cinquante ans.

Lors de l'explosion d'une supernova, le centre de l'étoile peut être énormément comprimé et s'effondrer jusqu'à devenir excessivement petit. Les étoiles de 1,4 à 4 masses solaires s'effondrent jusqu'à atteindre un diamètre de 20 km. A ce stade, les neutrons de l'étoile sont rapprochés au maximum les uns des autres. La plus grande partie de l'étoile est alors composée de gaz ne contenant que des neutrons et des particules encore plus petites comme les quarks (constituants des neutrons). L'étoile est maintenant une *étoile à neutrons*.

Les étoiles à neutrons sont trop petites et trop peu brillantes pour être vues directement en lumière visible. Mais quelques étoiles à neutrons émettent des faisceaux de rayonnement radio. Comme l'étoile tourne très rapidement – un tour en une seconde environ – ce rayonnement balaie la Terre comme un radiophare. Quand nous détectons des impulsions d'onde radio venant d'étoiles à neutrons nous les appelons des *pulsars*. Bien qu'ils ne soient pas visibles, les pulsars les plus importants sont indiqués sur les planches de l'Atlas du Chapitre VII. Plus de 300 pulsars sont connus actuellement.

Certaines étoiles à neutrons font partie de systèmes doubles. La gravité de l'étoile à neutrons arrache parfois de la matière à l'autre étoile. La chute à la surface de l'étoile à neutrons libère de l'énergie sous forme de rayons X. Les télescopes en orbite ont ainsi détecté des signes de systèmes doubles sources de rayons X.

Dans quelques cas, une masse plus grande que 4 fois celle du Soleil subsiste après l'explosion d'une supernova. Rien ne peut arrêter alors

Fig. 13. (*en haut*) Les Pléiades dans le Taureau. A l'œil nu, la plupart des gens peuvent distinguer six étoiles dans cet amas ouvert ; des jumelles ou un petit télescope nous font découvrir des dizaines d'étoiles. (Royal Observatory, Edinburgh)(*en bas*) Une pose plus longue des Pléiades révèle que la poussière entourant les étoiles réfléchit la lumière. (Lick Observatory)

l'effondrement de l'étoile. L'étoile devient de plus en plus dense. La gravité est telle que même la lumière est déviée et n'est plus capable de s'échapper de l'étoile. L'étoile devient invisible : c'est ce qu'on appelle un *trou noir*.

Nous devons donc chercher des indices de leur présence autre que leur apparence optique. Notre meilleure chance de détecter un trou noir est son éventuelle appartenance à un système double. Dans ce cas le trou noir devrait attirer la matière de son compagnon. Cette matière, fortement accélérée, se réchauffe jusqu'à émettre des rayons X. Ainsi les sources de rayons X sont des candidates possibles pour le rôle d'étoiles à neutrons ou de trous noirs. C'est en mesurant la masse de l'objet que l'on pourra trancher la question. Comme nous pourrions déduire qu'un danseur invisible est présent en regardant les mouvements de son compagnon, on mesure la masse de l'étoile invisible d'un système double en étudiant les mouvements de son compagnon visible. Si elle est supérieure à 3 masses solaires, c'est sûrement un trou noir. Dans notre Galaxie, le trou noir le plus probable est situé dans la constellation du Cygne ; nous avons indiqué sa position sur la planche 19 de l'Atlas du Chapitre VII.

LES AMAS D'ETOILES

Parfois les étoiles forment des groupes appelés *amas*. On distingue les *amas ouverts* ou *galactiques* et les *amas globulaires*.

Dans un amas ouvert, les étoiles sont concentrées dans une région d'environ 30 années de lumière de diamètre. Les Pléiades (fig. 13) et les Hyades dans le Taureau (fig. 53) sont parmi les exemples les plus frappants de ce type. Aux jumelles ou avec un petit télescope, vous ne verrez souvent que quelques étoiles groupées irrégulièrement. Pour distinguer plus d'étoiles, un télescope puissant ou de longues poses photographiques sont nécessaires. Les amas ouverts, bien que d'âges variés, sont relativement jeunes dans l'échelle cosmique. Quelques-uns sont même actuellement en train de se former. Les Pléiades ne sont nées qu'il y a 100 millions d'années. Les photographies à longue pose de cet amas (fig. 13, PL.C. 15) montrent qu'il subsiste une partie du gaz et de la poussière à l'origine de la formation des étoiles. Ces amas sont situés dans le plan galactique.

Parfois plusieurs dizaines ou centaines d'étoiles de même origine sont groupées dans une immense sphère d'environ 300 années

Fig. 14. L'amas globulaire M13 dans Hercule. (Palomar Observatory)

lumière de diamètre formant un amas globulaire. M13 est l'amas globulaire le plus facile à voir dans le ciel Nord (fig. 14). Observés à l'œil nu ou avec des télescopes, les amas globulaires ressemblent à des taches floues ; mais des instruments plus puissants révèlent leur nature de groupement d'étoiles brillantes. Les amas globulaires sont tous très vieux – peut-être 10 milliards d'années.

Quelques amas ouverts et globulaires intéressants à observer tout au long de l'année sont indiqués dans la table 7 à la fin de ce chapitre ; les périodes de visibilité sont données graphiquement (fig. 25).

LES NEBULEUSES

Les nébuleuses – nuages de gaz et de poussières – sont parmi les plus beaux des objets à observer dans le ciel. Le mot nébuleuse (latin nebula) vient du grec : nuage. Les nébuleuses sont distinguées par la façon dont elles sont ou non éclairées et par leur principale composante – gaz ou poussière.

Certaines nébuleuses de forme elliptique ou circulaire sont des nuages de gaz rendu luminescent par la présence d'une étoile excitatrice très chaude. Les *nébuleuses planétaires* doivent leur nom à leur vague ressemblance avec les planètes lointaines. Les nébuleuses planétaires paraissent souvent vertes (Pl. 45) car dans certaines conditions l'oxygène émet un rayonnement vert. Deux nébuleuses planétaires figurent dans la table 8 et la fig. 26 ; d'autres sont données dans la table A-5 de l'appendice.

Les *régions* HII, situées au voisinage d'étoiles O et B, brillantes et très chaudes qui ionisent par leur rayonnement ultra-violet le gaz hydrogène, ont des formes tourmentées et irrégulières. Les plages sombres que l'on peut voir sont des nuages de poussières absorbant la lumière et se trouvant devant la nébuleuse lumineuse.

Certaines *nébuleuses* sont au contraire *sombres* : le gaz et la poussière absorbent plus ou moins totalement le rayonnement des étoiles et des nébuleuses qu'ils cachent.

La Nébuleuse de la Tête de Cheval dans Orion (Pl. 12) est un exemple de nébuleuses lumineuses et sombres. Remarquez la couleur rose, caractéristique du rayonnement de l'hydrogène ionisé. Dans la partie sombre au bas de la photo, vous ne voyez que très peu d'étoiles. Elles existent bien derrière la nébuleuse, mais sont cachées par le gaz et les poussières qui absorbent leur lumière. Ce nuage sombre présente une excroissance en silhouette de tête de cheval.

La Nébuleuse América dans le Cygne (Pl. 53) est un autre exemple complexe. La partie lumineuse a vaguement la forme du continent nord-américain. Remarquez la nébuleuse sombre ressemblant au « Golfe du Mexique » où nous ne pouvons voir que très peu d'étoiles.

Ces nuages de matière interstellaire sont à associer à la naissance – un exemple est la nébuleuse M16 dans le Serpent (Pl. 5) – et à la mort des étoiles (nébuleuses planétaires, supernovae).

Fig. 15. La Nébuleuse Tête de Cheval (NGC 2024) dans Orion. Le Nord est à gauche. (Kitt Peak National Observatory)

La grande Nébuleuse d'Orion (Pl. 13) est particulièrement intéressante. La nébuleuse lumineuse est une boursouflure d'un grand nuage de poussière et de gaz ionisé par des étoiles très chaudes. Derrière la nébuleuse se trouve un nuage sombre contenant des sources infra-rouges que seule la radio-astronomie permet d'observer. Ces sources I.R. sont probablement des endroits où la contraction gravitationnelle et la formation d'étoiles sont en cours.

Quelques nébuleuses particulièrement intéressantes figurent dans la table 8 à la fin de ce chapitre ; les périodes de visibilité sont données dans la figure 26.

LES GALAXIES

La Voie Lactée est une parmi les milliards de galaxies qui peuplent l'Univers. La plupart des galaxies extérieures à la nôtre sont trop faibles et trop distantes pour être vues à l'œil nu ou aux jumelles, mais il est facile d'étudier leurs formes au télescope. Une liste de galaxies intéressantes est donnée dans la table 8 ; les périodes de visibilité sont montrées dans la fig. 26.

La Voie Lactée

Une *galaxie* est une île de matière dans l'espace, un ensemble géant de gaz, de poussières et de millions ou milliards d'étoiles. Le système auquel nous appartenons, appelé la *Voie Lactée* ou plus souvent la *Galaxie*, contient approximativement quelques centaines de milliards d'étoiles. Ce système est aplati, circulaire, de structure spirale. Il nous est évidemment difficile de nous rendre compte de la nature spirale de la Galaxie puisque nous résidons à l'intérieur. Le diamètre de notre galaxie est d'environ 100 000 années lumière, son épaisseur est de 1 000 a.l. Quand nous regardons dans la direction du plan du disque galactique nous voyons énormément d'étoiles, du gaz et de la poussière qui forment une bande lumineuse et floue qui traverse le ciel ; cette apparence de ruban laiteux a donné son nom à la Voie Lactée.

Dans les autres directions, il y a très peu d'étoiles, de gaz ou de poussières. Nous ne voyons que quelques unes des étoiles les plus proches sur un ciel sombre.

Un grand nombre d'objets intéressants s'observent au voisinage de la Voie Lactée : des amas stellaires ouverts et de grands nuages

Fig. 16. Représentation de tout le ciel montrant 7 000 étoiles en plus de la Voie Lactée. (Lund Observatory, Suède)

de poussière qui se détachent en silhouettes sombres sur le fond brillant de la Voie Lactée. Alors que la plupart des amas ouverts et des nébuleuses sont situés dans le disque de notre Galaxie, les amas globulaires forment quant à eux un grand halo sphérique qui l'encercle. C'est pourquoi ces amas globulaires s'observent loin de la Voie Lactée. Ce n'est que vers 1920 que Harlow Shapley a réalisé que les amas globulaires semblaient former un halo sphérique centré autour du centre galactique, preuve que notre Soleil n'est ni le centre de notre Galaxie ni celui de l'Univers.

Quand on regarde loin de la Voie Lactée, nous voyons des objets plus éloignés, à l'extérieur de notre Galaxie. Les points lumineux individuels que nous voyons en regardant des photographies de ces objets lointains sont généralement proches de nous – situés dans notre Galaxie.

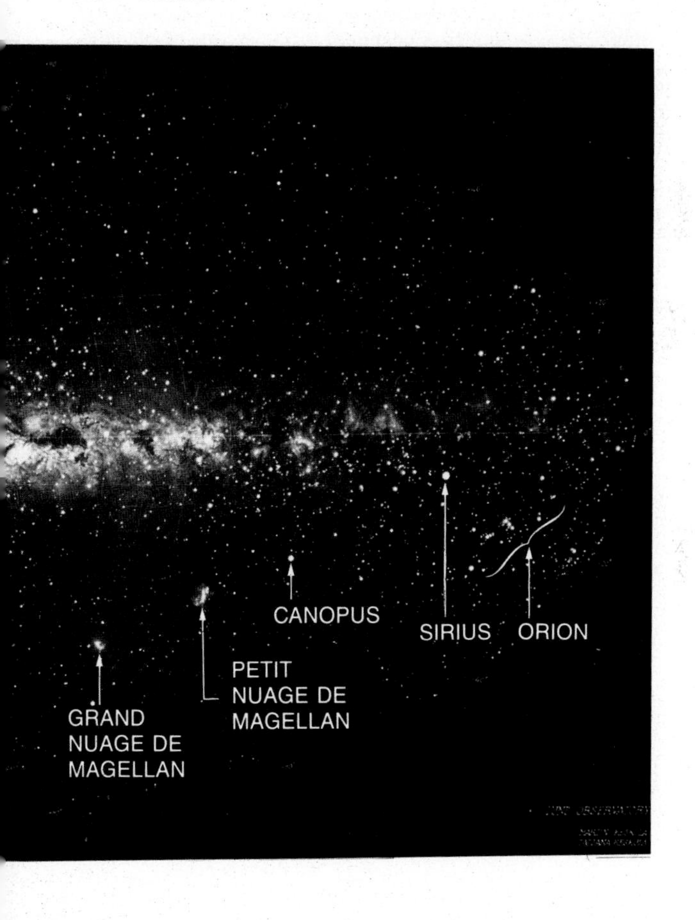

Les classes de galaxies

La grande variété d'aspect des galaxies extérieures suggère entre elles un rapport évolutif ou du moins de parenté. En 1920, Edwin Hubble a établi une classification de base des galaxies. Des méthodes plus élaborées, comme celle de Gérard de Vancouleurs, ont été développées depuis. La Voie Lactée est un exemple de *galaxie spirale* – galaxie dans laquelle plusieurs bras spiraux semblent se dérouler depuis la région centrale. Selon Hubble les galaxies spirales sont désignées par la lettre S suivie de a,b ou c suivant l'enroulement des bras. Une galaxie ayant les bras très enroulés sera classée Sa ; une galaxie ayant les bras complètement ouverts sera notée Sc (Pl. 10) et une galaxie intermédiaire comme la Galaxie Andromède (Pl. 9) sera une Sb.

Nous ne pouvons pas nous promener dans notre galaxie afin de la voir sous différents angles. Cependant, un télescope révèle tellement de galaxies que nous pouvons voir des exemples de chacune des classes sous différents angles (de face, de profil, de dessus, de dessous, inclinées) (fig. 17, 18, 19). L'étude des galaxies que nous connaissons permet entre autres de dire qu'une galaxie Sa possède un bulbe plus petit en son centre qu'une galaxie Sc.

Les étoiles les plus jeunes et la plus grande partie du gaz et de la poussière sont situées dans les bras des galaxies spirales. Ce sont des galaxies relativement jaunes. Des photographies de galaxies (par ex. Pl. 10) montrent la différence de couleur entre les régions centrales relativement jeunes avec prédominance d'étoiles vieilles, et les bras nettement plus bleus, peuplés d'étoiles jeunes.

Quelques galaxies spirales possèdent une barre centrale d'où partent les bras ; elles sont classées SB (SBa, SBb, ..., B pour *barrées*) (voir fig. 74).

La plupart des galaxies ont une forme *elliptique*, sans bras. Elles sont classées E suivi d'un nombre de 0 à 7 selon leur forme. Les galaxies E0 sont sphériques (fig. 20), tandis que les E7 sont très allongées. Les galaxies elliptiques, de tailles très diverses, âgées, ne contiennent que de vieilles étoiles et n'ont plus ni gaz ni poussière.

Entre les galaxies elliptiques les plus allongées et les galaxies spirales ayant les bras les plus resserrés, il existe une classe de transition : les S0 avec un disque mais sans bras.

D'autres sont *irrégulières* (*Irr*). Certaines semblent présenter une trace de structure spirale, et devraient être réellement équivalentes aux spirales Sd (spirales avec bras très ouverts). D'autres sont vraiment totalement irrégulières. Ces galaxies peuvent aussi avoir d'autres particularités, par exemple un jet de gaz (Pl. 24) ou une enveloppe supplémentaire de poussière (Pl. 42). Ces galaxies sont notées *pec* (pour *particulières*) : exemple E7 (pec).

Les formes des galaxies résultent des conditions dans lesquelles elles ont été formées. Les galaxies n'évoluent pas d'un type à l'autre.

Les galaxies les plus proches de nous sont deux petites galaxies satellites de la Voie Lactée : le Petit et le Grand Nuage de Magellan, de type Irr (voir fig. 94, Chap. VII). Elles ne peuvent être vues de l'Europe ou du continent nord américain. Dans un télescope, le Grand Nuage de Magellan (LMC) semble montrer des traces de structure spirale (Pl. 34), alors que le Petit Nuage de Magellan (SMC) semble être totalement irrégulier (fig. 21).

Toutes les galaxies excepté celles qui sont très proches s'éloignent de nous. Nous constatons cela en étudiant leurs spectres, qui apparaissent décalés vers le rouge. Ce *décalage vers le rouge* (en anglais redshift) – diminution de toutes les fréquences – résultant du mouvement d'éloignement, tout comme une onde sonore devient plus grave (fréquence plus basse) quand un véhicule nous dépasse et s'éloigne de nous, nous permet de calculer la vitesse de ces galaxies. Edwin Hubble a constaté que plus une galaxie est lointaine, plus sa vitesse de fuite est grande (*loi de Hubble*). Cette méthode – mesurer le décalage et, par la loi de Hubble, trouver la distance – est l'unique moyen de connaître la distance des objets les plus lointains dans l'Univers. Elle est valable quelle que soit la distance de la galaxie aussi longtemps que l'on est capable d'obtenir un spectre convenable.

Fig. 17. (*à gauche*) NGC 4622, une galaxie spirale dans le Centaure de type Sb semblable à la nôtre. (Cerro Tololo Inter-American Observatory)

Fig. 18. (*à droite*) M81 (NGC 3031) dans la Grande Ourse, une galaxie spirale de type Sb vue sous un angle de 59°. (Kitt Peak National Observatory)

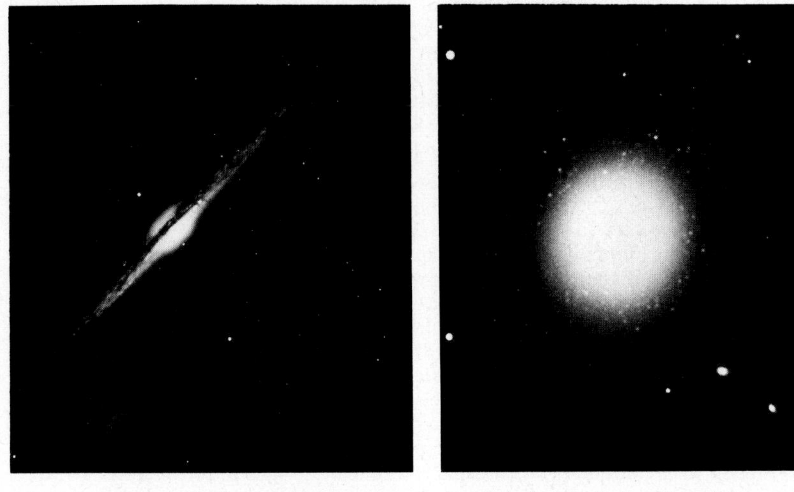

Fig. 19. (*à gauche*) NGC 4565, une galaxie spirale de type Sb dans Coma Berenices. (Palomar Observatory)

Fig. 20. (*à droite*) M87 (NGC 4486) dans la Vierge, une galaxie elliptique particulière au centre de l'amas de galaxies de la Vierge. Les points faiblement lumineux autour d'elle sont ses amas globulaires. De courtes poses montrent des gerbes de gaz jaillissant du noyau de la galaxie, manifestations d'une violente activité, peut-être due à la présence d'un trou noir géant. (Kitt Peak National Observatory)

Les distances considérables des galaxies nous donnent une idée de l'immensité de l'Univers. La galaxie la plus proche que l'on puisse observer de l'hémisphère Nord est la Grande Galaxie d'Andromède (Pl. 9) ; son centre est vaguement visible à l'œil nu. Elle est tout de même tellement éloignée que sa lumière met 2,2 millions d'années pour nous parvenir. Quand nous observons la Galaxie d'Andromède, nous regardons donc 2,2 millions d'années en arrière dans le temps.

Toutes les galaxies sont apparemment groupées. Notre Galaxie, la Galaxie d'Andromède et M33 (Pl. 10) sont les trois galaxies spirales du *Groupe Local* comprenant également un couple de galaxies elliptiques géantes, plusieurs galaxies elliptiques naines et des galaxies irrégulières, soit plus d'une vingtaine de galaxies.

Le Groupe Local fait partie d'un grand *amas de galaxies*, l'amas de la Vierge (Virgo) (fig. 22). Cet amas couvre 60 millions d'a.1. D'autres amas bien connus sont ceux de Coma Berenices (environ 300 millions d'a.1.) et d'Hercule (environ 500 millions d'a.1.). (Distances calculées en estimant que la constante de Hubble – taux d'accroissement de vitesse avec la distance – vaut 75 km/sec/megaparsec, c'est-à-dire 23 km/sec par million d'a.l). Certains amas de galaxies ont été récemment particulièrement bien étudiés par les télescopes à rayons X, qui ont révélé la présence de gaz entre les galaxies.

Ces amas de galaxies sont eux-mêmes groupés en *superamas*. Entre les superamas l'espace contient des vides géants où aucune galaxie n'a encore été trouvée.

Les quasars

En 1960 quelques unes des sources d'ondes radio se sont révélées être ponctuelles – quasi stellaires – au lieu de ressembler à des galaxies. Trois ans plus tôt Maarten Schmidt avait découvert que ces objets étaient très éloignés; le spectre de l'une de ces radios sources quasi stellaires – quasars – présentait même un décalage vers le rouge extrême. Nous connaissons actuellement plus d'un millier de quasars.

Le décalage vers le rouge peut être exprimé comme une fraction de la vitesse de la lumière. Pour des vitesses très inférieures à celle-ci, il est égal au quotient de la vitesse de récession du quasar par la vitesse de la lumière. Par exemple, un décalage (appelé z) de 0 2 signifie que les longueurs d'onde sont décalées vers le rouge de 0 2 fois (20 %) la valeur originale. La galaxie ou le quasar s'éloigne

Fig. 21. Le Petit Nuage de Magellan, avec à droite l'amas globulaire 47 Tucanae (NGC 104) et au-dessus (au Nord) l'amas globulaire NGC 362. (Harvard College Observatory)

donc de nous avec une vitesse égale à 0,2 fois la vitesse de lumière, soit 60 000 km/sec. Pour des vitesses proches de celle de la lumière, nous devons utiliser les formules d'Einstein (théorie de la relativité).

Le quasar le plus éloigné a un décalage vers le rouge de $z = 3{,}78$. Très peu de quasars ayant un décalage plus grand que 3 ont été découverts bien que des instruments assez sensibles existent. Plus un quasar est loin, plus tôt sa lumière a été émise. Les plus anciens quasars ont été formés il y a environ 10 milliards d'années.

Des objets aussi lointains nous envoyant un rayonnement visible et radio aussi important, doivent être intrinsèquement extrêmement brillants. Les astronomes pensent maintenant que des trous noirs géants sont probablement présents au centre des quasars. Ces trous noirs devraient contenir des millions de fois la masse du Soleil. Le gaz, aspiré par les trous noirs, se réchauffe et dégage de l'énergie. Les quasars doivent être un stade dans l'évolution des galaxies. La plupart des quasars sont très éloignés. Nous les voyons donc très loin dans le temps, et nous pouvons conclure que l'époque à laquelle ils étaient très brillants est fort reculée.

Seul un quasar – 3C 273, de la constellation de la Vierge (fig. 23) – est assez brillant pour être accessible avec un télescope d'amateur, mais nous avons tout de même fait figurer d'autres quasars sur les cartes de l'Atlas du Chapitre VII.

Cosmologie

Les observations de Hubble, qui montrent que les galaxies les plus distantes s'éloignent de nous plus rapidement que les galaxies les plus proches, peuvent s'expliquer si l'Univers est en expansion de la même façon qu'un pouding géant aux raisins va croître lors de la cuisson. Imaginez-vous assis sur un des grains de raisin ; tous les autres raisins s'éloigneront de vous quand la pâte lèvera. Comme il y a plus de pâte entre vous et les raisins les plus éloignés, la pâte s'étendra plus et ces raisins lointains s'éloigneront plus rapidement que les plus proches. De façon similaire, l'Univers est en expansion. Nous observons la même chose, que nous soyons sur un raisin ou dans une galaxie. Ainsi voir toutes les galaxies s'éloigner de nous ne signifie pas que nous sommes au centre de l'Univers. En fait, l'Univers n'a pas de centre.

Qu'est-il arrivé dans le passé ? En remontant dans le temps (en inversant l'expansion), l'Univers a dû être toujours plus condensé, jusqu'à posséder une densité excessivement élevée, il y a 15 milliards d'années environ. La plupart des modèles sur l'origine de l'Univers suggèrent qu'une grande explosion, le *big bang*, a fait démarrer l'expansion. Le *modèle inflationniste* prévoit même qu'à ses débuts, pendant une courte période, l'Univers avait un taux d'expansion très rapide, avant de se fixer au rythme actuel. Le big bang lui-même peut ne pas avoir eu lieu ; la première matière aurait été formée par une variation accidentelle dans le néant de l'espace.

Fig. 22. Une partie de l'amas de galaxies de la Vierge, y compris les galaxies M86 (au centre) et M84 (plus à droite). NGC 4438 est la galaxie « tordue » en haut à gauche. Les positions de ces galaxies sont montrées sur la Planche 27A du Chapitre VII. (Kitt Peak National Observatory)

Lors des premiers instants de l'Univers, la température était tellement élevée que les éléments chimiques n'ont même pas pu être formés. Quand l'Univers s'est refroidi, à cause de l'expansion, les premières particules atomiques, comme les protons (noyaux d'hydrogène) et les électrons se sont formés. L'Univers était opaque. Puis quand la température descendit en dessous de 100 000°C, les protons et les électrons se combinèrent pour fabriquer des atomes d'hydrogène et l'Univers devint transparent. Le rayonnement chaud qui envahissait l'Univers à cette époque s'est progressivement refroidi avec l'expansion ; les radiotélescopes le détectent maintenant comme une émission très faible correspondant à 2.7°K (environ −270°C ou 3°C au-dessus du zéro absolu) seulement. C'est la meilleure preuve indiquant que l'Univers primitif était chaud et dense.

Les astronomes s'interrogent aussi sur le futur de l'Univers. Rien n'est évident. L'Univers peut être *ouvert* – il continuera donc éternellement à s'étendre. L'expansion de l'Univers peut aussi s'arrêter et s'inverser ; c'est alors un Univers *fermé* et la contraction terminera par un grand craquement (*big crunch*). Nous savons d'après le taux d'expansion actuel, que cela ne peut avoir lieu avant 50 milliards d'années au moins – environ trois fois l'âge actuel de l'Uni-

Fig. 23. Le quasar 3C 273, dans la Vierge, a une magnitude 13,6 (voir planche 27A). Le long jet de gaz visible est un signe d'intense activité. (Palomar Observatory)

vers. Le modèle le mieux adapté aux observations indique que l'Univers serait actuellement en expansion mais avec un taux en décroissance.

Des observations avec de nouveaux télescopes : télescope spatial en orbite, très grand radiotélescope en forme de Y ayant 21 km de rayon dans le Nouveau Mexique, et d'autres instruments, devraient nous aider à mieux prévoir l'avenir de l'Univers.

Tableau 5. Choix d'étoiles doubles

Nom	Constellation	Magnitudes	Couleurs	Séparation des composantes (en sec d'arc)
Gamma Andromedae	Andromeda (Planche 9)	2.3 & 5.1	orange & bleu	10"
Beta Monocerotis	Monoceros (Planche 24)	5.2, 5.6, 4.7	bleu	2.8" et 7.4"
Iota Cancri	Cancer (Planche 13)	4.2 & 6.6	jaune & bleu	31"
Gamma Virginis	Virgo (Planche 27)	3.6 & 3.6	jaune	4"
Beta Scorpii	Scorpius (Planche 29)	2.9 & 5.1		14"
Beta Cygni (Albireo)	Cygnus (Planche 18)	3.2 & 5.4	jaune & vert	35"

Note : Les périodes de visibilité de ces binaires sont montrées dans la fig. 24. Des positions d'étoiles doubles sont données dans le tableau 10 et sont dessinées sur les planches de l'Atlas du Chapitre VII.

Tableau 6. Choix d'étoiles variables

Nom	Constellation	Type	Magnitude (amplitude)	Période (jours)
Mira (omicron Ceti)	Cetus (Planche 22)	longue période	3.4 - 9.2	332
Algol (beta Persei)	Perseus (Planche 10)	binaire à éclipses	2.2 - 3.5	2.9
Delta Cephei	Cepheus (Planche 8)	variable Céphéide	3.6 - 4.3	5.4
Zeta Geminorum	Gemini (Planche 12)	variable Céphéide	3.7 - 4.3	10.2
Beta Lyrae	Lyra (Planche 18)	binaire à éclipses	3.4 - 4.3	12.9
RR Lyrae	Lyra (Planche 18)	variable RR Lyrae	7.0 - 8.0	0.6

Note : Les périodes de visibilité de ces variables sont montrées dans la fig. 24. Les positions d'étoiles variables sont données dans les tableaux 11 et 12 ; elles sont également dessinées sur les planches de l'Atlas du Chapitre VII. Des cartes spéciales sont fournies pour Mira, Algol et β Lyrae à la fin du Chapitre VI.

Tableau 7. Amas ouverts et globulaires

Rang	Constellation	Type	Mag.	Diam.	a.r. (2000.0)	déc. (2000.0)
M103	Cassiopeia	ouvert	7	6'	1^h33^m	+60°41'
h et χ Persei	Perseus	ouvert	*	45', 45'	2^h23^m	+57°06'
M45 (Pleiades)	Taurus	ouvert	3	120'	3^h48^m	+24°06'
M79	Lepus	globulaire	7	8'	5^h24^m	−24°31'
M35	Gemini	ouvert	6	29'	6^h09^m	+24°20'
M44 (Praesepe)	Cancer	ouvert	4	90'	8^h40^m	+19°59'
M3	Canes Venatici	globulaire	6	19'	13^h42^m	+28°23'
M5	Serpens	globulaire	6	20'	15^h18^m	+02°05'
M13	Hercules	globulaire	6	23'	16^h41^m	+36°27'
M92	Hercules	globulaire	6	12'	17^h17^m	+43°09'
M23	Sagittarius	ouvert	6	27'	17^h57^m	−19°01'
M24	Sagittarius	ouvert	6	*	18^h17^m	−18°29'
M11	Seutum	ouvert	7	12'	18^h50^m	−06°16'
M15	Pegasus	globulaire	6	12'	21^h30^m	+12°10'
M39	Cygnus	ouvert	6	32'	21^h31^m	+48°26'

* Amas double ; un champ de 1° est nécessaire pour les voir tous les deux.
*M24 est l'amas situé dans la direction du centre galactique.

Tableau 8. Galaxies et nébuleuses

Nom	Type	Constellation	Diam.	a.r. (2000.0)	déc. (2000.0)
M31	spirale	Andromeda	2' × 30'	0^h42^m	+41°16'
M1 (Crab)	supernova	Taurus	6' × 4'	5^h35^m	+22°01'
M42 (Orion)	émission	Orion	60'	5^h35^m	−05°23'
M81	spirale	Ursa Major	16' × 10'	9^h56^m	+69°03'
M49	elliptique	Virgo	2'	12^h29^m	+07°59'
M51 (Whirlpool)	spirale	Canes Venatici	12' × 6'	13^h30^m	+47°11'
M20 (Trifid)	émission	Sagittarius	29'	18^h03^m	−23°02'
M57 (Ring)	planétaire	Lyra	1'	18^h54^m	+35°01'
M27 (Dumbbell)	planétaire	Vulpecula	8' × 4'	20^h00^m	+22°43'

Notes : Les diamètres sont en degrés (°) et minutes d'arc (').
Abréviations : spirale = galaxie spirale ; supernova = résidus de supernova ; émission = nébuleuse en émission ; elliptique = galaxie elliptique ; planétaire = nébuleuse planétaire.

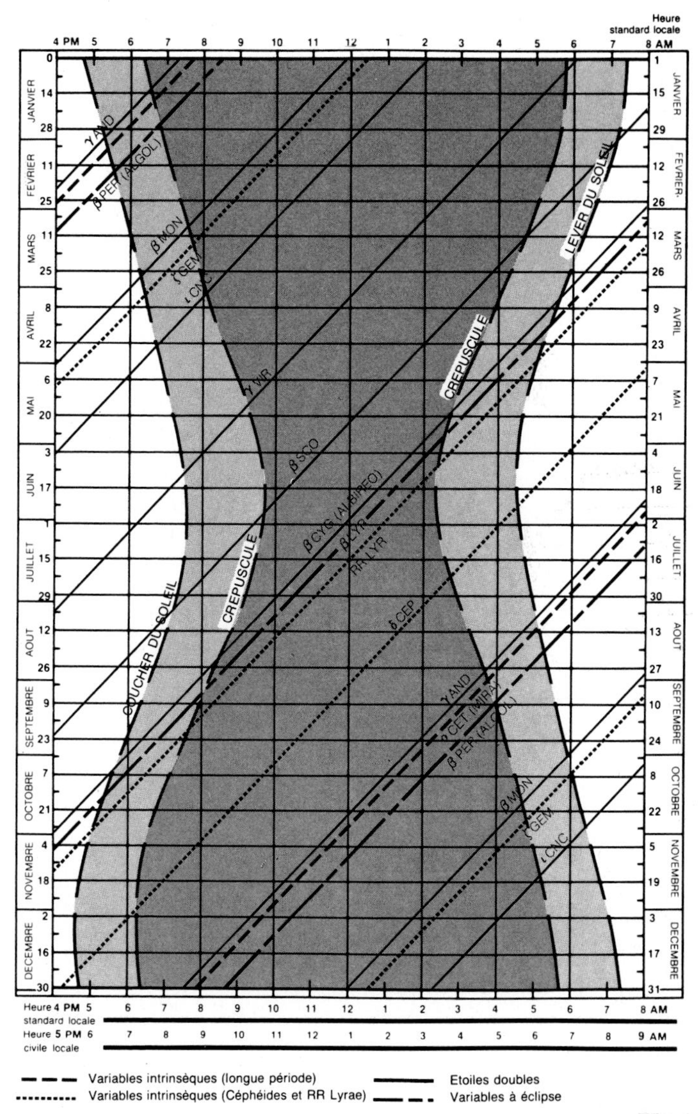

Fig. 24. Périodes de visibilité des étoiles doubles et variables.

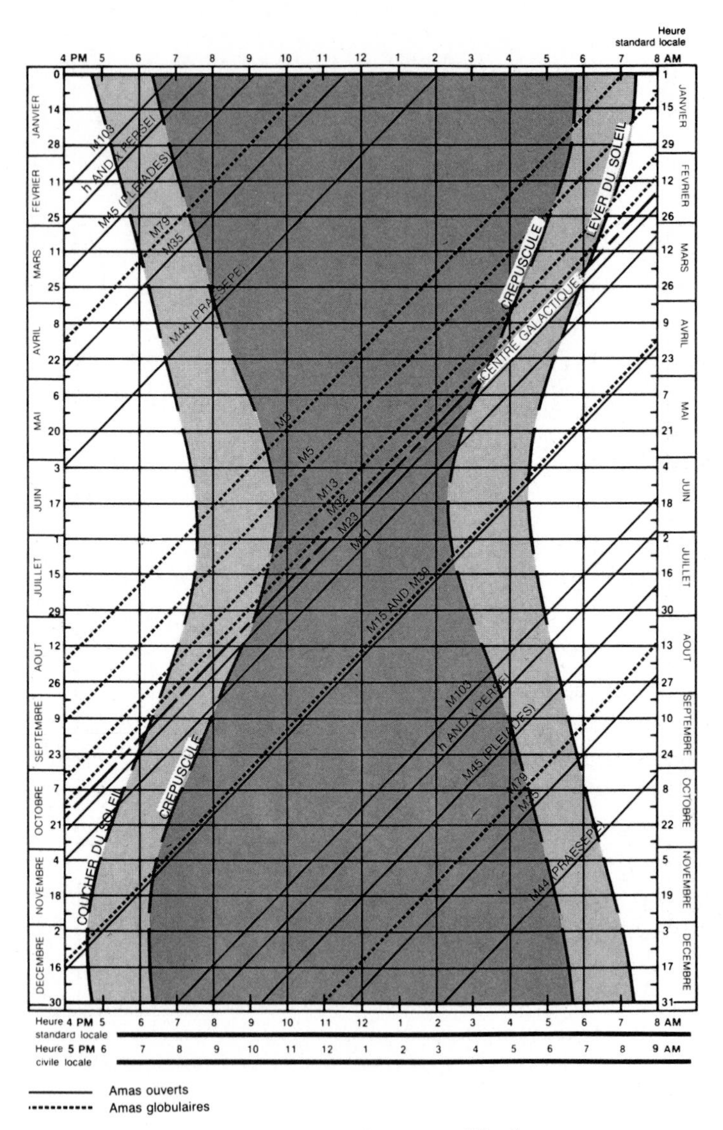

Fig. 25. Périodes de visibilité des amas d'étoiles.

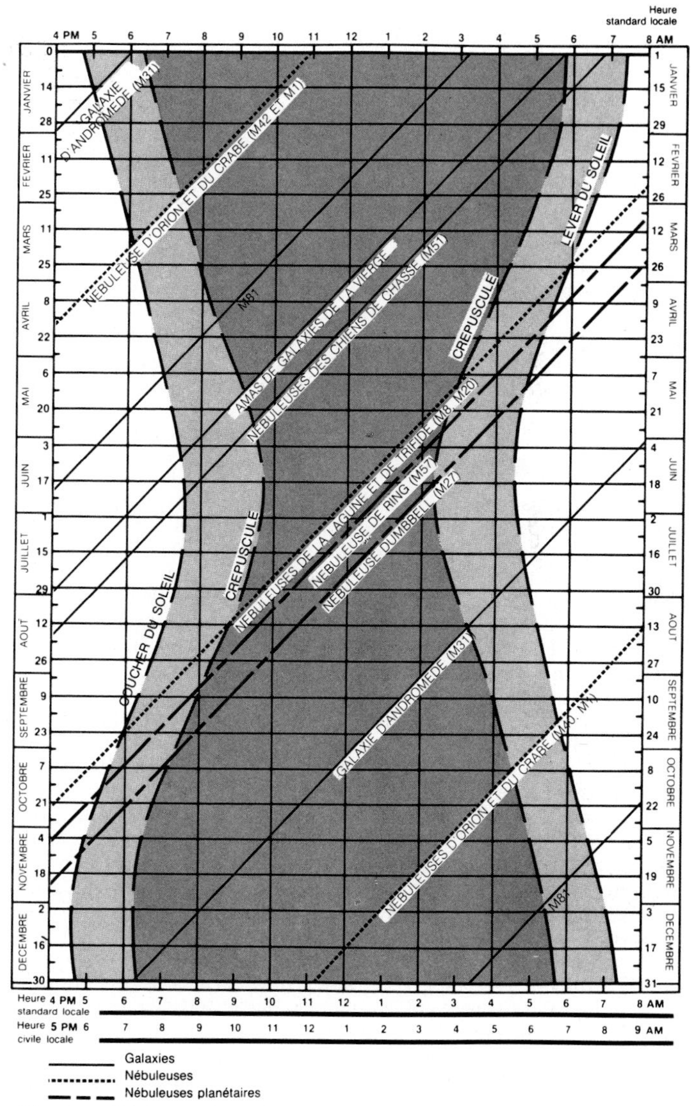

Fig. 26. Périodes de visibilité des Galaxies et des Nébuleuses.

CHAPITRE V

LES CONSTELLATIONS

Les observateurs des anciennes civilisations ont divisé le ciel en constellations ou groupes d'étoiles brillantes voisines. Aujourd'hui nous savons que les étoiles d'une constellation donnée ne sont pas nécessairement liées physiquement. Quelques étoiles d'une constellation peuvent être relativement proches de la Terre alors que d'autres en sont très éloignées ; ces étoiles sont uniquement dans une même ligne de vue.

Histoire des constellations

On ne sait pas exactement où et quand a été établi le premier système de constellations. Des textes cunéiformes et des objets des civilisations de la vallée de l'Euphrate montrent que le Lion, le Taureau et le Scorpion étaient déjà associés à des constellations vers 4 000 ans avant J.C. De nombreux savants ont été intrigués par certaines similitudes dans les noms donnés aux constellations par des civilisations très différentes. Il est possible qu'une tradition commune très ancienne concernant les appellations de quelques groupes d'étoiles soit un jour découverte.

Plus de la moitié des 88 constellations figurant dans la liste définitive (1930) de l'Union Astronomique Internationale (U.A.I.) étaient déjà connues des anciens. Les premières traces des constellations grecques ont été trouvées chez le poète Homère, vers le IXe siècle avant J.-C. et chez Aratus vers le IIIe siècle avant J.-C. Au milieu ou à la fin du Ve siècle avant J.-C., la zone de la sphère céleste aussi appelée zodiaque dans laquelle se situe le mouvement apparent du Soleil a été identifiée par les Babyloniens (et peut-être par les Grecs) qui l'ont divisée en 12 parties égales portant le nom des constellations les plus proches.

L'astronome égyptien Ptolémée (IIe siècle après J.-C.) rassembla des informations sur 1 022 étoiles groupées en 48 constellations. Ce catalogue ne comprend que des étoiles visibles de la latitude d'Alexandrie où vécut Ptolémée.

L'Amalgeste, œuvre principale de Ptolémée, fut le dernier travail sur les constellations jusqu'au XVIe siècle quand les navigateurs partirent à la découverte de latitudes plus australes. Le premier atlas d'étoiles, publié par Johann Bayer en 1603, contenait 12 constellations nouvelles visibles dans le ciel de l'hémisphère sud. En 1624, l'astronome allemand Jakob Bartsch ajouta 3 nouvelles constellations dans l'espace qui existait entre les constellations précédentes. Bartsch définit également comme une constellation séparée le groupement de la Croix du Sud (Crux) dont les 4 étoiles principales ont été notées par Ptolémée comme appartenant à la constellation du Centaure (le nom de Crux vient d'une christianisation du ciel, phénomène typique de cette époque). Au début du XVIIIe siècle, Tycho Brahé éleva au rang de constellation la configuration de la Chevelure de Bérénice (Coma Berenices), que les anciens avaient fait appartenir au Lion (Leo) ou à la Vierge (Virgo).

Sept constellations supplémentaires visibles des latitudes moyennes boréales furent ajoutées par l'astronome allemand Johannes Hévélius en 1687, et quatorze autres lors de la visite de Nicolas Louis de la Caille au Cap de Bonne Espérance en 1750. Les autorités officielles ont refusé depuis de multiplier encore le nombre de constellations. La plus grande des constellations de Ptolémée, Argo le Navire (Argo Navis), fut morcelée au milieu du XVIIIe siècle. La Carène (Carina), la Poupe (Puppis), les Voiles (Vela), et la Boussole (Pyxis) inventées par la Caille la remplacent.

La liste usuelle des constellations est celle adoptée par l'U.A.I. en 1928 et publiée 2 ans plus tard. L'U.A.I. définit une constellation comme l'une des 88 régions en lesquelles le ciel entier est divisé ; chaque zone du ciel appartient à une et une seule de ces régions. Les anciennes figures ne se retrouvent pas toujours. Par exemple une des quatre étoiles du Grand Carré de Pégase fait maintenant officiellement partie d'Andromède. Mais dans l'ensemble la nouvelle division de l'U.A.I. a apporté de grandes simplifications.

Les lignes divisant le ciel suivent les lignes d'ascension droite et de déclinaison de l'année 1875.0 (les astronomes utilisent la décimale pour indiquer les parties de l'année : ainsi 1875.0 indique le début de l'année 1875). A cause de la précession (déplacement de la direction de l'axe de la Terre parmi les étoiles), ces lignes ont légèrement dévié ; les cartes de l'Atlas du Chapitre VII montrent que ces lignes ne sont plus alignées aussi nettement sur les lignes des coordonnées.

La précession a également changé les dates d'entrée du Soleil dans chaque constellation lors de son cheminement à travers le zodiaque ; ainsi actuellement le Soleil n'est plus dans le signe indiqué dans les horoscopes. Dans sa course annuelle le Soleil traverse en fait 13 constellations et non 12. De plus, si nous définissons le zodiaque comme la zone limitée par deux cercles parallèles à l'écliptique situés à 8,5° de lui – bande dans laquelle nous trouvons les 8 premières planètes – 24 constellations ou parties de constellations en font partie.

La liste ci-dessous divise les constellations en trois groupes : celles du zodiaque traditionnel, celles cataloguées par Ptolémée et celles ajoutées depuis 1600 dans l'ordre alphabétique. Comme, dans beaucoup de cas, plus d'une histoire mythologique est associée à une même constellation, nous ne prétendons pas dans chaque cas indiquer tous les mythes. Nous indiquons quelles sont les planches de l'Atlas du Chapitre VII à consulter. Une liste des abréviations standards des constellations et le génitif des noms utilisés pour définir l'appellation des étoiles se trouvent dans la table A-1 de l'Appendice.

Quelques illustrations des anciens atlas de Bayer et d'Hévélius figurent tout au long de ce Guide.

Les Constellations du Zodiaque

Le *zodiaque* (du grec zoon : animal) : ce sont douze constellations, une pour chaque mois de l'année, dans la région du ciel que le Soleil parcourt annuellement dans son mouvement apparent autour de la Terre. Les voici :

Le Bélier (Aries) symbolise le célèbre animal porteur de la Toison d'or dont la conquête fut le but de l'expédition des Argonautes (Pl. 10, 22, 23).

Le Taureau (Taurus). Zeus se métamorphosa en un taureau blanc afin de séduire Europe, la Princesse de Phénicie. Attirée par la beauté de l'animal, elle grimpa sur son dos et Zeus l'emmena en Crète où il lui révèla son identité et se fit aimer d'elle (Pl. 10, 11, 23, 24).

Les Gémeaux (Gemini). Ce sont Castor et Pollux, les fils jumeaux de Zeus et Léda, dits les Dioscures. Selon une autre version, seul Pollux était le fil immortel de Zeus, alors que Castor était le fils de Tyndare, époux de Léda. Après la mort de Castor, Pollux partagea avec lui son immortalité et Zeus les réunit dans le ciel (Pl. 12, 24, 25).

Le Cancer ou Ecrevisse. Quand Hercule lutta contre l'Hydre, Junon envoya ce crabe pour l'attaquer. Le crabe échoua et fut écrasé. Pour le récompenser, Junon le plaça parmi les étoiles (Pl. 13, 25, 26).

Le Lion (Leo) de Némée, le plus fier du monde, tué par Hercule lors de son premier travail (Pl. 13, 14, 26, 27).

La Vierge (Virgo) a été identifiée à différentes héroïnes. Le rapprochement avec Cérès, divinité des moissons, permet d'expliquer le nom de l'étoile la plus brillante de la Vierge, Spica, qui signifie un épi de blé (Pl. 27, 28, 39, 40).

La Balance (Libra). On y voyait autrefois les pinces du Scorpion. La constellation fut ensuite associée aux plateaux de la balance tenue par Astrée, déesse de la justice (Pl. 29, 41).

Le Scorpion (Scorpius). Apollon voulant préserver la virginité de sa sœur Artémis envoya le scorpion pour tuer Orion. C'est pourquoi Orion et le Scorpion ont été placés aussi loin que possible l'un de l'autre car le Scorpion continue de poursuivre Orion autour de la sphère céleste (Pl. 29, 41).

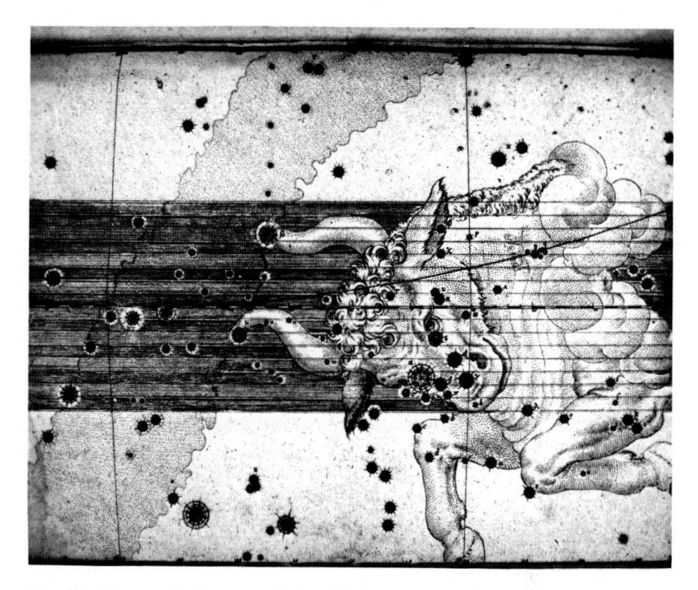

Fig. 27. Taurus, le Taureau, de l'Atlas de Bayer (1603). (Smithsonian Institution Libraries)

Le Sagittaire (Sagittarius = Arciteneus) ou l'Archer, représente le centaure Chiron connu pour sa sagesse, ses bienfaits et pour ses talents en médecine et en musique. Certains pensent que Chiron était trop civilisé pour servir de modèle au Sagittaire, et qu'il fut associé à cette constellation car il la désigna aux Argonautes pour qu'elle les guide dans leur voyage vers la Théssalie (Pl. 30, 31, 41 à 43).

Le Capricorne (Capricornus = Capes), c'est-à-dire la chèvre marine, un corps et une tête de chèvre avec une queue de poisson. Pour certains, le bouc, un excellent grimpeur, représente l'ascension du Soleil à partir de sa position la plus basse dans le ciel, occupée par cette constellation. La queue de poisson symbolise la saison des pluies (Pl. 31, 32, 43).

Le Verseau (Aquarius = Amphora), personnage qui, jadis, versait l'eau d'une amphore et évoque également la saison des pluies (Pl. 21, 31, 32, 44).

Les Poissons (Pisces). Vénus et Cupidon échappèrent au monstre Typhon en se métamorphosant en poissons et en sautant dans l'Euphrate. La plupart des cartes anciennes montrent deux poissons reliés l'un à l'autre par un ruban noué autour du cou de la Baleine (Pl. 9, 21, 22).

Les Autres Constellations de Ptolémée

Andromeda, Andromède, fille de Cassiopée et de Céphée. Lorsqu'Andromède prétendit être la plus belle, les Néréides demandèrent à Poséidon, dieu de la mer, de punir la vantarde. Poséidon envoya un monstre marin, Cetus, ravager le royaume de Céphée. Un oracle apprit à Céphée que seul le sacrifice d'Andromède pourrait apaiser les dieux. Andromède fut enchaînée à un rocher, au pied d'une falaise. Quand le monstre arriva, Persée se précipita et brandit la tête de la Gorgone. Le monstre fut changé en pierre pour avoir regardé la face de la Méduse (Pl. 9, 10, 20).

Aquila, l'Aigle. Oiseau qui ramena de la Terre le beau Ganymède pour être l'échanson des dieux (Pl. 30, 31).

Ara, l'Autel dressé par les dieux de l'Olympe pour commémorer leur victoire sur les Titans (Pl. 41, 51).

Argo Navis, le Navire Argo transporta les Argonautes de Thessalie à Colchide à la recherche de la Toison d'Or. Cette constellation a été par la suite subdivisée en quatre constellations : la Carène (Carina), la Poupe (Pupppis), la Boussole (Pyxis) et les Voiles (Vela).

Auriga, le Cocher. Aucune histoire n'explique vraiment ce que ces étoiles sont supposées définir. Pour certains il s'agit de Poséidon voguant sur la crête des vagues dans un char tiré par des chevaux marins (Pl. 3, 11, 12).

Bootes, le Bouvier. Plusieurs mythes y sont attachés. Un exemple : récompense du Bouvier pour avoir inventé la charrue (Pl. 15, 16, 28, 29).

Canis Major, le Grand Chien est associé à différents chiens mythologiques, dont le chien d'Actaeon et celui d'Orion (Pl. 24, 25, 36).

Canis Minor, le Petit Chien. Le chien favori fut celui d'Hélène qui permit à Paris de l'enlever sans résistance (Pl. 25).

Cassiopeia,Casssiopée (voir aussi Andromède). Quand Cassiopée s'opposa au mariage de Persée et d'Andromède. Persée exhiba la tête de la Méduse. Cassiopée et tous ses ennemis furent changés en pierre. Poséidon plaça Cassiopée dans le ciel, mais pour lui apprendre l'humilité, s'arrangea pour qu'à certaines périodes de l'année elle soit la tête en bas (Pl. 1, 2, 9).

Centaurus, le Centaure. Constellation souvent identifiée à Chiron (voir sous Sagittarius) qu'Hercule blessa accidentellement d'une flèche empoisonnée. Il souffrit beaucoup, mais en tant qu'immortel, ne fut pas libéré par la mort. Il résolut son probème en offrant son immortalité à Prométhée, un Titan condamné par Zeus pour avoir dérobé le feu des dieux pour en faire bénéficier les hommes. Chiron ne perdit pas totalement son immortalité, car Zeus le plaça dans le ciel (voir aussi Corona Australia) (Pl. 38 à 40, 49, 50).

Cetus, la Baleine, un monstre marin ; voir Andromède (Pl.21, 22, 23, 33, 34).

Corona Australia, la Couronne Australe ; également appelée Corona Austrina. Elle représente la couronne de laurier ou d'olivier donnée aux vainqueurs des jeux et à ceux qui rendent de grands services à leurs pairs. Dans une autre version, cette constellation symbolise une couronne de laurier déjà placée sur le front de Chiron en reconnaissance du service rendu à Prométhée. Voir le Centaure (Pl. 42).

Corona Borealis, la Couronne Boréale, généralement associée à Ariane, sœur de Minos, roi de Crète. Chaque année, comme tribut à la Crète, 14 jeunes gens d'Athènes étaient offerts au Minotaure, le monstre que Minos gardait dans un labyrinthe. Ariana tomba amoureuse de Thésée, l'une des futures victimes. Elle lui offrit de l'aider à échapper au Minotaure s'il promettait de la ramener à Athènes et de l'épouser. Thésée accepta et Ariane tint parole; Thésée tua le Minotaure. Ils s'embarquèrent et firent escale sur l'île de Naxos, où Thésée et les Athéniens abandonnèrent Ariane endormie. Quand elle se réveilla, et clama vengeance, elle alla trouver Dionysos, le dieu du vin, qui l'épousa immédiatement et lui offrit, comme présent de mariage, une couronne sertie de joyaux. A la mort d'Ariane, Dionysos lança la couronne parmi les étoiles (Pl. 16, 17).

Corvus, le Corbeau. Pour certains, c'est le corbeau qu'Apollon envoya pour surveiller sa bien aimée, Coronis. Lors d'une absence du dieu, Coronis tomba amoureuse et fut infidèle à Apollon. Le corbeau dénonça Coronis et fut récompensé par une place dans le ciel (Pl. 27, 39).

Crater, la Coupe, fut liée à différents dieux et héros comme Apollon, Bacchus, Hercule et Achille (Pl. 27, 38).

Cygnus, le Cygne. Une légende relie cette constellation à l'histoire de Phaeton, un mortel qui apprit que son père était Hélios, dieu du Soleil. Hélios permit sans réfléchir à Phaeton de conduire le chariot du Soleil à travers le ciel. Phaeton aussitôt en perdit le contrôle et sa conduite imprudente menaça de détruire la Terre. Zeus intervint en foudroyant Phaeton, qui tomba dans le fleuve Eridan. Un ami dévoué de Phaeton, Cycnos, dans son chagrin plongea dans l'eau afin de chercher le corps. Apollon eut pitié de Cycnos, le changea en cygne et le plaça dans le ciel (Pl. 7, 8, 18, 19).

Delphinus, le Dauphin. Une légende raconte que Delphinus persuada la déesse de la mer Amphitrite d'épouser Poséidon qu'elle avait fui. Cet acte fut récompensé par une place dans le ciel (Pl. 19, 31).

Draco, le Dragon, rejeton d'Arès, terrassé par Cadmos, frère d'Europe. Athéna conseilla à Cadmos de planter quelques dents du dragon tué. Des hommes armés en jaillirent. Lorsque Cadmos leur lança des pierres, ils commencèrent à se battre. Tous sauf cinq moururent et ces survivants l'aidèrent à construire la ville de Thèbes (Pl. 4 a 8).

Equuleus, le Petit Cheval. C'est Céléris, le frère de Pégase que Mercure donna à Castor (Pl. 32).

Eridanus, le Fleuve dans lequel tomba Phaeton (Pl. 22 à 24, 34, 35, 46).

Hercule, Hercule, le plus célèbre des héros grecs, vénéré dans tout le monde méditerranéen, surtout connu par ses 12 travaux ; il a accompli plusieurs autres actes incroyables. Il mourut dramatiquement. Après avoir tué accidentellement un jeune homme, Hercule décida de s'exiler en compagnie de sa femme, Déjanire. Arrivés près d'une rivière, Hercule nagea en tête, laissant Déjanire à la charge de Nessos, un centaure qui lui avait offert son dos pour franchir la rivière. Nessos tenta de la violer, et Hercule le blessa mortellement d'une flèche empoisonnée. Avant de mourir, le Centaure remit à la jeune épouse quelques gouttes de son sang empoisonné, l'assurant qu'il s'agissait d'un philtre de fidélité conjugale. Lorsque Déjanire apprit que son époux s'intéressait à une autre femme, elle imprégna de ce philtre une tunique et l'envoya à son mari. Hercule la revêtit et son corps fut consumé par les brûlures. Accompagné de son fils et de son ami Philoctète, il gravit le mont Oeta, et s'immola sur un bûcher. Rien ne resta de lui, son corps ayant été transporté à l'Olympe (Pl. 17, 18, 29, 30).

Hydra, l'Hydre femelle ou Serpent aquatique incarne sans doute l'Hydre de Lerne ce serpent monstrueux tué par Hercule lors de son deuxième travail. Epreuve difficile car chaque fois qu'une tête était coupée, deux autres repoussaient immédiatement. Hercule demanda à son neveu Iolaos de cautériser les cous tronçonnés du monstre, empêchant ainsi les têtes de repousser. Comme il fut aidé dans cette tâche, Hercule dut en subir une autre (Pl. 25, 26, 37 à 40).

Lepus, le Lièvre couché dans le ciel aux pieds de son chasseur Orion (cf. Canis Major) (Pl. 24, 35, 36).

Lupus, le Loup. Une légende associe cette constellation à l'impie Lycaon, qui doutait du droit divin de Zeus. En guise de test, Lycaon servit au roi des dieux la chair d'un enfant. Zeus punit Lycaon de cet acte sacrilège en le transformant en loup (Pl. 40, 50).

Lyra, la Lyre. C'est l'instrument donné par Apollon à Orphée, le poète et musicien le plus célèbre de la légende grecque. Quand sa femme Eurydice mourut, Orphée descendit aux Enfers et obtint la permission de la ramener sur Terre à condition de ne pas la regarder avant qu'elle ne sorte du royaume d'Hades. Malgré sa promesse, il se retourna pour l'admirer et aussitôt elle disparut pour toujours dans les ténèbres. Orphée, inconsolable, refusa les avances de toutes les autres femmes qui tentèrent de gagner son amour. Un jour les Ménades l'attaquèrent pour avoir dédaigné les femmes de Thrace, le mirent en pièces, et jetèrent sa tête et sa lyre dans le fleuve Hebrus. Apollon intervint : la tête d'Orphée fut mise dans une caverne, ses membres enterrés au pied du Mont Parnasse et sa lyre accrochée parmi les étoiles (Pl. 18).

Ophiuchus, le serpent. Ce groupe est généralement identifié à Asclepios le premier médecin et chirurgien qui accompagnait les Argonautes. Il ne se contentait pas de guérir les malades, mais ressuscitait aussi les morts. Inquiet de la stagnation de la population des Enfers, Pluton convainquit Zeus de foudroyer Asclepios et de le mettre parmi les constellations. Le serpent entrelacé autour d'un bâton est resté aujourd'hui le symbole de la médecine, peut-être à cause de la comparaison entre la mue périodique du serpent et le renouvellement de la vie (Pl. 29, 30, 41).

Orion, le Chasseur. Ce géant, chasseur renommé, rencontra Artémis, la déesse de la chasse et de la Lune. Son frère Apollon, craignant pour sa virginité, envoya Scorpius le Scorpion attaquer Orion qui sauta dans la mer pour s'échapper. Mais piqué au talon, il mourut. La déesse voulut faire appel à Asclepios afin de faire revivre son compagnon, mais le médecin avait déjà été foudroyé par Zeus. Artémis plaça Orion dans le ciel où il est éternellement poursuivi par le Scorpion (Pl. 11, 12, 23, 24).

Pegasus, Pégase, le cheval ailé né du sang de la Méduse et sorti de son cou tranché par Persée, dompté par Bellorophon, héros vainqueur d'un grand nombre de monstres et d'ennemis. Quand Bellerophon décida de mener Pégase dans l'Olympe, les dieux furent offensés ; Zeus envoya un taon piquer Pégase qui se cambra de douleur, et désarçonna son cavalier. Mais Pégase continua à grimper l'Olympe et gagna ainsi une place parmi les étoiles (Pl. 9, 19 à 21, 32).

Perseus, Persée. Portant le casque d'Hades le rendant invisible, des sandales ailées et le bouclier offert par Athéna, il parvint à trancher le cou de la Méduse, la seule Gorgones immortelle, et à prendre sa tête. Les trois Gorgones étaient des monstres fabuleux tellement horribles que toute personne qui les regardait était aussitôt changée en pierre. Athéna suggéra à Persée d'utiliser son bouclier comme miroir et d'éviter ainsi de regarder directement les Gorgones. Après avoir tranché la tête de la Méduse, le cheval ailé Pégase bondit de son sang. La tête de la Méduse permit à Persée de vaincre de nombreux ennemis, et d'anéantir le monstre Cetus (voir Andromède) (Pl. 2, 3, 9 à 11).

Piscis Austrinus, le Poisson austral, également connu comme Piscis Australis. Gaia enfanta Typhon pour venger ses fils, les Titans, vaincus par Zeus et les Olympiens. Elle l'incita à les attaquer mais ceux-ci prirent différentes formes animales pour lui échapper. Vénus, par exemple, se métamorphosa en poisson (voir Pisces) (Pl. 43, 44).

Sagitta, la Flèche associée à différentes flèches dont celle utilisée par Apollon pour tuer les trois cyclopes et celle avec laquelle Hercule disperse les affreux oiseaux infestant le lac de Stymphale (Pl. 18, 19, 31).

Serpens, le Serpent lié à Ophiuchius, formaient autrefois la constellation du Serpentaire ou porteur de serpent (Serpens Caput, la tête est sur les Pl. 16 et 29, Serpens Cauda, la queue est sur la Pl. 30).

Triangulum, le Triangle. Rien de surprenant, si à cause de sa forme semblable à la lettre grecque Δ cette constellation est parfois appelée Delta. Elle fut liée à l'Egypte et au Nil dont le Delta était une région fertile et à la Sicile, de forme vaguement triangulaire (Pl. 9, 10).

Fig. 28. Perseus. Persée (vu de derrière), de l'Atlas d'Hévélius (1690).

Ursa Major, la Grande Ourse. Zeus tomba amoureux de Callisto, la fille de Lycaon (voir Lupus) ; ils eurent un fils, Arcas. Callisto provoqua la jalousie d'Héra qui la transforma en ourse pour qu'elle soit tuée à la chasse par Artémis ou par son propre fils Arcas (Pl. 4 à 6, 13 à 15).

Ursa Minor, la Petite Ourse. Arcas faillit tuer un ours, ignorant qu'il s'agissait de sa mère Callisto. Pour protéger Callisto, Zeus métamorphosa également Arcas en ours et les plaça tous deux dans le ciel. Contrariée par cet amour, Héra se vengea en convainquant Poséidon d'interdire désormais aux ours de se baigner dans la mer. C'est pour cela que la Grande et la Petite Ourse sont des constellations circumpolaires, qui ne disparaissent jamais sous l'horizon (Pl. 2, 6).

Les constellations ajoutées depuis 1600

Notez comme les noms des constellations reflètent le temps où elles ont été définies ; nous trouvons ici plusieurs machines en plus des allusions aux multiples mythes classiques.

Antlia, la Pompe, nommée par la Caille la Machine Pneumatique (Pl. 37, 38).

Apus, l'Oiseau de Paradis originaire de Papouasie – Nouvelle-Guinée (Pl. 50, 51).

Caelum, le Burin formé par La Caille à partir d'étoiles de la Colombe et de l'Eridan (Pl. 35).

Cameleopardalis, la Girafe. Bartsch remarqua le premier que cette constellation pouvait représenter le chameau qui emmena Rebecca vers Isaac (Pl. 2, 3).

Canes Venatici, les Chiens de Chasse. Hévélius composa cette constellation à partir d'étoiles de la Grande Ourse et du Bouvier, pour figurer deux lévriers tenus en laisse par le Bouvier (Pl. 15).

Carina, la Carene du Navire Argo (Pl. 47-49).

Chamaeleon, le Caméléon situé sous Carina et séparé du pôle par l'Octant (Pl. 48, 49).

Circinus, le Compas au Sud du Loup, ajouté par la Caille (Pl. 50).

Columba, la Colombe. Petrus Plancrus, théologien et cartographe hollandais du XVIe siècle, a créé cette constellation au Sud du Lièvre pour symboliser la colombe que Noé envoya de son arche (Pl. 35, 36).

Coma Berenices, la Chevelure de Bérénice recensée comme constellation en 1602 par Tycho Brahé. Bérénice, la femme de Ptolémée Evergetes d'Egypte (milieu du IIIe siècle av. J.-C.), fit le serment de sacrifier ses cheveux à Vénus si son époux revenait sain et sauf de la guerre. Après son retour elle honora son vœu. Un astronome grec, pointant cette constellation, reconnut la chevelure manquante que Vénus avait placée dans le ciel. La Chevelure de Bérénice contient le pôle galactique Nord (Pl. 15, 27, 28).

Crux, la Croix du Sud. Les Grecs anciens considéraient les quatre étoiles principales de la Croix comme une partie du Centaure, qui entoure la Croix de trois côtés. Il n'y a pas d'étoile centrale dans la Croix, ainsi à l'œil nu ressemble-t-elle plus ou moins à un cerf-volant (Pl. 49).

Dorado, la Dorade où se trouve le Grand Nuage de Magellan (Pl. 47).

Fornax, le Fourneau formé par la Caille d'étoiles coulant au Sud de l'Eridan (Pl. 34).

Grus, la Grue près du Poisson austral (Pl. 43-45, 52).

Horlogium, l'Horloge ajoutée par la La Caille (Pl. 34, 46).

Hydrus, le Serpent d'eau mâle. A ne pas confondre avec la constellation de Ptolémée Hydra. Hydrus se trouve entre le Grand et le Petit Nuage de Magellan (Pl. 46).

Indus, l'Indien supposé représenter un indien d'Amérique avec des flèches dans les deux mains. Flamsted lui a donné une figure féminine ; il se peut qu'il ait songé à la reine des Amazones, Hippolyte, dont la ceinture en or fut l'objectif d'un des travaux d'Hercule. La Couronne australe ne serait-elle pas elle-même cette ceinture ? (Pl. 43, 42).

Lacerta, le Lézard créé par Hévélius à partir d'étoiles se trouvant entre le Cygne et Andromède (Pl. 1, 8, 20).

Leo Minor, le Petit Lion formé par Hévélius, au Sud de la Grande Ourse et juste au Nord du Lion (Pl. 13, 14).

Lynx. Hévélius choisit ce nom pour expliquer que seuls ceux qui ont des yeux de lynx peuvent distinguer les étoiles de ce groupe (Pl. 3, 4, 12, 13).

Mensa, la Table évoque la Montagne de la Table qui domine le Cap où La Caille avait son observatoire (Pl. 47).

Microscopium, le Microscope. Etoiles du Sud du Capricorne et de l'Ouest des Poissons australs assemblées par la Caille (Pl. 43).

Monoceros, la Licorne qui galope derrière Orion ; souvent attribuée à Bartsch, mais certains la jugent plus ancienne (Pl. 24, 25).

Musca, la Mouche appelée à l'origine l'Abeille par Bayer ; groupe au Sud de la Croix du Sud et au Nord Est du Caméléon (Pl. 49).

Norma, la Règle d'abord appelée l'Equerre par La Caille ; immédiatement au Nord du Triangle austral (Pl. 40, 50).

Octans, l'Octant, nom donné par La Caille après l'invention de l'octant par John Hadley en 1730 ; tout près du pôle Sud (Pl. 45, 52).

Pavo, le Paon. Argos, le constructeur du bateau Argo, fut changé en paon par Héra après qu'elle eut placé son bateau dans le ciel (Pl. 51, 52).

Phoenix, le Phénix, une autre des 12 constellations du ciel Sud, dénommée d'après un oiseau mythique de la taille d'un aigle au plumage très coloré. Le phénix vivait plusieurs siècles, mourait sur un bûcher, et renaissait de ses cendres. Dans les anciennes Chine, Egypte, Inde et Perse, le Phénix était un symbole astronomique représentant les cycles naturels (Pl. 33, 45, 46).

Pictor, le Peintre, primitivement appelé le Chevalet du Peintre par La Caille ; au Sud de la Colombe (Pl. 35, 47).

Puppis, la Poupe d'Argo le Navire (Pl. 25, 36, 37).

Pyxis, la Boussole d'Argo (Pl. 37).

Reticulum, le Réticule. Constellation nommée par La Caille, mais dessinée précédemment par Isaak Habrecht de Strasbourg (Pl. 46).

Sculptor, le Sculpteur, à l'origine l'Atelier du Sculpteur. Groupe entre la Baleine et le Phénix contenant le pôle galactique Sud (Pl. 33, 44).

Scutum, l'Ecu. Hévélius a créé cette constellation à partir de plusieurs étoiles de la Voie Lactée, entre la queue du Serpent et la tête du Sagittaire. Elle est supposée représenter les armoiries de John Sobreski, roi de Pologne, en hommage à sa résistance lors de l'attaque de Vienne par les Turcs en 1683 (Pl. 30).

Fig. 29. Monoceros, la Licorne (vu de derrière), de l'Atlas d'Hévélius (1690).

Sextans, le Sextant formé par Hévélius entre le Lin et l'Hydre afin de faire connaître l'importance du sextant dans ses mesures des étoiles (Pl. 26).

Telescopium, le Télescope. Composition originale de la Caille entre Ara et Sagittarius, empiétant sur de nombreuses anciennes constellations. Les catalogues plus récents ont évité ce genre de superposition (Pl. 42, 51, 52).

Triangulum Australe, le Triangle austral. Beaucoup plus important que son pendant dans le ciel Nord, le Triangle, ce groupe est au Sud de la Règle (Pl. 45).

Tucana, le Toucan. Autre constellation portant le nom d'un oiseau exotique ; elle renferme le Petit Nuage de Magellan (Pl. 45).

Vela, les Voiles d'Argo (Pl. 37, 38, 48, 49).

Volans, le Poisson Volant au Sud de la Carène (Pl. 48).

Vulpecula, le Renard, ajouté par Hévélius, contient la nébuleuse Dumbbell (Pl. 18, 19).

CHAPITRE VI

ETOILES DOUBLES ET VARIABLES

LES ETOILES DOUBLES

Quand on regarde le ciel, les étoiles semblent être des points lumineux simples. Mais un examen plus attentif révèle que la plupart des étoiles de notre Galaxie font en fait partie de système d'*étoiles doubles ou multiples*, c'est-à-dire qu'elles forment de véritables systèmes physiques de 2 étoiles ou plus dont les composantes décrivent une orbite autour du centre de gravité du système. Les périodes de rotation sur ces orbites sont de l'ordre de quelques heures à quelques siècles.

Dans certains cas, les étoiles sont assez distantes l'une de l'autre et le système est assez près de nous pour que nous puissions voir que le système contient plus d'un objet. Un système de ce type est appelé une *binaire visuelle*. Dans d'autres cas, même si nous sommes incapables de voir plus d'une étoile, nous pouvons dire qu'un système est double quand les différentes composantes du système s'éclipsent l'une l'autre, faisant varier l'éclat total du système. Ce type d'étoiles variables est une *binaire à éclipses* (fig. 31). Parfois une étoile est reconnue double uniquement par l'examen de son spectre. Le spectre peut montrer les contributions distinctes de chaque étoile membre ou peut montrer les signes des mouvements stellaires. Une étoile double identifiée comme telle par des variations de son spectre est une *binaire spectroscopique*. L'oscillation lente d'une étoile sur des années peut être interprétée comme le résultat de l'attraction d'un compagnon invisible. Ce type d'étoile double est appelé *binaire astrométrique*.

Parfois nous voyons quelque chose qui ressemble à une étoile double. Ce sont en fait deux étoiles éloignées l'une de l'autre, à des distances très différentes de la Terre, mais rapprochées par un effet de perspective. Ces étoiles ne sont pas liées physiquement, elles ne sont donc pas considérées comme de vraies étoiles doubles. Ce sont des *doubles optiques*.

Les étoiles doubles peuvent être repérées sur les planches de l'Atlas du prochain chapitre par les traits horizontaux qui barrent le symbole indiquant l'éclat de l'étoile. Plusieurs systèmes doubles intéressants sont donnés dans la table 10. Quelques doubles, dont une sélection

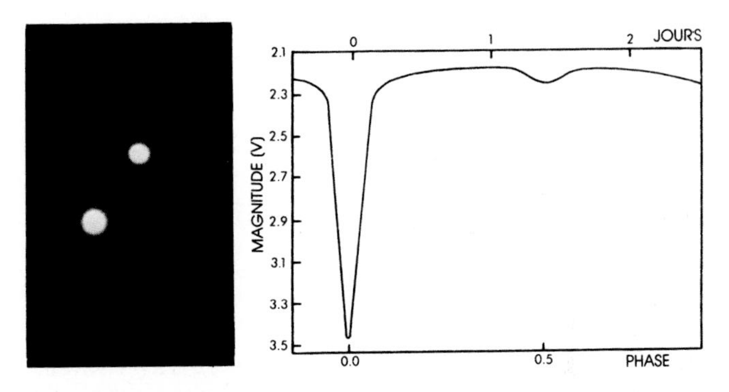

Fig. 30. (*à gauche*) L'étoile double 61 Cygni. Avec des jumelles il est facile de voir les deux composantes de magnitudes 5.2 et 6.0, séparées de 30 secondes d'arc. Les composantes de ce système parcourent l'orbite en 650 années. Ce système n'est qu'à 11 années de lumière de la Terre. (Lick Observatory)

Fig. 31. (*à droite*) Courbe de lumière d'Algol (Persei), une double à éclipses. Algol est très populaire chez les observateurs de variables à cause de sa grande variation d'éclat sur une relativement courte période. (Anthony D. Mallama)

Tableau 9. Minima d'Algol

1989 1er janv. 16:45; 2 fév. 5:47; 2 mars 22:00; 3 avril 11:02; 2 mai 3:13; 2 juin 16:11; 1er juil. 8:18; 1er août 21:13; 2 sept. 10:07; 1er oct. 2:13; 1er nov. 15:09; 3 déc. 4:07.

1990 3 janv. 17:07; 1er fév. 9:18; 2 mars 1:29; 2 avril 14:29; 1er mai 6:40; 1er juin 19:40; 3 juil. 8:40; 1er août 0:51; 1er sept. 13:52; 3 oct. 2:52; 3 nov. 15:53; 2 déc. 8:04.

1991 2 janv. 21:04; 3 fév. 10:04; 1er mars 5:26; 1er avril 18:26; 3 mai 7:26; 3 juin 20:26; 2 juil. 12:37; 3 août 1:37; 3 sept. 14:38; 2 oct. 6:49; 2 nov. 19:49; 1er déc. 12:00.

1992 2 janv. 1:00; 2 fév. 14:00; 2 mars 6:11; 2 avril 19:11; 1er mai 11:22; 2 juin 0:22; 3 juil. 13:23; 1er août 5:34; 1er sept. 18:34; 3 oct. 7:34; 3 nov. 20:34; 2 déc. 12:45.

1993 3 janv. 1:45; 3 fév. 14:45; 1er mars 10:07; 1er avril 23:07; 3 mai 12:07; 1er juin 4:18; 2 juil. 17:18; 3 août 6:19; 3 sept. 19:19; 2 oct. 11:30; 3 nov. 0:30; 1er déc. 16:41.

1994 2 janv. 5:41; 2 fév. 18:41; 3 mars 10:52; 1er avril 3:03; 2 mai 16:03; 3 juin 5:03; 1er juil. 21:14; 2 août 10:14; 2 sept. 23:15; 1er oct. 15:26; 3 nov. 4:26; 1er déc. 20:37.

Note: Pour trouver les autres minima, ajouter chaque fois 2 jours, 20 heures 49 minutes (et 3 secondes) ou 2.86 jours.

Tableau 10. Etoiles doubles

ADS	Nom	a.r (2000.0) h	m	déc. °	′	Magnitudes		AP °	Sép. ″
558	55 Psc	0	39.9	+21	26	5.5	8.7	194	6.6
561	α (alpha) Cas	0	40.5	+56	32	2.2	8.9		63
671	η (eta) Cas	0	49.1	+57	49	3.5	7.5	312	12.4
940	42 ϕ (phi) And	1	09.5	+47	15	4.6	5.5	133	0.5
996	ζ (zeta) Psc	1	13.7	+07	35	5.6	6.6	63	23.0
1129	ψ (psi) Cas	1	25.9	+68	08	4.7	9.6		25
1507	γ (gamma) Ari	1	53.5	+19	18	4.6	4.7	0	7.8
1563	λ (lambda) Ari	1	57.9	+23	36	4.8	7.3		37.5
1615	α (alpha) Psc	2	02.1	+02	46	4.2	5.2	273	1.6
1630	γ^1 (gamma^1) And	2	03.9	+42	20	2.2	5.1	63	9.8
1630	γ^2 (gamma^2) And	2	03.9	+42	20	5.5	6.3	106	0.5
1697	ι (iota) Tri	2	12.4	+30	18	5.3	6.9	71	3.9
1860	ι (iota) Cas	2	29.1	+67	24	4.6	6.9	232	2.5
1477	α (alpha) UMi	2	31.8	+89	16	2.0	8.9		18
2080	γ (gamma) Cet	2	43.3	+03	14	3.6	6.2	297	2.8
2157	η (eta) Per	2	50.7	+55	54	3.8	8.5		28
—	$\theta^{1,2}$ (theta^{1,2}) Eri	2	58.3	−40	18	3.2	4.3		7.4
2850	32 Eri	3	54.3	−02	57	4.7	6.2	347	6.7f
2888	ε (epsilon) Per	3	57.9	+40	01	2.9	8.0	9	9.0
3137	ϕ (phi) Tau	4	20.4	+27	21	5.1	8.7		50
3321	α (alpha) Tau	4	35.9	+16	31	0.9	10.7		120
3823	β (beta) Ori	5	14.5	−08	12	0.2	6.7	206	9.2
4179	λ (lambda) Ori	5	35.1	+09	56	3.6	5.5	44	4.3
4186	θ^1 (theta^1) Ori	5	35.3	−05	23	5.1	6.7		
4241	σ (sigma) Ori	5	38.8	+02	36	3.8	6.6	84	12.9
4566	θ (theta) Aur	5	59.7	+37	13	2.6	7.1	320	3.0
5107	β (beta) Mon	6	28.8	−07	02	4.6	5.1	132	7.2
5400	12 Lyn	6	46.2	+59	27	5.4	6.0	74	1.7
5423	α (alpha) CMa	6	45.2	−16	43	−1.5	8.5	5	4.5
5654	ε (epsilon) CMa	6	58.6	−28	58	1.5	7.8	160	7.4f
5983	δ (delta) Gem	7	20.1	+21	59	3.6	8.2	223	5.9
6175	α (alpha) Gem	7	34.6	+31	53	1.9	2.9	73	3.0
6321	κ (kappa) Gem	7	44.5	+24	24	3.6	9.4	240	7.1
6988	ι^1 (iota^1) Cnc	8	46.7	+28	46	4.0	6.6	307	30.4
7203	σ^2 (sigma^2) UMa	9	10.4	+67	08	4.9	8.2	357	3.6
7402	23 UMa	9	31.5	+63	04	3.7	9.2	269	22.8
7724	γ (gamma) Leo	10	20.0	+19	51	2.2	3.5	124	4.4
7979	54 Leo	10	55.6	+24	45	4.5	6.4	110	6.6
8119	ξ (xi) UMa	11	18.2	+31	32	4.3	4.8	60	1.3
8148	ι (iota) Leo	11	23.9	+10	32	4.0	6.7	132	1.4

Notes: La première colonne (ADS) est le numéro du *New General Catalogue of Double Stars* (1932) de R.G. Aitken . La composante primaire d'un système double est souvent appelée A et la secondaire B ; C étant la 3e étoile du système Pour les magnitudes, v = variable. Pour les séparations (sép.), f = fixe (ne changeant pas).

Tableau 10 (suite). Etoiles doubles

ADS	Nom	a.r (2000.0) *h*	*m*	déc. °	′	Mag-nitudes		AP °	Sép. ″
8489	2 CVn	12	16.1	+40	40	5.9	9.0	260	11.5
8531	17 Vir	12	22.5	+05	18	6.5	8.6	337	20.6
—	α (alpha) Cru	12	26.6	−63	06	1.6	2.1	114	4.7
8630	γ (gamma) Vir	12	41.7	−01	27	3.5	3.5	287	3.0
8706	α (alpha) CVn	12	56.0	+38	19	2.9	5.5	229	19.4
8891	ζ (zeta) UMa	13	23.9	+54	56	2.3	4.0	151	14.4
—	α (alpha) Cen	14	39.6	−60	50	0.0	1.2	214	19.7
9338	π (pi) Boo	14	40.7	+16	25	4.9	5.8	108	5.7
9343	ζ (zeta) Boo	14	41.2	+13	44	4.5	4.6	303	1.0
9372	ε (epsilon) Boo	14	45.0	+27	05	2.5	5.0	339	2.8
9375	54 Hya	14	46.0	−25	27	5.2	7.2	126	8.8
9413	ξ (xi) Boo	14	51.4	+19	06	4.7	6.9	326	7.0
9494	44 Boo	15	03.8	+47	39	5.3	6.0	44	1.6
9617	η (eta) CrB	15	23.2	+30	17	5.6	5.9	27	1.0
9701	δ (delta) Ser	15	34.8	+10	32	4.1	5.2	179	3.9
9737	ζ (zeta) CrB	15	39.4	+36	38	5.1	6.0	305	6.3f
9909	ξ (xi) Sco AB	16	04.4	−11	22	4.9	4.9	44	0.7
9913	β (beta) Sco	16	05.4	−19	48	2.7	4.9	21	13.6
10074	α (alpha) Sco	16	29.4	−26	26	0.9v	5.5	276	2.4
10087	λ (lambda) Oph	16	30.9	+01	59	4.2	5.2	22	1.5
10157	ζ (zeta) Her	16	41.3	+31	36	2.9	5.5	83	1.6
10345	μ (mu) Dra AB	17	05.3	+54	28	5.7	5.7	25	1.9
10417	36 Oph	17	15.4	−26	36	5.1	5.1	151	4.8
10418	α (alpha) Her	17	14.7	+14	23	3.2	5.4	107	4.7
10424	δ (delta) Her	17	15.0	+24	50	3.1	8.7	243	9
10526	ρ (rho) Her	17	23.7	+37	09	4.6	5.5	316	4.0
10993	95 Her	18	01.5	+21	36	5.1	5.2	258	6.5
11005	τ (tau) Oph	18	03.1	−08	11	5.2	5.9	280	1.8
11046	70 Oph	18	05.5	+02	30	4.2	6.0	220	1.5
11336	39 Dra	18	24.0	+58	48	5.1	7.8	352	3.7
11635	ε^1 (epsilon^1) Lyr	18	44.3	+39	40	5.0	6.1	353	2.6
11635	ε^2 (epsilon^2) Lyr	18	44.4	+39	37	5.2	5.5	80	2.4
12540	β (beta) Cyg	19	30.7	+27	58	3.2	5.4	54	34.4f
12880	δ (delta) Cyg	19	45.0	+45	08	2.9	6.3	225	2.2
13007	ε (epsilon) Dra	19	48.2	+70	16	3.9	7.0	12	3.3
13632	α^1 (alpha^1) Cap	20	17.6	−12	31	4.3	9.0	221	45.5
13645	α^2 (alpha^2) Cap	20	18.1	−12	33	3.6	10.0	172	6.6
—	β (beta) Cap	20	21.0	−14	47	3.1	6.2		
14279	γ (gamma) Del	20	46.7	+16	08	4.3	5.2	268	9.8
14296	λ (lambda) Cyg	20	47.4	+36	30	4.9	6.1	11	0.9
14636	61 Cyg	21	06.9	+38	45	5.2	6.0	148	29.7
15032	β (beta) Cep	21	28.6	+70	34	3.2	7.8	250	13.7
15270	μ (mu) Cyg	21	44.1	+28	45	4.8	6.1	307	1.5
15971	ζ (zeta) Aqr	22	28.8	−00	01	4.3	4.5	207	1.9
17140	σ (sigma) Cas	23	59.0	+55	45	5.0	7.2	326	3.1

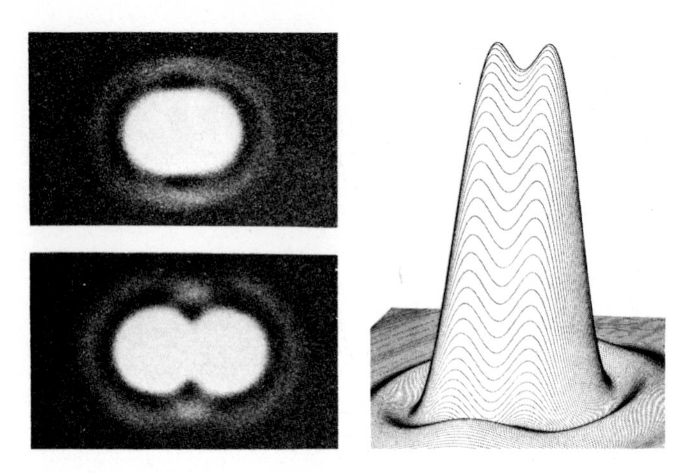

Fig. 32. (*à gauche*) Limite de Dawes, qui précise le moment où l'on peut distinguer la présence de deux objets. (Chris Jones, Union College)

Fig. 33. (*à droite*) La limite de Dawes correspond à la distribution d'éclat à droite. (David E. Stoltzmann, Honeywell Systems and Research Center)

de doubles visibles à différentes époques de l'année sont données dans la table 5 ; le moment où elles culminent (passent au méridien) est montré dans la figure 21. La table 10 contient des informations sur l'*angle de position (AP)* – qui correspond à l'angle que forme la droite joignant les deux composantes avec la direction Nord, en prenant l'étoile la plus brillante comme sommet de l'angle. Cet angle est compté positivement vers l'Est, dans le sens des aiguilles d'une montre. L'angle de position et la séparation apparente (en unité angulaire – minutes ou secondes d'arc) entre les composantes d'un système changent dans le temps.

Quelques systèmes doubles sont particulièrement beaux à observer avec un télescope, même petit, car les étoiles composant le système sont de couleurs différentes. Le contraste en couleur entre les membres d'une double provient des températures différentes des étoiles.

Un système de binaire à éclipses, Algol (appelé aussi beta Persei car il constitue la deuxième étoile la plus brillante de Persée), est particulièrement facile à observer. Le nom Algol signifiant « l'étoile du démon » vient des mots arabes, ras-al-ghul ou tête du démon. La figure 31 montre les variations en éclat d'Algol sur une période de 2-9 jours. Algol est un objet tellement populaire à observer que nous avons donné quelques temps de minima dans la table 9. Une carte d'observation pour Algol (fig. 40) se trouve à la fin de ce chapitre. Sur ces cartes d'identification, les nombres indiquent l'éclat des étoiles en dixièmes de magnitudes.

Un astronome amateur anglais du siècle dernier, William Dawes, a trouvé un procédé empirique pour connaître l'ouverture d'un télescope (diamètre des lentilles ou du miroir) nécessaire pour séparer (résoudre) les composantes d'un système d'étoiles doubles (fig. 32-33). Le voici : l'ouverture I (en centimètres) doit rendre à peine détectable la présence d'une paire d'étoiles de magnitude 6 séparées par 11.6/I sec d'arc. Pour que cette règle soit applicable, la différence en magnitude des étoiles doit être faible et les conditions d'observation bonnes.

LES ETOILES VARIABLES

Nombreuses sont les étoiles dont l'éclat varie, de façon presque imperceptible pour les unes, considérable pour les autres. De telles fluctuations ont deux causes principales : une étoile peut en masquer une autre temporairement et à intervalles réguliers en tournant autour d'elle (binaires à éclipses) ou bien de véritables changements se produisent dans les conditions physiques régnant dans les couches extérieures de l'étoile. Ces dernières sont connues comme des *étoiles variables.*

Si l'étoile variable ne possède pas déjà une dénomination, nom propre ou lettre grecque, on la désigne par l'une des lettres majuscules allant de R à Z, suivie du nom de la constellation (souvent abrégé) dans laquelle se trouve l'étoile. Certaines constellations comptent plus de 9 variables : on utilise alors après la lettre Z un système de deux lettres associées de R à Z (RR, RS, etc, SS, ST,..., ZZ) et si cela ne suffit pas, on procède de la même manière avec les lettres de A à Q. Après ZZ viennent donc AA, AB,..., AZ, BB,... et pour finir QQ, QR,..., QZ. Le nombre de combinaisons ainsi obtenues permet de classer 334 étoiles variables dans une même constellation (voir Appendice table A-1). S'il y en a davantage, les suivantes reçoivent des numéros d'ordre précédés de la lettre V (V335, V336 et ainsi de suite). Par exemple, la variable à longue période R Andromedae est la première étoile variable découverte dans Andromède ; S And fut la deuxième à être détectée, etc.

Suivre la variation de l'éclat d'une étoile c'est trouver *sa courbe de lumière*. Une courbe de lumière est un graphique de la variation de l'éclat en fonction du temps. Celle de SS Cygni (fig. 34), par exemple, montre que l'étoile variable change irrégulièrement d'éclat, croissant tous les 50 jours pour passer de la magnitude 12 à la magnitude 8. Une carte permettant de situer SS Cygni (fig. 39) se trouve à la fin de ce chapitre. SS Cygni est un exemple d'une *nova naine*. U Germinorum et AY Lyrae sont d'autres membres importants de cette classe ; en fait les novae naines sont souvent appelées *étoiles U Gem*.

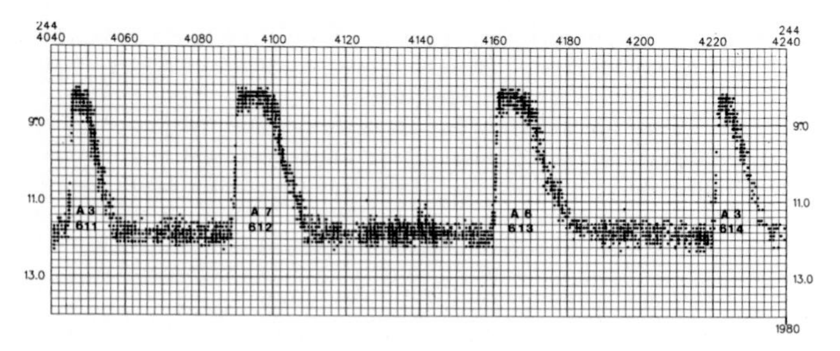

Fig. 34. Courbe de lumière de SS Cygni, une nova naine dont les sursauts ont lieu tous les 50 jours. (AAVSO)

Parfois les étoiles sont variables à cause d'un changement de taille et donc de leur éclat. Certaines étoiles connues comme *variable à longue période* mettent plusieurs semaines pour effectuer un cycle complet de variation. Ce type de variable est appelé *Mira* d'après l'étoile type Mira (omicron Ceti) de la constellation de la Baleine (Cetus). Seize cycles de variations de Mira sont montrés en haut de la figure 35 ; la carte d'observation de cette étoile (fig. 41) est également donnée à la fin de ce chapitre.

Mira a été la première étoile variable découverte (excepté les novae et supernovae). Elle a été reconnue comme variable, à l'œil nu, en 1596 bien avant l'invention des télescopes. Variant de la magnitude 9 à la magnitude 3, cette étoile semblait apparaître à nouveau dans le ciel de temps en temps. Ainsi a-t-elle été appelée Mira, la Merveilleuse. R Bootis qui varie entre les magnitudes 7 et 13 (fig. 35) est un autre exemple de cette classe.

Les *variables RR Lyrae*, dénommées ainsi d'après l'étoile prototype RR Lyrae dans la constellation de la Lyre (Carte 18 de l'Atlas), ont des périodes très courtes, souvent moins d'un jour (fig. 36). Comme la plupart des étoiles RR Lyrae ont été découvertes dans des amas globulaires, elles sont aussi connues comme des *variables d'amas*. Toutes les variables de ce type ont la même magnitude absolue (même luminosité intrinsèque) – environ 0,5. Les écarts en magnitude entre RR Lyrae résultent donc de distances différentes de ces étoiles par rapport à l'observateur. C'est ainsi que les astronomes déterminent la distance des amas globulaires auxquels appartiennent les RR Lyrae. Ce fait permit en 1920 à Harlow Shapley de découvrir que le Soleil n'est pas au centre de notre Galaxie.

Les *variables Céphéides*, dites aussi étoiles pulsantes, nommées d'après l'étoile δ (delta) Cephei, ont des courbes de lumière particulières (fig. 37), avec des périodes de l'ordre de un à quelques jours. Chaque variable Céphéide peut avoir une magnitude intrinsèque dif-

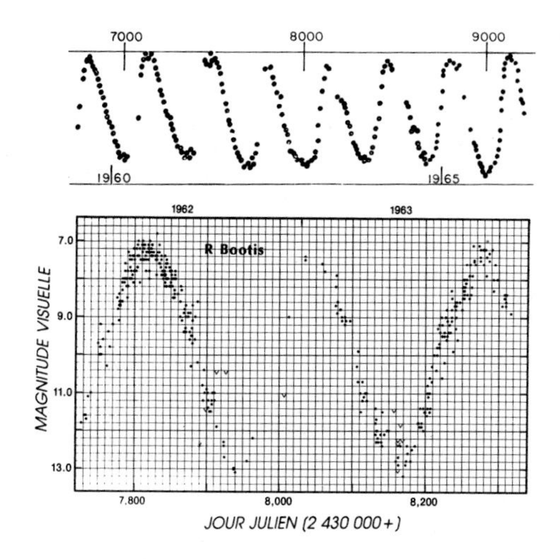

Fig. 35. (*en haut*) 16 cycles de Mira, une variable à longue période. (AAVSO). (*En bas*) Courbe de lumière de R Bootis, une variable Mira ayant une période de 223 jours. (AAVSO)

férente, mais il est facile pour les astronomes de calculer la distance d'une Céphéide une fois sa période de variation connue. (La période de variation peut être facilement mesurée avec un télescope et la magnitude intrinsèque calculée à partir de cette période. En comparant cette magnitude intrinsèque avec la magnitude apparente de l'étoile, les astronomes calculent la distance de l'étoile). Les variables Céphéides sont des étoiles géantes, assez grandes pour être détectées dans quelques-unes des galaxies proches ; elles fournissent la méthode principale de mesure des distances galactiques. Toutes les mesures des galaxies plus distantes dépendent, à leur tour, des mesures des distances des galaxies proches.

Une étoile comme *R Coronae Borealis (R CrB)* varie en éclat car elle donne naissance occasionnellement à un nuage de matière opaque – essentiellement de la suie – qui masque la surface que l'on voit ordinairement. R CrB passe alors de la magnitude 6 à la magnitude 11 ou même plus faible (voir la courbe de lumière en face de la planche 16 du Chapitre VII et la carte d'observation pour cette étoile à la fin du présent chapitre). RY Sagittarii, qui couvre à peu près le même domaine en magnitude est un autre exemple de cette classe.

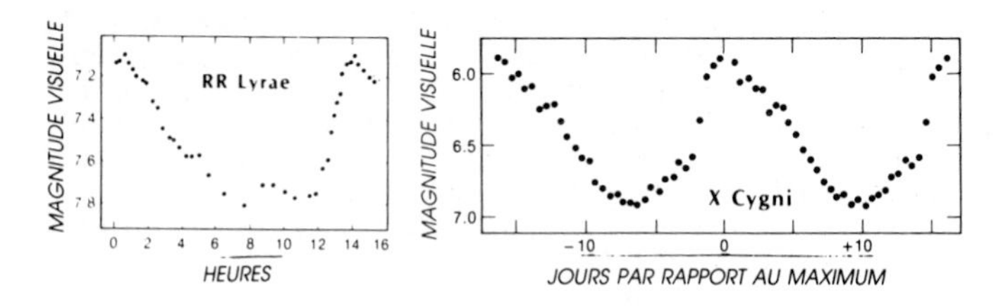

Fig. 36. (*à gauche*) RR Lyrae, le prototype des variables d'amas, a une période de 13.6 heures. Elle atteint rapidement son éclat maximum, et décroît plus lentement. La courbe de lumière est basée sur 330 observations visuelles d'Erich Leiner, un astronome amateur allemand. (Sky and Telescope)

Fig. 37. (*à droite*) Courbe de lumière de X Cygni, une variable Céphéide ayant une période de 17 jours. (AAVSO)

Les « *flare stars* » ou *étoiles à éclats*, telles que UV Ceti ou YZ Canis Minoris, sont en général des naines rouges qui subissent une augmentation explosive de leur éclat, de façon intermittente, irrégulière et de courte durée (de 1 à 6 magnitudes en quelques minutes).

Les *R V Tauri* comme R Scuti et V Vulpeculae, varient sur une période de 1 à 5 mois. Durant chaque période ces étoiles ont un minimum profond et un minimum peu marqué ; au minimum profond la magnitude de ces supergéantes jaunes peut s'abaisser de plus de 3 magnitudes.

Des étoiles doubles variables telle *RS Canum Venaticum (RS CVn)* sont des binaires à éclipses inhabituelles spécialement intéressantes à étudier pour ceux qui ont un équipement photométrique valable (une précision de 0.01 magnitude est nécessaire). RS CVn est une binaire dans laquelle les deux étoiles sont un peu plus massives que le Soleil alors que généralement un des membres est plus petit et plus chaud, et l'autre est une sous-géante plus grande et plus froide. Ces étoiles tournent l'une autour de l'autre sur une orbite très serrée en 4.8 jours. Chaque fois que l'étoile la plus chaude est éclipsée par la géante, l'éclat s'abaisse d'une magnitude ; une des étoiles RS CVn les plus brillantes est λ Andromedae. Sa magnitude visuelle varie entre 3.70 et 4.05 tous les 54 jours.

D'autres étoiles RS CVn ont des périodes entre 0.6 et 80 jours. Les variations de lumière augmentent quand l'une des étoiles, possédant de grandes taches stellaires (comparables aux taches solaires) assombrissant sa surface, tourne sur elle-même. D'énormes jaillissements d'ondes radio coïncident aux violents sursauts lumineux de l'atmosphère extérieure de l'étoile extrêmement active.

Les étoiles variables sont notées sur les planches de l'Atlas du Chapitre VII par un cercle ou un point entouré d'un cercle, quand cela est possible. Le point intérieur donne la magnitude la plus faible et le cercle extérieur la magnitude la plus brillante. Certaines variables sont indiquées dans les tables 11 et 12; plusieurs autres apparaissent dans la table 6 et la figure 24 du Chapitre IV. Les étoiles des tables 6 et 11 ont de courtes périodes et sont donc plus faciles à observer que celles de la table 12.

Les *novae* – étoiles nouvellement visibles – peuvent être considérées comme des variables dans un certain sens ; elles sont toutefois notées par un symbole spécial sur les planches de l'Atlas. Une nova devient plus brillante quand le gaz d'une étoile compagnon tombe à la surface de la naine blanche d'un système double, y déclenchant une fusion nucléaire. Les supernovae de 1572 et 1604 sont indiquées sur les planches avec le symbole des novae, car la distinction entre novae et supernovae n'était pas connue à l'époque où elles ont été remarquées.

Il ne faut pas confondre les *pulsars* – étoiles à neutrons émettant des pulsations régulières d'ondes radio, généralement non détectables optiquement – avec des étoiles variables – étoiles variant en intensité dans la lumière visible.

Le système de datation utilisée par les observateurs d'étoiles variables est le *calendrier julien* dans lequel les jours sont numérotés à partir du 1 er janvier de l'an 4713 av. J.-C. (ce qui évite de calculer le nombre de jours dans un mois ou les effets des années bissextiles). Les *jours juliens* commencent à midi, ainsi la date julienne ne change pas au cours de la nuit d'observation. Par exemple, le 1er janvier 1985 à midi est le début du jour julien 2446067.0. Tous les jours juliens sont donnés dans la table A-8 de l'Appendice.

Tableau 11. Etoiles variables à courte période

Nom	Constellation	Type	a.r. (2000.0) *h m s*	déc. (2000.0) ° ′	Magnitude	Période
Algol (beta Persei)	Perseus	E	03 08 10	+40 57.4	2.2 – 3.5	2.9
Zeta Geminorum	Gemini	C	07 04 07	+20 34.2	3.7 – 4.3	10.2
Beta Lyrae	Lyra	E	18 50 05	+33 21.8	3.4 – 4.3	12.9
RR Lyrae	Lyra	RR	19 25 28	+42 47.8	7.3 – 8.1	0.6
Delta Cephei	Cepheus	C	22 29 10	+58 24.9	3.6 – 4.3	5.4

Notes : C = variable Céphéide ; E = binaire à éclipses ; RR = variable RR Lyrae (variable d'amas).

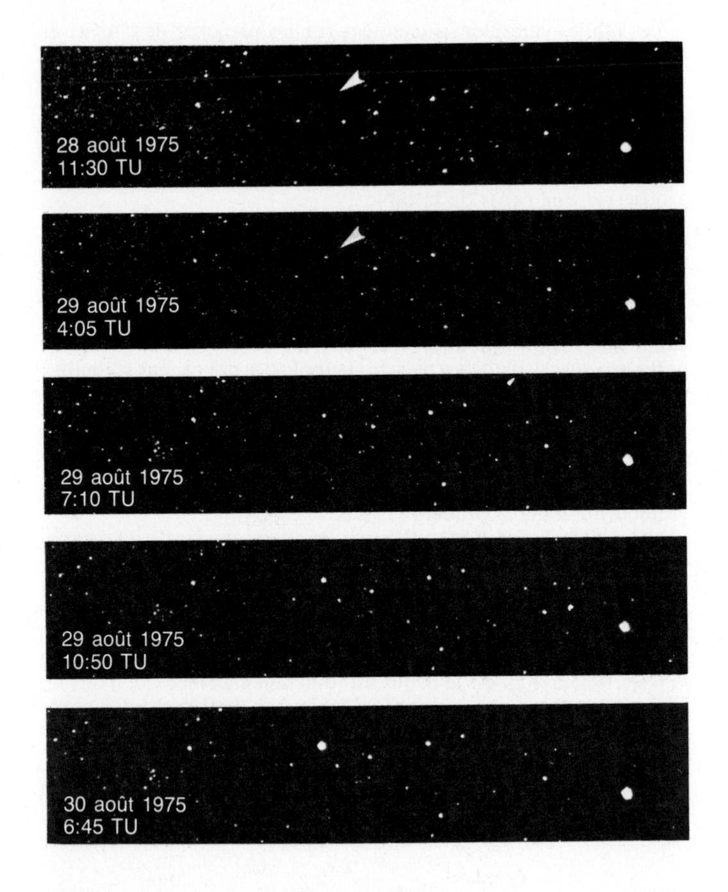

Fig. 38. L'augmentation de l'éclat de la Nova Cygni 1975 a été enregistrée sur cette série de poses de 25 min. prises par un astronome amateur lors de la recherche de météores. L'étoile brillante Deneb est à droite.

Tableau 12. Etoiles variables à longue période

Nom	a.r (2000.0) h m s	dec. ° '	Type	Magnitude (amplitude)	Période Jours
T Cas	00 23 15	+55 47.6	M	[7.9–11.9]	445
o Cet	02 19 21	−02 58.7	M	[3.4–9.2]	332
R Tri	02 37 01	+34 16.1	M	[6.2–11.7]	266
R Hor	02 53 51	−49 53.3	M	[6.0–13.0]	404
X Cam	04 45 43	+75 06.1	M	[8.1–12.6]	144
R Pic	04 46 10	−49 14.8	SR	6.7–10.0	164
L_2 Pup	07 13 32	−14 38.4	SR	2.6–6.2	140
S CMi	07 32 43	+08 19.1	M	[7.5–12.6]	333
U Gem	07 55 06	+22 00.6	UG	8.2–14.9	103
R Car	09 32 15	−62 47.3	M	[4.6–9.6]	309
R Leo	09 47 33	+11 25.7	M	[5.8–10.0]	312
L Car	09 45 15	−62 30.4	C	3.4–4.1	35
S Car	10 09 22	−61 32.9	M	[5.7–8.5]	150
R UMa	10 44 38	+68 46.5	M	[7.5–13.0]	302
T UMa	12 36 23	+59 29.2	M	[7.7–12.9]	257
S UMa	12 43 59	+61 05.5	M	[7.8–11.7]	226
T Cen	13 41 46	−33 35.8	SR	5.5–9.0	91
R CVn	13 48 57	+39 32.6	M	[7.7–11.9]	329
R Cen	14 16 34	−59 54.8	M	5.9–10.7	546
S Boo	14 22 53	+53 48.6	M	[8.4–13.3]	271
V Boo	14 29 45	+38 51.7	SR	7.0–12.0	258
R Cre	15 48 34	+28 09.2	RCB	5.8–14.8	†
R Sex	15 50 42	+15 08.0	M	[6.9–13.4]	356
U Her	16 25 48	+18 53.6	M	[7.5–12.5]	406
R Dra	16 32 39	+66 45.2	M	[7.6–12.4]	246
R Oph	17 07 46	−16 05.6	M	[7.6–13.3]	303
T Her	18 09 06	+31 01.3	M	[8.0–12.8]	165
R Sct	18 47 28	−05 42.3	RV	4.5–8.2	†
R Cyg	19 36 49	+50 12.0	M	[7.5–13.9]	426
R Vul	21 04 23	+23 49.3	M	[8.1–12.6]	136
T Cep	21 09 32	+68 29.4	M	6.0–10.3]	388
SS Cyg	21 42 42	+43 35.0	UG	8.2–12.4	50
R Peg	23 06 39	+10 32.6	M	[7.8–13.2]	378
V Cas	23 11 39	+59 41.9	M	7.5–12.2	229

Notes: C = variable Céphéides ; M = variable Mira - longue période ; RCB = variable R Coronae Barealis ; RV = variable RV Tauri ; SR = variable semi-régulière ; UG = variable U Geminorum (SS Cygni). Les crochets indiquent l'amplitude moyenne de variation. † = irrégulière, pas de période.

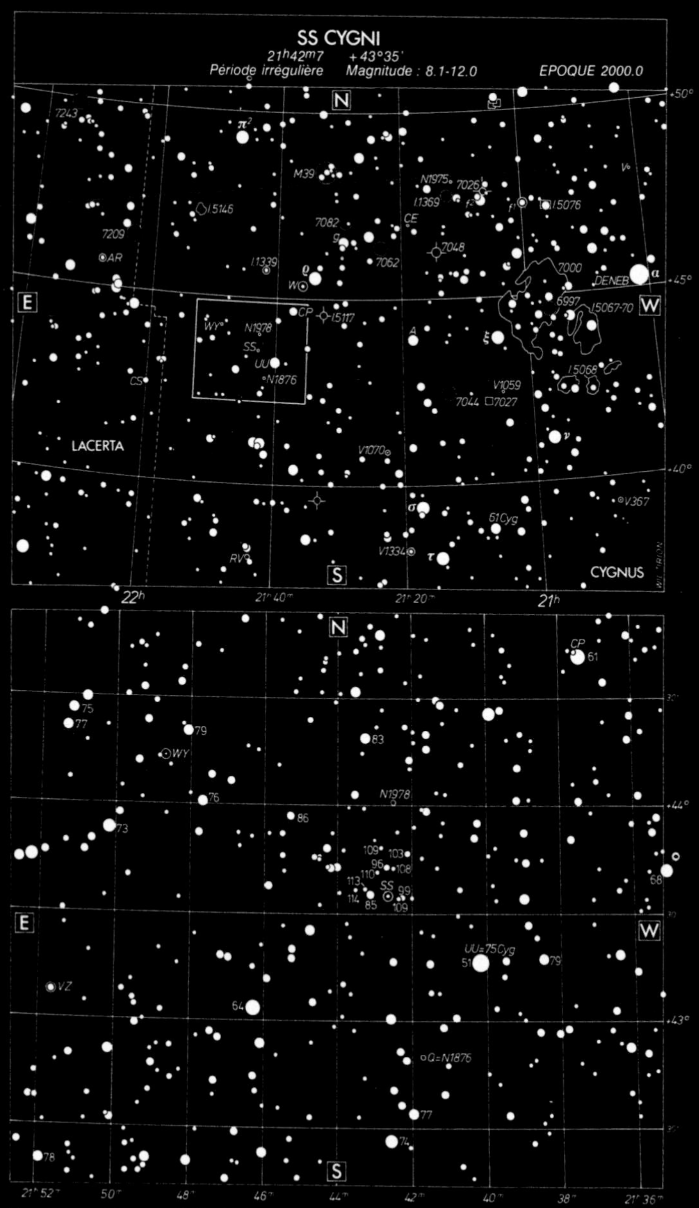

Fig. 39. SS Cygni. (Wil Tirion) Note : Sur cette carte les magnitudes sont données sans le point décimal, afin d'éviter une confusion avec les points représentant les étoiles.

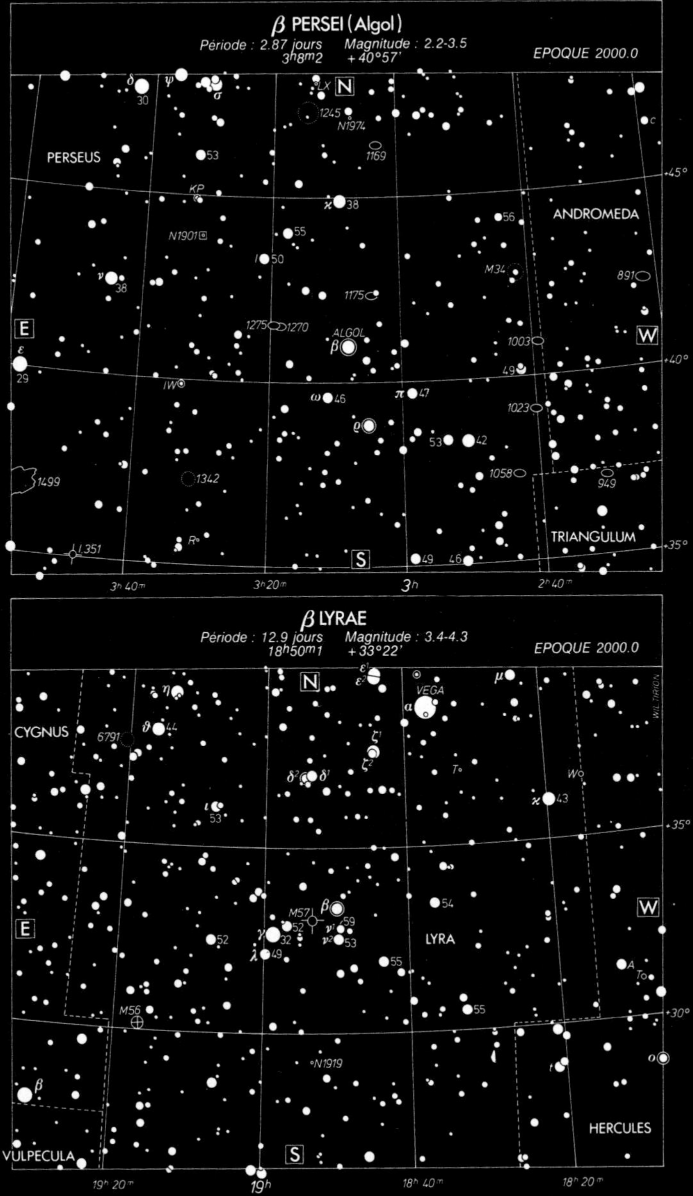

Fig. 40. Algol (beta Persei) et beta Lyrae. (Wil Tirion) Note : Sur cette carte les magnitudes sont données sans le point décimal, afin d'éviter une confusion avec les points représentant les étoiles.

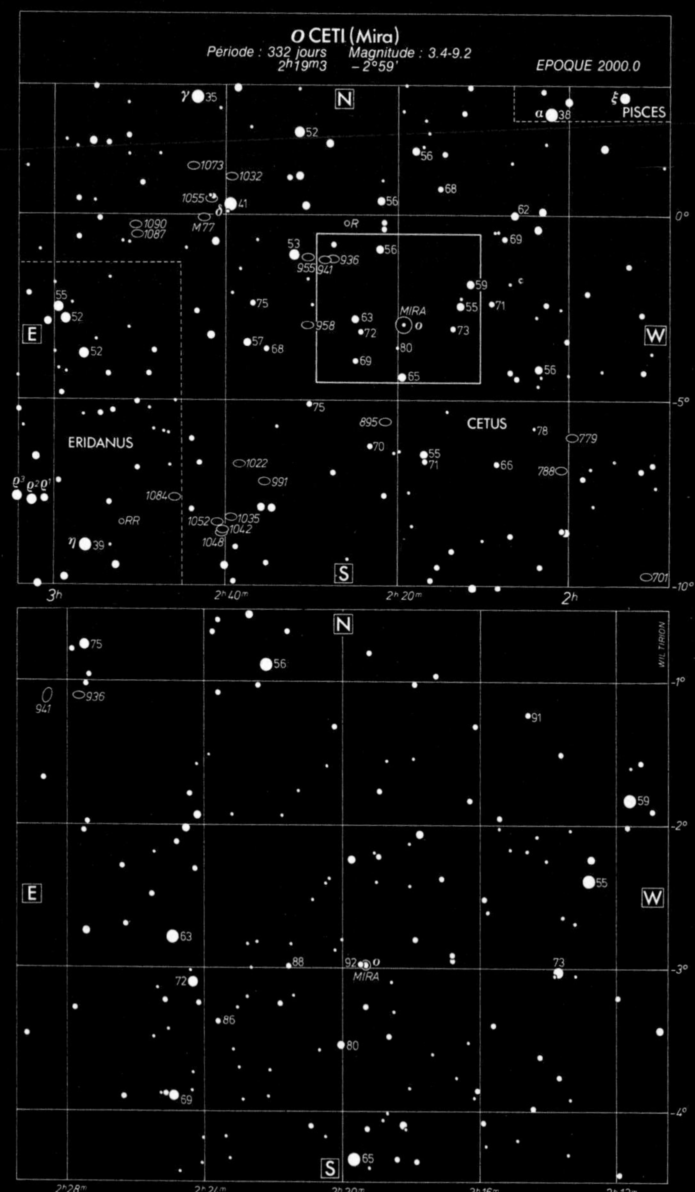

Fig. 41. Mira (omicron Ceti) (Wil Tirion) Note : Sur cette carte les magnitudes sont données sans le point décimal, afin d'éviter une confusion avec les points représentant les étoiles.

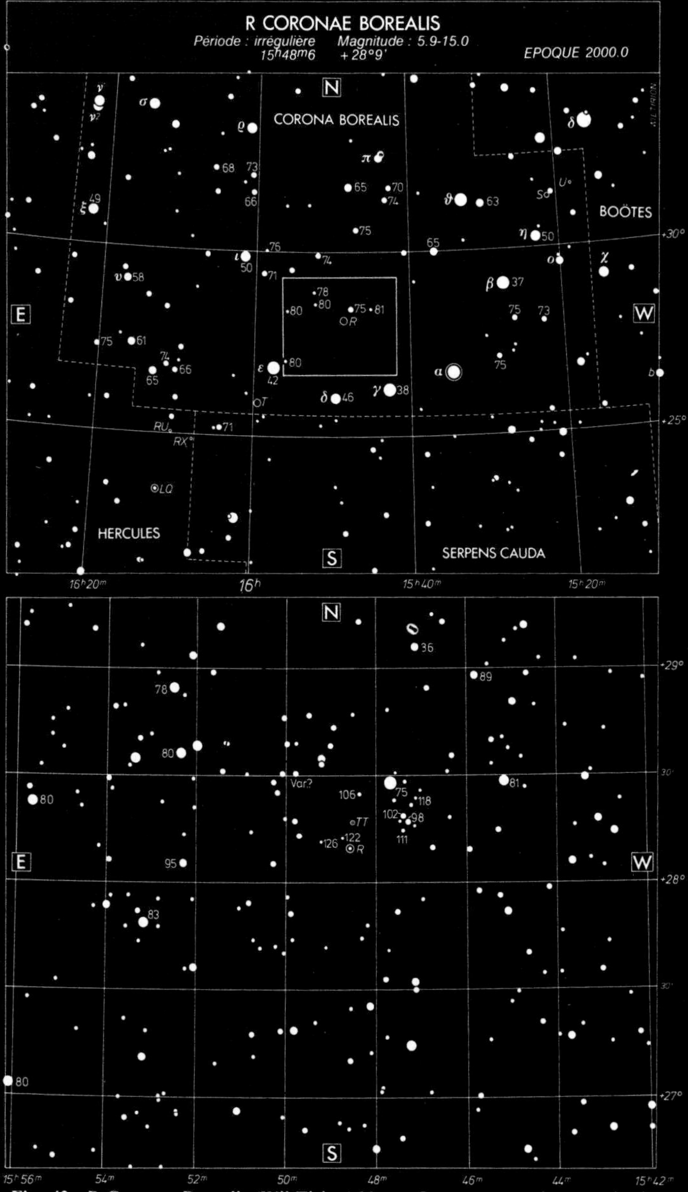

Fig. 42. R Coronae Borealis (Wil Tirion) Note : Sur cette carte les magnitudes sont données sans le point décimal, afin d'éviter une confusion avec les points représentant les étoiles.

CHAPITRE VII

ATLAS DU CIEL

L'Atlas est constitué par 57 planches, 52 couvrent la totalité du ciel et 5 sont des agrandissements de régions particulièrement intéressantes. Une légende expliquant les symboles utilisés apparaît au bas de chaque carte. La table 14 définit la région couverte par chaque carte. Les pages de garde fournissent une clé visuelle pour ces cartes.

Ces planches ont été dessinées avec précision par Wil Tirion afin de montrer les positions des objets tels qu'ils apparaîtront à l'époque 2000 0 (début de l'année 2000). Les cartes contiennent 25 000 étoiles jusqu'à la magnitude 7.5 et environ 2 500 autres objets (amas d'étoiles, nébuleuses, galaxies, etc.).

En 1603, dans son Atlas du ciel, Johann Bayer a désigné les étoiles des constellations par des lettres de l'alphabet grec selon l'ordre décroissant de leurs éclats. Ainsi α est, en général, l'étoile la plus brillante de la constellation x. Cette règle n'a pas toujours été suivie ; par exemple, les étoiles de la Grande Ourse ont été nommées en suivant la casserole et le manche. Certaines étoiles sont signalées par leur numéro Flamsteed attribué selon la position qu'elles occupaient, en 1725, en ascension droite croissante. Seules des étoiles ont un numéro Flamsteed. D'autres objets célestes, plus lointains, portent aussi un numéro ; c'est celui du Nouveau Catalogue Général de Dreyer (NGC). Quelques-unes des étoiles les plus faibles sont indiquées par des lettres romaines minuscules ou en italique.

Les astronomes définissent les positions célestes par des coordonnées comparables à celles utilisées sur Terre. L'*ascension droite* est la longitude céleste, analogue à la longitude terrestre. La *déclinaison* est la latitude céleste, analogue à la latitude terrestre. Les planches d'Atlas de ce chapitre sont graduées en ascension droite et en déclinaison. L'ascension droite est exprimée en heures, minutes et secondes (abrégées ^{h}, ^{m} et ^{s}) de temps, 24 heures représentant une rotation complète de 360°. La déclinaison est indiquée en degrés, minutes et secondes (°, ' et '') d'arc Nord (+) ou Sud (–) par rapport à l'équateur céleste. Si vous vous familiarisez avec ces coordonnées, la table 14 vous permettra de savoir rapidement quelles sont les constellations couvertes par chaque carte.

Deux possibilités vous sont offertes : soit vous cherchez le temps sidéral correspondant à l'heure d'observation dans la table A- 9 de l'Appendice. En effet, un objet passe à votre méridien (est le plus haut dans le ciel) quand son ascension droite est égale à votre temps sidéral. Soit vous repérez simplement la constellation sur les Cartes Mensuelles du ciel du Chapitre III.

Les positions des objets célestes tiennent compte de la *précession* – dérive de la direction de l'axe de rotation de la Terre et donc du système de coordonnées célestes. Les positions courantes des objets célestes ainsi que les limites des constellations diffèrent des positions données pour l'époque 2000.0 de moins d'un demi-degré. Pour plus de détails sur l'ascension droite, la déclinaison, la précession, le temps et les calendriers référez-vous au Chapitre XIX. Des formules nécessaires pour calculer la valeur exacte de la précession y sont données.

Les constellations : leurs formes sont esquissées et leurs limites officielles marquées par des traits pointillés. Dans certains cas, des étoiles qui ne font actuellement plus partie d'une constellation reconnue lui sont pourtant reliées par une ligne pointillée. Par exemple, une des quatre étoiles formant le Grand Carré de Pégase est en réalité dans la constellation d'Andromède (voir p. 9 et 20 de l'Atlas).

Les magnitudes stellaires sont représentées par des points de différentes tailles. Chaque grosseur correspond à un intervalle d'une magnitude centré sur la valeur de l'entier (ex. : 5 représente des magnitudes de 4.5 à 5.5). L'éclat relatif des étoiles est montré tel qu'il apparaît à l'œil nu plutôt que tel qu'il apparaîtrait sur des plaques photographiques dont les sensibilités sont différentes.

Le déplacement des étoiles sur la sphère céleste est facilement détectable, pour les étoiles proches du système solaire. Deux planches spéciales, une pour Proxima Centauri (l'étoile la plus proche), en face de la planche 50, et une pour l'étoile de Barnard, en face de la planche 30, montrent ces deux étoiles caractérisées par un grand déplacement angulaire, encore appelé *mouvement propre*.

Les étoiles doubles (table 10) sont indiquées par un point barré horizontalement de grosseur correspondant à la magnitude totale des composantes. Seules les binaires visuelles – systèmes dans lesquels deux étoiles ou plus peuvent être vues avec un télescope – sont marquées comme doubles. Les membres des systèmes d'étoiles doubles sont désignées comme étoiles individuelles si leur séparation est plus grande qu'une minute d'arc. Quelques étoiles doubles sont notées par la lettre A suivie de leur numéro dans le catalogue d'étoiles doubles d'Aitken (ADS) de 1932. Parfois plusieurs membres d'un système multiple possèdent la même lettre, mais chaque composante est marquée d'un indice différent, comme ι^1 (iota 1) et ι^2 (iota 2).

Les étoiles variables (tables 11, 12), dont l'éclat maximum entre dans la gamme des magnitudes couvertes par ces planches, sont montrées par un point encerclé qui indique la grandeur du maximum ; si l'éclat minimum est plus faible que la magnitude 7.5, le point central ne figure pas. Seules les variables dont l'amplitude de variation est supérieure à 0.1 magnitude figurent sur ces planches (les étoiles variables sont décrites dans le Chapitre VI).

Autres objets. En 1784, Charles Messier a établi une liste (table 13) d'objets célestes flous afin de ne pas être induit en erreur lors de la recherche de comètes. Quelques objets ont été ajoutés par la suite. Cette liste contient la plupart des objets intéressants du ciel accessibles aux observateurs amateurs. Ces objets sont distingués soit par leur numéro dans la liste de Messier (M...), soit par celui du « New General Catalogue » de Dreyer (1888) (écrit sans préfixe), soit encore par celui des « Index Catalogues » (ICs) de 1895 et 1908 (I suivi d'une période). Quelques objets sont également désignés par leur nom populaire.

La Voie Lactée est esquissée par une ligne pointillée.

Les amas d'étoiles ouverts (ou amas galactiques) sont notés par des cercles pointillés de taille proportionnelle à celle de l'amas. Une planche spéciale, accompagnant la planche 10, montre les étoiles des Pléiades à une plus grande échelle. Pour les amas d'étoiles on se réfère parfois à leur numéro dans des catalogues spéciaux, comme le catalogue Trumpler (ex : Tr 1) ou le Catalogue Melotte (ex : Mel 71).

Les amas globulaires sont indiqués par des symboles de trois tailles différentes.

Les nébuleuses planétaires, coquilles de gaz éjecté lors de la mort d'une étoile comme le Soleil, sont marquées par le symbole -○-.

Les pulsars, minuscules étoiles à neutrons, qui émettent des ondes radio régulières, et représentent la mort d'étoiles beaucoup plus massives que le Soleil, ont également leur propre symbole. Le candidat trou noir le plus probable est Cygnus X – 1 sur la planche 19. Son nom signifie que c'est la première source à rayons X découverte dans le Cygne, grâce aux télescopes à rayons X en orbite autour de la Terre. Même si généralement les pulsars et trous noirs ne peuvent pas être vus dans la lumière visible (seuls deux pulsars ont été détectés optiquement, avec de très grands télescopes), ces objets sont si fascinants qu'il est intéressant de connaître leur position dans le ciel.

Les novae – augmentation soudaine de l'éclat des étoiles – sont nommées avec l'année de leur apparition, telle que la nova 1934. Nous savons maintenant que les novae sont des événements qui ont lieu dans des systèmes multiples contenant une naine blanche. Appelées novae à l'époque de leur apparition, deux **supernovae** sont notées par le même symbole. Ces supernovae – celle de Tycho vue en 1572 (Pl. d'Atlas 1) et celle dite de Kepler vue en 1604 (Pl. d'Atlas 41) – représentent la mort explosive d'étoiles massives. Leurs résidus ne sont pas faciles à voir. La Nébuleuse du Crabe et S147 dans le

Taureau (Pl. d'Atlas 11), la Nébuleuse de la Dentelle du Cygne (Pl. d'Atlas 19) sont les restes de supernova les plus intéressants à regarder dans de petits télescopes.

Les formes des autres **nébuleuses**, régions de gaz et de poussières, sont dessinées sur les planches quand elles ont plus de 10 minutes d'arc de longueur ; un carré correspond à des nébuleuses plus petites que 10 minutes d'arc. Une planche spéciale, qui accompagne la planche d'Atlas 24, montre avec une échelle agrandie la région d'étoiles et de nébuleuses situées dans l'épée d'Orion, y compris la Nébuleuse d'Orion, qui contient de magnifiques objets à observer ou photographier.

Les galaxies sont représentées par des ovales de quatre tailles différentes. Les magnitudes plus faibles que 13 sont indiquées. La partie centrale de l'amas de galaxies le plus proche, l'Amas de la Vierge, figure sur une carte à grande échelle, 27A.

Quelques **quasars** sélectionnés sont marqués par des triangles. Ces quasars sont plus éloignés de nous que la plupart des galaxies indiquées sur les cartes, et tous sont optiquement plus faibles que la limite normale de ces planches. Certains quasars peuvent être relativement brillants dans des régions spectrales autres que le visible. Les quasars sont probablement le résultat d'évènements très énergétiques affectant les noyaux de certaines galaxies, peut-être dus à des trous noirs géants d'une masse d'environ un million de fois celle du Soleil. Quelques quasars sont nommés par leur numéro dans le « Third Cambridge Catalogue » de radio sources (3C). D'autres sont désignés par leur position dans d'autres catalogues, comme OQ 172 (un des objets les plus lointains connu), – O est l'abréviation de Ohio Stade University Catalogue, Q correspond à une certaine bande d'ascension droite et 172 est le numéro du quasar dans ce catalogue. De la même façon, PKS 0405-123 signifie une ascension droite $04^h\ 05^m$, une déclinaison $-12.3°$, PKS (Parkes) est le lieu où est situé le Radio Observatoire National Australien.

Les radioastronomes ont désigné à l'origine les objets émettant des ondes radio par le nom de la constellation suivi d'une lettre majuscule ; par exemple Taurus A pour la première radio source découverte dans le Taureau. Nous savons maintenant que Taurus A est la Nébuleuse du Crabe. Elle est également connue comme M1, le premier objet de la liste de Messier (voir table 13). Le centre de notre Galaxie coïncide avec la radio source Sagittarius A.

Afin de minimiser la déformation de ces cartes couvrant toute la sphère céleste (du Nord au Sud), W. Tirion a utilisé une projection conique pour les régions polaires et les déclinaisons intermédiaires, et une projection cylindrique pour la zone équatoriale.

Des nombres, inscrits dans des triangles et disposés sur les bords de chaque planche, vous indiquent les numéros des planches adjacentes. Sur ces cartes le Nord est en haut, l'Ouest à droite, le Sud en bas et l'Est à gauche.

Faites une liste des objets Messier que vous avez vus, notez la date d'observation de chacun d'eux et dessinez ce que vous observez. En mars de chaque année, il est possible (bien que difficile) de voir tous ces objets en une seule nuit. La table 13 et les planches d'Atlas vous aideront à les trouver.

Tableau 13. Catalogue Messier

M	NGC	a.r (2000.0) *h m*	dec. ° '	Magnitude	Description	Planches d'Atlas
1	1952	05 34.5	+22 01	11.3	Nébuleuse du Crabe	11
2	7089	21 33.5	−00 49	6.3	Amas globulaire	32
3	5272	13 42.2	+28 23	6.2	Amas globulaire	15
4	6121	16 23.6	−26 31	6.1	Amas globulaire	41
5	5904	15 18.5	+02 05	6	Amas globulaire	29
6	6405	17 40.0	−32 12	6	Amas ouvert	41
7	6475	17 54.0	−34 49	5	Amas ouvert	41
8	6523	18 03.7	−24 23		Nébuleuse Lagon	42
9	6333	17 19.2	−18 31	7.6	Amas globulaire	30
10	6254	16 57.2	−04 06	6.4	Amas globulaire	29,30
11	6705	18 51.1	−06 16	7	Amas ouvert	30
12	6218	16 47.2	−01 57	6.7	Amas globulaire	29
13	6205	16 41.7	+36 28	5.8	Amas globulaire	17
14	6402	17 37.6	−03 15	7.8	Amas globulaire	30
15	7078	21 30.0	+12 10	6.3	Amas globulaire	32
16	6611	18 18.9	−13 47	7	Amas ouvert, nébuleuse	30
17	6618	18 20.8	−16 10	7	Nébuleuse Omega	30
18	6613	18 19.9	−17 08	7	Amas ouvert	30
19	6273	17 02.6	−26 16	6.9	Amas globulaire	41
20	6514	18 02.4	−23 02		Nébuleuse Trifide	41.42
21	6531	18 04.7	−22 30	7	Amas ouvert	41,42
22	6656	18 36.4	−23 54	5.2	Amas globulaire	42
23	6494	17 56.9	−19 01	6	Amas ouvert	30,41
24	6603	18.18.04	+18 25	6	Amas ouvert	30
25	IC4725	18 31.7	−19 14	6	Amas ouvert	30
26	6694	18 45.2	−09 24	9	Amas ouvert	30
27	6853	19 59.6	+22 43	8.2	Nébuleuse Dumbbell	18,19
28	6626	18 24.6	−24 52	7.1	Amas globulaire	42
29	6913	20 24.0	+38 31	8	Amas ouvert	18,19
30	7099	21 40.4	−23 11	7.6	Amas globulaire	43
31	224	00 42.7	+41 16	3.7	Galaxie Andromède	9

Tableau 13 (suite). Catalogue Messier

M	NGC	a.r (2000.0) *h m*	dec. ° '	Magni-tude	Description	Planches d'Atlas
32	221	00 42.7	+40 52	8.5	Galaxie elliptique	9
33	598	01 33.8	+30 39	5.9	Galaxie spirale	9
34	1039	02 42.0	+42 47	6	Amas ouvert	10
35	2168	06 08.8	+24 20	6	Amas ouvert	11,12
36	1960	05 36.3	+34 08	6	Amas ouvert	11
37	2099	05 53.0	+32 33	6	Amas ouvert	11,12
38	1912	05 28.7	+35 50	6	Amas ouvert	11
39	7092	21 32.3	+48 26	6	Amas ouvert	19
40	WNC4	12 22.2	+58 05	9,9.3	Etoile double	
41	2287	06 47.0	−20 44	6	Amas ouvert	36
42	1976	05 35.3	−05 23		Nébuleuse d'Orion	24
43	1982	05 35.5	−05 16		Nébuleuse d'Orion partie la plus petite	24
44	2632	08 40.0	+20 00	4	Praesepe amas ouvert	13,25
45	–	03 47.5	+24 07	2	Les Pléiades Amas ouvert	10,11
46	2437	07 41.8	−14 49	7	Amas ouvert	25
47	2422	07 36.6	−14 29	5	Amas ouvert	25
48	2548	08 13.8	−05 48	6	Amas ouvert	25
49	4472	12 29.8	+08 00	8.9	Galaxie elliptique	27A
50	2323	07 03.0	−08 21	7	Amas ouvert	24 25
51	5194	13 29.9	+47 12	8,4	Galaxie Whirlpool	15
52	7654	23 24.2	+61 36	7	Amas ouvert	1
53	5024	13 12.9	+18 10	7.7	Amas globulaire	15
54	6715	18 55.1	−30 28	7.7	Amas globulaire	42
55	6809	19 40.0	−30 57	6.1	Amas globulaire	42
56	6779	19 16.6	+30 11	8.3	Amas globulaire	18
57	6720	18 53.6	+33 02	9.0	Nébuleuse	18
58	4579	12 37.7	+11 49	9.9	Galaxie spirale (SBb)	27A
59	4621	12 42.0	+11 39	10.3	Galaxie elliptique	27A
60	4649	12 43.7	+11 33	9.3	Galaxie elliptique	27A
61	4303	12 21.9	+04 28	9.7	Galaxie spirale (Sc)	27A
62	6266	17 01.2	−30 07	7.2	Amas globulaire	41
63	5055	13 15.8	+42 02	8.8	Galaxie spirale (Sb)	15
64	4826	12 56.7	+21 41	8.7	Galaxie spirale (Sb)	15
65	3623	11 18.9	+13 06	9.6	Galaxie spirale (Sa)	27
66	3627	11 20.3	+13 00	9.2	Galaxie spirale (Sb)	27
67	2682	08 51.3	+11 48	7	Amas ouvert	25
68	4590	12.39.5	−26 45	6	Amas globulaire	39
69	6637	18 31.4	−32 21	7.7	Amas globulaire	42
70	6681	18 43.2	−32 17	8.2	Amas globulaire	42

Tableau 13 (suite). Catalogue Messier

M	NGC	a.r (2000.0) h m	dec. ° '	Magni-tude	Description	Planches d'Atlas
71	6838	19 53.7	+18 47	6.9	Amas globulaire	19,31
72	6981	20 53.5	−12 32	9.2	Amas globulaire	31,32
73	6994	20 59.0	−12 38	8	Amas ouvert	31,32
74	628	01 36.7	+15 47	9.5	Galaxie spirale (Sb)	9,22
75	6864	20 06.1	−21 55	8.3	Amas globulaire	42,43
76	650	01 42.2	+51 34	11.4	Nébuleuse planétaire	1,2,9,10
77	1068	02 42.7	−00 01	9.1	Galaxie spirale (Sb)	22
78	2068	05 46.7	+00 04		Nébuleuse en émission	24
79	1904	05 24.2	−24 31	7.3	Amas globulaire	35
80	6093	16 17.0	−22 59	7.2	Amas globulaire	41
81	3031	09 55.8	+69 04	6.9	Galaxie spirale (Sb)	4.5
82	3034	09 56.2	+69 42	8.7	Galaxie irrégulière (Irr)	4.5
83	5236	13 37.7	−29 52	7.5	Galaxie spirale (Sc)	39
84	4374	12 25.1	+12 53	9.8	Galaxie elliptique	27 A
85	4382	12 25.4	+18 11	9.5	Galaxie spirale (SO)	15.27
86	4406	12 26.2	−12 57	9.8	Galaxie elliptique	27A
87	4486	12 30.8	+12 23	9.3	Galaxie elliptique	27A
88	4501	12 32.0	+14 25	9.7	Galaxie spirale (Sb)	27A
89	4552	12 35.7	−12 33	10.3	Galaxie elliptique	27A
90	4569	12 36.8	+13 10	9.7	Galaxie spirale (Sb)	27A
91	4548	12 35.4	+14 30	9.5	Galaxie spirale ou M58	27A
92	6341	17 17.1	+43 08	6.3	Amas globulaire	17
93	2447	07 44.6	−23 53	6	Amas ouvert	36
94	4736	12 50.9	+41 07	8.1	Galaxie spirale (Sb)	15
95	3351	10 44.0	+11 42	9.9	Galaxie spirale barrée	26
96	3368	10 46.8	+11 49	9.4	Galaxie spirale (Sa)	26
97	3587	11 14.9	+55 01	11.1	Nébuleuse	5, 14
98	4192	12 13.8	+14 54	10.4	Galaxie spirale (Sb)	27A
99	4254	12 18.8	+14 25	9.9	Galaxie spirale (Sc)	27A
100	4321	12 22.9	+15 49	9.6	Galaxie spirale (Sc)	15, 27A
101	5457	14 03.5	+54 21	8.1	Galaxie spirale (Sc)	6, 15, 16
102	—	—	—		M101	6, 15, 16
103	581	01 33.1	+60 42	7	Amas ouvert	1, 2
104	4594	12 40.0	−11 42	8	Galaxie Sombrero	27
105	3379	10 47.9	+12 43	9.5	Galaxie elliptique	26
106	4258	12 19.0	+47 18	9	Galaxie spirale (Sb)	14, 15
107	6171	16 32.5	−13 03	9	Amas globulaire	29
108	3556	11 11.6	+55 40	10,5	Galaxie spirale (Sb)	5, 14
109	3992	11 57.7	+53 22	10,6	Galaxie spirale barrée	5, 14, 15

Note : Les magnitudes sont celles données dans l'Observer's Handbook 1980 de la Société Royale d'Astronomie du Canada.

Tableau 14. Régions couvertes par les Planches de l'Atlas

Chaque planche couvre approximativement la zone située entre les coordonnées données ci-dessous.

Constellation pour zone de déclinaison +	Planche déclinaison +50° à +90°	Ascension droite	Planche déclinaison −50° à −90°
Cas, Cep	1	$22\frac{1}{2}^h$–$1\frac{1}{2}^h$	45
Cam, Cas, Cep, Per	2	$1\frac{1}{2}^h$–$4\frac{1}{2}^h$	46
Cam, Lyn	3	$4\frac{1}{2}^h$–$7\frac{1}{2}^h$	47
Cam, Dra, UMa	4	$7\frac{1}{2}^h$–$10\frac{1}{2}^h$	48
Dra, UMa, UMi	5	$10\frac{1}{2}^h$–$13\frac{1}{2}^h$	49
Dra, UMa, UMi	6	$13\frac{1}{2}^h$–$16\frac{1}{2}^h$	50
Dra, UMi	7	$16\frac{1}{2}^h$–$19\frac{1}{2}^h$	51
Cep, Cyg, Dra, Lac	8	$19\frac{1}{2}^h$–$22\frac{1}{2}^h$	52
	déclinaison +20° à +50°		**déclinaison −20° à −50°**
And, Psc, Tri	9	0^h–2^h	33
And, Ari, Per, Tau, Tri	10	2^h–4^h	34
Aur, Per, Tau	11	4^h–6^h	35
Aur, Gem, Lyn, Tau	12	6^h–8^h	36
Can, LMi, Lyn, UMa	13	8^h–10^h	37
Leo, LMi, UMa	14	10^h–12^h	38
Com, CVn	15	12^h–14^h	39
Boo, CrB	16	14^h–16^h	40
Her	17	16^h–18^h	41
Cyg, Lyr, Vul	18	18^h–20^h	42
Cyg, Vul	19	20^h–22^h	43
And, Lac, Peg	20	22^h–24^h	44
			déclinaison −20° à +20°
Aqr, Cet, Peg, Psc		23^h–1^h	21
Ari, Cet, Psc		1^h–3^h	22
Eri, Tau		3^h–5^h	23
CMa, Lep, Mon, Ori		5^h–7^h	24
CMi, Cnc, Hya, Mon, Pup		7^h–9^h	25
Leo, Hya, Sex		9^h–11^h	26
Com, Crt, Crv, Leo, Vir		11^h–13^h	27
Boo, Lib, Vir		13^h–15^h	28
Her, Lib, Oph, Sco, Ser		15^h–17^h	29
Her, Oph, Sct, Ser, Sgr		17^h–19^h	30
Aql, Cap, Del, Sge, Sgr		19^h–21^h	31
Aqr, Cap, Equ, Peg		21^h–23^h	32

Note : Les abréviations des constellations sont données dans le tableau A.1. Les planches de l'Atlas où se trouve chaque constellation sont également listées dans le chapitre V.

Planche 1

Au voisinage de Cassiopée et de Persée, la Voie Lactée, région très riche en nuages, gaz, poussières et amas d'étoiles, offre un champ très intéressant à observer. Avec des jumelles vous distinguez déjà des étoiles dans les nombreuses taches floues de cette région ; la plupart sont des amas ouverts ; plus votre instrument est puissant, plus vous y distinguez d'étoiles.

δ **Cas :** variable de type Algol, période de 759 jours.

η **Cas :** double dont les composantes, magnitudes 3.7 et 7.4, de couleur jaune ou rougeâtre sont écartées de 11.2 secondes.

NGC 133 : (proche de $\varkappa$ Cas) ; amas ouvert.

NGC 146 : (proche de $\varkappa$ Cas) ; amas ouvert d'environ 50 étoiles sur un diamètre de 6 minutes d'arc. A regarder avec un instrument puissant.

NGC 457 : amas ouvert (m = 8) facile à identifier au Sud-Ouest de δ Cas. Tout près, **NGC 436**, autre amas ouvert, surtout intéressant à observer avec un grand télescope.

M103 = NGC 581 : amas ouvert (m = 7), au Nord-Est de δ Cas, en forme d'éventail ; environ 60 étoiles de magnitudes 7 à 11 ; distant d'environ 6200 a.l.

NGC 7635 (nébuleuse « Bubble ») : (près de M52) ; luminosité globale élevée, mais sa grande étendue la fait paraître faible. A observer avec un faible grossissement.

M52 = NGC 7654 : amas ouvert (m = 7) à 5° au Nord-Ouest de β Cas ; environ 120 étoiles de magnitudes 9 à 13.

NGC 7789 : amas ouvert, à mi-chemin entre ϱ et σ Cas. A peu près le même diamètre que la Lune. A repérer avec des jumelles ; les télescopes révèlent un grand nombre parmi son millier d'étoiles.

Supernova de Tycho : résidu de la supernova de 1572, légèrement au Nord-Ouest de NGC 146. Elle devint si brillante qu'elle fut visible à l'œil nu pendant 6 mois environ. L'apparition d'une nouvelle étoile a montré que le ciel changeait, contrairement à la théorie de Ptolémée. Cet objet fut donc important pour confirmer la théorie héliocentrique de Copernic. Les résidus de la supernova, maintenant à peine visibles avec de grands télescopes, apparaissent comme des filaments formant un anneau incomplet de 8 minutes d'arc de diamètre. Les radio télescopes captent de forts signaux.

Fig. 43. NGC 7635, nébuleuse dans Cassiopée. (Lick Observatory)

ADAPTÉE DE « ATLAS DU CIEL 2000.0 » PAR WIL TIRION

MAGNITUDES	
-1	>+0.4
0	-0.4 - +0.5
1	0.6-1.5
2	1.6-2.5
3	2.6-3.5
4	3.6-4.5
5	4.6-5.5
6	5.6-6.5
7	6.6-7.5

DOUBLE ou MULTIPLE

VARIABLE

AMAS OUVERTS: >10' à <10'

AMAS GLOBULAIRES: >10' 5'-10' <5'

NEBULEUSES PLANETAIRES: >1' 0.5'-1' <0.5'

NEBULEUSES DIFFUSES: >10' à <10'

GALAXIES: >30' 20'-30' 10'-20' <10'

QUASAR

PULSAR

TROU NOIR

VOIE LACTEE

EQUATEUR GALACTIQUE 10°

ECLIPTIQUE 100°

LIMITES DES CONSTELLATIONS

ALPHABET GREC

α	Alpha	ν	Nu
β	Beta	ξ	Xi
γ	Gamma	ο	Omicron
δ	Delta	π	Pi
ε	Epsilon	ϱ	Rho
ζ	Zeta	σ	Sigma
η	Eta	τ	Tau
θ ϑ	Theta	υ	Upsilon
ι	Iota	ϕ φ	Phi
κ ϰ	Kappa	χ	Chi
λ	Lambda	ψ	Psi
μ	Mu	ω	Omega

Planche 2

Polaris = α **UMi** c'est l'étoile polaire à 1° du vrai pôle Nord. Etoile double, variable céphéide. Son compagnon distant de 18'', de magnitude 9 n'est séparable que par une ouverture d'au moins 7 cm.

η **Cas** : binaire bien connue. Magnifique contraste de couleurs entre les composantes : or et pourpre ou jaune et rouge selon les observateurs.

M76 = NGC 650 : nébuleuse planétaire étendue, mais faible (m = 11.4).

h **et** χ **Per = NGC 869 et NGC 884** : visibles à l'œil nu (m = 4) comme deux taches diffuses. Spectaculaires avec un petit télescope. Diamètres d'environ 70 a.l. NGC 869, à 7000 a.l. est le plus jeune des amas connus.

NGC 957 : très petit amas ouvert.

Fig. 44. Amas ouvert double dans Persée, h et chi Per (NGC 869 et 884). (Lick Observatory)

ADAPTÉE DE « ATLAS DU CIEL 2000.0 » PAR WIL TIRION

MAGNITUDES	
-1	> -0.4
0	-0.4 - +0.5
1	0.6 - 1.5
2	1.6 - 2.5
3	2.6 - 3.5
4	3.6 - 4.5
5	4.6 - 5.5
6	5.6 - 6.5
7	6.6 - 7.5

DOUBLE ou MULTIPLE

VARIABLE

AMAS OUVERTS	>10'	à	<10'
AMAS GLOBULAIRES	>10'	5-10'	<5'
NÉBULEUSES PLANÉTAIRES	>1'	0.5'-1'	<0.5'
NÉBULEUSES DIFFUSES	>10'	à	<10'
GALAXIES	>30'	20'-30' 10'-20'	<10'

QUASAR

PULSAR

TROU NOIR

VOIE LACTÉE

ÉQUATEUR GALACTIQUE (0°)

ÉCLIPTIQUE (100°)

LIMITES DES CONSTELLATIONS

ALPHABET GREC

α	Alpha	ν	Nu
β	Beta	ξ	Xi
γ	Gamma	ο	Omicron
δ	Delta	π	Pi
ε	Epsilon	ϱ	Rho
ζ	Zeta	σ	Sigma
η	Eta	τ	Tau
θ ϑ	Theta	υ	Upsilon
ι	Iota	ϕ φ	Phi
κ ϰ	Kappa	χ	Chi
λ	Lambda	ψ	Psi
μ	Mu	ω	Omega

Planche 3

Région très pauvre en étoiles brillantes. Quelques systèmes multiples sont intéressants à observer dans le Lynx.

A 6012 : ($7^h23^m, +55°$) ; étoile double entourée par plusieurs compagnons faibles.

NGC 1501 : nébuleuse planétaire, légèrement ovale. Diamètre 1'. Peu lumineuse, à observer avec au moins une ouverture moyenne.

NGC 1502 : ($4^h08^m, +62°$) ; amas ouvert, facilement visible avec de faibles ouvertures, et même avec des jumelles par bonnes conditions. Petits amoncellements d'étoiles de différentes magnitudes avec des instruments plus puissants.

NGC 2403 : ($7^h34^m, +65°40'$) ; la plus proche galaxie spirale (diamètre 37000 a.l.) hors de notre groupe local de galaxies, à 8 millions d'a.l. Grande tache brumeuse aux jumelles, structure spirale apparaissant dans les grands télescopes.

IC 342 : magnifique galaxie spirale six degrés au-dessus de NGC 1502.

Fig. 45. Camelopardalis, la Giraffe (vue de derrière), de l'atlas d'Hévelius (1690).

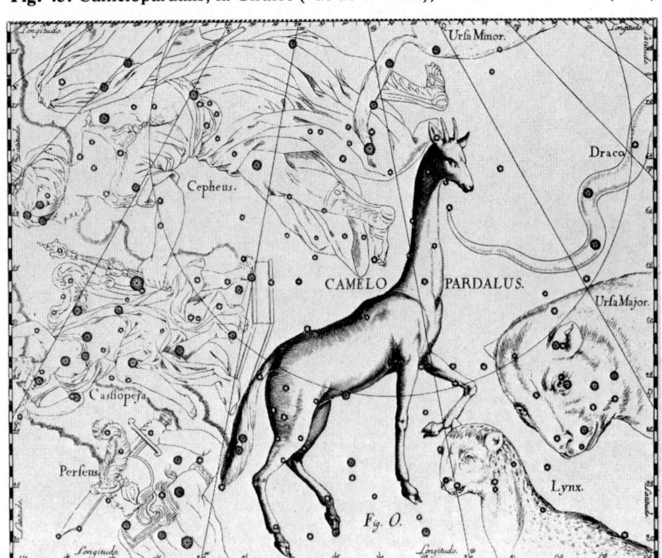

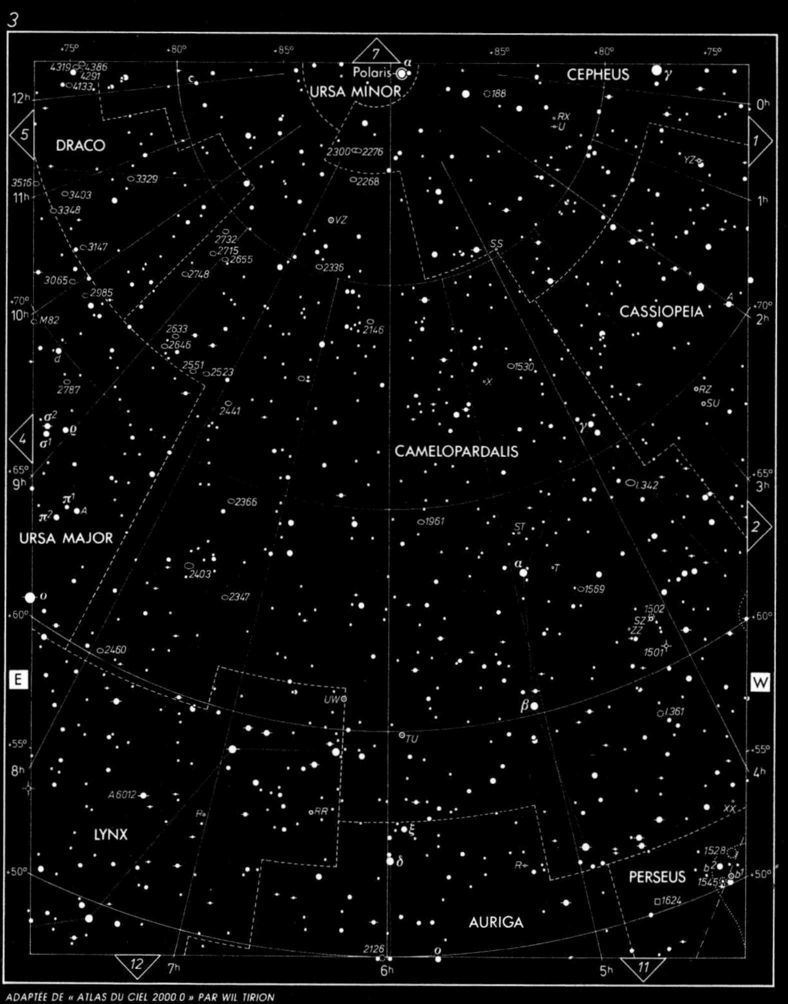

ADAPTÉE DE « ATLAS DU CIEL 2000.0 » PAR WIL TIRION

MAGNITUDES

- -1 : > -0.4
- 0 : -0.4 - +0.5
- 1 : 0.6 - 1.5
- 2 : 1.6 - 2.5
- 3 : 2.6 - 3.5
- 4 : 3.6 - 4.5
- 5 : 4.6 - 5.5
- 6 : 5.6 - 6.5
- 7 : 6.6 - 7.5

DOUBLE ou MULTIPLE

VARIABLE

AMAS OUVERTS >10' à <10'

AMAS GLOBULAIRES >10' 5-10' <5'

NEBULEUSES PLANETAIRES >1' 0.5'-1' <0.5'

NEBULEUSES DIFFUSES >10' à <10'

GALAXIES >30' 20'-30' 10'-20' <10'

QUASAR

PULSAR

TROU NOIR

VOIE LACTEE

EQUATEUR GALACTIQUE 10°

ECLIPTIQUE 100°

LIMITES DES CONSTELLATIONS

ALPHABET GREC

α	Alpha	ν	Nu
β	Beta	ξ	Xi
γ	Gamma	ο	Omicron
δ	Delta	π	Pi
ε	Epsilon	ϱ	Rho
ζ	Zeta	σ	Sigma
η	Eta	τ	Tau
θ ϑ	Theta	υ	Upsilon
ι	Iota	ϕ φ	Phi
κ ϰ	Kappa	χ	Chi
λ	Lambda	ψ	Psi
μ	Mu	ω	Omega

Planche 4

Cette région est caractérisée par l'amas de galaxies de la Grande Ourse, l'un des plus proches du groupe local (à 8.15 millions d'a.l.) dont voici quelques membres faciles à observer avec des jumelles ou de petits instruments.

NGC 2976 : galaxie spirale Sc.

M81 = NGC 3031 : belle galaxie spirale Sb.

M82 = NGC 3034 : galaxie irrégulière, très facile à trouver, à 40' au nord de M81. Structure chaotique, due à une interaction très forte avec M81.

NGC 3077 : galaxie irrégulière.

Q50 0957 + 561 : « quasar double », 1er exemple connu de lentille gravitationnelle. Les ondes lumineuses et radio émises par ce quasar sont déviées au voisinage d'une galaxie située sur la ligne de visée. Il se forme deux images de quasar séparées par 6'' seulement.

L'objet optique de 17ᵉ magnitude présente un décalage vers le rouge égal à 1.41, ce qui en fait l'un des objets les plus lointains connus.

Fig. 46. M81 (NGC 3031), une galaxie spirale de type Sb dans la Grande Ourse, avec M82 (NGC 3034) au-dessus d'elle, NGC 3077 à gauche, et NGC 2976 en bas à droite. (Palomar Observatory)

ADAPTÉE DE « ATLAS DU CIEL 2000.0 » PAR WIL TIRION

MAGNITUDES	
-1	> -0.4
0	-0.4 - +0.5
1	0.6 - 1.5
2	1.6 - 2.5
3	2.6 - 3.5
4	3.6 - 4.5
5	4.6 - 5.5
6	5.6 - 6.5
7	6.6 - 7.5

DOUBLE ou MULTIPLE

VARIABLE

AMAS OUVERTS	>10'	à	<10'
AMAS GLOBULAIRES	>10'	5'-10'	<5'
NEBULEUSES PLANETAIRES	>1'	0.5'-1'	<0.5'
NEBULEUSES DIFFUSES	>10'	à	<10'
GALAXIES	>30'	20'-30'	10'-20' <10'

QUASAR

PULSAR

TROU NOIR

VOIE LACTEE

EQUATEUR GALACTIQUE (70°)

ECLIPTIQUE (100°)

LIMITES DES CONSTELLATIONS

ALPHABET GREC

α	Alpha	ν	Nu
β	Beta	ξ	Xi
γ	Gamma	ο	Omicron
δ	Delta	π	Pi
ε	Epsilon	ρ	Rho
ζ	Zeta	σ	Sigma
η	Eta	τ	Tau
θ ϑ	Theta	υ	Upsilon
ι	Iota	ϕ φ	Phi
κ ϰ	Kappa	χ	Chi
λ	Lambda	ψ	Psi
μ	Mu	ω	Omega

Planche 5

Mizar = ζ UMa : (13^h30^m, +55°) ; étoile double. C'est la 2ᵉ étoile à partir du bout du manche de la casserole. Son compagnon Alcor (marqué g sur la carte) est à environ 12' (environ 1/3 du disque lunaire). Paire visible à l'œil nu, plus ou moins facilement. Les deux composantes de Mizar, Mizar A et Mizar B, sont elles-mêmes des étoiles doubles spectroscopiques. Les Indiens d'Amérique ont surnommé Mizar et Alcor, le cheval et le cavalier.

RY Dra : (13^h, +65°) ; variable. Période : 6 mois.

M108 = NGC 3556 : galaxie spirale Sc, à environ 1° de M97 (cf. Pl. 32).

M97 = NGC 3587 : nébuleuse planétaire dite du Hibou ou Owl Nebula située à 2.5° au sud-est de β UMa. Disque circulaire diffus avec de petits télescopes. Les traits caractéristiques, à l'origine du nom de cette nébuleuse ne sont révélés que par de plus grandes ouvertures.

NGC 3953 : galaxie spirale Sb, également membre de cet amas, facile à observer.

M109 = NGC 3992 : galaxie spirale barrée brillante près de γ UMa membre de l'amas de la Grande Ourse. Un autre amas de galaxies peut être observé dans le Dragon (Drago).

Fig. 47. Nébuleuse Hibou, M97 (NGC 3587) dans la Grande Ourse. (Mt. Wilson Observatory)

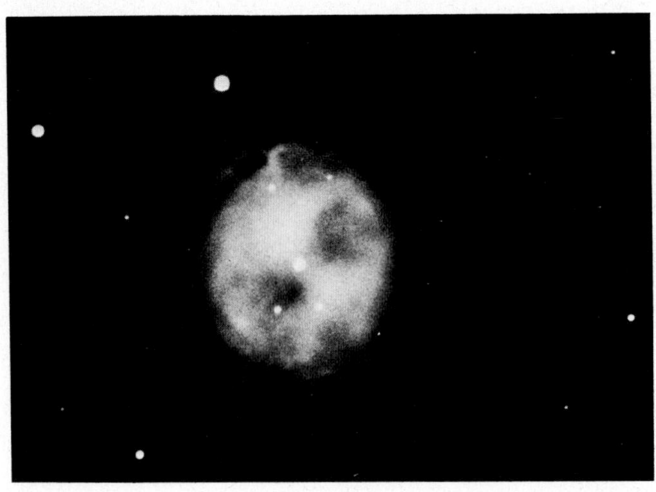

ADAPTÉE DE « ATLAS DU CIEL 2000.0 » PAR WIL TIRION

MAGNITUDES	
-1	> -0.4
0	-0.4 - +0.5
1	0.6 - 1.5
2	1.6 - 2.5
3	2.6 - 3.5
4	3.6 - 4.5
5	4.6 - 5.5
6	5.6 - 6.5
7	6.6 - 7.5

DOUBLE ou MULTIPLE

VARIABLE

AMAS OUVERTS	>10'	à	<10'
AMAS GLOBULAIRES	>10'	5'-10'	<5'
NEBULEUSES PLANETAIRES	>1'	0.5'-1'	<0.5'
NEBULEUSES DIFFUSES	>10'	à	<10'
GALAXIES	>30' / 20'-30'	10'-20'	<10'

QUASAR

PULSAR

TROU NOIR

VOIE LACTEE

EQUATEUR GALACTIQUE (70°)

ECLIPTIQUE (100°)

LIMITES DES CONSTELLATIONS

ALPHABET GREC

α	Alpha	ν	Nu
β	Beta	ξ	Xi
γ	Gamma	ο	Omicron
δ	Delta	π	Pi
ε	Epsilon	ρ	Rho
ζ	Zeta	σ	Sigma
η	Eta	τ	Tau
θ ϑ	Theta	υ	Upsilon
ι	Iota	ϕ φ	Phi
κ ϰ	Kappa	χ	Chi
λ	Lambda	ψ	Psi
μ	Mu	ω	Omega

Planche 6

Le centre de cette carte est occupé par la constellation de la Petite Ourse (Ursa Minor), marquée par les étoiles β UMi (Kochab), γ UMi (Pherkas), les gardes de la Petite Ourse, η UMi et ζ UMi. Peu d'objets intéressants, si ce n'est dans la Grande Ourse (Ursa Major).

κ **Boo :** (14^h, + 52°); étoile double intéressante.

M101 = NGC 5457 : (14^h, + 54°); très belle galaxie spirale Sc vue de face. Bien que de 3ᵉ magnitude, elle est difficile à trouver pour des citadins. Les bras spiraux de cette grande galaxie peuvent être devinés par bonnes conditions avec un instrument de taille moyenne. M102 est une autre référence de cette galaxie (erreur de C. Messier).

NGC 5907 : ($15^h 20^m$, + 56°) ; autre galaxie de l'amas de la Grande Ourse. (Pl. 44).

Fig. 48. M101 (NGC 5457), une galaxie spirale de type Sc dans la Grande Ourse. (Palomar Observatory)

ADAPTÉE DE « ATLAS DU CIEL 2000.0 » PAR WIL TIRION

MAGNITUDES	
-1	>+0.4
0	-0.4 - +0.5
1	0.6-1.5
2	1.6-2.5
3	2.6-3.5
4	3.6-4.5
5	4.6-5.5
6	5.6-6.5
7	6.6-7.5

DOUBLE ou MULTIPLE

VARIABLE

AMAS OUVERTS	>10'	à	<10'
AMAS GLOBULAIRES	>10'	5-10'	<5'
NEBULEUSES PLANETAIRES	>1'	0.5'-1'	<0.5'
NEBULEUSES DIFFUSES	>10'	à	<10'
GALAXIES	>30'	20'-30'	10'-20' <10'

QUASAR

PULSAR

TROU NOIR

VOIE LACTEE

EQUATEUR GALACTIQUE (10°)

ECLIPTIQUE (100°)

LIMITES DES CONSTELLATIONS

ALPHABET GREC

α Alpha	ν Nu
β Beta	ξ Xi
γ Gamma	ο Omicron
δ Delta	π Pi
ε Epsilon	ρ Rho
ζ Zeta	σ Sigma
η Eta	τ Tau
θ ϑ Theta	υ Upsilon
ι Iota	ϕ φ Phi
κ ϰ Kappa	χ Chi
λ Lambda	ψ Psi
μ Mu	ω Omega

Planche 7

Les quatre étoiles de la tête du Dragon (Drago) – ξ, ν, β et γ Dra – dessinent un losange (visible au bas de la carte) près du pied d'Hercule (Hercules). Véga, étoile très brillante (cf carte d'Atlas 18), n'est pas loin. Le losange et d'autres régions du Dragon contiennent plusieurs binaires intéressantes.

μ **Dra :** (17^h, +55°) ; étoile double. La séparation de ces composantes constitue un test du pouvoir séparateur d'une lunette de 7 ou 8 cm.

ν **Dra :** étoile double brillante, observable avec de modestes jumelles.

ϕ **Dra :** (18^h20^m, +71°) ; étoile double.

ϵ **Dra :** couple à forte différence de magnitude. Compagnon à 3''.

Flamsteed 40 et 41 Dra : (18^h, +80°) ; couple à composantes presque égales.

NGC 6543 : nébuleuse planétaire (m = 8,8) (Pl. 48) à mi-chemin entre δ et ζ Dra. Première nébuleuse planétaire dont le spectre ait été observé. Il faut utiliser un télescope assez puissant pour voir sa structure interne, en forme d'hélice brillante et irrégulière. Nébuleuse circumpolaire, donc visible toute l'année.

3C351 : (17^h, +60°) ; quasar de magnitude 15.3.

Décalage spectral égal à 0.371 ce qui correspond à une distance de 7 milliards d'a.l.

Fig. 49. Draco, le Dragon, serpente à travers le ciel ; dessin de l'Atlas d'Hévélius (1690) (vu de derrière).

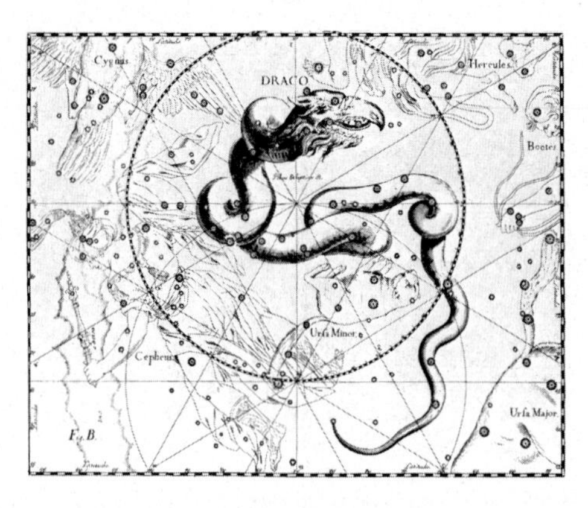

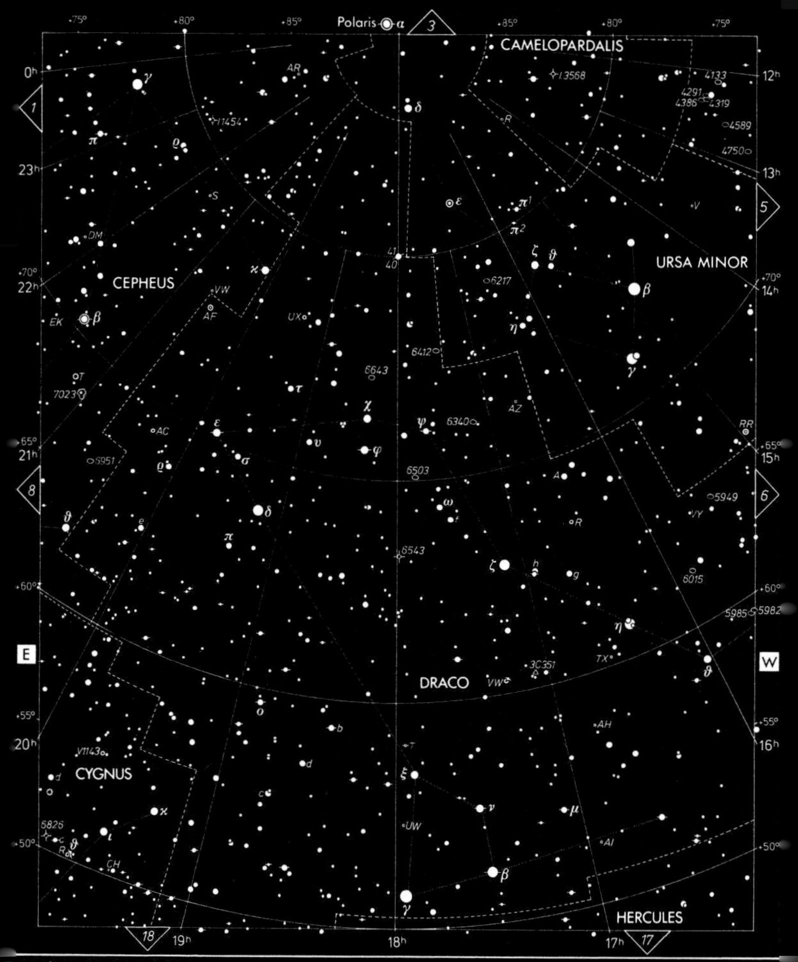

ADAPTÉE DE « ATLAS DU CIEL 2000.0 » PAR WIL TIRION

MAGNITUDES

-1	> -0,4
0	-0,4 - +0,5
1	0,6 - 1,5
2	1,6 - 2,5
3	2,6 - 3,5
4	3,6 - 4,5
5	4,6 - 5,5
6	5,6 - 6,5
7	6,6 - 7,5

DOUBLE ou MULTIPLE

VARIABLE

AMAS OUVERTS — >10' à <10'

AMAS GLOBULAIRES — >10' 5'-10' <5'

NEBULEUSES PLANETAIRES — >1' 0,5'-1' <0,5'

NEBULEUSES DIFFUSES — >10' à <10'

GALAXIES — >30' 20'-30' 10'-20' <10'

QUASAR

PULSAR

TROU NOIR

VOIE LACTEE

EQUATEUR GALACTIQUE — 0°

ECLIPTIQUE — 100°

LIMITES DES CONSTELLATIONS

ALPHABET GREC

α	Alpha	ν	Nu
β	Beta	ξ	Xi
γ	Gamma	ο	Omicron
δ	Delta	π	Pi
ε	Epsilon	ϱ	Rho
ζ	Zeta	σ	Sigma
η	Eta	τ	Tau
θ ϑ	Theta	υ	Upsilon
ι	Iota	ϕ φ	Phi
κ ϰ	Kappa	χ	Chi
λ	Lambda	ψ	Psi
μ	Mu	ω	Omega

Planche 8

La présence de la Voie Lactée qui traverse Céphée et le Cygne rend cette région plus intéressante que les champs stellaires voisins. Elle contient un grand nombre d'amas ouverts, de nébuleuses planétaires et de nébuleuses diffuses.

δ **Cep :** (22^h30^m, $+59°$) ; près de l'équateur galactique, une étoile variable dont la découverte permit les premières mesures de distances des galaxies et donc l'établissement d'une échelle mesurable de l'Univers. δ Cephei est le prototype des variables Céphéides ; elle a une période de 5.4 jours durant laquelle elle varie en éclat d'environ une magnitude (entre 4.6 et 3.7). Cette variation est facilement détectée en observant l'étoile plusieurs nuits de suite. De petits instruments révèlent que δ Cep est une étoile double (m = 7.5).

μ **Cep :** (21^h50^m, $+58°$) surnommé l'Astre grenat par W. Herschel en raison de sa couleur rouge foncé (type M2) ; variable irrégulière (magnitude de 5.1 à 3.6).

ζ **Cep :** (22^h, $+64°$) ; une des plus belles binaires de cette constellation ; composantes de magnitudes 4.6 et 6.5 séparées de 7.7''.

S Cep : (21^h30^m, $+78°$) ; variable rouge. Visible avec de petits télescopes.

NGC 188 : (proche de l'étoile polaire) ; un des plus vieux amas ouverts connus, environ 14 milliards d'années. Plus de 70 étoiles sont visibles avec un télescope de taille moyenne.

NGC 6939 : (20^h30^m, $+60°$) : amas ouvert ; environ 80 étoiles de magnitudes comprises entre 10 et 12.

NGC 6946 : galaxie spirale (Pl. 51).

IC 1396 : vaste ensemble nébuleux.

Fig. 50. Céphée (dessiné de derrière), de l'atlas d'Hévélius.

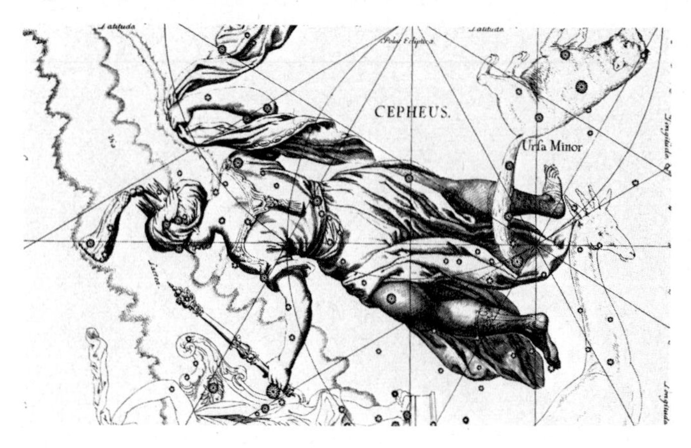

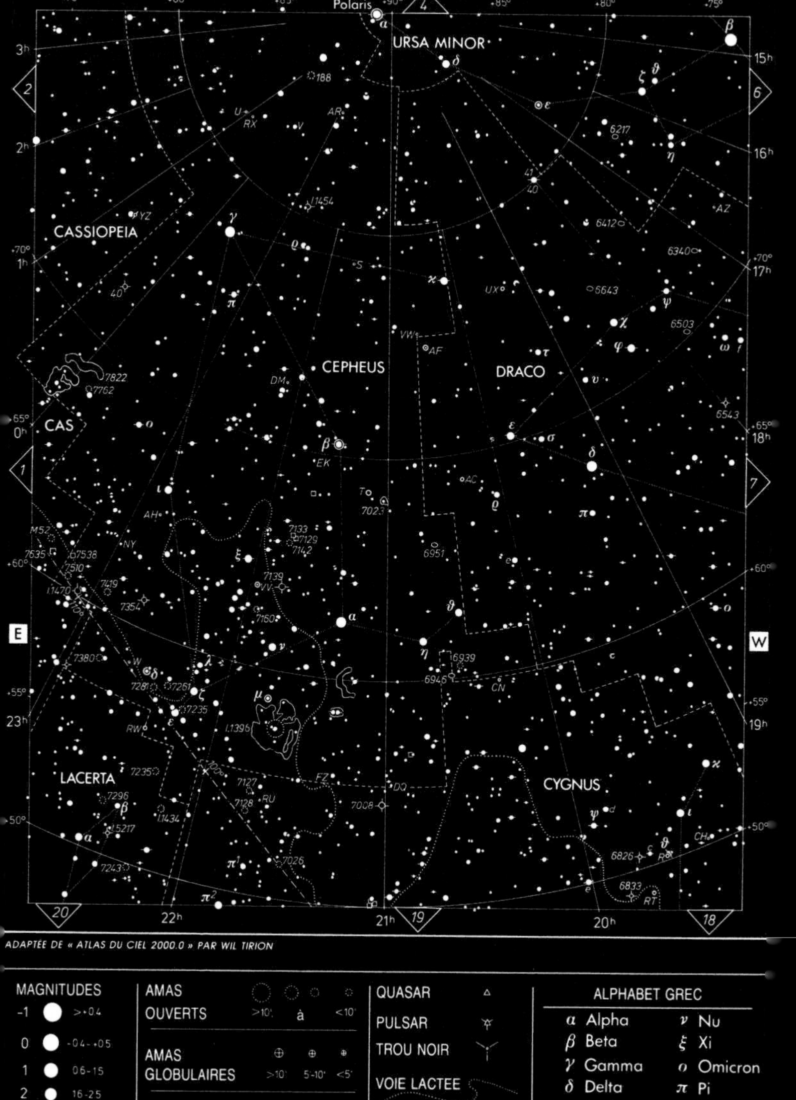

ADAPTÉE DE « ATLAS DU CIEL 2000.0 » PAR WIL TIRION

MAGNITUDES	
-1	>+0,4
0	-0,4 - +0,5
1	0,6-1,5
2	1,6-2,5
3	2,6-3,5
4	3,6-4,5
5	4,6-5,5
6	5,6-6,5
7	6,6-7,5

DOUBLE ou MULTIPLE

VARIABLE

AMAS OUVERTS >10' à <10'

AMAS GLOBULAIRES >10' 5'-10' <5'

NEBULEUSES PLANETAIRES >1' 0,5'-1' <0,5'

NEBULEUSES DIFFUSES >10' à <10'

GALAXIES >30' 20'-30' 10'-20' <10'

QUASAR

PULSAR

TROU NOIR

VOIE LACTEE

EQUATEUR GALACTIQUE 10°

ECLIPTIQUE 100°

LIMITES DES CONSTELLATIONS

ALPHABET GREC

α	Alpha	ν	Nu
β	Beta	ξ	Xi
γ	Gamma	ο	Omicron
δ	Delta	π	Pi
ε	Epsilon	ϱ	Rho
ζ	Zeta	σ	Sigma
η	Eta	τ	Tau
θ ϑ	Theta	υ	Upsilon
ι	Iota	ϕ φ	Phi
κ ϰ	Kappa	χ	Chi
λ	Lambda	ψ	Psi
μ	Mu	ω	Omega

Planche 9

ι **Tri :** double jaune et bleu.

γ **And = Almak :** double orange et jaune.

γ **Ari :** double orange et vert, une des plus belles binaires.

A1457 : double blanc et vert.

M31 = NGC 224 = Grande Galaxie d'Andromède (Pl. 9): (0^h45^m, +41°) ; galaxie spirale (Sb) ; astre le plus éloigné que l'on puisse voir à l'œil nu, à environ 1.5 millions d'années lumière de la Terre. C'est la plus grande galaxie de notre voisinage. Bien visible à l'œil nu (m = 4.9) ; des jumelles montrent sa forme ovale étendue. M31 a deux compagnons, deux galaxies elliptiques : **M32 = NGC 221** et **NGC 205 (= M110).** M32 apparaît comme une sphère brumeuse et NGC 205 semble un peu plus grande bien que moins brillante.

M33 = NGC 598 : célèbre galaxie spirale (Sc) du Triangle ; elle couvre à peu près la même surface que la Lune, mais peut être difficile à trouver. Comme elle est dans le ciel boréal l'objet le plus brillant de sa catégorie après la Nébuleuse d'Andromède, l'amateur a intérêt à essayer son instrument sur cette galaxie avant de chercher à localiser des objets plus faibles.

M76 = NGC 650 (Pl. 20) : nébuleuse planétaire aux limites de Persée et d'Andromède. Etendue mais faible (m = 10.8), elle est difficile à trouver. Elle possède deux composantes distinctes, et est parfois appelée la nébuleuse Barbell.

3C48 : (1^h40^m, + 34°) ; (au-dessus de M35) ; un des quatre premiers quasars découverts. Il a une magnitude de 16.2 et un décalage vers le rouge de 0.367, le plaçant à environ 7 milliards d'a.l.

Fig. 51. M33 (NGC 598), une galaxie spirale de type Sc dans le Triangle. (Kitt Peak National Observatory)

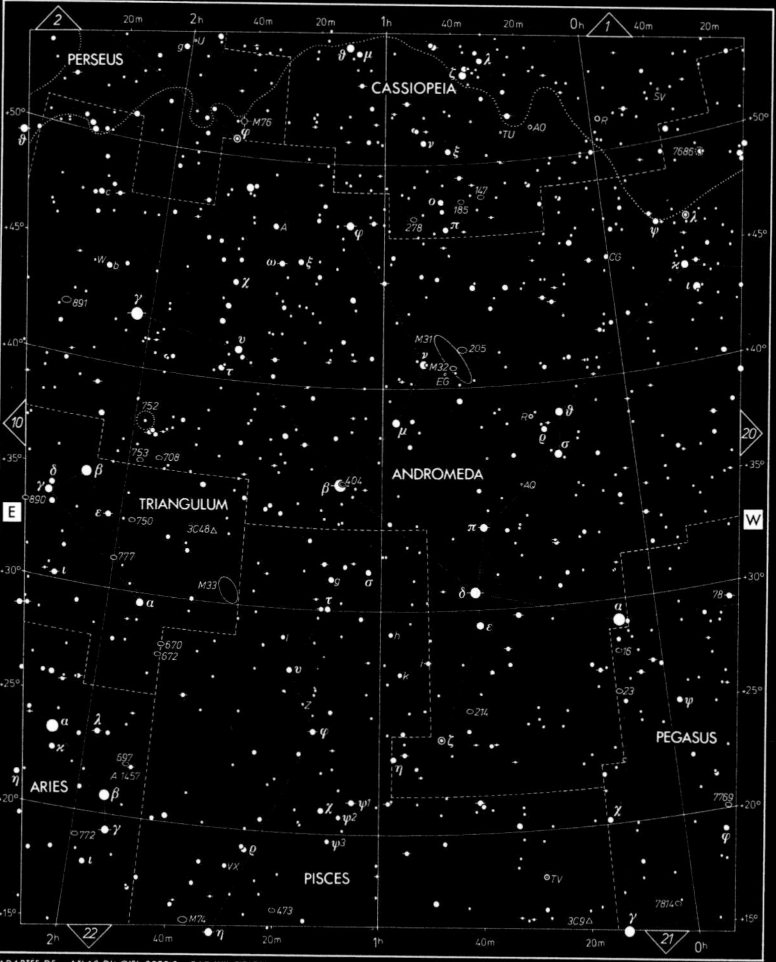

2 20m 2h 40m 20m 1h 40m 20m 0h 1 40m 20m

PERSEUS

CASSIOPEIA

M76 TU AO R SV 7686 147 185 278 CG

+50° +45° +40° +35° +30° +25° +20° +15°

891 M31 205 M32 EG 752 753 708 890 750 3C48 777 M33 670 672 404 AQ R 15 23 214 697 A 1457 772 VX M74 473 TV 3C9 7814 7769 78

10 20

E W

ANDROMEDA

TRIANGULUM

PEGASUS

ARIES

PISCES

2h 22 40m 20m 1h 40m 20m 21 0h

ADAPTEE DE « ATLAS DU CIEL 2000.0 » PAR WIL TIRION

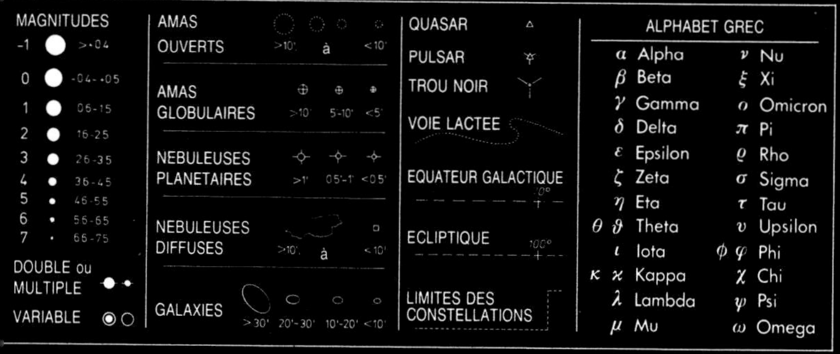

MAGNITUDES	
-1	> -0,4
0	-0,4 - +0,5
1	0,6-1,5
2	1,6-2,5
3	2,6-3,5
4	3,6-4,5
5	4,6-5,5
6	5,6-6,5
7	6,6-7,5
DOUBLE ou MULTIPLE	
VARIABLE	

AMAS OUVERTS	>10'	à	<10'
AMAS GLOBULAIRES	>10'	5-10'	<5'
NEBULEUSES PLANETAIRES	>1'	0,5'-1'	<0,5'
NEBULEUSES DIFFUSES	>10'	à	<10'
GALAXIES	>30'	20'-30'	10'-20'	<10'

QUASAR

PULSAR

TROU NOIR

VOIE LACTEE

EQUATEUR GALACTIQUE 10°

ECLIPTIQUE 100°

LIMITES DES CONSTELLATIONS

ALPHABET GREC			
α	Alpha	ν	Nu
β	Beta	ξ	Xi
γ	Gamma	ο	Omicron
δ	Delta	π	Pi
ε	Epsilon	ϱ	Rho
ζ	Zeta	σ	Sigma
η	Eta	τ	Tau
θ ϑ	Theta	υ	Upsilon
ι	Iota	ϕ φ	Phi
κ ϰ	Kappa	χ	Chi
λ	Lambda	ψ	Psi
μ	Mu	ω	Omega

Planche 10

Algol = β Per (= l'Etoile du Diable) : une des plus célèbres binaires à éclipses, la plus facile à observer. Les éclipses ont lieu toutes les 69 heures faisant passer l'éclat du système total de la magnitude 2.3 à la magnitude 3.5 sur une durée de 5 heures ; le système revient à son éclat normal après 20 minutes. Eclipses plaisantes à observer à l'œil nu.

M45 = les Pléiades : amas ouvert très spectaculaire, dans le Taureau ; au moins 130 étoiles de magnitudes 3 à 14. A l'œil nu, on peut distinguer 6 ou 7 étoiles ; Alcyone la plus brillante est quadruple. Un petit télescope révèle plus de 100 étoiles (fig. 52). Le groupe est voilé de traînées nébuleuses, particulièrement lumineuses au voisinage des étoiles les plus brillantes (Pl. 15). Ce fond lumineux apparaît sur les longues poses photographiques.

M34 = NGC 1039 : amas ouvert dans Persée, à mi-chemin entre Algol (β Per) et γ And. Environ 80 étoiles, pour la plupart des doubles blanc-bleu. Objet flou à l'œil nu ; très beau avec des jumelles ou de petits télescopes à grand champ.

NGC 1220 : petit amas ouvert près de γ Per. Tache brumeuse aux jumelles.

NGC 1499 = Nébuleuse California (Pl. 35) : grande nébuleuse faible et difficile à repérer au Nord des Pléiades.

NGC 1528 : grand amas ouvert. Visible à l'œil nu par nuit claire.

IC 348 : nébuleuse diffuse brillante au Nord des Pléiades.

Fig. 52. Carte des Pléiades. (W. Tirion)

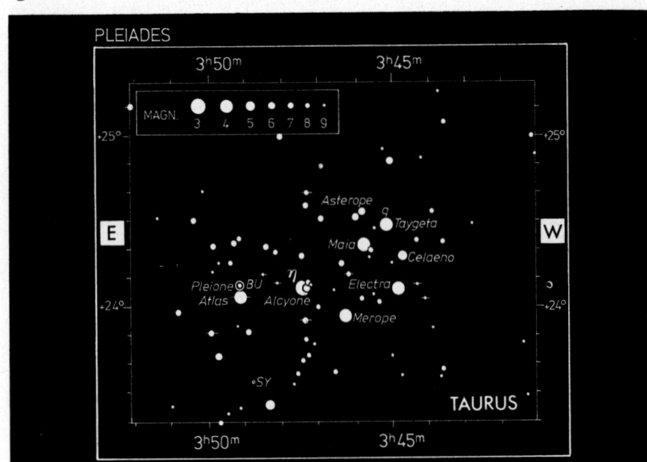

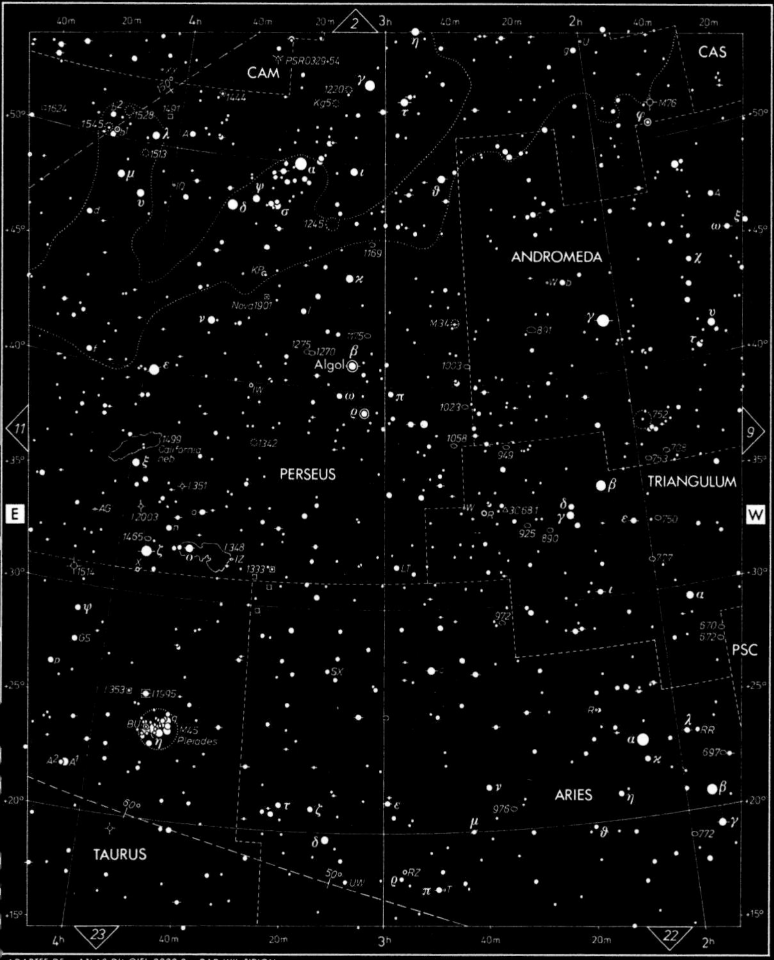

CAM

CAS

PERSEUS

ANDROMEDA

TRIANGULUM

PSC

TAURUS

ARIES

E

W

Algol

M45 Pleiades

California neb

ADAPTEE DE « ATLAS DU CIEL 2000.0 » PAR WIL TIRION

MAGNITUDES		
-1		> -0.4
0		-0.4 - +0.5
1		0.6 - 1.5
2		1.6 - 2.5
3		2.6 - 3.5
4		3.6 - 4.5
5		4.6 - 5.5
6		5.6 - 6.5
7		6.6 - 7.5

DOUBLE ou MULTIPLE

VARIABLE

AMAS OUVERTS >10' à <10'

AMAS GLOBULAIRES >10' 5'-10' <5'

NEBULEUSES PLANETAIRES >1' 0.5'-1' <0.5'

NEBULEUSES DIFFUSES >10' à <10'

GALAXIES >30' 20'-30' 10'-20' <10'

QUASAR

PULSAR

TROU NOIR

VOIE LACTEE

EQUATEUR GALACTIQUE 0°

ECLIPTIQUE 100°

LIMITES DES CONSTELLATIONS

ALPHABET GREC

α	Alpha	ν	Nu
β	Beta	ξ	Xi
γ	Gamma	ο	Omicron
δ	Delta	π	Pi
ε	Epsilon	ρ	Rho
ζ	Zeta	σ	Sigma
η	Eta	τ	Tau
θ ϑ	Theta	υ	Upsilon
ι	Iota	ϕ φ	Phi
κ ϰ	Kappa	χ	Chi
λ	Lambda	ψ	Psi
μ	Mu	ω	Omega

Planche 11

Avec des jumelles, parcourez la Voie Lactée de Persée à travers le Cocher et jusqu'aux Gémeaux, vous rencontrerez un grand nombre de champs stellaires denses, de nébuleuses et d'amas ouverts.

Capella = α **Aur :** (5^n10^m, +45°) ; binaire spectroscopique, une des plus brillantes du ciel (m = 0.2).

ϵ **Aur :** (près de α Aur) variable à éclipses avec une des plus longues périodes connues (27 ans) ; magnitude de 3.1 à 3.8.

ζ **Aur :** variable à éclipses, période 972.15 jours ; magnitude de 3.9 à 4.2.

Aldebaran = α **Tau :** géante rouge (K5) ; très brillante (m = 1.1).

M1 = NGC 1952 = Nébuleuse du Crabe : célèbre nébuleuse dans le Taureau (m_v = 8.4). Le Crabe est le reste d'une supernova, étoile dont l'explosion a été observée en 1054 par les Chinois. Elle s'est rapidement étendue ; la vitesse du gaz pouvant dépasser 1 000 km par sec. Nébuleuse ovale dans de petits télescopes ; il faut des instruments puissants pour détecter sa structure qui apparaît sur les photographies (Pl. 1).

Hyades : (4^h30^m, + 15°) ; amas spectaculaire qui marque la tête du Taureau. Plus âgé et moins lumineux que les Pléiades, et contenant moins d'étoiles. Trop grand pour être cerclé sur la carte. Les étoiles de cet amas sont à environ 140 a.l. et ont été formées il y a près d'un milliard d'années. Leur couleur blanche contraste avec le rouge d'Aldébaran toute proche. Un faible grossissement permet de bien observer ce groupe en forme de V.

NGC 1647 : (4^h45^m, + 18°) : amas ouvert contenant environ 50 étoiles ; il s'étend sur une région de même diamètre que celui de la Lune.

M36 (70 étoiles), **M37** (200 étoiles) et **M38** (120 étoiles) : amas ouverts dans le Cocher.

IC 405 (parfois appelée l'Etoile Flamboyante) : nébuleuse gazeuse.

IC 410 : amas entouré d'une nébulosité.

Fig. 53. Taurus, le Taureau (vu de derrière), de l'atlas d'Hévélius (1690).

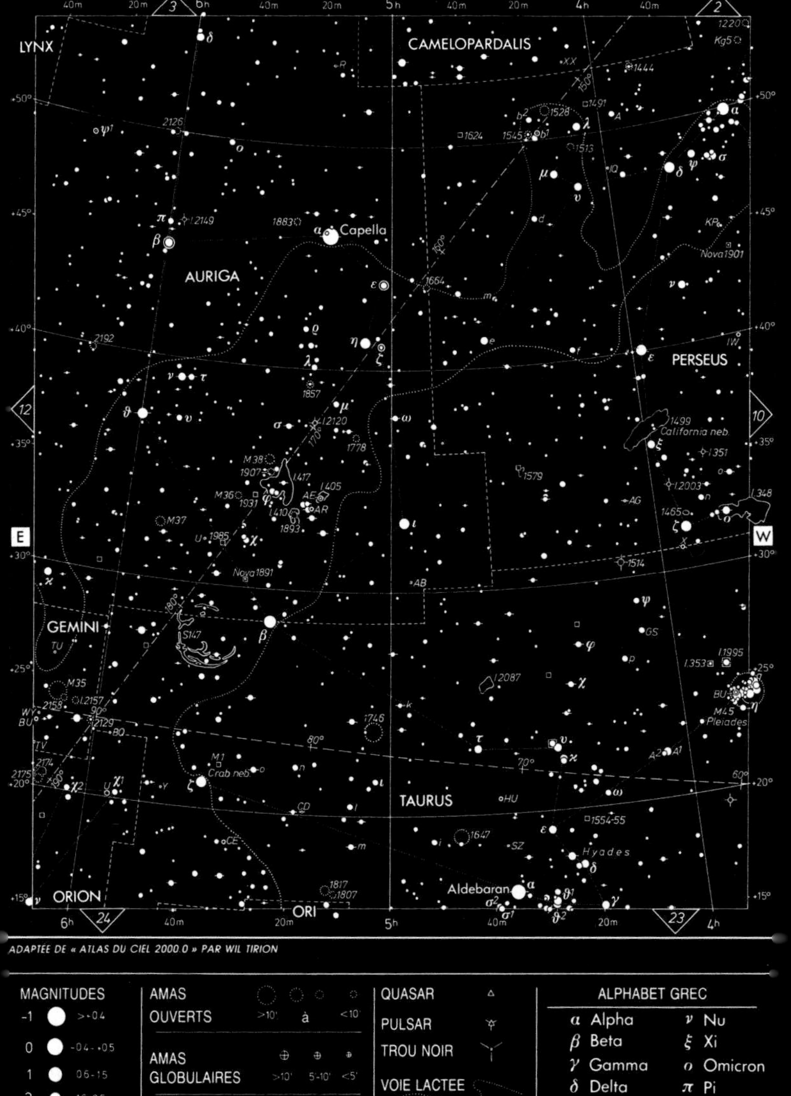

ADAPTÉE DE « ATLAS DU CIEL 2000.0 » PAR WIL TIRION

MAGNITUDES	
-1	>-0.4
0	-0.4 - +0.5
1	0.6 - 1.5
2	1.6 - 2.5
3	2.6 - 3.5
4	3.6 - 4.5
5	4.6 - 5.5
6	5.6 - 6.5
7	6.6 - 7.5

DOUBLE ou MULTIPLE

VARIABLE

AMAS OUVERTS >10' à <10'

AMAS GLOBULAIRES >10' 5'-10' <5'

NEBULEUSES PLANETAIRES >1' 0.5'-1' <0.5'

NEBULEUSES DIFFUSES >10' à <10'

GALAXIES >30' 20'-30' 10'-20' <10'

QUASAR

PULSAR

TROU NOIR

VOIE LACTEE

EQUATEUR GALACTIQUE

ECLIPTIQUE

LIMITES DES CONSTELLATIONS

ALPHABET GREC

α	Alpha	ν	Nu
β	Beta	ξ	Xi
γ	Gamma	ο	Omicron
δ	Delta	π	Pi
ε	Epsilon	ϱ	Rho
ζ	Zeta	σ	Sigma
η	Eta	τ	Tau
θ ϑ	Theta	υ	Upsilon
ι	Iota	ϕ φ	Phi
κ ϰ	Kappa	χ	Chi
λ	Lambda	ψ	Psi
μ	Mu	ω	Omega

Planche 12

Les Gémeaux sont marqués dans le ciel par Castor et Pollux.

Castor = α Gem : une des plus belles doubles visuelles. Les composantes de magnitudes 2.0 et 2.8 tournent lentement l'une autour de l'autre en 477 ans. Leur séparation est facile avec de petits télescopes. Le système est multiple (6 étoiles connues actuellement). Castor C est une double spectroscopique et une binaire à éclipses, connue comme YY Gem (période 0.81 jours).

Pollux = β Gem : géante rouge, légèrement plus brillante que Castor ; plus jeune.

δ **Gem (= Wasat) :** binaire brillante ($m_v = 3.2$ et 8.2).

ζ **Gem (= Mekbuda) :** ($7^h, +20°$) ; Céphéide très brillante ; variation de l'éclat de plus d'une demi-magnitude durant sa période de 10 jours.

η **Gem :** ($6^h 15^m, +22°$) ; géante rouge variable.

M35 = NGC 2168 : magnifique amas ouvert, d'un diamètre de 40 minutes d'arc, contenant environ 120 étoiles ; à 2200 a.l. Tache brumeuse visible à l'œil nu ; des jumelles ou de petits télescopes révèlent sa structure d'amas. Il possède un compagnon optique (non lié physiquement), NGC 2158, à 1/2°.

NGC 2158 : amas ouvert très riche, environ 40 étoiles sur une surface de 4 sec. d'arc de diamètre; à 16 000 a.l., près du bord de notre Galaxie.

NGC 2392 = Nébuleuse Eskimo ou Face de Clown (fig. 54) : une des plus brillantes des nébuleuses planétaires. Elle se compose d'une série d'anneaux lumineux dans un disque irrégulier de couleur verte.

NGC 2419 : dans le Lynx, très près du centre de notre Galaxie. Visible avec un petit télescope par nuit claire.

Fig. 54. Nébuleuse Eskimo (NGC 2392), une nébuleuse planétaire. Sa « face » n'est visible qu'avec de grands télescopes. (Lick Observatory)

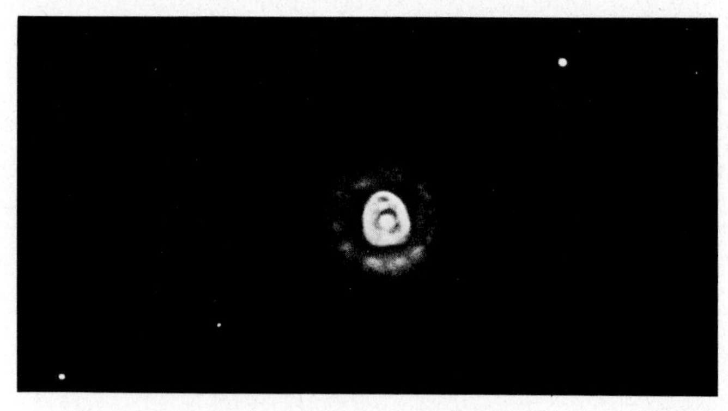

ADAPTEE DE « ATLAS DU CIEL 2000.0 » PAR WIL TIRION

MAGNITUDES	
-1	> +0.4
0	-0.4 - +0.5
1	0.6 - 1.5
2	1.6 - 2.5
3	2.6 - 3.5
4	3.6 - 4.5
5	4.6 - 5.5
6	5.6 - 6.5
7	6.6 - 7.5

DOUBLE ou MULTIPLE

VARIABLE

AMAS OUVERTS: >10' à <10'

AMAS GLOBULAIRES: >10' 5'-10' <5'

NEBULEUSES PLANETAIRES: >1' 0.5'-1' <0.5'

NEBULEUSES DIFFUSES: >10' à <10'

GALAXIES: >30' 20'-30' 10'-20' <10'

QUASAR

PULSAR

TROU NOIR

VOIE LACTEE

EQUATEUR GALACTIQUE 0°

ECLIPTIQUE 100°

LIMITES DES CONSTELLATIONS

ALPHABET GREC			
α	Alpha	ν	Nu
β	Beta	ξ	Xi
γ	Gamma	ο	Omicron
δ	Delta	π	Pi
ε	Epsilon	ϱ	Rho
ζ	Zeta	σ	Sigma
η	Eta	τ	Tau
θ ϑ	Theta	υ	Upsilon
ι	Iota	ϕ φ	Phi
κ ϰ	Kappa	χ	Chi
λ	Lambda	ψ	Psi
μ	Mu	ω	Omega

Planche 13

γ, η, θ et δ **Cancri** (Cnc) : étoiles dessinant la forme irrégulière du corps du Cancer, le Crabe.

ζ **Cnc :** ($8^h 12^m$, + 18°) ; étoile triple inhabituelle avec 3 composantes jaunes ; période de 60.1 années. A voir avec des télescopes moyens à grands.

ι^1 **Cnc :** ($8^h 47^m$, + 29°) ; couple orange et vert, très beau.

ι^2 **Cnc :** système triple.

R LMi : variable à longue période, 372 jours, passant de la magnitude 6.0 à la magnitude 13.3. Très rouge, très belle à observer particulièrement près du maximum.

M44 = NGC 2632 = Praesepe = la Crèche : un des amas ouvert les mieux connus (fig. 55) ; il couvre plus de 80 minutes d'arc (environ 3 fois le diamètre de la Lune). Très spectaculaire. Pâle lueur étendue à l'œil nu ; des jumelles ou de petits télescopes permettent de distinguer les étoiles qui le composent, dont beaucoup sont multiples ; distance 520 a.l.

NGC 2683 : ($8^h 55^m$, + 33°) ; galaxie spirale dans le Lynx (vue de profil).

NGC 2859 : ($9^h 20^m$, + 35°) ; galaxie spirale barrée dans Leo Minor. Dans cette zone à la limite entre le Lynx et le Petit Lion se trouvent plusieurs galaxies faciles à trouver pour les débutants en cherchant près de α Leo.

NGC 2903 (Pl. 38): spirale isolée dans le Lion.

Fig. 55. M44 (NGC 2632) ou Praesepe, la Crèche. (Hopkins Observatory, Williams College)

ADAPTEE DE « ATLAS DU CIEL 2000.0 » PAR WIL TIRION

MAGNITUDES

- -1 : > -0.4
- 0 : -0.4 - +0.5
- 1 : 0.6 - 1.5
- 2 : 1.6 - 2.5
- 3 : 2.6 - 3.5
- 4 : 3.6 - 4.5
- 5 : 4.6 - 5.5
- 6 : 5.6 - 6.5
- 7 : 6.6 - 7.5

DOUBLE ou MULTIPLE

VARIABLE

AMAS OUVERTS : >10' à <10'

AMAS GLOBULAIRES : >10' 5-10' <5'

NEBULEUSES PLANETAIRES : >1' 0.5'-1' <0.5'

NEBULEUSES DIFFUSES : >10' à <10'

GALAXIES : >30' 20'-30' 10'-20' <10'

QUASAR

PULSAR

TROU NOIR

VOIE LACTEE

EQUATEUR GALACTIQUE

ECLIPTIQUE

LIMITES DES CONSTELLATIONS

ALPHABET GREC

α Alpha	ν Nu
β Beta	ξ Xi
γ Gamma	ο Omicron
δ Delta	π Pi
ε Epsilon	ρ Rho
ζ Zeta	σ Sigma
η Eta	τ Tau
θ ϑ Theta	υ Upsilon
ι Iota	ϕ φ Phi
κ ϰ Kappa	χ Chi
λ Lambda	ψ Psi
μ Mu	ω Omega

Planche 14

Cette carte comprenant une région proche du pôle galactique Nord, vous pouvez regarder très loin de la Voie Lactée, et donc voir de nombreuses galaxies. La région du Petit Lion possède un groupe de galaxies difficiles à observer et, tout comme le Lion, contient un certain nombre de binaires intéressantes.

Denebola = β Leo : double optique, très belle paire bleue et orange ($m_v = 2.2$ et 7).

γ Leo = Algieba : magnifique double dont les composantes or et jaune, de magnitudes 2.3 et 3.5, sont faciles à séparer (orbite 619 ans).

ζ Leo : couple brillant (m = 3.6) dont les étoiles sont assez éloignées pour être détectées aux jumelles.

54 Leo : (11^h, +25°) ; double dont les composantes, de magnitudes 4.5 et 6.3, sont faciles à séparer avec un faible grossissement.

ζ UMa : double à 26 a.l. L'orbite elliptique de 60 ans de ses 2 composantes de magnitudes 4.4 et 4.9 est inclinée de 57° par rapport à notre ligne de vue. La séparation maximale de cette paire est de 2.9 minutes (observé de la Terre en 1980). Chacune de ces composantes est à son tour une binaire. Les étoiles de l'une des paires ne sont séparées que de 0.5 U.A. (la moitié de la distance entre la Terre et le Soleil) et l'orbite est parcourue en 1.8 années. Les étoiles de l'autre paire ne sont séparées que par une distance égale à celle de la Terre à la Lune et leur orbite est parcourue en 4 jours.

NGC 3158 : (10^h20^m, +38°) ; galaxie la plus brillante du groupe de galaxies situé dans LMi. Visible dans un instrument de taille moyenne.

M97 et M108 : décrits avec la planche 5.

CP1133 : (près de β Leo) ; un des quatre premiers pulsars découverts à l'origine par Jocelym Bell et Antony Hewish en 1968.

Fig.56. Quatre galaxies dans le Lion: NGC 3193 (type E2, en bas à droite), NGC 3187 (type SBc, en haut à gauche), NGC 3190 (type Sb, en haut au centre, avec un disque de poussières), et NGC 3185 (type SBa, en bas à droite). (Palomar Observatory)

ADAPTEE DE « ATLAS DU CIEL 2000.0 » PAR WIL TIRION

MAGNITUDES		
-1	●	>-0,4
0	●	-0,4 - +0,5
1	●	0,6 - 1,5
2	●	1,6 - 2,5
3	●	2,6 - 3,5
4	●	3,6 - 4,5
5	●	4,6 - 5,5
6	●	5,6 - 6,5
7	●	6,6 - 7,5

DOUBLE ou MULTIPLE

VARIABLE

AMAS OUVERTS	>10'	à	<10'
AMAS GLOBULAIRES	>10'	5'-10'	<5'
NEBULEUSES PLANETAIRES	>1'	0,5'-1'	<0,5'
NEBULEUSES DIFFUSES	>10'	à	<10'
GALAXIES	>30'	20'-30'	10'-20' / <10'

QUASAR

PULSAR

TROU NOIR

VOIE LACTEE

EQUATEUR GALACTIQUE (0°)

ECLIPTIQUE (100°)

LIMITES DES CONSTELLATIONS

ALPHABET GREC

α	Alpha	ν	Nu
β	Beta	ξ	Xi
γ	Gamma	o	Omicron
δ	Delta	π	Pi
ε	Epsilon	ϱ	Rho
ζ	Zeta	σ	Sigma
η	Eta	τ	Tau
θ ϑ	Theta	υ	Upsilon
ι	Iota	ϕ φ	Phi
κ $\varkappa$	Kappa	χ	Chi
λ	Lambda	ψ	Psi
μ	Mu	ω	Omega

Planche 15

Cette région est caractérisée par un grand nombre de galaxies, la plupart d'entre elles distantes de millions d'années lumière. Plusieurs amas globulaires figurent également sur cette carte. A ($12^h52^m, +27°$) ; dans Coma Berenices, nous arrivons dans la région proche du pôle galactique Nord, région riche en galaxies lointaines.

M100 = NGC 4321 (Pl. 26) : galaxie spirale (Sc).

M85 = NGC 4382 : galaxie elliptique.

NGC 4559 et NGC 4565 (Pl. 43) : galaxie vue de profil, inclinée de 4° par rapport à notre ligne de vue. Ces galaxies appartiennent à l'amas de la Vierge (voir planches 27 et 28).

M64 = NGC 4826 : galaxie spirale dans Coma Berenices, présentant des bandes importantes de poussière noire qui traverse son centre. Assez brillante (m = 8.6) pour être détectée aux jumelles.

NGC 4874 et NGC 4889 : ($\sim 13^h, +28°$) ; galaxies de l'amas de galaxies de Coma Berenices, assez brillantes pour être vues par la plupart des observateurs amateurs.

M53 = NGC 5024 et NGC 5053 : amas globulaires situés dans Coma Berenices. M53, près de α Com, est deux fois plus éloigné et plus grand que M3, bien que tous deux aient la même taille apparente.

M51 = NGC 5194 : (« Whirlpool Galaxy ») ; très belle galaxie spirale (Sc) dans les Chiens de Chasse, située de face (Pl. 16) ; à quelques degrés au Sud du manche de la Grande Ourse, elle est relativement proche de nous. Elle possède un compagnon NGC 5195.

M63 = NGC 5055, M94 = NGC 4736 et M106 = NGC 4258 : autres galaxies spirales (Sc) pouvant être observées avec de petits télescopes. (M106 voir Pl. 31).

Plus loin se trouvent les amas de galaxies de la Grande Ourse et des Chiens de Chasse.

M3 = NGC 5272 : ($13^h40^m, +28°$) ; amas globulaire dans les Chiens de Chasse, un des plus brillants du ciel.

Mel 111 : ($12^h20^m, +27°$) ; amas ouvert grand et diffus dans Coma Berenices (étoiles de magnitudes 5 à 10).

C'est au printemps que l'on observe le mieux cette partie du ciel.

Fig. 57. M51 (NGC 5194), galaxie spirale de type Sb, et son compagnon la galaxie irrégulière NGC 5195 au bout d'un de ses bras. (Kitt Peak National Observatory)

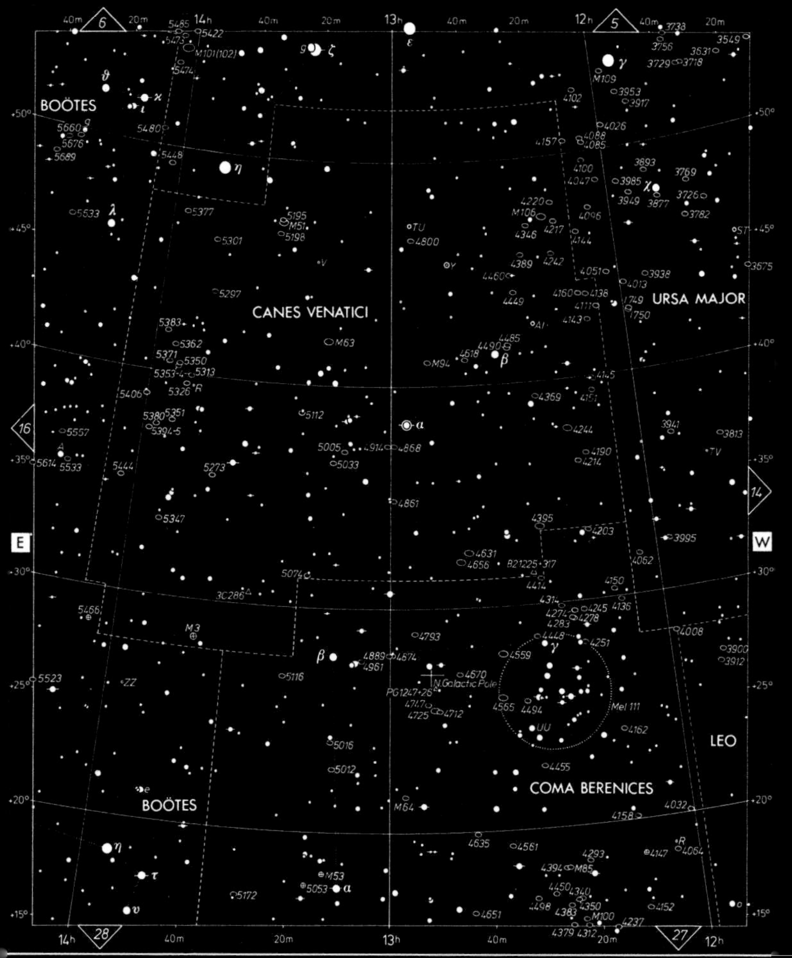

ADAPTEE DE « ATLAS DU CIEL 2000.0 » PAR WIL TIRION

MAGNITUDES	
-1	>-04
0	-04-+05
1	06-15
2	16-25
3	26-35
4	36-45
5	46-55
6	56-65
7	66-75

DOUBLE ou MULTIPLE

VARIABLE

AMAS OUVERTS	>10'	à	<10'
AMAS GLOBULAIRES	>10'	5'-10'	<5'
NEBULEUSES PLANETAIRES	>1'	05'-1'	<05'
NEBULEUSES DIFFUSES	>10'	à	<10'
GALAXIES	>30'	20'-30'	10'-20' <10'

QUASAR

PULSAR

TROU NOIR

VOIE LACTEE

EQUATEUR GALACTIQUE 10°

ECLIPTIQUE 100°

LIMITES DES CONSTELLATIONS

ALPHABET GREC

α	Alpha	ν	Nu
β	Beta	ξ	Xi
γ	Gamma	ο	Omicron
δ	Delta	π	Pi
ε	Epsilon	ϱ	Rho
ζ	Zeta	σ	Sigma
η	Eta	τ	Tau
θ ϑ	Theta	υ	Upsilon
ι	Iota	ϕ φ	Phi
κ ϰ	Kappa	χ	Chi
λ	Lambda	ψ	Psi
μ	Mu	ω	Omega

Planche 16

Arcturus = α **Bootis :** étoile rouge, de type K2 ; 3e étoile en éclat. A 3.6 a.l., 25 fois le diamètre du Soleil.

ϵ **Boo :** ($14^{h}45^{m}$, +27°) ; belle double brillante espacée. Les composants orange et vert gravitent l'un autour de l'autre en 153 ans. A observer avec un fort grossissement.

μ **Boo :** ($15^{h}25^{m}$, +37°) ; double bien séparée, blanc orange, avec un compagnon plus faible.

η **CrB :** double serrée ; ses composants gravitent l'un autour de l'autre en 42 ans.

ζ **CrB :** beau couple brillant d'étoiles bleues séparées de 6''. Très facile à résoudre.

σ **CrB :** double jaune ; très facile à séparer.

R CrB : prototype d'une classe de variables inhabituelles. De magnitude 6 pendant des mois voire des années, puis chute subite d'éclat jusqu'à la magnitude 11 ou même plus faible (15) pendant quelques semaines (voir la courbe de lumière fig. 58). En même temps un spectre en émission apparaît et éclipse son spectre d'absorption. Etoile riche en carbone. Parfois l'étoile perd de sa suie de carbone qui obscurcit sa photosphère, des raies en émission de sa haute et relativement chaude chromosphère apparaissent. Ces nuages de suie ont été détectés dans l'infrarouge. Carte d'observation fig. 42.

Fig. 58. Courbe de lumière de R Coronae Borealis. (AAVSO)

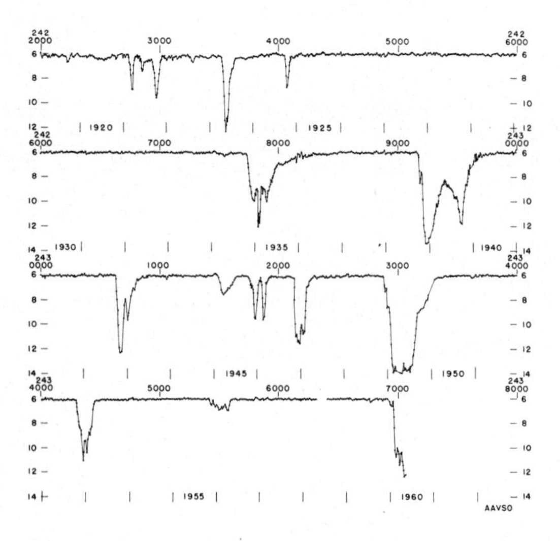

ADAPTÉE DE « ATLAS DU CIEL 2000.0 » PAR WIL TIRION

MAGNITUDES	
-1	> -0.4
0	-0.4 - +0.5
1	0.6 - 1.5
2	1.6 - 2.5
3	2.6 - 3.5
4	3.6 - 4.5
5	4.6 - 5.5
6	5.6 - 6.5
7	6.6 - 7.5

DOUBLE ou MULTIPLE

VARIABLE

AMAS OUVERTS — >10' à <10'

AMAS GLOBULAIRES — >10' 5'-10' <5'

NEBULEUSES PLANETAIRES — >1' 0.5'-1' <0.5'

NEBULEUSES DIFFUSES — >10' à <10'

GALAXIES — > 30' 20'-30' 10'-20' <10'

QUASAR

PULSAR

TROU NOIR

VOIE LACTEE

EQUATEUR GALACTIQUE — 70°

ECLIPTIQUE — 100°

LIMITES DES CONSTELLATIONS

ALPHABET GREC

α	Alpha	ν	Nu
β	Beta	ξ	Xi
γ	Gamma	ο	Omicron
δ	Delta	π	Pi
ε	Epsilon	ϱ	Rho
ζ	Zeta	σ	Sigma
η	Eta	τ	Tau
θ ϑ	Theta	υ	Upsilon
ι	Iota	ϕ φ	Phi
κ ϰ	Kappa	χ	Chi
λ	Lambda	ψ	Psi
μ	Mu	ω	Omega

Planche 17

δ **Her :** double optique ; de nombreuses couleurs différentes lui ont été attribuées. Etoiles de magnitudes 3.2 et 8.8 séparées de 10''.

ϱ **Her:** paire d'étoiles bleues et blanches qui diffèrent d'une magnitude (4.5 et 5.5).

ζ **Her :** binaire serrée (1'') de magnitudes 2.9 et 5.5 ; à 30 a.l. seulement.

NGC 6058 : (16^h, +41°) ; nébuleuse planétaire difficile à repérer.

M13 = NGC 6205 (Pl. 4) : amas globulaire spectaculaire à environ 25.000 a.l. De 4e magnitude il est à peine visible à l'œil nu ; ses étoiles extérieures sont visibles à l'aide d'un télescope de taille moyenne.

NGC 6207 : galaxie spirale, environ 1/2° au Nord de M13. Peu lumineuse, elle est parfois visible.

NGC 6210 : nébuleuse planétaire bleu vert. Son anneau intérieur est sensiblement plus brillant que l'anneau extérieur qui mesure 20 sur 43 sec. d'arc. Visible avec petit télescope ; mais un instrument plus puissant est nécessaire pour distinguer ses anneaux.

NGC 6229 : (16^h45^m, +47°) ; amas globulaire à environ 10° audessus de M13. Il est beaucoup plus petit et plus faible (m = 10) que les deux autres amas de cette région.

M92 = NGC 6341 : (17^h15^m, +42°) ; amas globulaire, environ 7° au Nord de *π* Her. Une magnitude plus faible que M13, mais également un bel objet pour de petits télescopes.

3C 345 : quasar de magnitude 16, possédant un décalage vers le rouge de 0.6 ce qui le situe à 8 milliards d'années lumière.

Fig. 59. Hercules (vu de derrière), de l'atlas d'Hévélius.

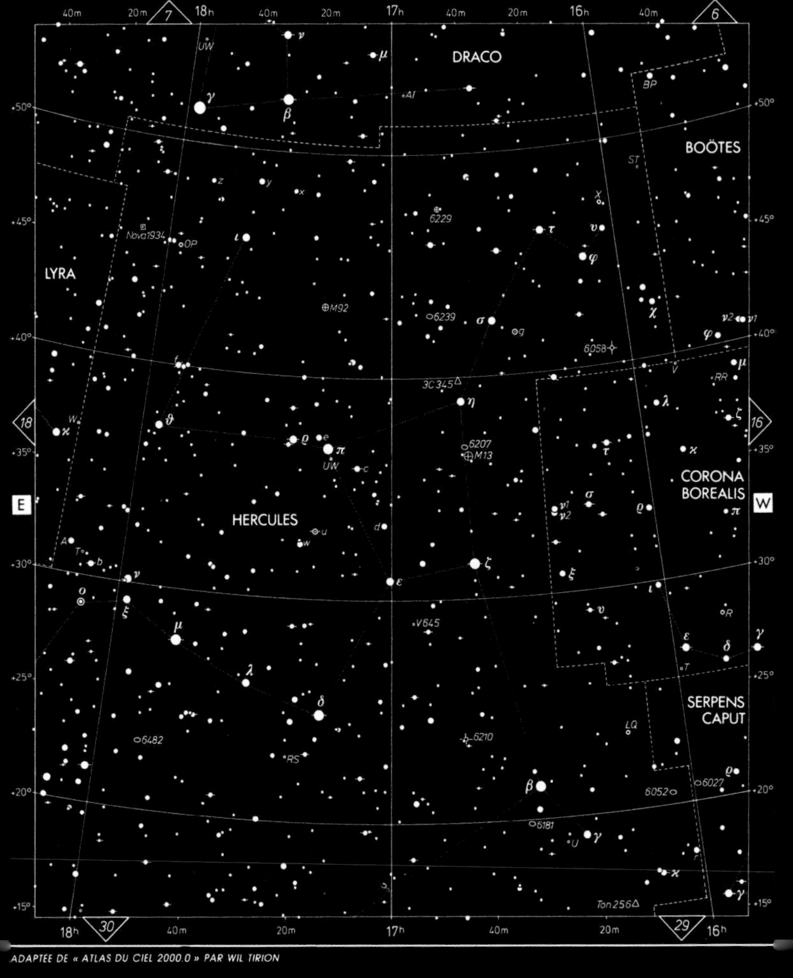

ADAPTÉE DE « ATLAS DU CIEL 2000.0 » PAR WIL TIRION

MAGNITUDES

-1	>-0.4
0	-0.4 - 0.5
1	0.6 - 1.5
2	1.6 - 2.5
3	2.6 - 3.5
4	3.6 - 4.5
5	4.6 - 5.5
6	5.6 - 6.5
7	6.6 - 7.5

DOUBLE ou MULTIPLE

VARIABLE

AMAS OUVERTS — >10' à <10'

AMAS GLOBULAIRES — >10' 5-10' <5'

NEBULEUSES PLANETAIRES — >1' 0.5'-1' <0.5'

NEBULEUSES DIFFUSES — >10' à <10'

GALAXIES — > 30' 20'-30' 10'-20' <10'

QUASAR

PULSAR

TROU NOIR

VOIE LACTEE

EQUATEUR GALACTIQUE — 10°

ECLIPTIQUE — 100°

LIMITES DES CONSTELLATIONS

ALPHABET GREC

α Alpha	ν Nu
β Beta	ξ Xi
γ Gamma	ο Omicron
δ Delta	π Pi
ε Epsilon	ϱ Rho
ζ Zeta	σ Sigma
η Eta	τ Tau
θ ϑ Theta	υ Upsilon
ι Iota	ϕ φ Phi
κ ϰ Kappa	χ Chi
λ Lambda	ψ Psi
μ Mu	ω Omega

Planche 18

Vega = α **Lyrae :** étoile la plus brillante de cette carte ; étoile blanche de première magnitude. Particulièrement belle à travers un télescope.

β **Lyr :** double spectroscopique et binaire à éclipses ; varie entre les magnitudes 3.4 et 4.3 tous les 12.9 jours. Ces variations sont faciles à suivre en comparant l'éclat de β Lyr avec celui de γ Lyr (magnitude 3.2) ou avec celui d'autres étoiles de la Lyre : η (m = 4.4), θ (m = 4,5), ζ^1 (m = 4.4), $\varkappa$ (m = 4.3), λ (m = 4.9) et ι (m = 5.3). En outre, elle possède 3 compagnons observables visuellement.

ϵ **Lyr :** double. Un observateur ayant une très bonne acuité visuelle peut à peine déceler les deux composantes, chacune de magnitude 5 environ (séparation 207''). De petits télescopes séparent facilement la paire et montrent que chaque composant est lui-même une binaire.

Albireo = β **Cygni :** double, une des plus belles, sur le bec du Cygne. Aux jumelles, ses composantes orange et bleues ressortent bien.

δ **Cygni :** double ayant une période orbitale de 300 ans ; ses membres diffèrent de 3 magnitudes.

RR Lyrae: (19^h25^m, + 45°); prototype d'une classe d'étoiles variables ayant des périodes régulières plus courtes qu'un jour.

M57 = NGC 6720 = Nébuleuse Anneau (Pl. 17) : la plus célèbre des nébuleuses planétaires ; elle possède une coquille de gaz échappée de l'étoile centrale. Dans environ 5 milliards d'années notre soleil finira de cette façon. Un petit télescope montre clairement la nébuleuse ; cependant un instrument plus puissant est nécessaire pour distinguer sa structure. Les couleurs n'apparaissent que sur de longues poses photographiques.

M56 = NGC 6779 : (19^h30^m, + 30°) ; amas globulaire. Petit, fortement concentré et à peine visible avec de petits télescopes.

M51 = NGC 6838 : amas globulaire dans le Sagittaire très riche en étoiles en dépit de son diamètre relativement petit.

M27 = NGC 6853 : (20^h, + 23°) ; deuxième plus grande nébuleuse planétaire, environ 3 a.l. de diamètre. C'est la nébuleuse de l'Haltère (Dumbbell) (Pl. 8). Bien que sa luminosité soit élevée, M27 reste faible car elle est très étendue. Pour bien la voir, il faut que le ciel soit très sombre. De grands champs montrent sa forme et sa couleur verte ; des grossissements plus grands révèlent un peu sa structure.

PSR 1937 + 215 et CP 1919 : pulsars détectés par leur spectre radio uniquement. PSR 1937 + 215 émet 600 pulsations radio à la seconde.

Nova Herculis 1934 : (18^h20^m, + 46°) ; restes de cette nova, à la frontière entre la Lyre et Hercule.

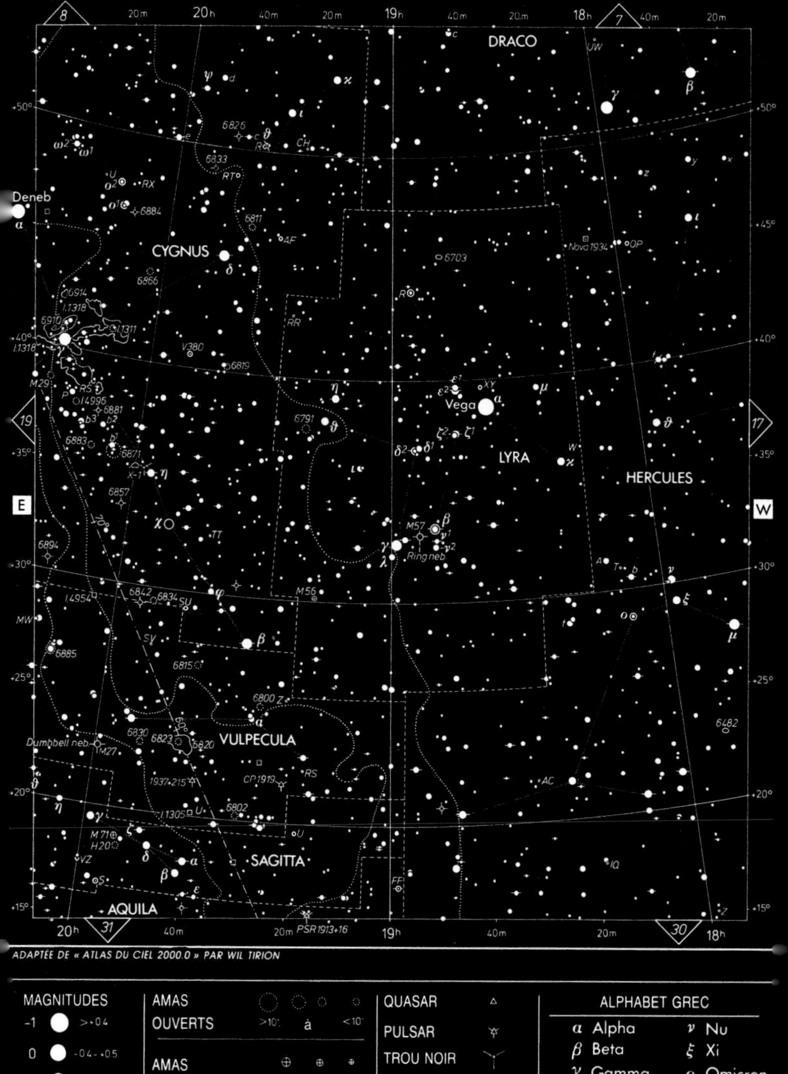

ADAPTÉE DE « ATLAS DU CIEL 2000.0 » PAR WIL TIRION

MAGNITUDES	
-1	> -0,4
0	-0,4 - +0,5
1	0,6 - 1,5
2	1,6 - 2,5
3	2,6 - 3,5
4	3,6 - 4,5
5	4,6 - 5,5
6	5,6 - 6,5
7	6,6 - 7,5

DOUBLE ou MULTIPLE

VARIABLE

AMAS OUVERTS: >10' à <10'

AMAS GLOBULAIRES: >10' 5'-10' <5'

NEBULEUSES PLANETAIRES: >1' 0,5'-1' <0,5'

NEBULEUSES DIFFUSES: >10' à <10'

GALAXIES: >30' 20'-30' 10'-20' <10'

QUASAR

PULSAR

TROU NOIR

VOIE LACTEE

EQUATEUR GALACTIQUE (0°)

ECLIPTIQUE (100°)

LIMITES DES CONSTELLATIONS

ALPHABET GREC

α	Alpha	ν	Nu
β	Beta	ξ	Xi
γ	Gamma	ο	Omicron
δ	Delta	π	Pi
ε	Epsilon	ϱ	Rho
ζ	Zeta	σ	Sigma
η	Eta	τ	Tau
θ ϑ	Theta	υ	Upsilon
ι	Iota	ϕ φ	Phi
κ ϰ	Kappa	χ	Chi
λ	Lambda	ψ	Psi
μ	Mu	ω	Omega

Planche 19

Deneb = α **Cygni** : étoile très brillante (m = 1.2) de couleur blanc jaune (type A2).

52 Cygni : double dont les composantes orange et bleues sont séparées de 6.5 secondes d'arc.

61 Cyg : (21^h20^m, + 39°) ; paire orange. C'est la première étoile dont la distance au Soleil ait été mesurée (par sa parallaxe) ; à seulement 10.9 a.l. de nous.

SS Cygni : (21^h40^m, + 30°) ; variable dont l'éclat croît très rapidement pour atteindre son maximum tous les 50 jours environ ; sa courbe de lumière a une forme irrégulière (fig. 34). Intéressante à suivre car elle varie de la 12e à la 8e magnitude en 2 ou 3 heures. SS Cygni est trop faible pour figurer sur cette planche, mais sa positon est indiquée sur la carte de la fig. 39 du Chapitre VI.

NGC 6826 : (19^h40^m, + 50°) ; nébuleuse planétaire. Son étoile centrale relativement brillante semble clignoter.

NGC 6960 : (~ 21^h, + 30°) ; nébuleuse diffuse ; dans une région riche en nébuleuses.

NGC 6960, NGC 6992, NGC 6995 et NGC 6979 = Nébuleuse de la Dentelle du Cygne (« Veil Nebula ») : forme une grande partie de la Boucle du Cygne (« Cygnus Loop »), une nébuleuse circulaire, 2.5° de diamètre, peu lumineuse. La Boucle du Cygne est le résidu d'une supernova qui a explosé il y a 100 000 années. La Nébuleuse Dentelle est visible aussi bien avec des jumelles qu'au travers de grands télescopes, mais seules les photographies à longue pose révèlent sa structure et ses merveilleuses couleurs (Pl. 52).

NGC 7000 = Nébuleuse North America, nommée d'après sa forme (au centre de la carte, près de Deneb). Difficile à observer aux télescopes ; seules des photographies à longue pose révèlent bien sa structure.

M39 = NGC 7029 : (21^h30^m, + 48°) ; amas ouvert au Nord du Cygne. Environ 30 étoiles de magnitudes 9 à 6 ; magnitude globale 5. Objet fin intéressant à regarder avec des jumelles, de petits télescopes ou des télescopes à grand champ.

IC 5067-5070 = Nébuleuse Pélican : le bec du Pélican est face à la Nébuleuse America (Pl. 53). Difficile à observer aux télescopes, mais de longues poses photographiques la rend visible.

Le Sac à Charbon boréal : nébuleuse opaque qui obscurcit la Voie Lactée à l'intérieur du triangle formé par α, γ et ϵ Cyg.

Autre région de nébulosité : (~ 20^h20^m, + 40°) ; autour de γ Cyg.

Cygnus X-1 : la plus brillante des sources à rayons X (sur le méridien de 20 h, non visible dans la lumière ordinaire). Ces rayons X viennent probablement de gaz tourbillonnant autour d'un trou noir ; la présence du trou noir est déduite de son effet gravitationnel sur l'étoile de 15e magnitude HDE 226868 qui est observée au même endroit.

ADAPTÉE DE « ATLAS DU CIEL 2000.0 » PAR WIL TIRION

MAGNITUDES	
-1	> -0.4
0	-0.4 - +0.5
1	0.6-1.5
2	1.6-2.5
3	2.6-3.5
4	3.6-4.5
5	4.6-5.5
6	5.6-6.5
7	6.6-7.5

DOUBLE ou MULTIPLE

VARIABLE

AMAS OUVERTS	>10'	à	<10'	
AMAS GLOBULAIRES	>10'	5'-10'	<5'	
NEBULEUSES PLANETAIRES	>1'	0.5'-1'	<0.5'	
NEBULEUSES DIFFUSES	>10'	à	<10'	
GALAXIES	>30'	20'-30'	10'-20'	<10'

QUASAR

PULSAR

TROU NOIR

VOIE LACTEE

EQUATEUR GALACTIQUE 70°

ECLIPTIQUE 100°

LIMITES DES CONSTELLATIONS

ALPHABET GREC			
α	Alpha	ν	Nu
β	Beta	ξ	Xi
γ	Gamma	ο	Omicron
δ	Delta	π	Pi
ε	Epsilon	ϱ	Rho
ζ	Zeta	σ	Sigma
η	Eta	τ	Tau
θ ϑ	Theta	υ	Upsilon
ι	Iota	ϕ φ	Phi
κ ϰ	Kappa	χ	Chi
λ	Lambda	ψ	Psi
μ	Mu	ω	Omega

Planche 20

α **Peg = Markab :** angle Nord-Est du Grand Carré de Pégase ($m_v = 2.6$).

β **Peg = Scheat :** (~ 23^h28^m, +28°) ; étoile brillante marquant l'angle Nord-Ouest du Grand Carré de Pégase. Géante rouge (M2), variable irrégulière (magnitude comprise entre 2.4 et 3.0).

α **And :** angle Nord-Est du Grand Carré de Pégase.

η **Peg :** 5° au Nord-Ouest de β Peg.

78 Peg : paire rapprochée, magnitudes 5 et 8.

π^1, π^2 **Peg :** paire d'étoiles doubles ; π^2 : double optique ; 2 étoiles jaunes, non liées physiquement ; distance apparente de 15 minutes d'arc. Intéressant aux jumelles.

NGC 7209 : amas ouvert à 4° au Sud-Ouest de NGC 7243 ; plus petit et moins lumineux que lui ; nombreuses étoiles de magnitudes 9 et 10. Beau avec un télescope moyen.

NGC 7243 : (22^h15^m, +50°) ; amas ouvert. Beau aux jumelles environ 50 étoiles visibles avec un grand télescope.

NGC 7296 : amas ouvert à l'Est de β Lac.

NGC 7331 : galaxie spirale (Sb), m = 9.7 (fig. 60).

NGC 7640 : galaxie spirale barrée. Facile à repérer.

NGC 7662 : (23^h26^m, 42.5°) ; nébuleuse planétaire dans Andromède ; sphérique, ressemblant à un anneau bleu vert.

Fig. 60. NGC 7331, une galaxie spirale de type Sb dans Pégase. Le couloir de poussières entourant son disque est bien visible. Trois autres galaxies spirales sont présentées. (Kitt Peak National Observatory)

ADAPTÉE DE « ATLAS DU CIEL 2000.0 » PAR WIL TIRION

MAGNITUDES	
-1	>-0.4
0	-0.4 - +0.5
1	0.6 - 1.5
2	1.6 - 2.5
3	2.6 - 3.5
4	3.6 - 4.5
5	4.6 - 5.5
6	5.6 - 6.5
7	6.6 - 7.5

DOUBLE ou MULTIPLE

VARIABLE

AMAS OUVERTS: >10' à <10'

AMAS GLOBULAIRES: >10' 5'-10' <5'

NEBULEUSES PLANETAIRES: >1' 0.5'-1' <0.5'

NEBULEUSES DIFFUSES: >10' à <10'

GALAXIES: >30' 20'-30' 10'-20' <10'

QUASAR

PULSAR

TROU NOIR

VOIE LACTEE

EQUATEUR GALACTIQUE 70°

ECLIPTIQUE 100°

LIMITES DES CONSTELLATIONS

ALPHABET GREC

α	Alpha	ν	Nu
β	Beta	ξ	Xi
γ	Gamma	ο	Omicron
δ	Delta	π	Pi
ε	Epsilon	ϱ	Rho
ζ	Zeta	σ	Sigma
η	Eta	τ	Tau
θ ϑ	Theta	υ	Upsilon
ι	Iota	ϕ φ	Phi
κ ϰ	Kappa	χ	Chi
λ	Lambda	ψ	Psi
μ	Mu	ω	Omega

Planche 21

Les prochaines planches survoleront les régions voisines de l'équateur galactique. En haut de cette carte se trouvent γ et α Peg, étoiles inférieures du Grand Carré de Pégase (planche d'Atlas 20). Les étoiles ι, θ, γ, κ, λ Psc forment un petit pentagone irrégulier bien visible malgré la faiblesse de quelques étoiles le composant. Cette figure, « l'Anneau », marque la tête du Poisson occidental (Pisces), placée juste au sud du Grand Carré de Pégase. Elle couvre une surface de 7° sur 5°.

UU Psc : couple d'étoiles espacées de 6e et 8e magnitudes à l'ouest de δ Psc.

ψ^1, ψ^2, ψ^3 Aqr : système triple à 10°, sous « l'Anneau ».

94 Aqr : double inégale (m = 5.3 et 7.5), facile à résoudre où les étoiles sont blanches et jaunâtres.

107 Aqr : double facile : composantes blanches et jaunâtres de 6e et 7e magnitudes séparées par 6''.

R Aqr : variable à longue période dont la luminosité passe de la 6e magnitude à la 12e magnitude et à nouveau à la 6e magnitude en 385 jours localisée au sud de ω^1 et ω^2 Aqr.

NGC 246 : nébuleuse planétaire. Forme un triangle équilatéral avec ϕ^1 et ϕ^2 Cet. Ovale diffus ou anneau avec une étoile centrale de 10e magnitude suivant la puissance du télescope.

Fig. 61. Pisces, les Poissons, de l'atlas d'Hévélius (dessiné de derrière).

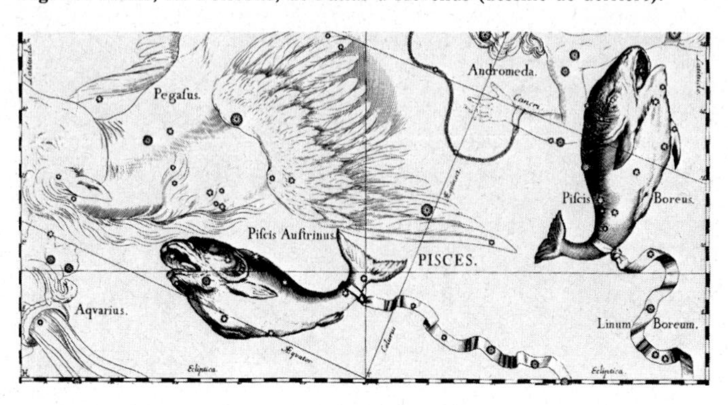

PEGASUS
PISCES
CETUS
AQUARIUS
1h
40m
20m
0h
23h
+20°
+15°
+10°
+5°
0°
-5°
-10°
-15°
-20°
E
W
9
20
22
32
33
44

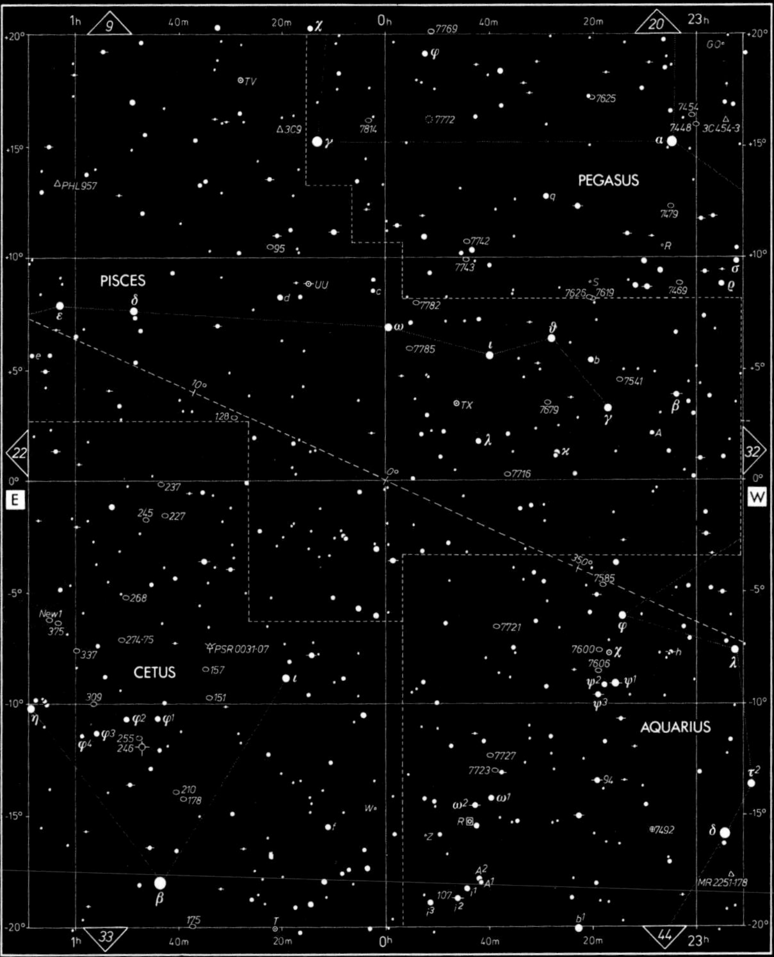

ADAPTÉE DE « ATLAS DU CIEL 2000.0 » PAR WIL TIRION

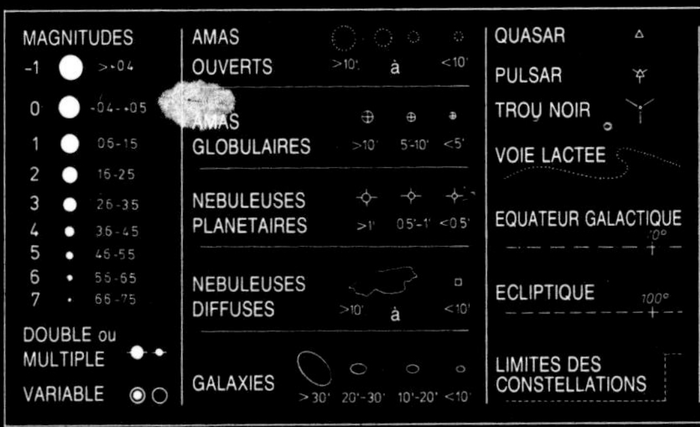

MAGNITUDES
-1 >-0,4
0 -0,4 - +0,5
1 0,6-1,5
2 1,6-2,5
3 2,6-3,5
4 3,6-4,5
5 4,6-5,5
6 5,6-6,5
7 6,6-7,5
DOUBLE ou MULTIPLE
VARIABLE
AMAS OUVERTS >10' à <10'
AMAS GLOBULAIRES >10' 5'-10' <5'
NEBULEUSES PLANETAIRES >1' 0,5'-1' <0,5'
NEBULEUSES DIFFUSES >10' à <10'
GALAXIES >30' 20'-30' 10'-20' <10'
QUASAR
PULSAR
TROU NOIR
VOIE LACTEE
EQUATEUR GALACTIQUE
ECLIPTIQUE
LIMITES DES CONSTELLATIONS

ALPHABET GREC

α	Alpha	ν	Nu
β	Beta	ξ	Xi
γ	Gamma	ο	Omicron
δ	Delta	π	Pi
ε	Epsilon	ϱ	Rho
ζ	Zeta	σ	Sigma
η	Eta	τ	Tau
θ ϑ	Theta	υ	Upsilon
ι	Iota	ϕ φ	Phi
κ ϰ	Kappa	χ	Chi
λ	Lambda	ψ	Psi
μ	Mu	ω	Omega

Planche 22

Juste au-dessus du centre de la carte, les « cordes » qui relient les deux poissons (Pisces) convergent pour former un angle aïgu en α Psc appelé encore El Rischa, le nœud.

Mira Ceti (la Merveilleuse) = o Cet: type des variables à longue période. Découverte en 1596. A sa magnitude maximale voisine de 2. C'est l'étoile la plus brillante (éclat rouge) de la constellation. Minimum voisin de 9. Période moyenne : 332 jours (cf. fig. 35 et 41, Ch. VI).

τ **Cet :** étoile de magnitude 3.5 comparable au Soleil (même type spectral, température,...). Vingtième étoile en distance. C'est l'un des objets choisis pour la recherche de civilisations extraterrestres.

α **Psc :** couple d'étoiles de magnitude 4.2 et 5.2, écartées de 2'', séparables par une ouverture moyenne.

α **Cet :** double optique, composantes à 16'' l'une de l'autre. Résolue par des jumelles.

UV Cet : « flare star ». L'éclat de cette étoile peut certaines fois augmenter d'un facteur 250 de la 13e à la 16e magnitude en un laps de temps très court, de l'ordre de 5 minutes. Cinquième étoile en distance.

NGC 615 : galaxie spirale à 5° au nord-ouest de ζ Cet.

M77 = NGC 1068 : galaxie spirale vue de face située à 0.5° au sud-est de δ Cet. Noyau brillant. Structure spirale discernable avec un grand télescope.

Fig. 62. M77 (NGC 1068), une galaxie spirale de type Sb dans la Baleine. De magnitude 10.5, elle est difficile à repérer avec de petits télescopes. (Lick Observatory)

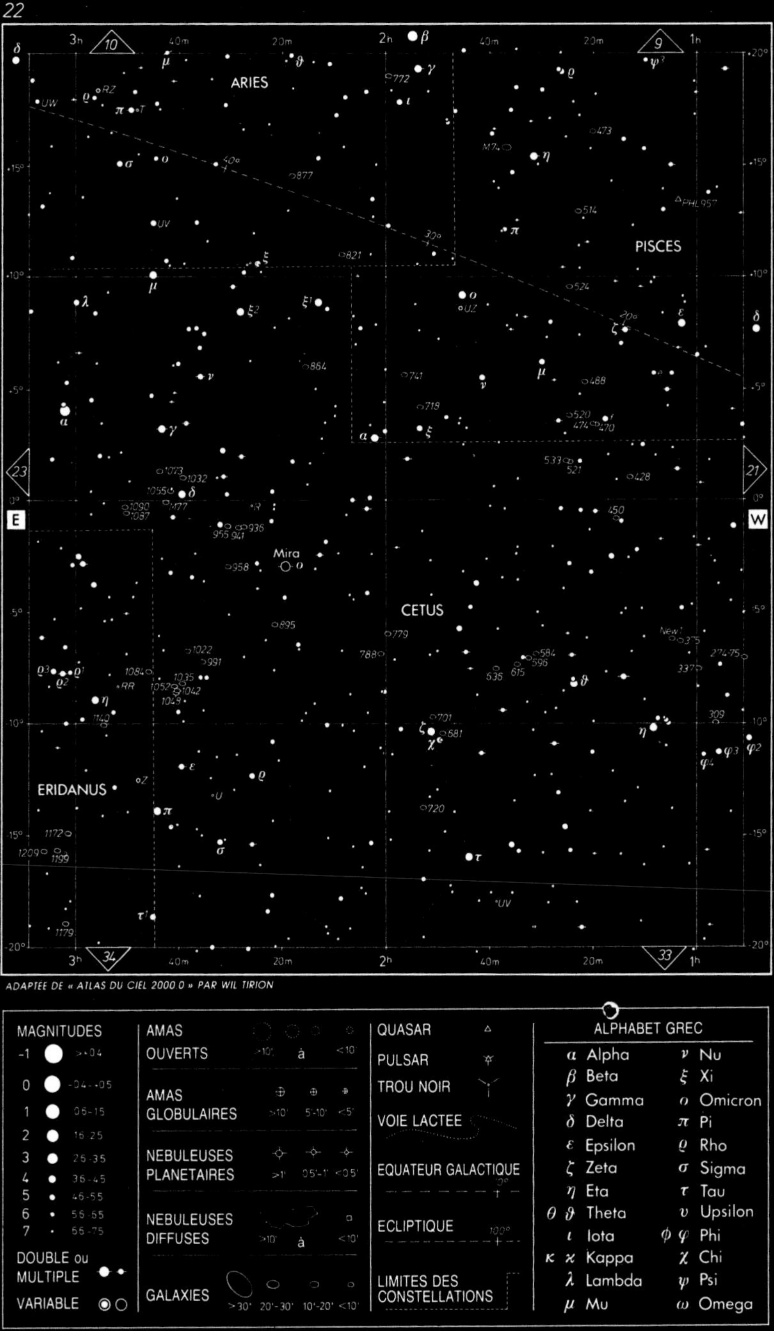
ARIES
PISCES
CETUS
ERIDANUS
Mira
E
W
ADAPTÉE DE « ATLAS DU CIEL 2000.0 » PAR WIL TIRION
MAGNITUDES
DOUBLE ou MULTIPLE
VARIABLE
AMAS OUVERTS
AMAS GLOBULAIRES
NEBULEUSES PLANETAIRES
NEBULEUSES DIFFUSES
GALAXIES
QUASAR
PULSAR
TROU NOIR
VOIE LACTEE
EQUATEUR GALACTIQUE
ECLIPTIQUE
LIMITES DES CONSTELLATIONS
ALPHABET GREC
α Alpha
β Beta
γ Gamma
δ Delta
ε Epsilon
ζ Zeta
η Eta
θ ϑ Theta
ι Iota
κ ϰ Kappa
λ Lambda
μ Mu
ν Nu
ξ Xi
ο Omicron
π Pi
ρ Rho
σ Sigma
τ Tau
υ Upsilon
ϕ φ Phi
χ Chi
ψ Psi
ω Omega

Planche 23

o^2 **Eri = 40 Eri :** (4^h15^m, $-8°$) ; système triple, distant de moins de 16 a.l. 40 Eri B est une naine blanche de masse voisine de celle du Soleil ; c'est la plus faible naine blanche à observer avec un petit télescope. 40 Eri C, étoile de 11ᵉ magnitude formant une binaire visuelle avec 40 Eri B est une petite étoile rouge. C'est l'une des étoiles les moins massives connues. Cette paire est séparée de 40 Eri A par 82''. Ce système a servi de test pour la théorie de la relativité d'Einstein : les raies spectrales de la naine blanche sont décalées vers le rouge par la gravité.

w Eri = 32 Eri = ADS 2850 : étoile double à 6° au nord-ouest de o^1 Eri. Composante verte et jaune de 5ᵉ et 6ᵉ magnitude.

T Tauri : (4^h22^m, $+19°32'$) ; non marquée sur la carte car trop faible) ; étoile extrêmement jeune dont l'éclat varie entre la 9ᵉ et la 13ᵉ magnitude. Cette étoile n'a pas encore atteint la séquence principale du diagramme HR. Type d'une classe d'étoiles très jeunes étudiées dans les domaines visibles, infra-rouge et radio.

NGC 1300 : galaxie spirale barrée faisant partie de l'amas de galaxies au bas de la carte.

NGC 1535 : nébuleuse planétaire située près de γ Eri. Etoile centrale de magnitude 11.5 entourée par un anneau intérieur brillant et un anneau extérieur pâle. Difficile à localiser à cause de sa position isolée.

NGC 1554-55 : nébuleuse diffuse, appelée Hind's Variable Nebula car son éclat est variable. Devenue invisible au cours du siècle passé, elle est à nouveau apparente.

NGC 1637 : (4^h46^m, $-3°$) ; galaxie spirale perceptible au Nord-Ouest de μ Eri par des télescopes moyens.

Fig. 63. T Tauri et la nébuleuse NGC 1555 à 45 secondes d'arc à l'ouest (droite). Une autre tache nébuleuse entoure l'étoile elle-même. (Lick Observatory)

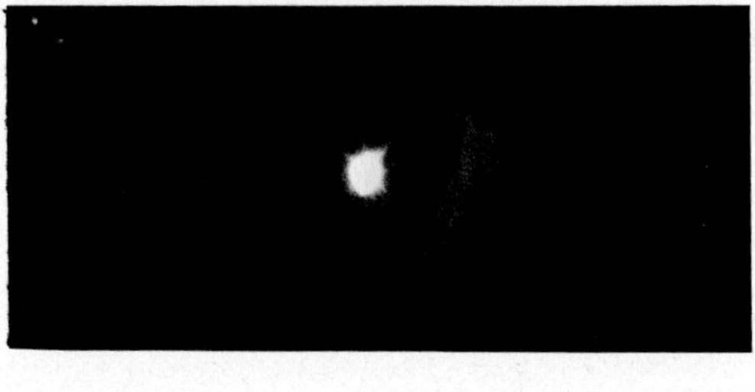

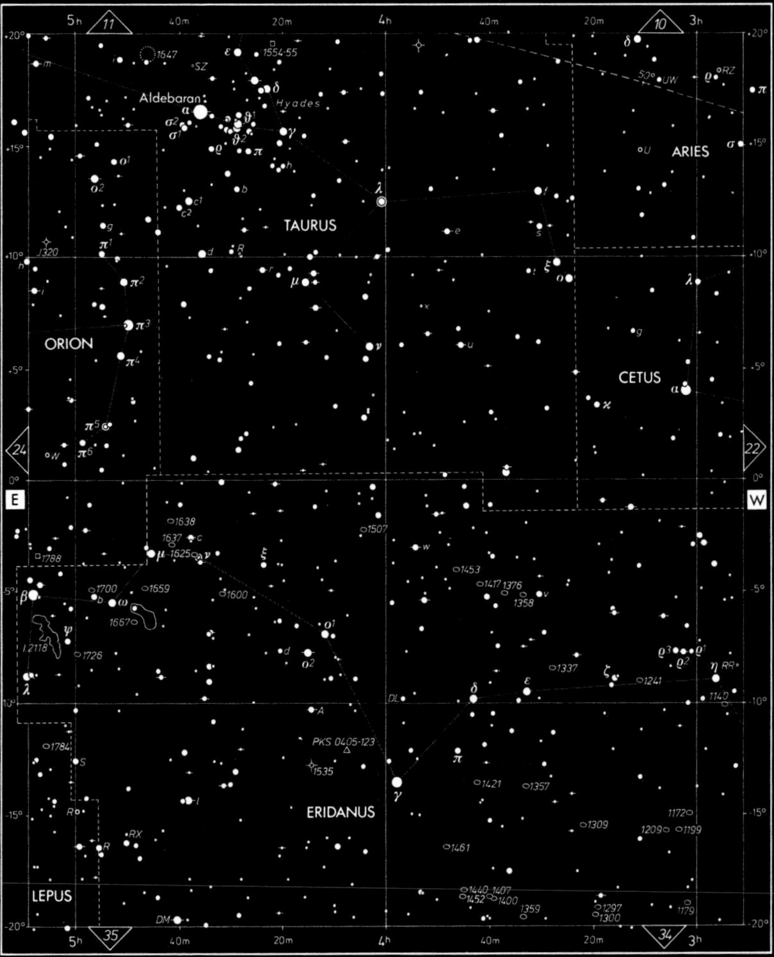

TAURUS

ARIES

ORION

CETUS

ERIDANUS

LEPUS

Aldebaran

Hyades

PKS 0405-123

E

W

ADAPTÉE DE « ATLAS DU CIEL 2000.0 » PAR WIL TIRION

MAGNITUDES	
-1	>-0.4
0	-0.4 - -0.5
1	0.6 - 1.5
2	1.6 - 2.5
3	2.6 - 3.5
4	3.6 - 4.5
5	4.6 - 5.5
6	5.6 - 6.5
7	6.6 - 7.5
DOUBLE ou MULTIPLE	
VARIABLE	

AMAS OUVERTS	>10'	à	<10'
AMAS GLOBULAIRES	>10'	5-10'	<5'
NEBULEUSES PLANETAIRES	>1'	0.5'-1'	<0.5'
NEBULEUSES DIFFUSES	>10'	à	<10'
GALAXIES	>30'	20'-30'	10'-20' / <10'

QUASAR

PULSAR

TROU NOIR

VOIE LACTEE

EQUATEUR GALACTIQUE

ECLIPTIQUE

LIMITES DES CONSTELLATIONS

ALPHABET GREC			
α	Alpha	ν	Nu
β	Bêta	ξ	Xi
γ	Gamma	o	Omicron
δ	Delta	π	Pi
ε	Epsilon	ϱ	Rho
ζ	Zeta	σ	Sigma
η	Eta	τ	Tau
θ ϑ	Theta	υ	Upsilon
ι	Iota	ϕ φ	Phi
κ $\varkappa$	Kappa	χ	Chi
λ	Lambda	ψ	Psi
μ	Mu	ω	Omega

Planche 24

Toute la région d'Orion et de la Licorne (Monoceros) est intéressante à balayer avec un petit télescope ou des jumelles. La région d'Orion est l'une des plus fascinantes du ciel ; elle contient des étoiles extrêmement jeunes et de magnifiques nébuleuses.

Sirius = α **CMa** : étoile la plus brillante (m = 1.46) du ciel.

Betelgeuse = α **Ori** : sur l'épaule d'Orion supergéante de couleur rouge bien apparente à l'œil. Variation de l'éclat d'environ 1 magnitude sur une période de 5.7 années.

Rigel = β **Ori** : marque le talon d'Orion ; double de couleur bleu blanc ; magnitude 0.3. La primaire est tellement brillante qu'il est difficile de trouver la secondaire.

Baudrier d'Orion : δ, ϵ et ζ Ori, 3 étoiles alignées, faciles à repérer (Pl. 14).

ι et θ **Ori** : dans l'épée ; doubles intéressantes.

θ^1 **Ori** : système multiple. De petits télescopes séparent facilement les 4 composantes, nommées le Trapèze. Ces étoiles (magnitudes 5.1, 6.7, 6.7 et 7.9) sont très chaudes ; elles fournissent l'énergie qui illumine la nébuleuse. Les plus grands des télescopes montrent un compagnon supplémentaire de magnitude 11.

ζ **Ori** : système triple avec des composantes de couleur bleu blanc de magnitudes 2, 4 et 10.

η **Ori** : double ; l'étoile principale est une binaire spectroscopique triple.

Fig. 64. Région de la Nébuleuse d'Orion. (Lick Observatory)

Fig. 65. Carte de la région de la Nébuleuse d'Orion (W. Tirion)

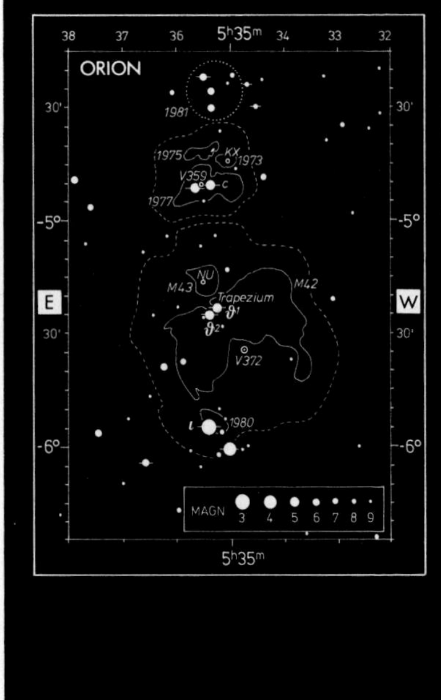

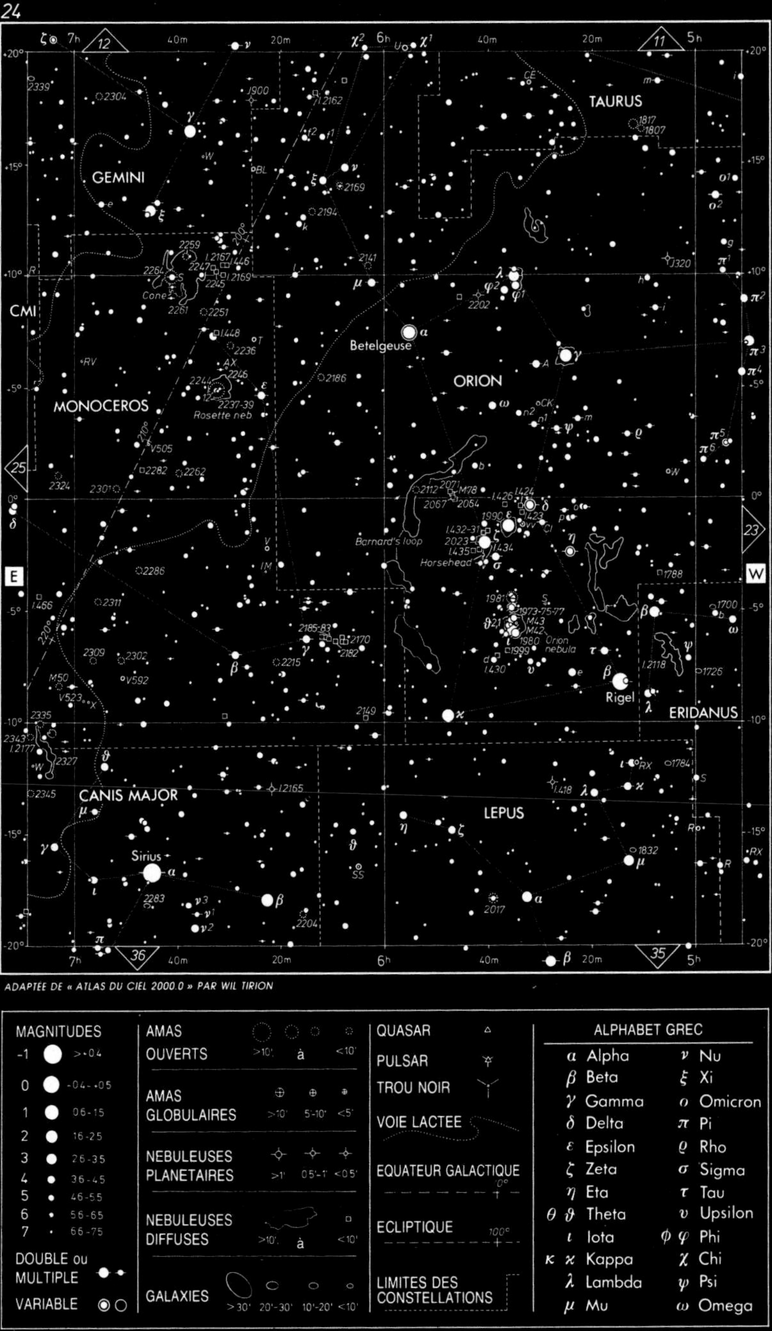
24
GEMINI
TAURUS
CMI
MONOCEROS
ORION
Betelgeuse
Rigel
Sirius
Rosette neb
Cone
Barnard's loop
Horsehead
Orion nebula
CANIS MAJOR
LEPUS
ERIDANUS
E
W
ADAPTÉE DE « ATLAS DU CIEL 2000.0 » PAR WIL TIRION
MAGNITUDES
DOUBLE ou MULTIPLE
VARIABLE
AMAS OUVERTS
AMAS GLOBULAIRES
NEBULEUSES PLANETAIRES
NEBULEUSES DIFFUSES
GALAXIES
QUASAR
PULSAR
TROU NOIR
VOIE LACTEE
EQUATEUR GALACTIQUE
ECLIPTIQUE
LIMITES DES CONSTELLATIONS
ALPHABET GREC
α Alpha
β Beta
γ Gamma
δ Delta
ε Epsilon
ζ Zeta
η Eta
θ ϑ Theta
ι Iota
κ ϰ Kappa
λ Lambda
μ Mu
ν Nu
ξ Xi
ο Omicron
π Pi
ϱ Rho
σ Sigma
τ Tau
υ Upsilon
Φ φ Phi
χ Chi
ψ Psi
ω Omega

σ **Ori :** 1° au Sud de ζ Ori ; système multiple avec au moins 5 étoiles. Les deux composantes les plus brillantes, de magnitudes 3.8 et 6.6, sont séparées de 0.25 seconde d'arc seulement et sont difficilement résolues ; de petits télescopes peuvent facilement séparer les autres composantes. Deux autres étoiles, de magnitudes 8 et 10, séparées de 12 secondes, sont situées du côté opposé par rapport à la paire la plus brillante. Le dernier compagnon (m = 6) est à 40 secondes.

β **Mon :** triple facile à résoudre ; visible à l'œil nu. Composantes bleues de magnitudes 4.6, 5.1 et 5.4.

ϵ **Mon :** double ; à 7° Sud-Est de Bételgeuse, bleue et or, séparée de 13 minutes et accompagnée d'un troisième compagnon. Utilisez de faibles grossissements pour la trouver car le champ est riche.

M42 = NGC 1976 = Grande Nébuleuse d'Orion : magnifique nuage lumineux surmontant θ^1 Ori dans l'épée d'Orion (Pl. 13). Même de faibles grossissements montrent la structure de cette nébuleuse ; les grands télescopes en révèlent encore plus de détails. Les couleurs ne figurent, bien entendu, que sur les photographies. Même sur de courtes expositions prises avec un appareil photographique 35 mm monté sur un trépied, muni d'un objectif normal de 50 mm ou un grand angle de 35 mm, la nébuleuse est rouge et les principales étoiles d'Orion ressortent. Les photographies prises avec des télescopes équatoriaux sont très différentes selon le temps d'exposition ; des poses relativement courtes ne montrent que le noyau intérieur brillant de la nébuleuse, alors que les plus longues surexposent ce noyau, mais révèlent les contours extérieurs de la nébuleuse.

La Nébuleuse d'Orion est à environ 1500 a.l. du Soleil. C'est une boursouflure sur le côté du **Nuage Moléculaire d'Orion**, plus proche de nous. Dans ce Nuage, les molécules de poussières semblent brisées par le rayonnement ultraviolet et des étoiles chaudes. Les astronomes étudient les molécules avec des radio télescopes ; des objets qui sont probablement des étoiles en formation sont étudiés dans l'infrarouge.

NGC 1973-75-77 : nébulosité et amas ouvert autour de l'extrémité Nord de l'épée d'Orion.

NGC 1980 : Nébuleuse faible près de ι Ori, au Sud de la Nébuleuse d'Orion.

NGC 1981 : amas ouvert aux 12 membres très diffus.

IC 434 : nébulosité qui contient la fameuse **Nébuleuse Tête de Cheval** (Horsehead) (Pl. 12) ; à gauche du Baudrier d'Orion. La silhouette du cheval est une nébuleuse obscure qui arrête le rayonnement rouge d'une nébuleuse en émission qui se trouve derrière.

NGC 2023 : nébuleuse partiellement couverte par le nuage de poussières ; au Nord-Est de la Tête de Cheval.

M78 = NGC 2068 : nuage au Nord du Baudrier d'Orion (Pl. 21) ; trouvé en balayant cette zone avec un faible grossissement.

Boucle de Barnard (Barnard's loop) : aux anneaux complexes, révélée par de très longues poses photographiques ; sur le côté Nord-Est d'Orion.

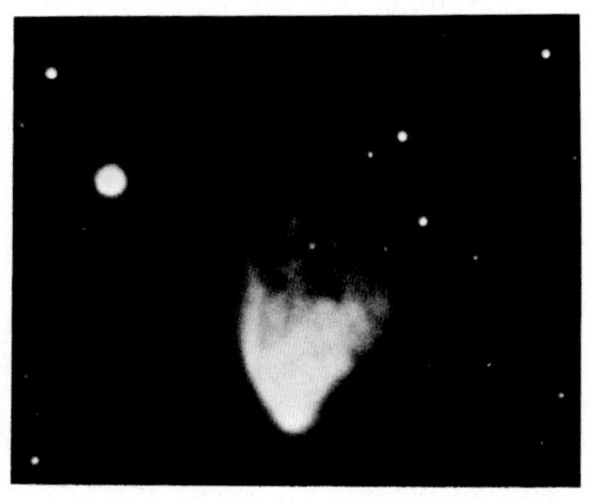

Fig. 66. Nébuleuse du Cône et S Monocerotis. (Anglo-Australian Telescope Board)

Fig. 67. Nébuleuse de Hubble (NGC 2261). (Palomar Observatory)

IC 2118 : nébuleuse à environ 1.5° à l'Ouest de Rigel.

NGC 2237 = Nébuleuse Rosette : près de NGC 2244 ; relativement étendue, 1° de diamètre, et difficile à trouver. Faible halo autour de l'amas ouvert, avec de petits télescopes ; sur des photographies en couleur elle est spectaculaire (Pl. 37).

NGC 2244 : amas ouvert visible à l'œil nu et résolu avec de bonnes jumelles (à 2° Est de ϵ Mon). Environ 24 étoiles dans une zone de 40 minutes d'arc de diamètre.

NGC 2261 = Nébuleuse variable de Hubble (fig. 67) : nébuleuse réfléchissant la lumière de la variable irrégulière **R Mon** (variant entre les magnitudes 10 et 13). Elle a la forme d'une queue de comète, forme qui change parfois. Difficile à observer avec de petits télescopes. Premier objet photographié avec le télescope de 5 m lors de l'inauguration du Palomar.

NGC 2264 : amas nébuleux autour de **S Mon**, une double variable. Cet amas contient une vingtaine d'étoiles dans une région de même taille que la pleine Lune (fig. 66, Pl. 39). Difficile à trouver, mais peut être repéré avec des instruments moyens.

NGC 2301 : ($6^h 50^m$, $+0°$) ; amas ouvert constitué de plusieurs groupes d'étoiles se superposant. Environ 50 étoiles, dont plusieurs brillantes.

Planches en couleurs

Notes sur les clichés en couleurs et les photographies astronomiques.

Nous vous présentons ici des photographies en couleurs, prises par des amateurs et des professionnels. Tout d'abord, des nébuleuses et autres objets des catalogues de Messier et de Dreyer (NGC) sont présentés dans leur ordre numérique. Ensuite, figurent des photographies des autres astres décrits dans ce Guide, plus ou moins dans l'ordre dans lequel ils apparaissent: la Lune, les planètes, les comètes, les météores et le Soleil.

Ces planches sont suffisamment belles à regarder sans avoir besoin de savoir dans quelles conditions elles ont été prises. Toutefois, ceux qui désirent obtenir de telles photographies se référeront aux notes qui suivent. (Voir également Chapitres XI et XIII, Table 22.)

Pour obtenir des images d'objets dans le ciel nocturne il faut laisser l'obturateur ouvert beaucoup plus longtemps que pour la plupart des photographies faites la journée. La rotation de la Terre a un effet important sur les longues poses: si l'appareil est fixe, ne suit pas les étoiles, les images des astres sont des traînées lumineuses courbes ou droites au lieu d'être des points.

D'excellentes photographies de comètes, de constellations, de conjonctions planétaires et d'éclipses solaires peuvent être obtenues avec un appareil placé sur un trépied fixe, mais les images des objets les plus faibles (qui exigent de plus longues poses) seront floues.

Un autre problème se présente lors de la photographie d'objets très faibles: si les niveaux lumineux sont très bas, les films ne s'impressionnent pas. Pour compenser cela, utilisez des films noir et blanc spéciaux. N'oubliez pas, pour ces longues poses, de toujours allonger la pose.

Les films couleur répondent de façon moins prévisible lors de longues poses: la sensibilité de chaque couche du film est différente pour une exposition donnée. L'effet peut être atténué en refroidissant la pellicule ou en utilisant des filtres spéciaux. Une autre technique souvent utilisée consiste à faire trois expositions séparées sur film noir et blanc à travers différents filtres colorés.

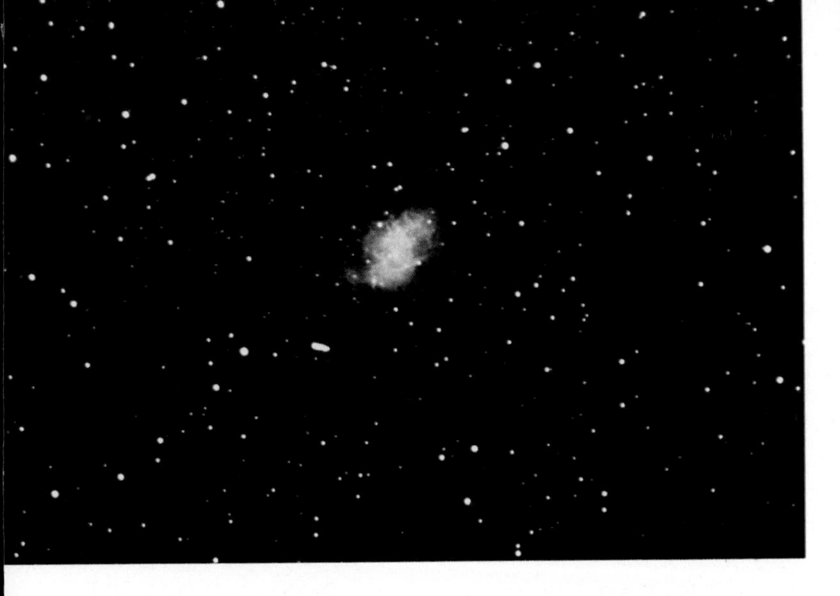

Pl. 1. La Nébuleuse du Crabe, M1, dans le Taureau (planche 11), résidu de la supernova de 1054.

Pl. 2. La Nébuleuse Lagoon, M8 (planche 8).

Pl. 3. M11, amas ouvert dans l'Ecu (Scutum) (planche 30).

Pl. 4. L'amas globulaire M13 dans Hercule, et la galaxie spirale NGC 6207, en haut, à gauche (planche 17).

Pl. 5. Amas ouvert et nébuleuse M16, nébuleuse de l'Aigle, dans le Serpent (planche 30).

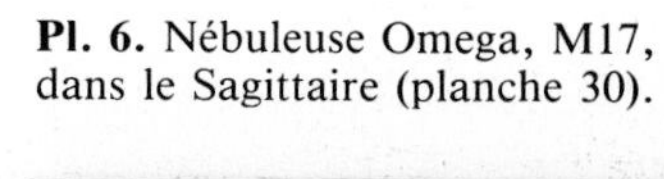

Pl. 6. Nébuleuse Omega, M17, dans le Sagittaire (planche 30).

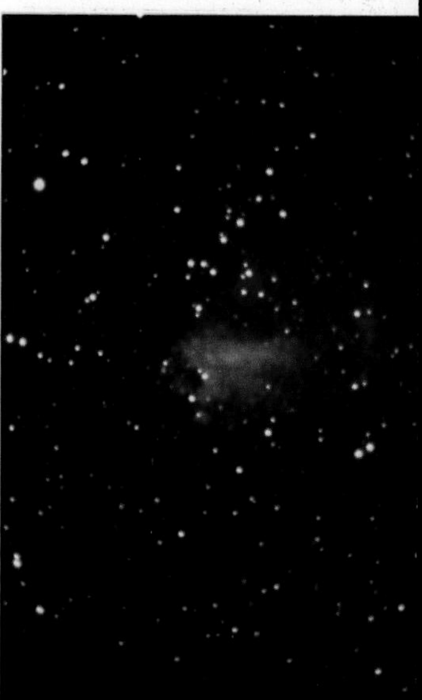

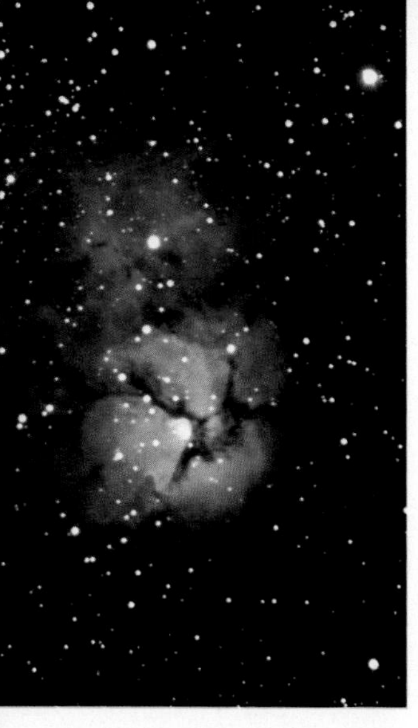

Pl. 7. La Nébuleuse Trifide, M20, rouge, et une nébuleuse par réflexion bleue (planches 41, 42).

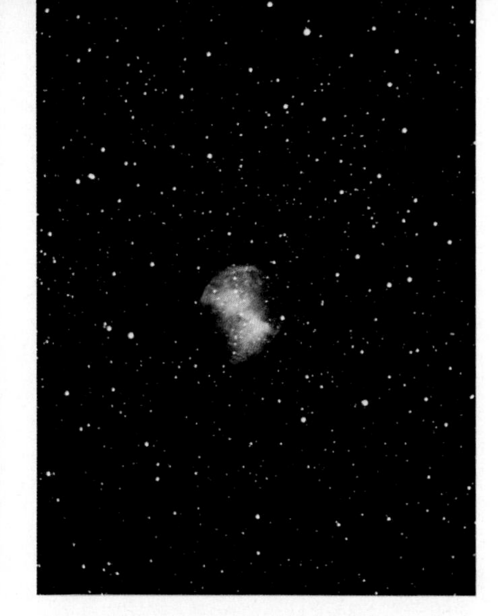

Pl. 8. La Nébuleuse Dumbbell, M27, une nébuleuse planétaire dans le Renard (planches 18, 19).

Pl. 9. La Galaxie Andromède, M31 (planche 9), avec les galaxies elliptiques NGC 205 (au-dessus) et M32.

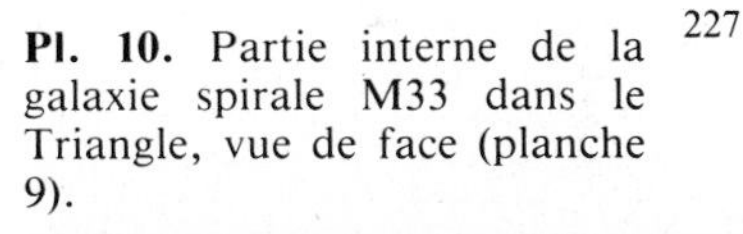

Pl. 10. Partie interne de la galaxie spirale M33 dans le Triangle, vue de face (planche 9).

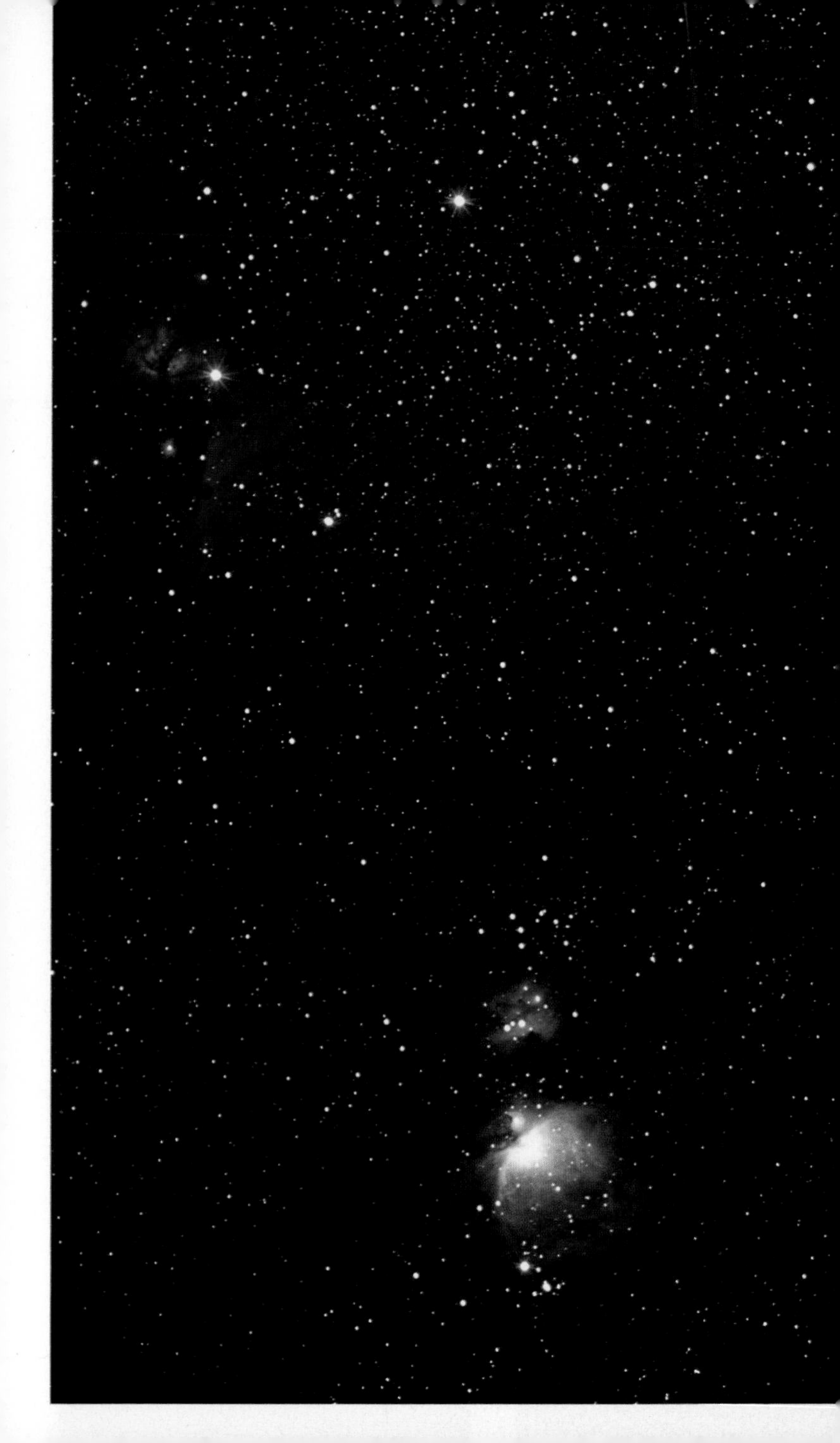

Pl. 11. (A gauche) la région d'Orion, grand champ, montrant le baudrier, l'épée et deux nébuleuses (planche 24). La Nébuleuse Tête de Cheval (IC 434) est sous ζ Orionis, la première étoile (à gauche) du baudrier; la Nébuleuse d'Orion (M42 et M43) est plus au sud, dans l'épée.

Pl. 12. La Nébuleuse Tête de Cheval et ζ Orionis (planche 24). Le nord est à gauche.

Pl. 13. La Nébuleuse d'Orion, avec M42 (la nébuleuse principale) et M43 (planche 24).

Pl. 14. La constellation d'Orion avec Bételgeuse (en haut, à gauche), Rigel (plus bas, à droite) et la nébuleuse d'Orion.

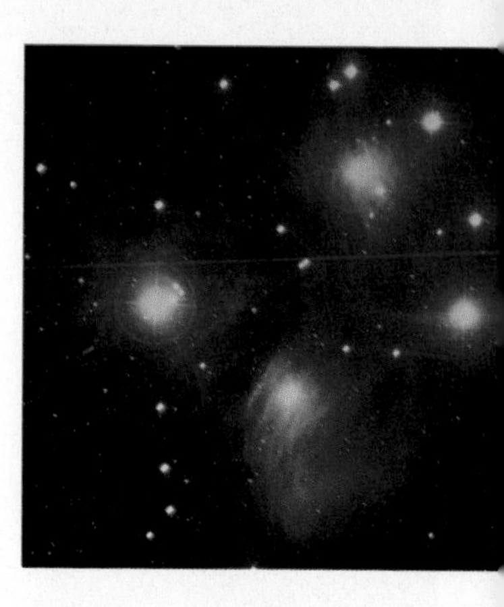

Pl. 15. Les Pléiades, M45, un amas ouvert dans le Taureau contenant des étoiles très chaudes et très jeunes (planche 10). Cette longue exposition montre la lumière stellaire réfléchie par la poussière entourant la plupart des étoiles. Alcyone est l'étoile brillante à gauche.

Pl. 16. La galaxie spirale M51 dans les Chiens de Chasse (planche 15).

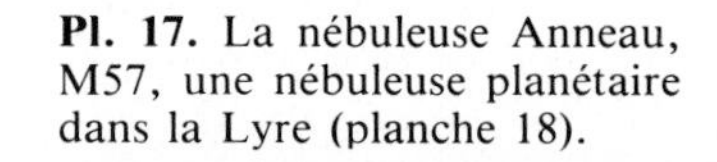

Pl. 17. La nébuleuse Anneau, M57, une nébuleuse planétaire dans la Lyre (planche 18).

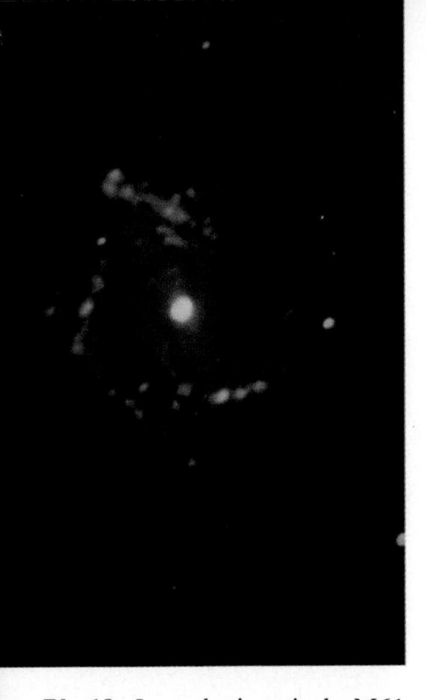

Pl. 18. La galaxie spirale M61 dans la Vierge (planche 27A).

Pl. 19. La galaxie spirale M64 dans la Chevelure de Bérénice (planche 15).

Pl. 20. La nébuleuse planétaire M76 dans Persée (planches 2, 9, 10).

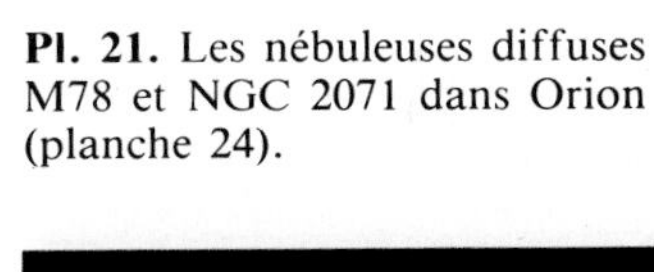

Pl. 21. Les nébuleuses diffuses M78 et NGC 2071 dans Orion (planche 24).

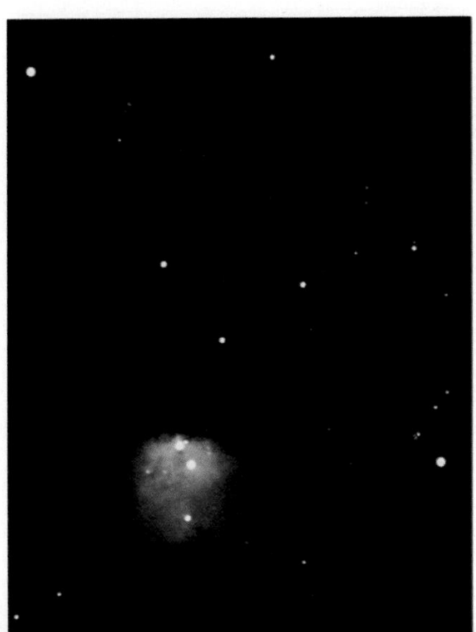

Pl. 22. La galaxie irrégulière M82 dans la Grande Ourse (planches 4, 5).

Pl. 23. La galaxie spirale M83 dans l'Hydre (planche 39).

Pl. 24. La galaxie elliptique M87 dans la Vierge, avec son jet de gaz (planche 27A).

Pl. 25. La galaxie spirale M90 dans la Vierge (planche 27A).

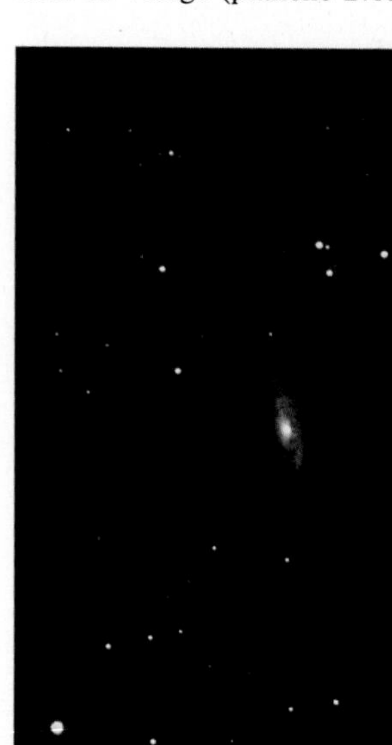

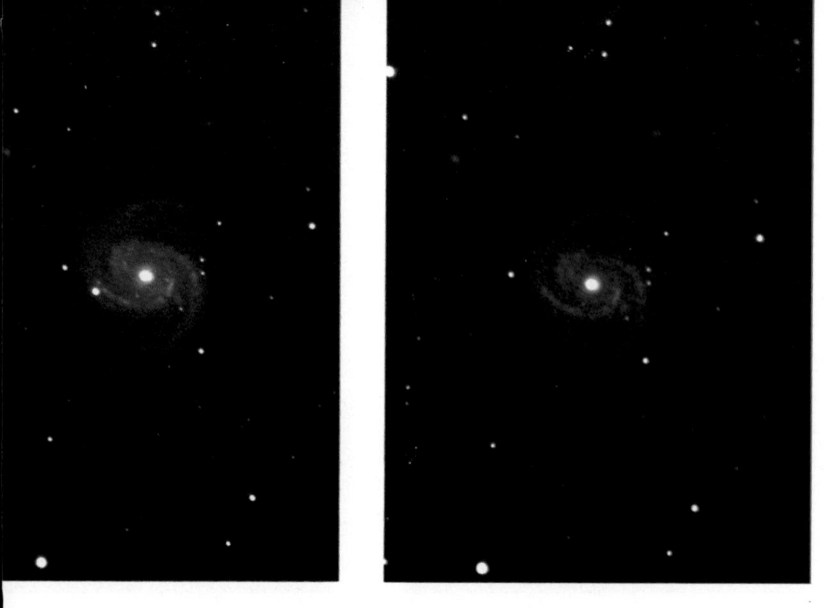

Pl.C.26. La galaxie spirale M100 dans la Chevelure de Bérénice, avec *(à gauche)* et sans (*à droite)* une supernova (planches 15, 27A).

Pl. 27. La Nébuleuse Hibou (Owl), M97, une nébuleuse planétaire dans la Grande Ourse (planche 5).

Pl. 28. La galaxie spirale de face M101 dans la Grande Ourse.

Pl. 29. L'amas ouvert M103 dans Cassiopée (planche 1).

Pl. 30. La galaxie Sombréro, M104, dans la Vierge, une galaxie spirale vue sur la tranche (planche 27).

Pl. 31. La galaxie spirale M106 dans les Chiens de Chasse (planche 15).

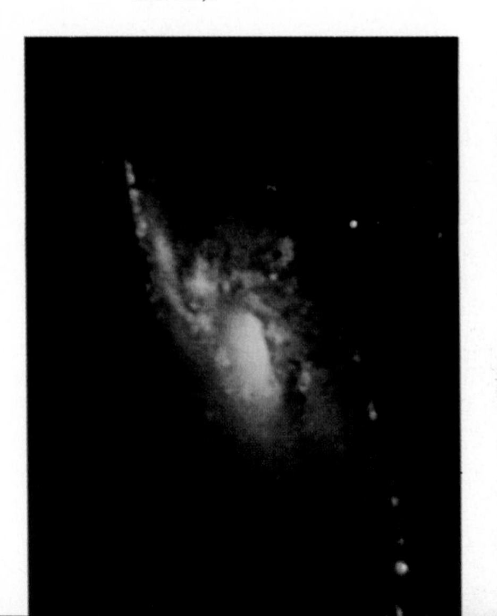

Pl. 32. La galaxie spirale vue sur la tranche M108 dans la Grande Ourse (planches 5, 14).

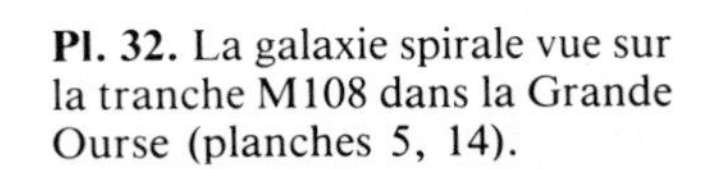

Pl. 33. La galaxie spirale NGC 253 (planche 33) avec ses bandes de poussières absorbantes.

Pl. 34. Le Grand Nuage de Magellan, avec la nébuleuse rouge de la Tarentule, NGC 2070 (planche 47).

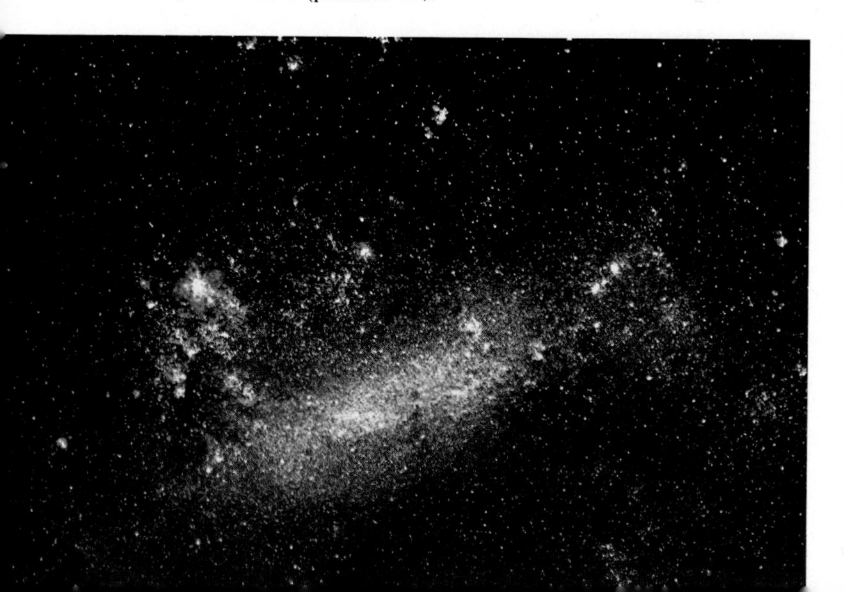

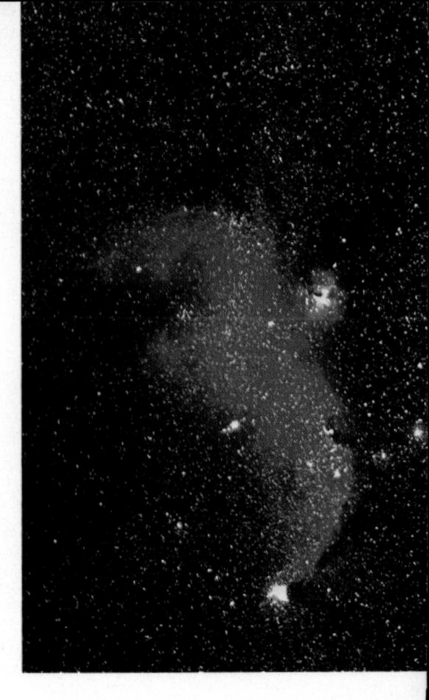

Pl. 35. La Nébuleuse California, NGC 1499 (planche 10).

Pl. 36. IC 2177 (planche 25), avec des amas ouverts proches.

Pl. 37. La Nébuleuse Rosette, NGC 2237-39, dans la Licorne, autour de l'amas NGC 2244 (planche 24).

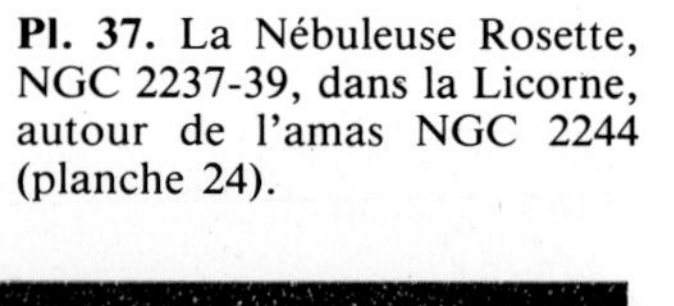

Pl. 39. (A droite) la Nébuleuse du Cône, NGC 2264 (planche 24).

Pl. 38. La galaxie spirale NGC 2903 dans le Lion (planche 13).

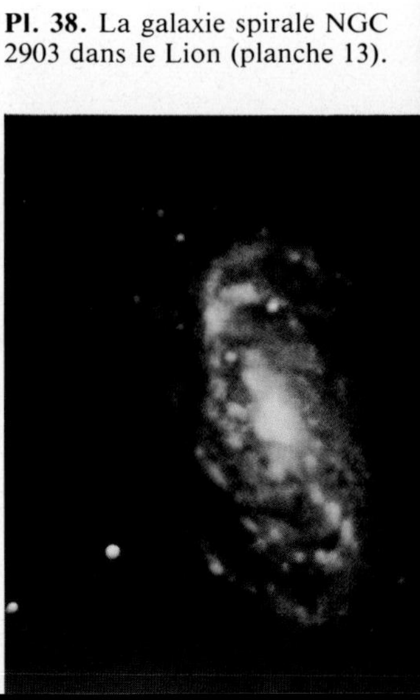

Pl. 40. La Nébuleuse Eta Carinae, NGC 3372 (planche 49).

Pl. 41. NGC 2998, une galaxie dans la Machine Pneumatique (planche 37).

Pl. 42. NGC 5128, une galaxie enveloppée dans une immense bande de poussières (planche 39), correspondant à la forte radio source Centaurus A. Le nord est en haut, à gauche.

Pl. 43. NGC 4565, une galaxie spirale de profil dans la Chevelure de Bérénice (planche 15).

Pl. 44. NGC 5907, une galaxie spirale vue sur la tranche dans le Dragon (planche 6).

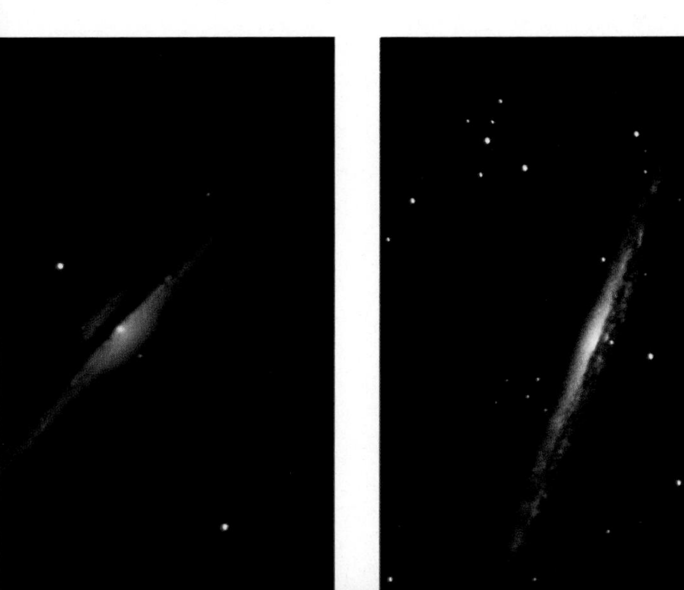

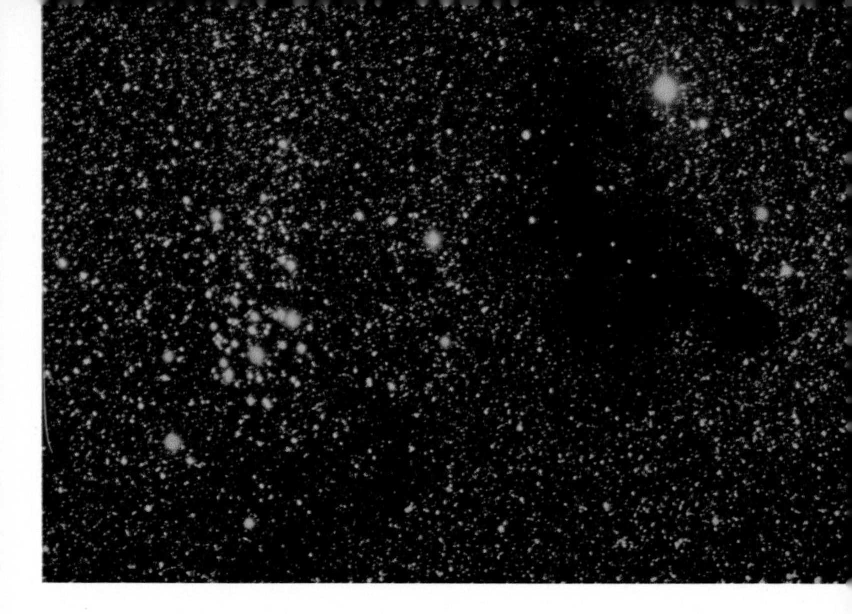

Pl. 45. Le nuage de poussières Barnard 86 et l'amas ouvert NGC 6520 dans le Sagittaire (planche 42).

Pl. 46. Poussières et gaz dans le Sagittaire, dont la nébuleuse par réflexion bleue NGC 6589 et 6590. La lueur rouge vient des nébuleuses IC 1283 et IC 1284 (planches 30, 40).

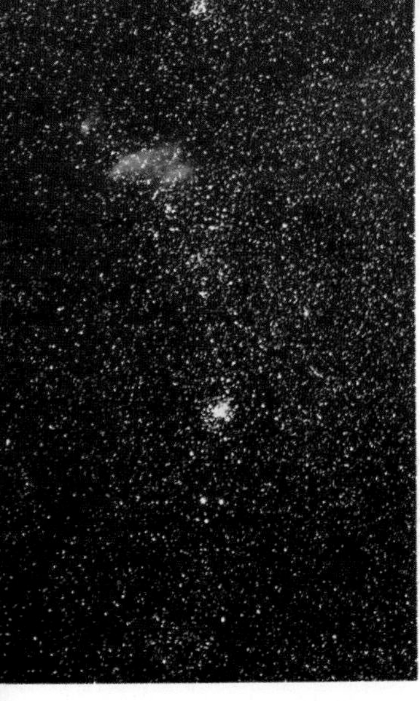

Pl. 47. L'amas ouvert NGC 6231 (au centre) et la nébuleuse IC 4628 dans le Sagittaire (planche 41).

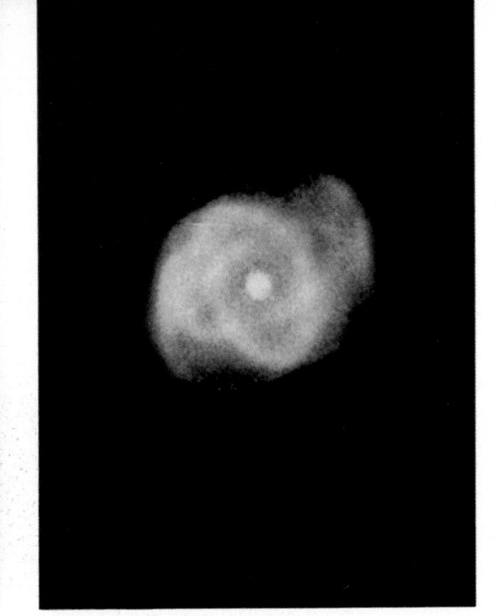

Pl. 48. La nébuleuse planétaire NGC 6543 dans le Dragon (planche 7)

Pl. 49. La galaxie spirale NGC 6744 dans le Paon (planche 51).

Pl. 50. La nébuleuse planétaire NGC 6781 dans l'Aigle (planche 31).

Pl. 51. NGC 6946, une galaxie spirale dans Céphée (planche 8).

Pl. 52. La Nébuleuse Dentelle du Cygne, résidus de supernova (planche 19). NGC 6992-95 sont à gauche et NGC 6960 est à droite.

Pl. 53. (A droite) la Nébuleuse North America, NGC 7000, rouge à cause de l'émission de l'hydrogène dans le rouge ; de la poussière sombre absorbe la lumière dans la région correspondant au Golfe du Mexique. La Nébuleuse Pélican, IC 5067-70, est à droite (planche 19).

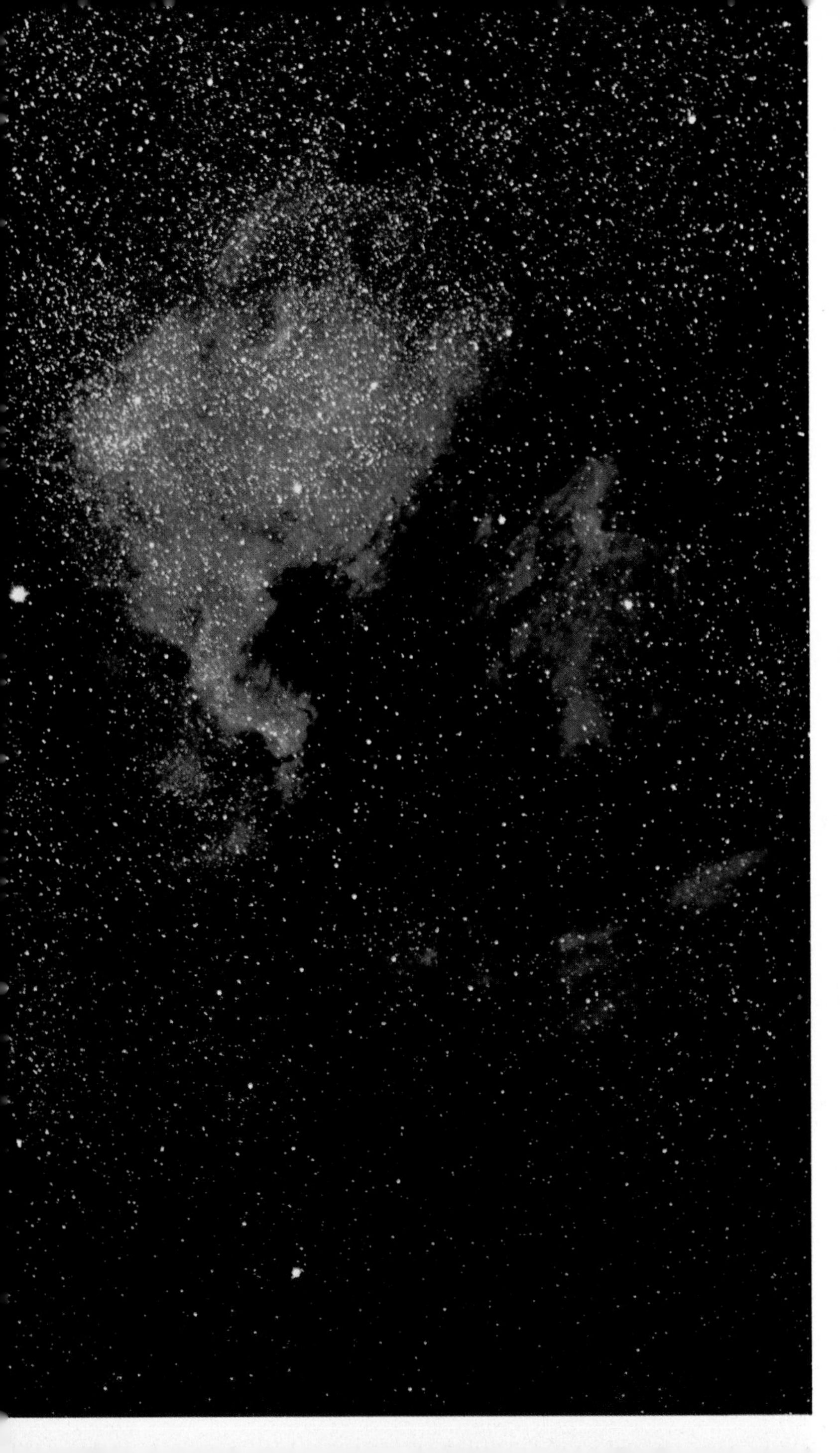

Pl. 54. La Nébuleuse Hélice, NGC 7293, est la plus proche des nébuleuses planétaires, à 400 années lumière (planche 44). La couleur rouge vient de l'azote et de l'hydrogène; le vert vient de l'oxygène qui a perdu deux électrons.

Pl. 55. Gaz et poussières entourant ϱ Ophiuchi (dans la nébuleuse par réflexion bleue). Des nébulosités jaune et rouge sont au-dessus de l'étoile brillante Antarès. M4, l'amas globulaire le plus proche de nous, est tout près. Le nord est à gauche (planche 41).

Pl. 56. Un astronaute d'Apollo 17 sur la Lune.

Pl. 57. Expositions multiples d'une éclipse totale de Lune, prises pendant 3 heures. La totalité est exposée plus longtemps (1-4 sec.) que les phases partielles (1/25-1/8 sec.).

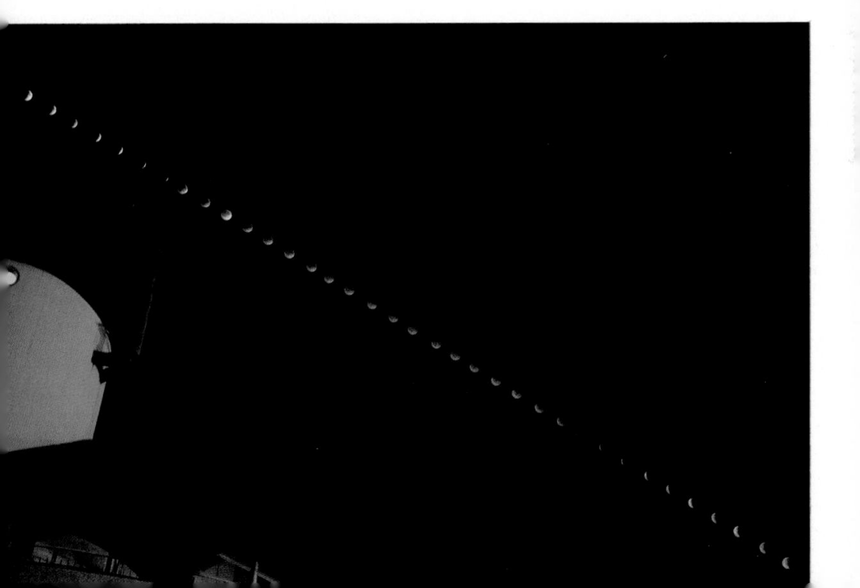

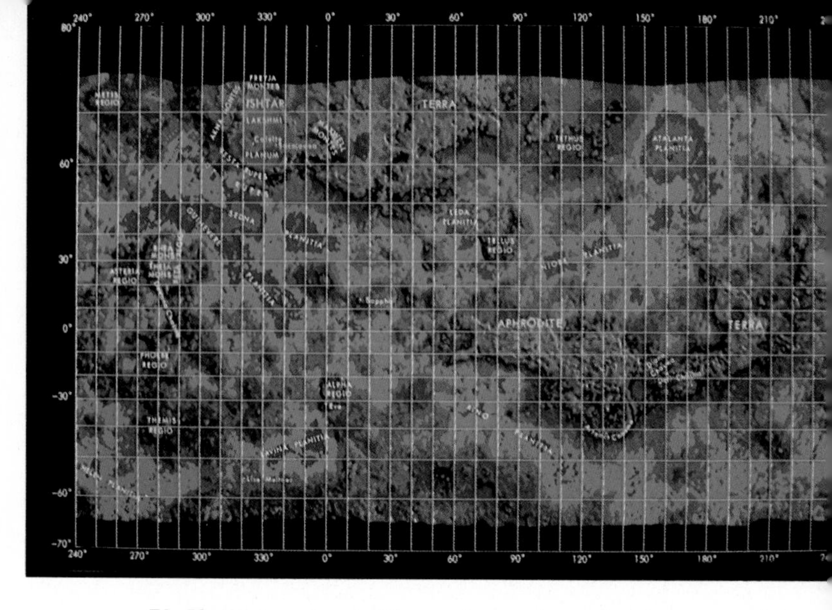

Pl. 58. Carte radar de Vénus prise par la sonde Pioner; le radar peut pénétrer les nuages qui entourent Vénus.

Pl. 59. Vue de Mars prise par la sonde Viking 1 montrant des roches rouges et le ciel rose à cause des nuages rougeâtres de l'atmosphère.

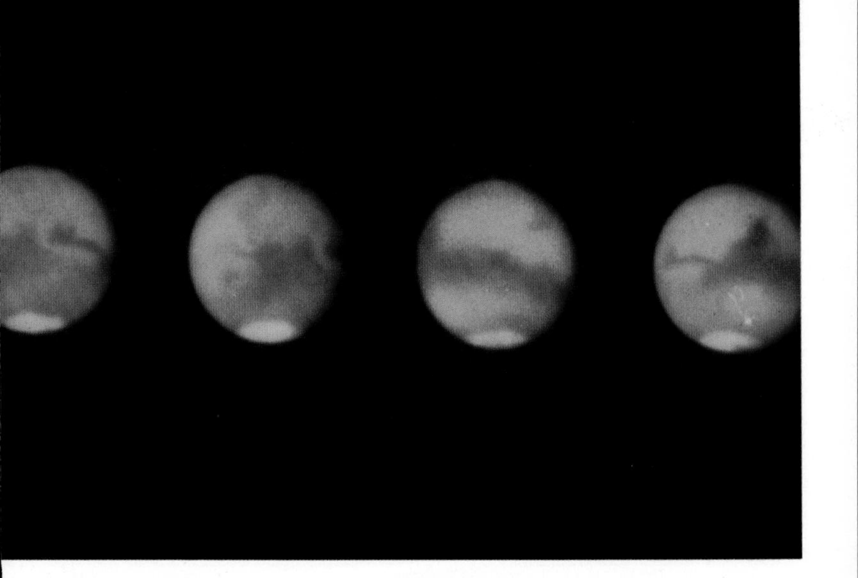

Pl. 60. Une série de photographies de Mars prises depuis la Terre, montrant les caractéristiques de sa surface et la rotation de la planète. Le nord est en haut.

Pl. 61. Vue de Mars prises par Viking 1 *(à gauche)*. Le Mont Olympe, le plus grand volcan est en haut à droite, et trois autres volcans, les monts Tharsis, sont un peu plus bas; *(à droite)* une partie d'un immense canyon.

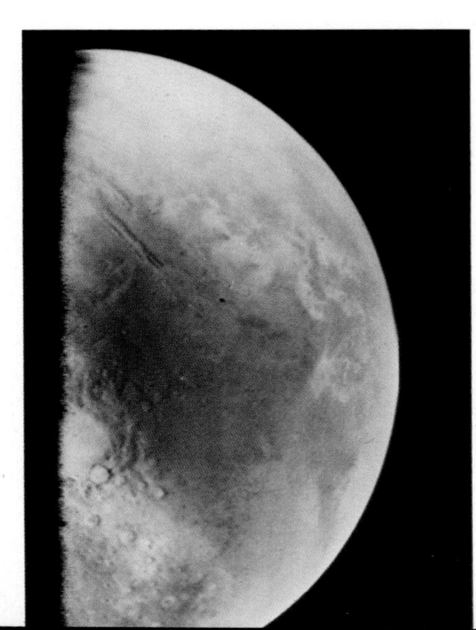

Pl. 62. Une des meilleures photos terrestres de Jupiter avec sa Grande Tache Rouge. Le nord est en haut.

Pl. 63. Jupiter, vue par Voyager 1. Io apparaît comme une minuscule balle rouge-brun au-dessus de la surface de la planète et Europa est de côté, à droite.

Pl. 64. Satellites galiléens de Jupiter photographiés par Voyager, à l'échelle: Io (en haut, à gauche) rougi par le soufre de ses volcans; Europa lisse et glacé; Ganymède, la plus grande lune du système solaire et Callisto avec ses cratères brillants.

Pl. 65. Image de Jupiter traitée par ordinateur montrant ses ceintures sombres et ses zones claires.

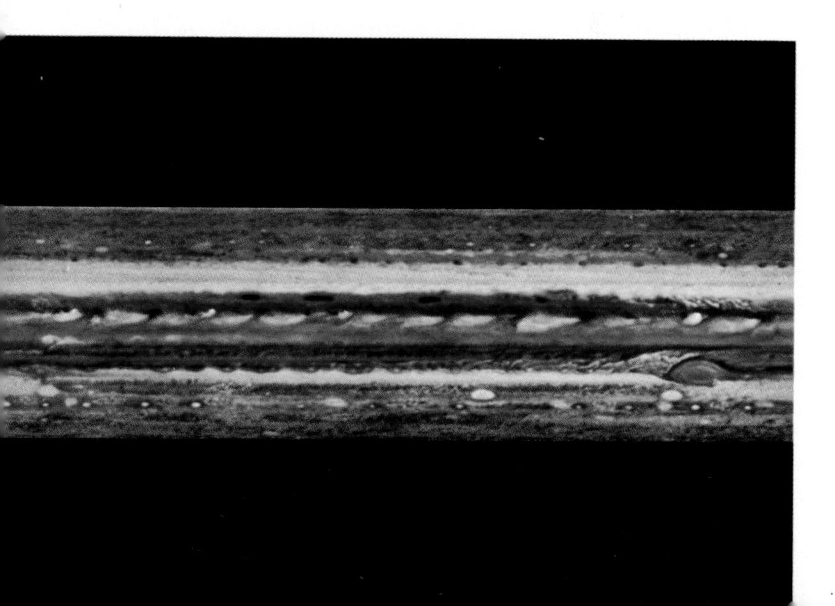

Pl. 66. Une des meilleures photographies terrestres de Saturne, prise avec un télescope de 155 cm. Le nord est en haut.

Pl. 67. Saturne apparaissant comme un croissant quand Voyager 1 s'en éloignait.

Pl. 68. (A droite) un montage de Saturne et de ses lunes, photographié par Voyager 1 et 2. Dans le sens des aiguilles d'une montre, en partant en haut, à gauche: Titan (rouge), Iapetus (un côté sombre), Téthys, Mimas (petite lune avec un énorme cratère), Encéladus, Dioné et Rhéa.

Pl. 69. Comète West (1976) photographiée au-dessus de Los Angelès (pose : 2 sec., f/2.5, film 200 ASA).

Pl. 70. Traînées d'étoiles au-dessus du Kitt Peak National Observatory (pose : 3 heures).

Pl. 71. Expositions multiples du Soleil au cours de l'année, dessinant un analemme.

Pl. 72. Le rayon vert apparaissant sur le bord du Soleil lors de son coucher.

Pl.C.73. L'effet d'anneau de diamant, avec la couronne et des protubérances roses, lors de l'éclipse solaire totale de 1983.

Pl. 74. Une conjonction de la Lune, Vénus et Jupiter.

Pl. 75. Météores de l'essaim des Léonides (traits droits).

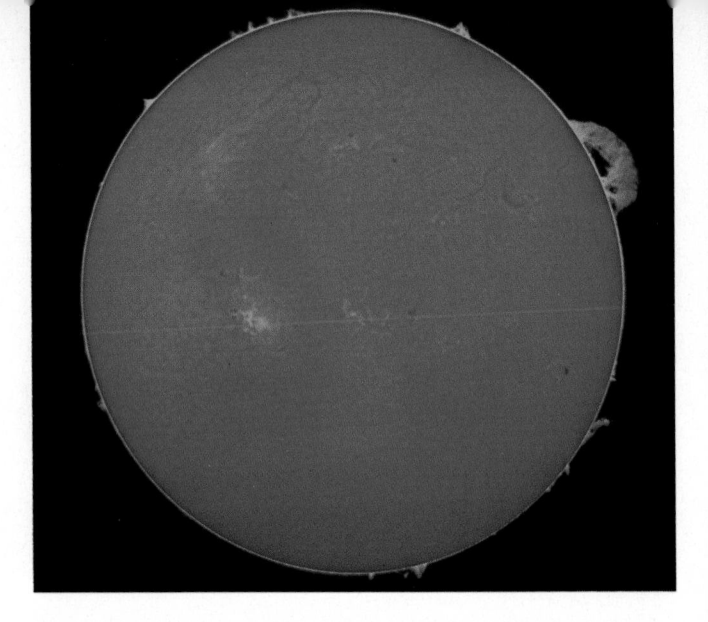

Pl. 76. Le Soleil à travers un filtre H-alpha ; des filaments sombres serpentent le disque solaire. Avec autour une image moins exposée montrant des protubérances.

Pl. 77. Une protubérance photographiée à travers un filtre H-alpha.

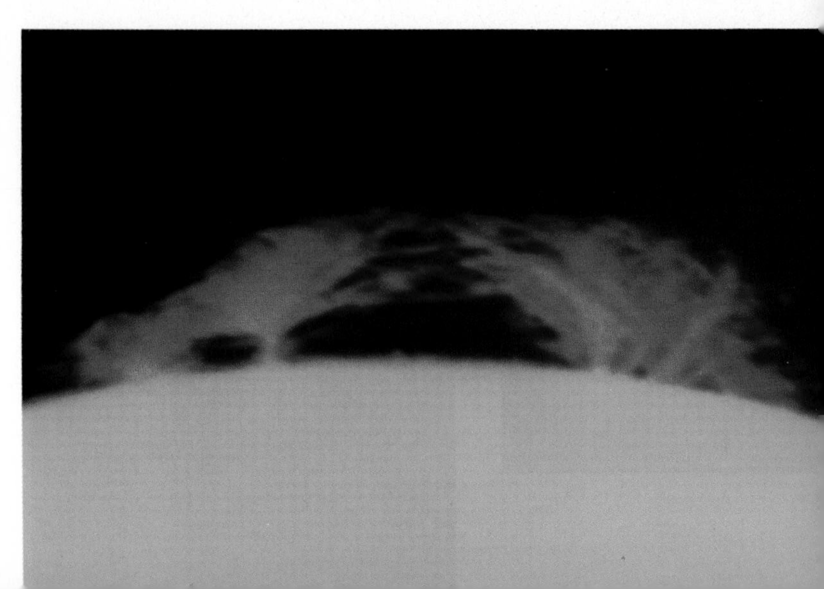

Pl. 78. Phases partielles de l'éclipse solaire totale de 1980, observée en Inde à travers un filtre neutre épais.

Pl. 79. L'éclipse solaire totale de 1980, photographiée en Inde avec un téléobjectif de 500 mm. Sans filtre.

Pl. 80. Spectre solaire observé lors d'une éclipse solaire totale. Les arcs (blancs car surexposés) montrent le spectre de la chromosphère; les cercles verts sont des émissions de Fer dans la couronne solaire qui a une température de 2.000.000°C.

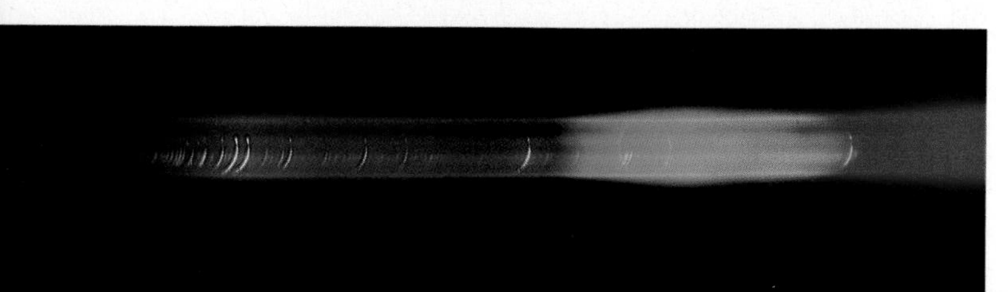

Pl. 81. Vue prise pendant l'éclipse solaire totale de 1980.

Pl. 82. L'effet d'anneau de diamant, dernier morceau de la photosphère visible à travers une vallée du bord de la Lune, lors de l'éclipse solaire totale de 1973.

Quelques notes techniques sur ces planches en couleurs :

Photographes amateurs :

Ben Mayer : télescope Célestron, Schmidt-Cassegrain de 35 cm et optique Schmidt de 20 cm, monture Byers ; film couleur refroidi 400 ASA/ISO, poses 30-120 minutes.

Meade : télescope Meade, Schmidt-Cassegrain de 20 cm ; film couleur normal.

Hans Vehrenberg : télescope Celestron, Schmidt de 35 cm, monture Zeiss ; différentes images noir et blanc combinées en chambre noire.

Photographes Professionnels :

Anglo-Australian Telescope Board : télescope 3,9 m ; photos noir et blanc prises à travers des filtres choisis en fonction du spectre de la nébuleuse ; images combinées en labo par David Malin.

Royal Observatory, Edingburgh : télescope Schmidt de 1,2 m ; même technique que le télescope Anglo-Australien.

James D. Wray : télescope de l'observatoire de Mc Donald de 90 cm ; photos prises à travers des filtres, utilisant un intensificateur électronique.

Lick Observatory : télescope de 3 m ; images noir et blanc prises à travers des filtres.

R.J. Dufour : télescope de 4 m de Cerro Tololo ; images noir et blanc prises à travers des filtres, impression par projection à travers ces filtres.

Palomar Observatory : télescopes Schmidt de 5 m et 1,2 m ; film couleur exposé ou imprimé à travers des filtres colorés.

U.S. Naval Observatory : télescope de 1 m ; film couleur refroidi.

Jay Pasachoff : photos prises avec un équipement Nikon (dont un grand angle et un téléobjectif 500 mm), généralement sur un trépied fixe.

Planche 25

Un grand nombre d'amas ouverts apparaissent dans cette région qu'il est préférable de balayer avec un petit télescope.

Procyon = α Canis Minoris: étoile très brillante (m = 0.38)(la 8e en éclat) et très proche (environ 11 a.l.) ; de type F3 (7500°K). Elle possède un compagnon faible (m = 11), une naine blanche que l'on peut voir avec une bonne lunette.

M44 = Praesepe = la Crèche : un des amas ouverts les mieux connus ; très spectaculaire. Déjà décrit avec la planche 13.

M50 = NGC 2323 : (7^h03^m, -8°) ; riche amas ouvert dans Monoceros. Visible avec un petit télescope.

M47 = NGC 2422 : amas ouvert. Contient environ 50 étoiles de magnitude 6 (magnitude globale = 4.5) ; âge : 20 millions d'années. Visible à l'œil nu.

M46 = NGC 2437 : très bel amas ouvert dans Puppis. Age 20 millions d'années. Plus faible (m = 9.2) que M67, mais contenant un plus grand nombre d'étoiles.

NGC 2438 : nébuleuse planétaire ; anneau tacheté irrégulier (m = 9.3). L'étoile centrale a une magnitude de 16.8 et une température de 74 000° K.

NGC 2440 : (7^h40^m, -18°) ; nébuleuse planétaire dans Puppis. A voir avec un grand télescope.

NGC 2506 : amas ouvert dans Monoceros. Avec un petit télescope.

NGC 2539 : amas ouvert riche dans Puppis, environ 150 étoiles dont la binaire 19 Pup.

M48 = NGC 2548 : (8^h13^m, −6°) ; riche amas ouvert dans Hydra. Assez brillant pour être visible à l'œil nu, mais difficile à situer.

M67 = NGC 2682 : amas ouvert à l'Ouest de α Cnc ; environ 65 étoiles distinctes (magnitudes 13 à 8) ; magnitude globale de 6.3.

Fig. 68 Argo Navis, le Navire de l'atlas de Bayer (1603). Actuellement il est divisé en 4 constellations: Carina (la Carène), Puppis (la Poupe), Pyxis (la Boussole), et Vela (les Voiles).

ADAPTÉE DE « ATLAS DU CIEL 2000.0 » PAR WIL TIRION

MAGNITUDES	
-1	>-0.4
0	-0.4 - +0.5
1	0.6 - 1.5
2	1.6 - 2.5
3	2.6 - 3.5
4	3.6 - 4.5
5	4.6 - 5.5
6	5.6 - 6.5
7	6.6 - 7.5

DOUBLE ou MULTIPLE

VARIABLE

AMAS OUVERTS — >10' à <10'

AMAS GLOBULAIRES — >10' 5-10' <5'

NEBULEUSES PLANETAIRES — >1' 0.5'-1' <0.5'

NEBULEUSES DIFFUSES — >10' à <10'

GALAXIES — >30' 20'-30' 10'-20' <10'

QUASAR

PULSAR

TROU NOIR

VOIE LACTEE

EQUATEUR GALACTIQUE — 0°

ECLIPTIQUE — 100°

LIMITES DES CONSTELLATIONS

ALPHABET GREC

α	Alpha	ν	Nu
β	Beta	ξ	Xi
γ	Gamma	ο	Omicron
δ	Delta	π	Pi
ε	Epsilon	ϱ	Rho
ζ	Zeta	σ	Sigma
η	Eta	τ	Tau
θ ϑ	Theta	υ	Upsilon
ι	Iota	ϕ φ	Phi
κ ϰ	Kappa	χ	Chi
λ	Lambda	ψ	Psi
μ	Mu	ω	Omega

Planche 26

En s'éloignant de la Voie Lactée, les galaxies lointaines deviennent visibles. Dans Leo, nous voyons une partie de l'immense amas de galaxies de la Vierge, amas qui s'étend à travers Virgo, Coma Berenices et Corvus.

Regulus = α **Leo :** sur l'écliptique, à la base de la « Faucille », marque le cœur du Lion. m = 1.35 ; visible presque toute l'année. Elle possède un compagnon faible parfois visible aux jumelles.

γ **Leo = Algieba** (le Front du Lion) : très belle étoile double composée de deux étoiles jaunes de magnitudes 2.1 et 3.4 ; période de 407 ans. Difficile à résoudre avec un petit télescope (séparation 4.3'' seulement).

R Leo : variable à longue période (312 jours) parmi les plus brillantes ; sa magnitude varie de 11.6 à 4.4.

Wolf 359 : étoile très proche (la 3e après α Cent et l'étoile de Barnard). Trop faible pour figurer sur cette carte (m = 13.5) mais proche de VY Leo (10^h56^m, + 7°). Une des étoiles les moins brillantes connues, découverte à cause de son mouvement propre rapide (dû à sa proximité ; 7.8 a.l.).

NGC 3242 : nébuleuse planétaire à 1.8 au Sud de μ Hydra. Disque bleu pâle dans un petit télescope ; l'anneau intérieur brillant et une coquille extérieure faible sont visibles dans de grands télescopes.

M95 = NGC 3351 : galaxie spirale barrée (SBb) très grande, relativement brillante (m_v = 9.9) dans Leo, à environ 30 millions d'années lumière de la Voie Lactée.

M96 = NGC 3368 : galaxie spirale régulière (Sa) très grande, relativement brillante dans Leo, à environ 30 millions d'a.l. de la Voie Lactée.

M105 = NGC 3379 : petite galaxie elliptique relativement brillante (m_v = 9.9) dans Leo, à environ 30 millions d'a.l. de la Voie Lactée.

Avec un télescope moyen, à grand angle, vous pouvez voir ces trois dernières galaxies dans le même champ, en balayant à environ 9° à l'Est de Régulus.

Le radiant de l'essaim de météores **des Léonides**, maximum de fréquence le 17 novembre, est situé à 2° environ au Nord-Ouest de γ **Leo.** Cet essaim est particulièrement intense tous les 33 ans quand la Terre traverse l'orbite d'une ancienne comète. La prochaine apparition spectaculaire des Léonides aura lieu en 1998 ou 1999.

ADAPTÉE DE « ATLAS DU CIEL 2000.0 » PAR WIL TIRION

MAGNITUDES	
-1	>-0.4
0	-0.4 - +0.5
1	0.6 - 1.5
2	1.6 - 2.5
3	2.6 - 3.5
4	3.6 - 4.5
5	4.6 - 5.5
6	5.6 - 6.5
7	6.6 - 7.5

DOUBLE ou MULTIPLE

VARIABLE

AMAS OUVERTS	>10'	à	<10'
AMAS GLOBULAIRES	>10'	5-10'	<5'
NEBULEUSES PLANETAIRES	>1'	0.5'-1'	<0.5'
NEBULEUSES DIFFUSES	>10'	à	<10'

GALAXIES			
>30'	20'-30'	10'-20'	<10'

QUASAR

PULSAR

TROU NOIR

VOIE LACTEE

EQUATEUR GALACTIQUE (70°)

ECLIPTIQUE (100°)

LIMITES DES CONSTELLATIONS

ALPHABET GREC

α	Alpha	ν	Nu
β	Beta	ξ	Xi
γ	Gamma	ο	Omicron
δ	Delta	π	Pi
ε	Epsilon	ϱ	Rho
ζ	Zeta	σ	Sigma
η	Eta	τ	Tau
θ ϑ	Theta	υ	Upsilon
ι	Iota	ϕ φ	Phi
κ ϰ	Kappa	χ	Chi
λ	Lambda	ψ	Psi
μ	Mu	ω	Omega

Planche 27

Ici vous trouvez la plus grande concentration de l'amas de galaxies de la Vierge qui s'étend au Nord dans Canes Venatici et au Sud dans Corvus. Cet amas Virgo est à environ 65 a.l. ; c'est l'amas de galaxies le plus proche de la Voie Lactée. Un grand nombre de ces galaxies figurent sur la planche 27A qui est un agrandissement de la partie supérieure gauche de la planche 27.

γ **Vir :** (12^h42^m, $-1°$) ; étoile double très connue, composée d'étoiles de même magnitude (3.6 et 3.7) et de même classe spectrale (FO) séparées de 4 secondes d'arc (période 171.85 ans).

τ **Leo :** (11^h27^m, $+3°$) ; paire d'étoiles jaunes et bleues, de magnitudes 5 et 7, séparées par 90 sec. d'arc ; près de l'écliptique.

δ **Crv = Algorab (= Aile droite du Corbeau) :** étoile double, magnitudes 3 et 8.5 (types A0 et K2), facilement séparable.

M65 = NGC 3623 et M66 = NGC 3627 : 2 galaxies spirales (Sb) brillantes ($m_v = 10.3$ et 9.9), séparées de 20 minutes d'arc ; situées à mi-chemin entre θ et ι Leo ; similaires à la Galaxie d'Andromède. Dans le même champ avec un petit télescope ; visibles par nuit claire aux jumelles.

NGC 3628 et NGC 3593 : galaxies spirales visibles dans le même champ.

NGC 4038 et NGC 4039 : (12^h, $-18°$) ; galaxies particulières, les Antennes, à 4° au Sud-Ouest de γ Corvi. Galaxies elliptiques avec une longue queue courbée, probablement formée à la suite d'une collision entre deux galaxies. Sources d'onde radio ; à 90 milliards d'années de lumière.

M85 = NGC 4383 : (12^h25^m, $+18°$) ; galaxie elliptique dans Coma Berenices ($m_v = 9.3$) ; membre de l'amas de galaxies. Tache brillante dans un petit télescope.

M104 = NGC 4594 = Galaxie Sombrero (Pl. 30) : (12^h40^m, $-12°$) ; galaxie spirale (Sa) brillante ($m_v = 8.7$), membre de l'amas de galaxies. Elle possède un grand noyau central et une bande de poussières sombre le long de l'équateur. Tache ovale floue dans un petit télescope ; avec de bonnes conditions d'observation, la bande de poussières est visible dans un grand télescope.

ADAPTÉE DE « ATLAS DU CIEL 2000.0 » PAR WIL TIRION

MAGNITUDES	
-1	>-0.4
0	-0.4 - +0.5
1	0.6 - 1.5
2	1.6 - 2.5
3	2.6 - 3.5
4	3.6 - 4.5
5	4.6 - 5.5
6	5.6 - 6.5
7	6.6 - 7.5

DOUBLE ou MULTIPLE

VARIABLE

AMAS OUVERTS: >10' à <10'

AMAS GLOBULAIRES: >10' 5'-10' <5'

NEBULEUSES PLANETAIRES: >1' 0.5'-1' <0.5'

NEBULEUSES DIFFUSES: >10' à <10'

GALAXIES: >30' 20'-30' 10'-20' <10'

QUASAR

PULSAR

TROU NOIR

VOIE LACTEE

EQUATEUR GALACTIQUE (10°)

ECLIPTIQUE (100°)

LIMITES DES CONSTELLATIONS

ALPHABET GREC

α	Alpha	ν	Nu
β	Beta	ξ	Xi
γ	Gamma	ο	Omicron
δ	Delta	π	Pi
ε	Epsilon	ϱ	Rho
ζ	Zeta	σ	Sigma
η	Eta	τ	Tau
θ ϑ	Theta	υ	Upsilon
ι	Iota	ϕ φ	Phi
κ ϰ	Kappa	χ	Chi
λ	Lambda	ψ	Psi
μ	Mu	ω	Omega

Planche 27A

Région centrale de l'amas de galaxies de la Vierge. Environ 75 % des galaxies brillantes de cet amas sont de type spiral.

L'amas Virgo est le plus proche des amas de galaxies riches ; il est le plus facile à observer. Avec un petit télescope la plupart des galaxies apparaissent comme des taches lumineuses faibles. Par nuit claire, en été, plus de 100 galaxies peuvent être vues avec un télescope de taille moyenne. Il vaut mieux tout d'abord repérer les galaxies avec une faible résolution, et passer ensuite à des grossissements plus importants.

Dans Coma Berenices :

M98 = NGC 4192 : (12^h13^m, +15°) ; brillante galaxie spirale allongée, de profil.

M99 = NGC 4254 : (12^h19^m, +14°) ; galaxie spirale brillante, vue de face.

M100 = NGC 4321 : (12^h23^m, +16°) ; la plus grande galaxie spirale de l'amas (Pl. 26).

M88 = NGC 4501 : (12^h32^m, +14°) ; galaxie spirale. A repérer en cherchant deux étoiles faibles proches.

Dans Virgo, quelques galaxies intéressantes: **M49 (NGC 4472), M58 (NGC 4579), M59 (NGC 4621), M60 (NGC 4649), M61 (NGC 4303), M84 (NGC 4374), M86 (NGC 4406), M89 (NGC 4552) et M90 (NGC 4569).**

M49: (12^h30^m, + 38°); galaxie elliptique, une des plus brillantes. Facile à trouver.

M61: (12^h22^m, + 4°30'); magnifique galaxie spirale (Sc) de face (Pl.C.18).

M84 et M86: galaxies elliptiques plus ou moins identiques séparées de moins de 20 minutes d'arc.

M90: galaxie spirale de profil: noyau très lumineux (Pl.C.25).

M87: (12^h31^m, + 13°); immense galaxie elliptique; une des plus brillantes et plus intéressantes de l'amas Virgo. Les meilleures photographies prises avec de très grands télescopes montrent un millier d'amas globulaires entourant cette galaxie (Fig. 20). De courtes poses, toujours prises avec de grands instruments, ont révélé un jet de gaz inhabituel (Pl.C.24). M87 a été identifié comme la radio source Virgo A. Un trou noir géant, ayant une masse des millions de fois plus grande que celle du Soleil, serait située en son centre.

3C273: (12^h30^m, + 2°); le plus brillant des premiers quasars connus: magnitude 12.2 à 13.0. C'est le plus facile à observer. Selon sa magnitude et les conditions d'observation. 3C273 peut parfois être aperçu avec des télescopes moyens à grands. Il ressemble bien à une étoile, et non à une nébuleuse. De l'énorme décalage vers le rouge de son spectre, les astronomes ont déduit que cet objet s'éloigne à une vitesse considérable (50 000 km par seconde). D'après la loi de Hubble, 3C273 serait bien plus éloigné que les galaxies les plus lointaines.

27-A

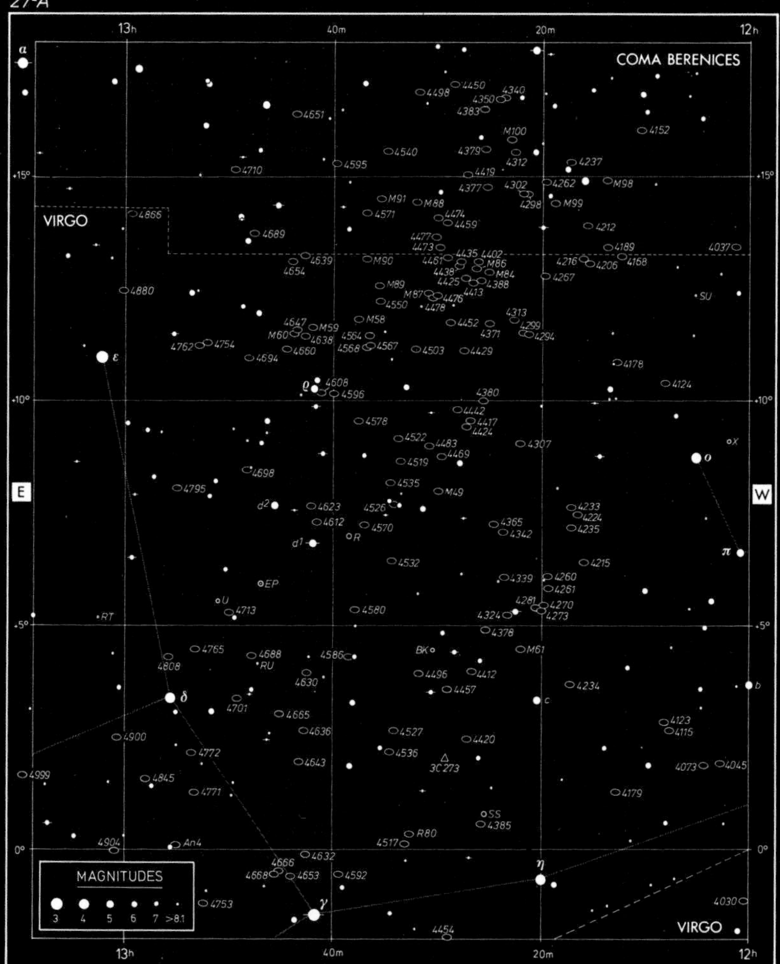

ADAPTÉE DE « ATLAS DU CIEL 2000.0 » PAR WIL TIRION

DOUBLE ou MULTIPLE

VARIABLE

QUASAR

GALAXIES >30' 20'-30' 10'-20' <10'

Planche 28

Arturus = α **Boo**: géante rouge froide. De magnitude 0.0., elle occupe le 3e rang parmi les étoiles les plus brillantes.

Spica = α **Vir**: binaire spectroscopique à éclipses de magnitude 1.0. Pendant sa période de 4 jours, sa magnitude chute de 1. Etoile bleue, donc extrêmement chaude.

ζ **Boo**: paire d'étoiles blanches de magnitudes 4.5 et 4.6 gravitant l'une autour de l'autre en 130 ans. Séparée par un télescope de taille moyenne.

π **Boo**: beau couple facile à résoudre.

S Vir: variable à longue période, située à mi-chemin entre Spica et ζ Vir. Variant de la 6e à la 13e magnitude en 377 jours. Sa couleur rouge en fait un objet intéressant à regarder lors du maximum d'éclat.

NGC 5364: galaxie spirale de la 11e magnitude appartenant à l'amas de la Vierge.

NGC 5746: (14^h45^m, + 2°); galaxie spirale de 10e magnitude vue par la tranche. A observer avec un petit télescope.

NGC 5740: galaxie spirale (m = 11.5), compagnon de NGC 5746 à chercher environ 0.25° au Sud de celle-ci.

NGC 5806: (spirale Sb), **NGC 5813** (elliptique), **NGC 5831** (elliptique), **NGC 5838** (spirale Sa), **NGC 5854, NGC 5864, NGC 5846, NGC 5850**: galaxies à observer avec des instruments de taille moyenne. Certaines sont difficiles à repérer.

3C 279: quasar très lumineux intrinsèquement (magnitude absolue = −31). Objet 10 000 fois plus brillant que la galaxie d'Andromède. Situé sur l'écliptique à l'extrême-droite de la carte.

OQ 172: (14^h45^m, + 10°): quasar de décalage spectra vers le rouge égal à 3.53. Comme le précédent ne peut être vu qu'au travers d'un grand télescope (très éloigné).

Fig. 69. Région de la Nébuleuse d'Orion. (Lick Observatory)

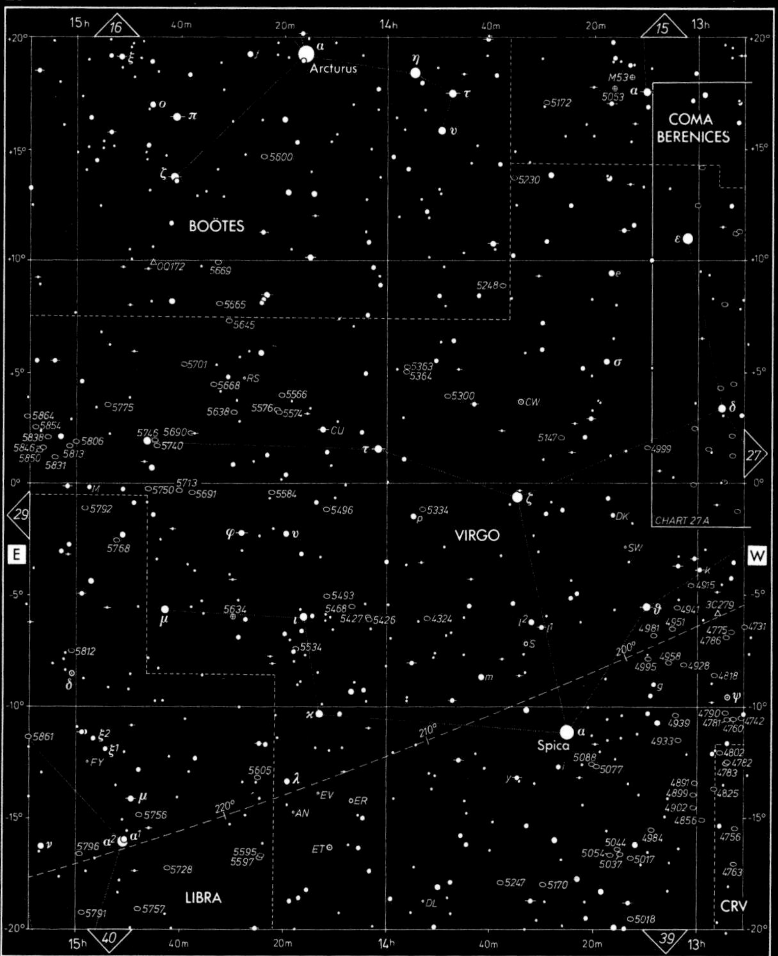

ADAPTÉE DE « ATLAS DU CIEL 2000.0 » PAR WIL TIRION

MAGNITUDES

-1	>-0.4
0	-0.4 - +0.5
1	0.6-1.5
2	1.6-2.5
3	2.6-3.5
4	3.6-4.5
5	4.6-5.5
6	5.6-6.5
7	6.6-7.5

DOUBLE ou MULTIPLE

VARIABLE

AMAS OUVERTS — >10' à <10'

AMAS GLOBULAIRES — >10' 5'-10' <5'

NEBULEUSES PLANETAIRES — >1' 0.5'-1' <0.5'

NEBULEUSES DIFFUSES — >10' à <10'

GALAXIES — >30' 20'-30' 10'-20' <10'

QUASAR

PULSAR

TROU NOIR

VOIE LACTEE

EQUATEUR GALACTIQUE — 10°

ECLIPTIQUE — 100°

LIMITES DES CONSTELLATIONS

ALPHABET GREC

α	Alpha	ν	Nu
β	Beta	ξ	Xi
γ	Gamma	ο	Omicron
δ	Delta	π	Pi
ε	Epsilon	ρ	Rho
ζ	Zeta	σ	Sigma
η	Eta	τ	Tau
θ ϑ	Theta	υ	Upsilon
ι	Iota	ϕ φ	Phi
κ ϰ	Kappa	χ	Chi
λ	Lambda	ψ	Psi
μ	Mu	ω	Omega

Planche 29

5 Ser : couple inégal d'étoiles de 5ᵉ et 10ᵉ magnitudes séparées par 11''.

δ Ser : couple brillant (m = 4.1 et 5.2) facilement séparé.

R Scr : (15^h46^m, + 15°) ; variable à longue période. Sa magnitude varie de 5.6 à 14.0 en 356 jours. Etoile rouge.

S Her : (16^h50^m, + 15°) ; variable à longue période. Sa magnitude passe de 5.9 à 13.6 en 307 jours.

M5 = NGC 5904 : (15^h18^m, + 2°) ; amas globulaire deviné à l'œil nu, près de l'étoile 5 Ser. Aspect quasi-stellaire aux jumelles ; lueur circulaire brillante dans un petit télescope ; résolution partielle avec de grands télescopes.

M107 = NGC 6171 : amas globulaire à 3° au Sud de ζ Oph, de 9ᵉ magnitude. Plus petit (8') et plus faible que M10 et M12.

M12 = NGC 6218 : amas globulaire à environ 3° au Nord-Ouest de M10, un peu plus grand que celui-ci. Structure peu définie ; étoiles plus facilement séparées.

M10 = NGC 6254 : ($16^h 57^m$, − 4°) ; amas globulaire (m = 6.6) très riche. Forte condensation centrale. Ovale de 12' partiellement résolu par des ouvertures moyennes.

Fig. 70 M5 (NGC 5904), un amas globulaire dans le Serpent. (Kitt Peak National Observatory)

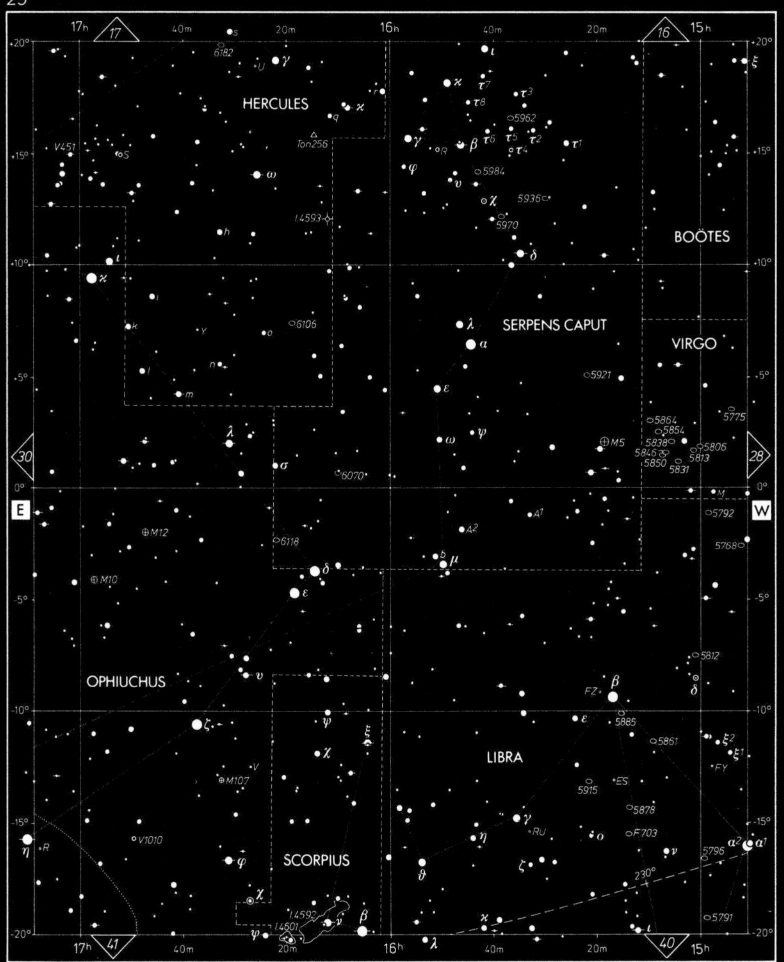

ADAPTEE DE « ATLAS DU CIEL 2000.0 » PAR WIL TIRION

MAGNITUDES

-1	>-0.4
0	-0.4 - +0.5
1	0.6 - 1.5
2	1.6 - 2.5
3	2.6 - 3.5
4	3.6 - 4.5
5	4.6 - 5.5
6	5.6 - 6.5
7	6.6 - 7.5

DOUBLE ou MULTIPLE

VARIABLE

AMAS OUVERTS — >10' à <10'

AMAS GLOBULAIRES — >10' 5'-10' <5'

NEBULEUSES PLANETAIRES — >1' 0.5'-1' <0.5'

NEBULEUSES DIFFUSES — >10' à <10'

GALAXIES — >30' 20'-30' 10'-20' <10'

QUASAR

PULSAR

TROU NOIR

VOIE LACTEE

EQUATEUR GALACTIQUE — 70°

ECLIPTIQUE — 100°

LIMITES DES CONSTELLATIONS

ALPHABET GREC

α	Alpha	ν	Nu
β	Beta	ξ	Xi
γ	Gamma	ο	Omicron
δ	Delta	π	Pi
ε	Epsilon	ϱ	Rho
ζ	Zeta	σ	Sigma
η	Eta	τ	Tau
θ ϑ	Theta	υ	Upsilon
ι	Iota	ϕ φ	Phi
κ ϰ	Kappa	χ	Chi
λ	Lambda	ψ	Psi
μ	Mu	ω	Omega

Planche 30

Les constellations de l'Aigle, de l'Ecu et du Sagittaire sont caractérisées par de grandes concentrations stellaires et donc intéressantes à fouiller avec des jumelles ou de petits télescopes.

Etoile de Barnard: ($18^h, +5°$); de magnitude 9.5, c'est la quatrième étoile la plus proche du système solaire. Plus grand mouvement propre (mouvement angulaire) apparent.

NGC 4665: ($17^h47^m, +6°$); amas ouvert très riche.

M9 = NGC 6333, NGC 6356, NGC 6342: amas globulaires à observer avec un instrument à grand pouvoir séparateur.

M23 = NGC 6494: amas ouvert très étendu se détachant sur une nébuleuse obscure. Etoiles brillantes vues aux jumelles.

NGC 6572: nébuleuse planétaire

NGC 6589, NGC 6590 (cf. Pl. 46): nébuleuses par réflexion.

M24 = NGC 6603: nuage galactique et amas ouvert.

M16 = NGC 6611: ($18^h20^m, -14°$); amas ouvert et nébuleuse diffuse (cf. Pl. 5).

M18 = NGC 6613. M25 = IC 4725: amas ouverts se détachant sur la nébuleuse obscure du Sagittaire.

M17 = NGC 6618: ($18^h20^m, -16°$); nébuleuse diffuse Oméga et amas ouvert. Connue aussi sous le nom de «Horse-shoe nebula» (cf. Pl. 6).

NGC 6633: ($18^h28^m, +7°$); amas ouvert dans Ophiuchus, facile à résoudre.

M26 = NGC 6694: amas ouvert bien visible dans de petits télescopes.

M11 = NGC 6705: ($18^h50^m, -6°$); amas ouvert deviné à l'œil nu. Intéressant avec des instruments moyens. Résolu en une centaine d'étoiles par des télescopes plus puissants.

NGC 6709: amas ouvert à 5° au Sud-Ouest de ζ Aql.

IC 1287: nébuleuse située à 2° au Sud de α Scu. A observer avec un instrument puissant.

IC 4756: ($18^h40^m, +6°$); amas ouvert dans le Serpent. A observer avec un petit télescope.

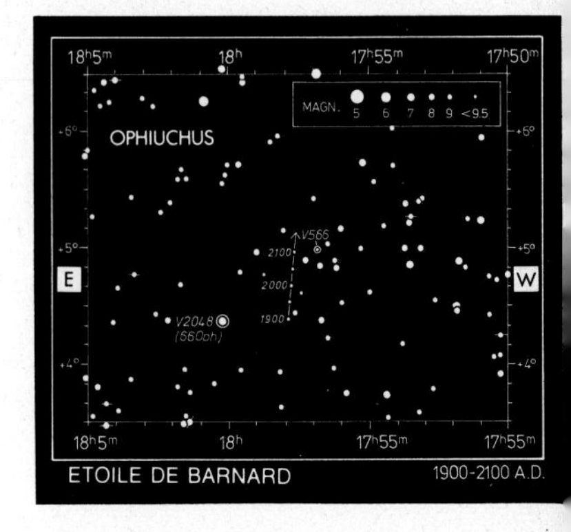

Fig. 71. Déplacement de l'étoile de Barnard. Cette étoile semble bouger à travers le ciel par rapport aux étoiles plus lointaines, couvrant une distance équivalente au diamètre de la Lune en 180 ans. (W. Tirion)

ADAPTEE DE « ATLAS DU CIEL 2000.0 » PAR WIL TIRION

MAGNITUDES

-1	>-04
0	-04--05
1	06-15
2	16-25
3	26-35
4	36-45
5	46-55
6	56-65
7	66-75

DOUBLE ou MULTIPLE

VARIABLE

AMAS OUVERTS — >10' à <10'

AMAS GLOBULAIRES — >10' 5'-10' <5'

NEBULEUSES PLANETAIRES — >1' 05'-1' <05'

NEBULEUSES DIFFUSES — >10' à <10'

GALAXIES — >30' 20'-30' 10'-20' <10'

QUASAR

PULSAR

TROU NOIR

VOIE LACTEE

EQUATEUR GALACTIQUE — 10°

ECLIPTIQUE — 100°

LIMITES DES CONSTELLATIONS

ALPHABET GREC

α	Alpha	ν	Nu
β	Beta	ξ	Xi
γ	Gamma	ο	Omicron
δ	Delta	π	Pi
ε	Epsilon	ϱ	Rho
ζ	Zeta	σ	Sigma
η	Eta	τ	Tau
θ ϑ	Theta	υ	Upsilon
ι	Iota	ϕ φ	Phi
κ ϰ	Kappa	χ	Chi
λ	Lambda	ψ	Psi
μ	Mu	ω	Omega

Planche 31

Du Cygne à l'Aigle, la Voie Lactée paraît entrecoupée par d'énormes nuages de poussière. Ces nuages forment une bande appelée « The Great Rift » qui souligne le plan de notre galaxie comme le font les bandes équatoriales visibles sur les photographies des galaxies vues de profil. Les nébuleuses obscures et les riches champs stellaires procurent des vues merveilleuses.

Altaïr = α **Aql** : 12ᵉ étoile en luminosité du ciel.

π **Aql** = double de 6ᵉ magnitude à environ 3° au Nord d'Altaïr.

γ **Del** : (20^h47^m, + 16°) ; double écartée située au coin Nord-Est du losange formé par α, β, δ et γ Del.

15 Aql : double écartée à chercher l' au Nord et un peu à l'Ouest de λ Aql (19^h05^m, – 05°).

U Sge : binaire à éclipses de type Algol. En 3 jours et 9 heures, sa luminosité varie entre 6.3 et 9.2.

SS 433 : (19^h15^m, + 05°) ; système binaire avec une étoile à neutrons. Trop faible (14ᵉ magnitude) pour être observé avec de petits télescopes. Spectre montrant une émission de jets gazeux dans la direction opposée au mouvement. Jets de vitesses de l'ordre de 25% de celle de la lumière (valeur inhabituelle dans notre galaxie).

η **Aql** : céphéide variant de la magnitude 3.7 à 4.5 en un peu plus de 7 jours.

σ **Aql** : variable à éclipses dont la magnitude augmente de 0.2 en 47 heures.

R Aql : variable à longue période, rouge. Souvent visible à l'œil nu lors de son maximum d'éclat.

NGC 6781 : nébuleuse planétaire à 5° au Sud-Ouest d'Altaïr. (cf. Pl. 50). A photographier uniquement avec de grandes ouvertures.

NGC 6803 et **NGC 6804** : nébuleuses planétaires montrant un petit disque.

NGC 6818 : nébuleuse planétaire. A chercher un peu au Nord-Ouest de NGC 6822.

NGC 6822 : galaxie naine irrégulière, membre du groupe local. A observer avec un télescope à grand champ. Bien qu'elle soit l'une des plus proches et de grand diamètre apparent, sa luminosité est réduite par un nuage de poussière la cachant.

M71 = **NGC 6838** : riche amas globulaire de magnitude 7 facile à localiser à mi-chemin entre γ et δ Sge.

NGC 6891 : nébuleuse planétaire à 7° au Nord-Est d'Altaïr. Apparaissant comme un disque brillant entouré d'un anneau plus faible.

B 143 : nébuleuse obscure de 30' de diamètre, située un peu au Nord-Ouest de γ Aql. Visible dans un télescope de taille moyenne.

ADAPTÉE DE « ATLAS DU CIEL 2000.0 » PAR WIL TIRION

MAGNITUDES	
-1	>-04
0	-04-+05
1	06-15
2	16-25
3	26-35
4	36-45
5	46-55
6	56-65
7	66-75

DOUBLE ou MULTIPLE

VARIABLE

AMAS OUVERTS — >10' à <10'

AMAS GLOBULAIRES — >10' 5'-10' <5'

NEBULEUSES PLANETAIRES — >1' 0.5'-1' <0.5'

NEBULEUSES DIFFUSES — >10' à <10'

GALAXIES — >30' 20'-30' 10'-20' <10'

QUASAR

PULSAR

TROU NOIR

VOIE LACTEE

EQUATEUR GALACTIQUE — 70°

ECLIPTIQUE — 100°

LIMITES DES CONSTELLATIONS

ALPHABET GREC			
α	Alpha	ν	Nu
β	Beta	ξ	Xi
γ	Gamma	ο	Omicron
δ	Delta	π	Pi
ε	Epsilon	ϱ	Rho
ζ	Zeta	σ	Sigma
η	Eta	τ	Tau
θ ϑ	Theta	υ	Upsilon
ι	Iota	ϕ φ	Phi
κ ϰ	Kappa	χ	Chi
λ	Lambda	ψ	Psi
μ	Mu	ω	Omega

Planche 32

ζ **Aqr:** double brillante, équilibrée (m = 4.3 et 4.5). Placée au centre du Y (encore appelé « courant d'eau ») formé par γ, ζ, η, π, Aqr, figure caractéristique de cette constellation.

M72 = NGC 6981: amas globulaire difficile à résoudre même avec des télescropes puissants.

M73 = NGC 6994: amas ouvert insignifiant.

NGC 7006: amas globulaire très éloigné (185000 a.l.: cette distance est presque la même que celle des Nuages de Magellan). Très difficile à résoudre. Apparaît comme un point flou 1' de diamètre dans un télescope de taille moyenne.

NGC 7009: (21^h, $-11°$) ; nébuleuse planétaire dite nébuleuse Saturne. Située à environ 1° à l'Ouest de ν Aqr. Aspect quasi-stellaire dans de petits télescopes. Anneau intérieur brillant, périphérie pâle.

M15 = NGC 7078: (21^h30^m, $+12°$) ; amas globulaire très brillant (m = 6.4). A 4° au Nord-Ouest de ϵ Peg. Visible comme tache floue avec condensation centrale dans de petits instruments. Amas très riche et compact identifié comme source de rayons X.

M2 = NGC 7089: amas globulaire (m = 6.5) juste sous l'équateur céleste, 5ᵉ au Nord de β Aqr. Condensation centrale importante; bords résolus par de grands télescopes.

Fig. 72. NGC 7009, la Nébuleuse Saturne, une nébuleuse planétaire dans le Verseau. (Kitt Peak National Observatory)

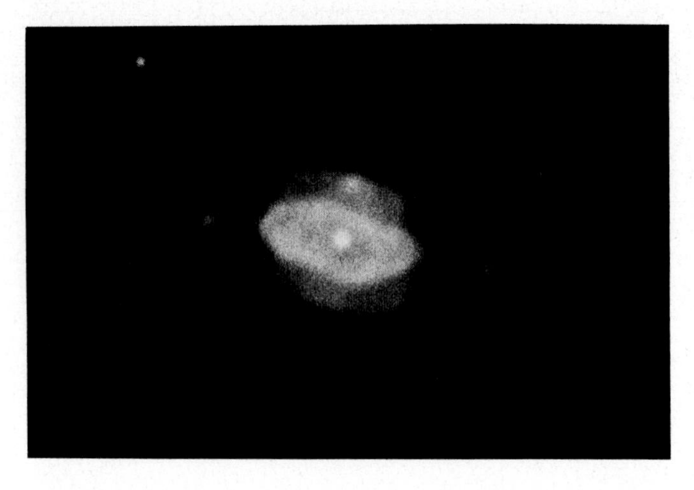

ADAPTÉE DE « ATLAS DU CIEL 2000.0 » PAR WIL TIRION

MAGNITUDES	
-1	> -0,4
0	-0,4 - +0,5
1	0,6 - 1,5
2	1,6 - 2,5
3	2,6 - 3,5
4	3,6 - 4,5
5	4,6 - 5,5
6	5,6 - 6,5
7	6,6 - 7,5

DOUBLE ou MULTIPLE

VARIABLE

AMAS OUVERTS: >10' à <10'

AMAS GLOBULAIRES: >10' 5'-10' <5'

NEBULEUSES PLANETAIRES: >1' 0,5'-1' <0,5'

NEBULEUSES DIFFUSES: >10' à <10'

GALAXIES: >30' 20'-30' 10'-20' <10'

QUASAR

PULSAR

TROU NOIR

VOIE LACTEE

EQUATEUR GALACTIQUE (10°)

ECLIPTIQUE (100°)

LIMITES DES CONSTELLATIONS

ALPHABET GREC

α	Alpha	ν	Nu
β	Beta	ξ	Xi
γ	Gamma	ο	Omicron
δ	Delta	π	Pi
ε	Epsilon	ϱ	Rho
ζ	Zeta	σ	Sigma
η	Eta	τ	Tau
θ ϑ	Theta	υ	Upsilon
ι	Iota	ϕ φ	Phi
κ ϰ	Kappa	χ	Chi
λ	Lambda	ψ	Psi
μ	Mu	ω	Omega

Planche 33

Le fond stellaire de cette région du pôle galactique Sud est pauvre et même les galaxies sont rares.

SX Phe: variable céphéide naine, 7° à l'Ouest de α Phe. Amplitude de variation faible : de 7.1 à 7.5 au cours des 79 minutes de sa période.

NGC 55: galaxie irrégulière à 4° au Nord-Ouest de α Phe, près de la frontière entre le Sculpteur et le Phénix. Grande, vue par la tranche, se montre comme un long fuseau lumineux. Appartient également au groupe du Sculpteur.

NGC 247: spirale de même taille mais plus faible que NGC 253, à 4° à son Nord. Très proche: 12 millions d'a.l. Appartient au groupe du Sculpteur.

NGC 253: spirale Sc brillante (cf. Pl. 33), près du pôle galactique Sud. Considérée comme l'une des plus belles galaxies. Nécessite de bonnes conditions et une ouverture moyenne pour être observée depuis l'hémisphère Nord. Très proche: 12 millions d'a.l. Appartient au groupe du Sculpteur.

NGC 288: amas globulaire peu intéressant près du pôle galactique Sud.

Fig. 73. NGC 253, une grande galaxie spirale brillante (de type Sc) dans le Sculpteur. (Anglo-Australian Telescope Board)

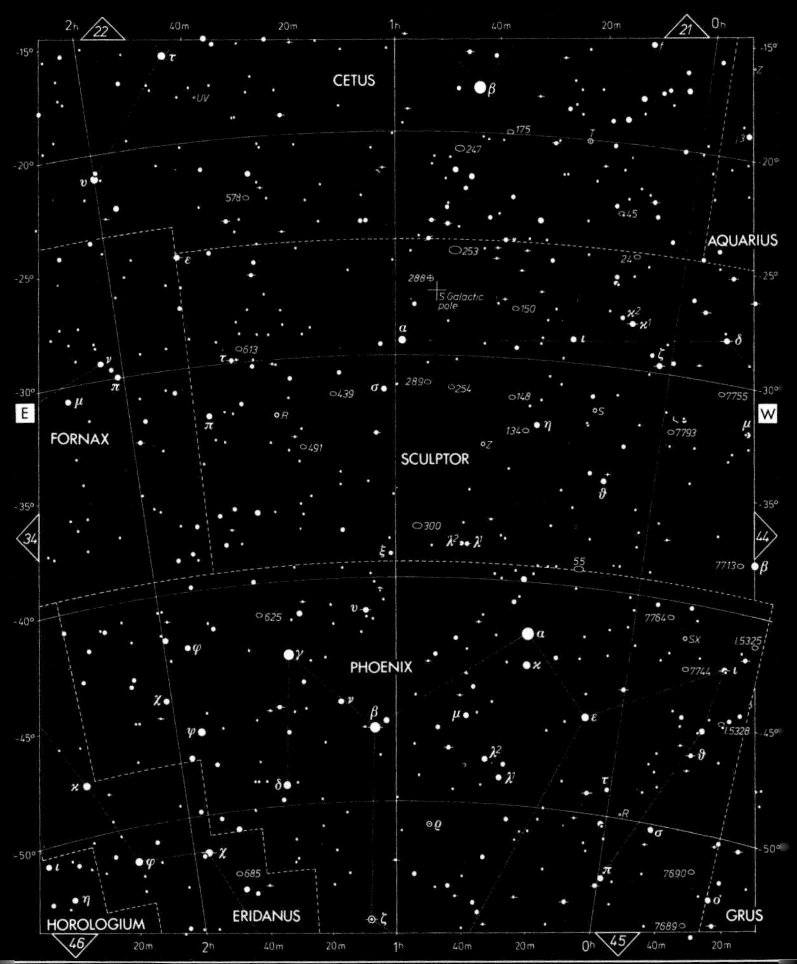

ADAPTÉE DE « ATLAS DU CIEL 2000.0 » PAR WIL TIRION

MAGNITUDES

-1	> -0.4
0	-0.4 - +0.5
1	0.6 - 1.5
2	1.6 - 2.5
3	2.6 - 3.5
4	3.6 - 4.5
5	4.6 - 5.5
6	5.6 - 6.5
7	6.6 - 7.5

DOUBLE ou MULTIPLE

VARIABLE

AMAS OUVERTS >10' à <10'

AMAS GLOBULAIRES >10' 5'-10' <5'

NEBULEUSES PLANETAIRES >1' 0.5'-1' <0.5'

NEBULEUSES DIFFUSES >10' à <10'

GALAXIES >30' 20'-30' 10'-20' <10'

QUASAR

PULSAR

TROU NOIR

VOIE LACTEE

EQUATEUR GALACTIQUE 10°

ECLIPTIQUE 100°

LIMITES DES CONSTELLATIONS

ALPHABET GREC

α	Alpha	ν	Nu
β	Beta	ξ	Xi
γ	Gamma	ο	Omicron
δ	Delta	π	Pi
ε	Epsilon	ϱ	Rho
ζ	Zeta	σ	Sigma
η	Eta	τ	Tau
θ ϑ	Theta	υ	Upsilon
ι	Iota	ϕ φ	Phi
κ ϰ	Kappa	χ	Chi
λ	Lambda	ψ	Psi
μ	Mu	ω	Omega

Planche 34

Au voisinage de la frontière entre l'Eridan et le Fourneau, à gauche du centre de la carte, se trouve l'amas de galaxies souvent faibles du Fourneau. Neuf des plus brillantes sont rassemblées dans un champ de vision de 1°.

f Eri: (3^h48^m, $-38°$) ; couple espacé de magnitudes 5.9 et 5.4.

θ **Eri:** (2^h58^m, $-40°$) ; paire d'étoiles colorées, brillantes (m = 3.2 et 4.4), bien séparées par des jumelles.

NGC 1049: (2^h40^m, $-34°$) ; amas globulaire appartenant au Système du Fourneau (galaxie naine et faible, membre du groupe local de galaxies). Ce système comprend 5 groupes d'étoiles ressemblant aux amas globulaires de notre Galaxie mais en différant par leur luminosité, leur densité et leur taille. NGC 1049 à 630000 a.l. est ainsi 50 fois plus grand que le plus grand amas globulaire de la Voie Lactée.

NGC 1300: (3^h20^m, $-20°$) ; galaxie spirale barrée SBb aux bras modérément ouverts. Magnitude : 10.6.

NGC 1316: galaxie elliptique ou SO de magnitude 9.5, à 55 millions d'a.l. ; membre le plus brillant de l'amas du Fourneau. Identifiée à la radio-source Fornax A. Son noyau est sans doute le siège d'une violente explosion.

NGC 1317: galaxie spirale à noyau brillant, satellite de NGC 1316.

NGC 1365: galaxie spirale barrée. La barre s'étend sur 3' (45000 a.l.). Magnitude : 9.8.

Fig. 74. NGC 1300, une galaxie spirale barrée (type SBb) dans l'Eridan (le nord est à gauche). (Palomar Observatory)

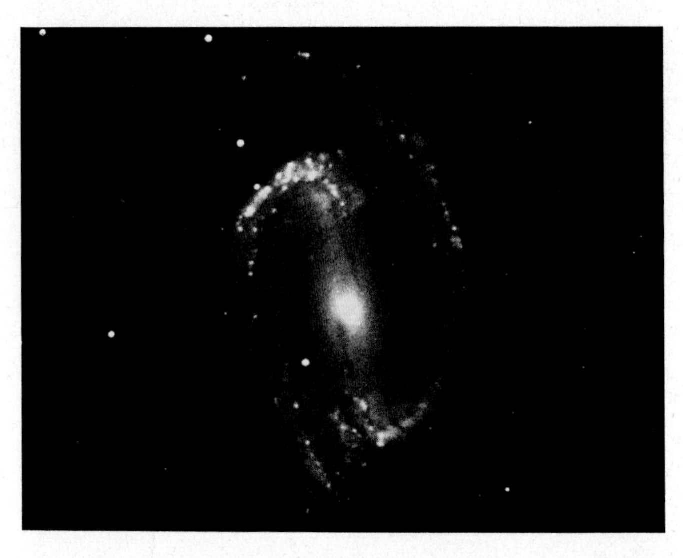

ADAPTÉE DE « ATLAS DU CIEL 2000.0 » PAR WIL TIRION

MAGNITUDES	
-1	>-0.4
0	-0.4 - +0.5
1	0.6 - 1.5
2	1.6 - 2.5
3	2.6 - 3.5
4	3.6 - 4.5
5	4.6 - 5.5
6	5.6 - 6.5
7	6.6 - 7.5

DOUBLE ou MULTIPLE

VARIABLE

AMAS OUVERTS: >10' à <10'

AMAS GLOBULAIRES: >10' 5'-10' <5'

NEBULEUSES PLANETAIRES: >1' 0.5'-1' <0.5'

NEBULEUSES DIFFUSES: >10' à <10'

GALAXIES: >30' 20'-30' 10'-20' <10'

QUASAR

PULSAR

TROU NOIR

VOIE LACTEE

EQUATEUR GALACTIQUE 10°

ECLIPTIQUE 100°

LIMITES DES CONSTELLATIONS

ALPHABET GREC

α Alpha	ν Nu
β Beta	ξ Xi
γ Gamma	ο Omicron
δ Delta	π Pi
ε Epsilon	ϱ Rho
ζ Zeta	σ Sigma
η Eta	τ Tau
θ ϑ Theta	υ Upsilon
ι Iota	ϕ φ Phi
κ ϰ Kappa	χ Chi
λ Lambda	ψ Psi
μ Mu	ω Omega

Planche 35

γ **Lep :** étoile double. Composantes écartées (95''), inégales (m = 3.6 et 6.2). Beau contraste de couleurs.

ADS 3954 : étoile double résolue par un petit télescope. Composantes de magnitudes 5.5 et 6.7 séparées par 3.1''.

μ **Col :** « runaway star » ou étoile en cavale. Etoile jeune, chaude, à grande vitesse paraissant sortir du nuage moléculaire d'Orion (berceau stellaire).

NGC 1851 : (5^h14^m, -25°) ; amas globulaire dans le Lièvre détectable avec des jumelles par bonnes conditions. Seuls de puissants instruments résolvent ses bords en étoiles. Forme un triangle avec β Lep et ϵ Lep. De diamètre environ 3', cet amas de 8e magnitude est à 50 000 a.l.

NGC 1792 : galaxie spirale (m = 9.9) à 3° au Sud de γ Cae.

NGC 2090 : galaxie spirale (m = 11.9) à 1° à l'Est de α Col. Difficile à observer depuis l'hémisphère Nord.

Fig. 75. Lepus, le Lièvre, de l'atlas de Bayer.

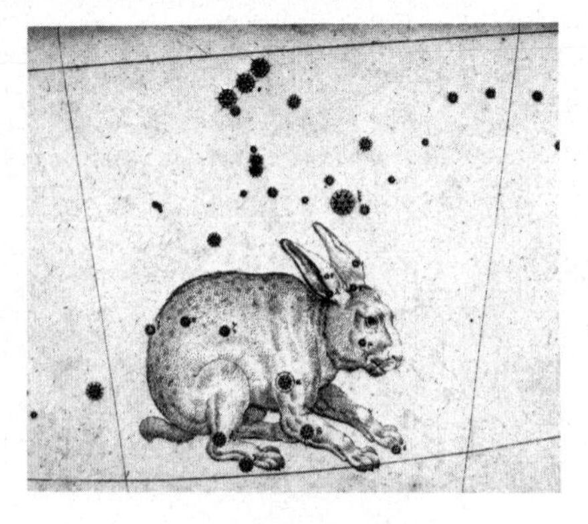

ADAPTÉE DE « ATLAS DU CIEL 2000.0 » PAR WIL TIRION

MAGNITUDES

-1	> -0.4
0	-0.4 - +0.5
1	0.6 - 1.5
2	1.6 - 2.5
3	2.6 - 3.5
4	3.6 - 4.5
5	4.6 - 5.5
6	5.6 - 6.5
7	6.6 - 7.5

DOUBLE ou MULTIPLE

VARIABLE

AMAS OUVERTS — >10' à <10'

AMAS GLOBULAIRES — >10' 5'-10' <5'

NEBULEUSES PLANETAIRES — >1' 0.5'-1' <0.5'

NEBULEUSES DIFFUSES — >10' à <10'

GALAXIES — > 30' 20'-30' 10'-20' <10'

QUASAR

PULSAR

TROU NOIR

VOIE LACTEE

EQUATEUR GALACTIQUE — 70°

ECLIPTIQUE — 100°

LIMITES DES CONSTELLATIONS

ALPHABET GREC

α	Alpha	ν	Nu
β	Beta	ξ	Xi
γ	Gamma	o	Omicron
δ	Delta	π	Pi
ε	Epsilon	ϱ	Rho
ζ	Zeta	σ	Sigma
η	Eta	τ	Tau
θ ϑ	Theta	υ	Upsilon
ι	Iota	ϕ φ	Phi
κ $\varkappa$	Kappa	χ	Chi
λ	Lambda	ψ	Psi
μ	Mu	ω	Omega

Planche 36

Cette région offre de nombreux champs stellaires de grande beauté. Le Grand Chien et la Poupe en particulier méritent d'être fouillés.

ϵ **CMa :** (7^h, -29°) ; étoile double. Son compagnon de 8ᵉ magnitude est à 7''.

η **Pup :** étoile double à 5° à l'Est de τ CMa. Composantes égales, bien écartées.

K **Pup :** (7^h29^m, -43°) ; paire de composantes inégales orange (m = 3.3) et blanchâtres (m = 8.5) séparées par 22.4''.

$\varkappa$ **Pup :** (7^h39^m, -27°) ; couple brillant facile à séparer avec un petit télescope. Composantes bleues de magnitudes 4.5 et 4.6 écartées de 9.8''.

UW CMa : (7^h19^m, -25°) ; variable irrégulière située près de τ CMa.

L^2 Pup : (7^h14^m, -45°) ; variable irrégulière située près de σPup. Visible durant la plus grande partie de son cycle (minimum voisin de 6.0).

V Pup : variable à éclipses, de m = 4.4 à 5.3. A 3° au Sud-Ouest de γ Vel.

M41 = NGC 2287 : (6^h47^m, -21°) ; amas ouvert à 4° au Sud de Sirius dans le Grand Chien. Visible dans de bonnes conditions à l'œil nu (m = 5.0). Facile à résoudre par une ouverture moyenne. On peut dénombrer environ 25 étoiles brillantes et beaucoup d'autres plus faibles dans un champ de taille de la pleine Lune.

M93 = NGC 2447 : (7^h45^m, -24°) ; amas ouvert à 2° au Nord-Ouest de ξ Pup, près de l'équateur galactique. Se détache d'un riche fond stellaire. Amas très riche (300 composantes) à 3300 a.l.

NGC 2467 : nébuleuse diffuse à 2° de ξ Pup.

NGC 2477 : (7^h52^m, -39°) ; amas ouvert à 15° au Sud de M93 dans la Poupe. Riche et compact : environ 300 étoiles dans un champ de 20'.

Fig. 76. Canis Major, le Grand Chien (vu de derrière), de l'atlas d'Hévélius (1690).

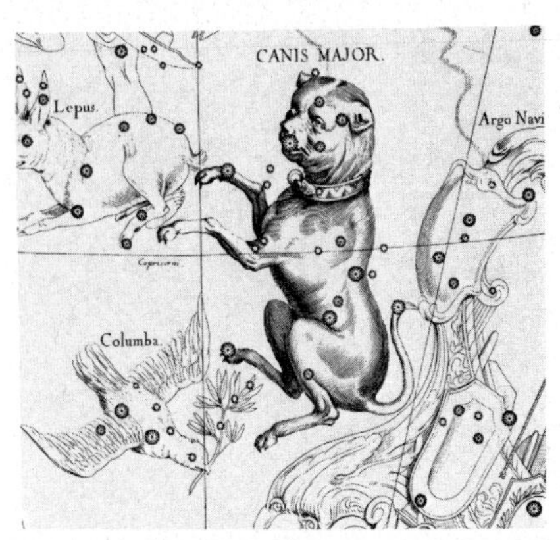

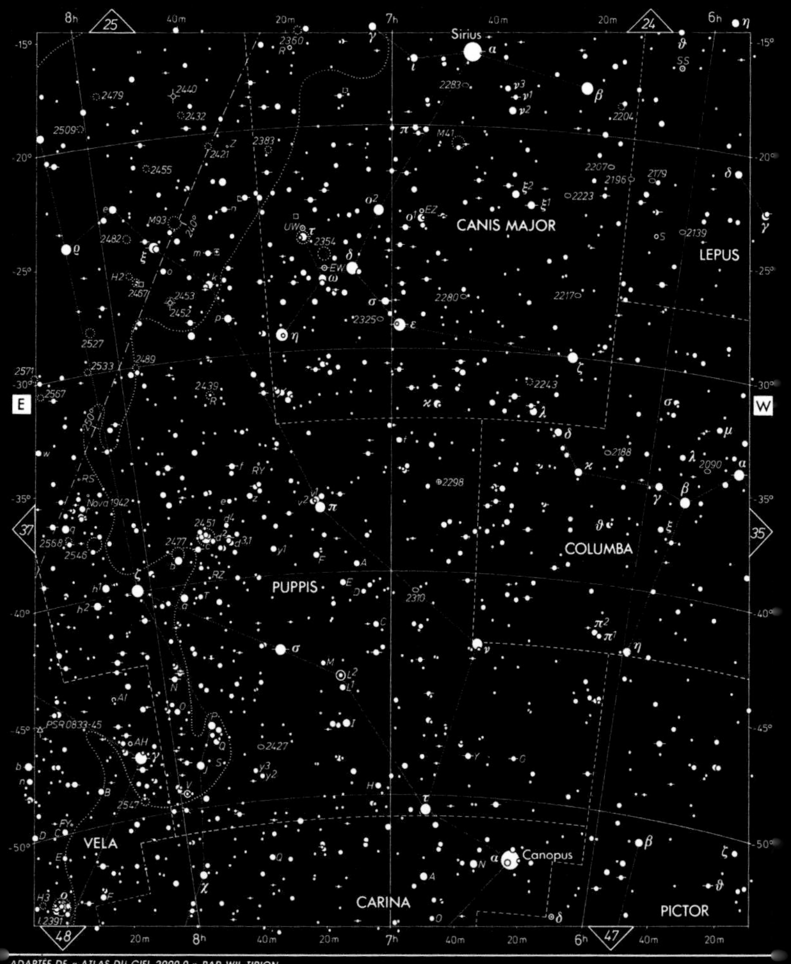

ADAPTÉE DE « ATLAS DU CIEL 2000.0 » PAR WIL TIRION

MAGNITUDES

-1	>-0.4
0	-0.4 - +0.5
1	0.6 - 1.5
2	1.6 - 2.5
3	2.6 - 3.5
4	3.6 - 4.5
5	4.6 - 5.5
6	5.6 - 6.5
7	6.6 - 7.5

DOUBLE ou MULTIPLE

VARIABLE

AMAS OUVERTS >10' à <10'

AMAS GLOBULAIRES >10' 5'-10' <5'

NEBULEUSES PLANETAIRES >1' 0.5'-1' <0.5'

NEBULEUSES DIFFUSES >10' à <10'

GALAXIES >30' 20'-30' 10'-20' <10'

QUASAR

PULSAR

TROU NOIR

VOIE LACTEE

EQUATEUR GALACTIQUE 10°

ECLIPTIQUE 100°

LIMITES DES CONSTELLATIONS

ALPHABET GREC

α	Alpha	ν	Nu
β	Beta	ξ	Xi
γ	Gamma	ο	Omicron
δ	Delta	π	Pi
ε	Epsilon	ϱ	Rho
ζ	Zeta	σ	Sigma
η	Eta	τ	Tau
θ ϑ	Theta	υ	Upsilon
ι	Iota	ϕ φ	Phi
κ ϰ	Kappa	χ	Chi
λ	Lambda	ψ	Psi
μ	Mu	ω	Omega

Planche 37

Dans cette région du ciel Sud, notre regard en direction de la Voie Lactée longe l'équateur galactique. Contrairement à d'autres zones de la Voie Lactée, elle contient peu d'objets intéressants.

ζ Pup : étoile de type spectral 0, donc très chaude.

Nova Puppis 1942 : (8^h12^m, -35°); à 5° au Nord-Est de ζ Pup. Nova qui en novembre 1942 a rapidement atteint la 3ᵉ magnitude. Actuellement inobservable.

T Pyx : (9^h05^m, -32°) ; nova récurrente ayant explosé en 1890, 1920, 1944, 1966. Période moyenne de 19 ans. A surveiller. Normalement de magnitude 14, elle peut atteindre la magnitude 6.5 ou 7 à son maximum.

Nébuleuse lumineuse Gum : trop étendue pour être marquée sur cette carte. Recouvre une région de 35° de diamètre au travers des constellations de la Poupe et des Voiles. L'énergie émise par la partie centrale de cette nébuleuse provient sans doute du pulsar PSR 0833-45 (aussi à l'origine de l'émission de rayons X par Vela X) localisé vers 8^h30^m et -45°, à 1500 a.l.. Période des pulses radio et visible : 0.09 s.

NGC 2997 : galaxie spirale dans la Machine Pneumatique (cf. Pl. 41).

Fig. 77. Une partie de la nébuleuse « Gum » dans les Voiles. (Bart Bok)

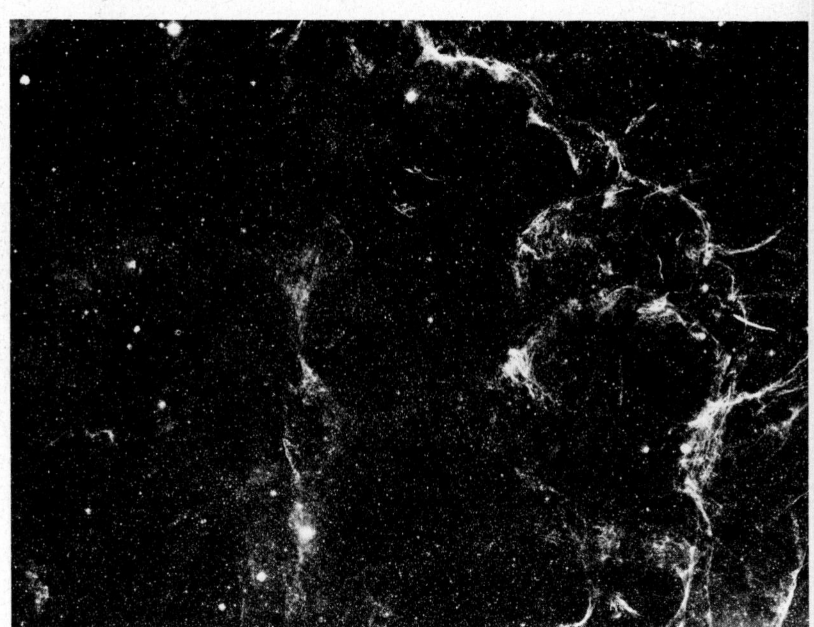

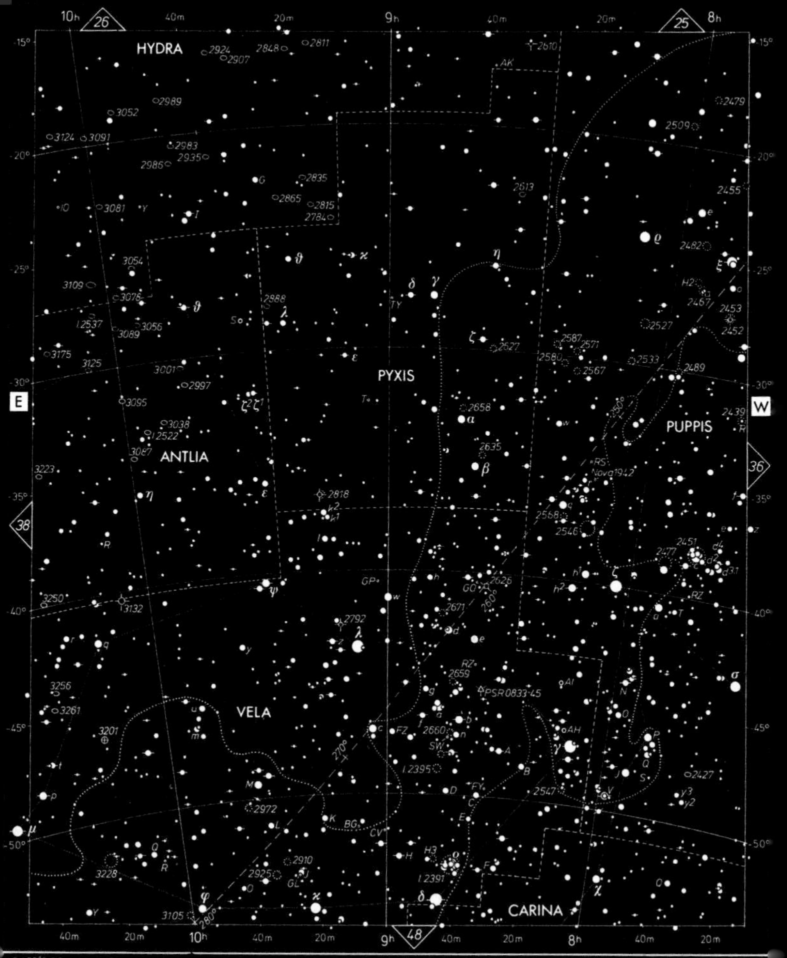

ADAPTÉE DE « ATLAS DU CIEL 2000.0 » PAR WIL TIRION

MAGNITUDES	
-1	>-0.4
0	-0.4 - +0.5
1	0.6 - 1.5
2	1.6 - 2.5
3	2.6 - 3.5
4	3.6 - 4.5
5	4.6 - 5.5
6	5.6 - 6.5
7	6.6 - 7.5

DOUBLE ou MULTIPLE

VARIABLE

AMAS OUVERTS: >10' à <10'

AMAS GLOBULAIRES: >10' 5-10' <5'

NEBULEUSES PLANETAIRES: >1' 0.5'-1' <0.5'

NEBULEUSES DIFFUSES: >10' à <10'

GALAXIES: >30' 20'-30' 10'-20' <10'

QUASAR

PULSAR

TROU NOIR

VOIE LACTEE

EQUATEUR GALACTIQUE 70°

ECLIPTIQUE 100°

LIMITES DES CONSTELLATIONS

ALPHABET GREC

α	Alpha	ν	Nu
β	Beta	ξ	Xi
γ	Gamma	ο	Omicron
δ	Delta	π	Pi
ε	Epsilon	ϱ	Rho
ζ	Zeta	σ	Sigma
η	Eta	τ	Tau
θ ϑ	Theta	υ	Upsilon
ι	Iota	ϕ φ	Phi
κ ϰ	Kappa	χ	Chi
λ	Lambda	ψ	Psi
μ	Mu	ω	Omega

Planche 38

En s'éloignant de la Voie Lactée, le nombre d'étoiles décroît rapidement. La Machine Pneumatique est une des régions les moins intéressantes, au télescope comme à l'œil nu, de même que l'Hydre et la partie Nord du Centaure.

N Hya = ADS 8202: (11^h32^m, $-29°$) ; paire d'étoiles jaunâtres de magnitudes voisines 5.8 et 5.9.

β **Hya:** (11^h53^m, $-34°$) ; étoile double. Composantes de magnitudes 5.0 et 5.4 séparées par une ouverture moyenne.

NGC 3132: (10^h07^m, $-40°$) ; nébuleuse planétaire de magnitude totale 8.2. Etoile centrale brillante de 9e ou 10e magnitude. Difficile à localiser à cause de sa déclinaison et du manque d'étoiles voisines. Quoique de même taille que la nébuleuse annulaire de la Lyre, des photographies en montrent plus de détails: son disque elliptique paraît être dû à la superposition de plusieurs anneaux ovales d'inclinaisons différentes. C'est pourquoi elle est parfois surnommée « Eight Burst ».

Fig. 78. Centaurus, le Centaure (dessiné de derrière), de l'atlas d'Hévélius (1690).

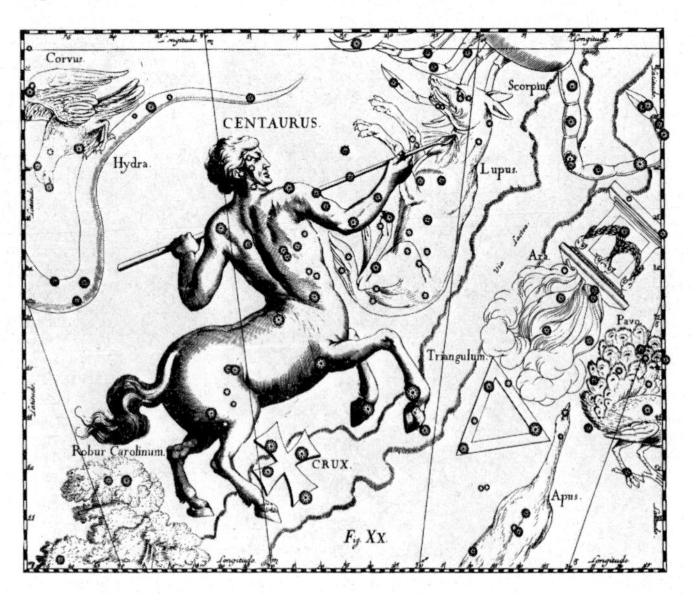

ADAPTEE DE « ATLAS DU CIEL 2000.0 » PAR WIL TIRION

MAGNITUDES	
-1	> -0.4
0	-0.4 - +0.5
1	0.6 - 1.5
2	1.6 - 2.5
3	2.6 - 3.5
4	3.6 - 4.5
5	4.6 - 5.5
6	5.6 - 6.5
7	6.6 - 7.5

DOUBLE ou MULTIPLE

VARIABLE

AMAS OUVERTS >10' à <10'

AMAS GLOBULAIRES >10' 5'-10' <5'

NEBULEUSES PLANETAIRES >1' 0.5'-1' <0.5'

NEBULEUSES DIFFUSES >10' à <10'

GALAXIES >30' 20'-30' 10'-20' <10'

QUASAR

PULSAR

TROU NOIR

VOIE LACTEE

EQUATEUR GALACTIQUE 10°

ECLIPTIQUE 100°

LIMITES DES CONSTELLATIONS

ALPHABET GREC

α	Alpha	ν	Nu
β	Beta	ξ	Xi
γ	Gamma	o	Omicron
δ	Delta	π	Pi
ε	Epsilon	ϱ	Rho
ζ	Zeta	σ	Sigma
η	Eta	τ	Tau
θ ϑ	Theta	υ	Upsilon
ι	Iota	ϕ φ	Phi
κ $\varkappa$	Kappa	χ	Chi
λ	Lambda	ψ	Psi
μ	Mu	ω	Omega

Planche 39

ADS 8612: double de 6ᵉ magnitude; seule étoile proche de cette région visible à l'œil nu.

R Hya: (13^h30^m, $-23°$); variable à longue période. Située à 3° à l'Est de γ Hya. Facile à observer. Couleur rouge prononcée. Varie de la magnitude 3.6 à 10.9 en 387 jours.

M68 = NGC 4590: (12^h40^m, $-27°$); amas globulaire relativement brillant malgré sa petite taille et sa très grande concentration. Apparaît comme une sphère lumineuse de 8ᵉ magnitude, de 3' de diamètre.

NGC 5128: (13^h25^m, $-43°$); galaxie géante particulière. Apparaît comme une sphère lumineuse de 7ᵉ magnitude traversée par une épaisse bande de poussière (Pl. 42). Peut être observée parfois avec de bonnes jumelles. Du gaz jaillit de son centre. A été identifiée à la puissante radio-source Centaurus A. Le jet de gaz et les émissions d'ondes radio et de rayon X sont le résultat de la chute de la matière dans le gigantesque trou noir, au centre de cette galaxie.

ω **Cen = NGC 5139:** (13^h27^m, $-47°$); amas globulaire. L'un des plus brillants et des plus grands accessibles aux télescopes des amateurs. Son diamètre apparent est celui de la pleine Lune. Apparaît comme une étoile floue de 4ᵉ ou 5ᵉ magnitude, à l'œil nu. Au travers de petits télescopes ou de jumelles apparaît comme une tache floue. Contient plus d'un million d'étoiles.

NGC 5223: galaxie brillante. A environ 3° au Sud de M83. Perçue comme un ovale au centre brillant dans un télescope de taille moyenne. Deux des plus brillantes surpernovae extragalactiques y ont explosé: l'une en 1895 atteignant la magnitude 7.2 et l'autre en 1972 la magnitude 7.9.

M83 = NGC 5236: (13^h37^m, $-30°$); galaxie spirale. A mi-chemin entre γ Hya et θ Cen. Vue de face (Pl. 23). C'est l'une des 10 plus grandes et l'une des 25 plus brillantes galaxies. Difficile à observer depuis l'hémisphère Nord à cause de sa déclinaison et de son emplacement dans une région riche en nuages de poussière et d'étoiles.

NGC 5367: nébuleuse enveloppant un amas ouvert.

ADAPTÉE DE « ATLAS DU CIEL 2000.0 » PAR WIL TIRION

MAGNITUDES	
-1	>-0,4
0	-0,4 - -0,5
1	0,5-1,5
2	1,6-2,5
3	2,6-3,5
4	3,6-4,5
5	4,5-5,5
6	5,6-6,5
7	6,5-7,5

DOUBLE ou MULTIPLE

VARIABLE

AMAS OUVERTS: >10' à <10'

AMAS GLOBULAIRES: >10' 5'-10' <5'

NEBULEUSES PLANETAIRES: >1' 0,5'-1' <0,5'

NEBULEUSES DIFFUSES: >10' à <10'

GALAXIES: > 30' 20'-30' 10'-20' <10'

QUASAR

PULSAR

TROU NOIR

VOIE LACTEE

EQUATEUR GALACTIQUE 10°

ECLIPTIQUE 100°

LIMITES DES CONSTELLATIONS

ALPHABET GREC

α	Alpha	ν	Nu
β	Beta	ξ	Xi
γ	Gamma	ο	Omicron
δ	Delta	π	Pi
ε	Epsilon	ϱ	Rho
ζ	Zeta	σ	Sigma
η	Eta	τ	Tau
θ ϑ	Theta	υ	Upsilon
ι	Iota	ϕ φ	Phi
κ ϰ	Kappa	χ	Chi
λ	Lambda	ψ	Psi
μ	Mu	ω	Omega

Planche 40

Peu d'objets intéressants dans cette zone dominée par les régions éparses du Centaure, du Loup et de la Balance. Bien que difficiles à observer visuellement, des nébulosités étendues peuvent être détectées entre δ et π Sco.

δ **Sco:** étoile très chaude, de type spectral BO. Distante de 540 a.l. L'un des membres les plus brillants de l'association Scorpion-Centaure (groupe étendu sur 90° d'étoiles, sous-composant d'un groupe plus grand encore de 100 étoiles appelé « the Local Star Cloud » situé dans l'un des bras spiraux de notre galaxie. Les étoiles de ce groupe, vieilles de 20 millions d'années sont de type B).

Antarès = α **Sco:** étoile rouge (cf. carte 41), membre de l'association Scorpion-Centaure.

π **Lup:** (15^h05^m, $-47°$); étoile double. Composantes de magnitudes 4.1 et 6.0.

ϵ **Lup:** (15^h23^m, $-45°$); étoile double résolue par un télescope de taille moyenne.

$\varkappa$ **Lup:** (15^h12^m, $-49°$); couple très écarté d'étoiles de magnitudes 4.1 et 6.0.

ξ **Lup :** (15^h57^m, $-34°$); couple écarté d'étoiles de magnitudes 5.2 et 5.6.

NGC 5460: (14^h08^m, $-48°$); amas ouvert épars. Diamètre équivalent à celui de la pleine Lune. Magnitude totale: 6.3. Aucune des étoiles n'est plus brillante que la 8e magnitude. A observer de préférence avec un télescope à grand champ ou des jumelles.

NGC 5695: (14^h40^m, $-27°$); amas globulaire. Difficile à résoudre à cause de son petit diamètre apparent. Distant de 100 000 a.l. Magnitude totale: 10.9 (aucune des étoiles ne dépasse la 16e magnitude).

Fig. 79. ω Centauri, un des plus grands et plus brillants des amas globulaires. (Anglo-Australian Telescope Board)

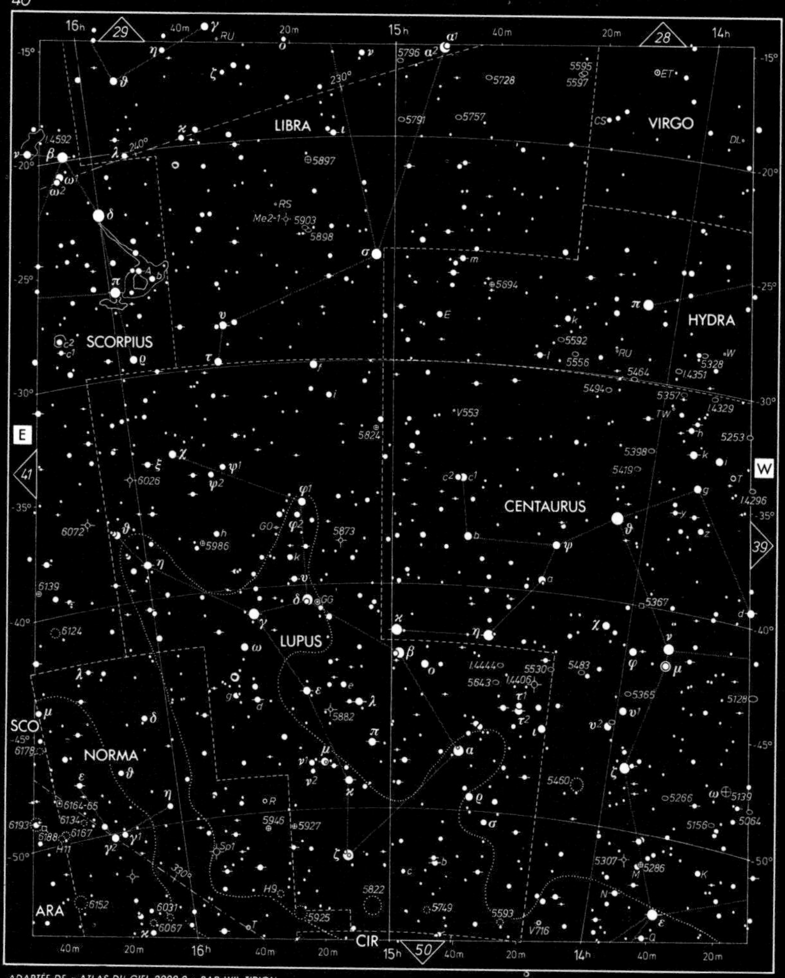

ADAPTÉE DE « ATLAS DU CIEL 2000.0 » PAR WIL TIRION

MAGNITUDES

Magnitude	
-1	>-0.4
0	-0.4 - +0.5
1	0.6 - 1.5
2	1.6 - 2.5
3	2.6 - 3.5
4	3.6 - 4.5
5	4.6 - 5.5
6	5.6 - 6.5
7	6.6 - 7.5

DOUBLE ou MULTIPLE

VARIABLE

AMAS OUVERTS >10' à <10'

AMAS GLOBULAIRES >10' 5-10' <5'

NEBULEUSES PLANETAIRES >1' 0.5'-1' <0.5'

NEBULEUSES DIFFUSES >10' à <10'

GALAXIES >30' 20'-30' 10'-20' <10'

QUASAR

PULSAR

TROU NOIR

VOIE LACTEE

EQUATEUR GALACTIQUE 10°

ECLIPTIQUE 100°

LIMITES DES CONSTELLATIONS

ALPHABET GREC

α	Alpha	ν	Nu
β	Beta	ξ	Xi
γ	Gamma	ο	Omicron
δ	Delta	π	Pi
ε	Epsilon	ϱ	Rho
ζ	Zeta	σ	Sigma
η	Eta	τ	Tau
θ ϑ	Theta	υ	Upsilon
ι	Iota	ϕ φ	Phi
κ ϰ	Kappa	χ	Chi
λ	Lambda	ψ	Psi
μ	Mu	ω	Omega

Planche 41

C'est l'une des régions les plus intéressantes de la sphère céleste : champs stellaires brillants, nuages sombres et bancs de poussière entrecoupant la Voie Lactée, amas ouverts et globulaires. Dans la partie Sud d'Ophiucus et le Sagittaire, nous regardons au travers des bras spiraux de notre galaxie en direction du centre galactique. Le « grand nuage d'étoiles du Sagittaire » au Nord de γ Sgr forme la partie la plus brillante du Sagittaire. Plus à l'Ouest, la bande appelée « the Great Rift » qui marque le plan équatorial de notre galaxie obscurcit les champs stellaires. Le centre galactique, à 30 000 a.l. de la Terre est masqué à l'observation optique par la matière interstellaire et les nébuleuses obscures. Il se trouve à environ 1.5° au Sud-Ouest de la variable céphéide **X Sgr** (étoile de 4e magnitude, au premier plan). Une radio-source **Sgr A** coïncide avec le centre galactique. L'absorption interstellaire affecte moins les rayonnements γ, X et IR que le visible ; aussi l'observation dans ces domaines de longueur d'onde nous permet-elle de mieux connaître les régions centrales caractérisées par de nombreuses sources radio et infrarouge intenses et des nuages moléculaires.

Antarès = α **Sco** : (16^h29^m, $-26°$) ; étoile rouge de magnitude 0.96 (15e étoile brillante). Son nom signifie : « comparable à Mars ». Entourée d'une nébuleuse rougeâtre IC 4666 (cf. Pl. 55).

M80 = NGC 6093 : amas globulaire plus petit, mais plus brillant que M4. A chercher sur le bord Ouest d'un nuage sombre à un peu plus de 4° au Nord-Ouest d'Antarès. Beaucoup plus difficile à résoudre que M4 à cause de sa concentration.

M4 = NGC 6121 : amas globulaire proche et brillant moins de 2° à l'Ouest d'Antarès. Visible avec des jumelles et parfois à l'œil nu (6e magnitude). Facile à localiser. Structure peu marquée ; de petits télescopes peuvent résoudre ses bords.

NGC 6124 : (16^h25^m, $-41°$) ; riche amas ouvert.

NGC 6144 : amas globulaire plus faible et plus petit, moins de 1° au Nord-Est de M4. A observer avec un instrument puissant.

NGC 6193 : grand amas ouvert localisé 7° au Sud Sud-Ouest de ζ Sco.

NGC 6231 : (16^h55^m, $-41°$) ; amas ouvert situé près de l'équateur galactique, environ 0.5° au Nord de ζ Sco. Version miniature des Pléiades (groupe central d'environ 7 étoiles brillantes). Distant de 5 700 a.l. S'il était situé aussi près que les Pléiades, il aurait leur taille mais serait 50 fois plus brillant.

NGC 6242 : amas ouvert 1° au Nord de H 12.

M62 = NGC 6266 : amas globulaire asymétrique. Noyau au Sud-Est du centre de l'amas d'où une ressemblance à une comète. Apparaît toutefois rond dans un petit télescope.

M19 = NGC 6273 : amas globulaire ovale de magnitude 6.9. Diamètre apparent égal à 5'. Bords faciles à résoudre.

NGC 6281 : amas ouvert compact et allongé.

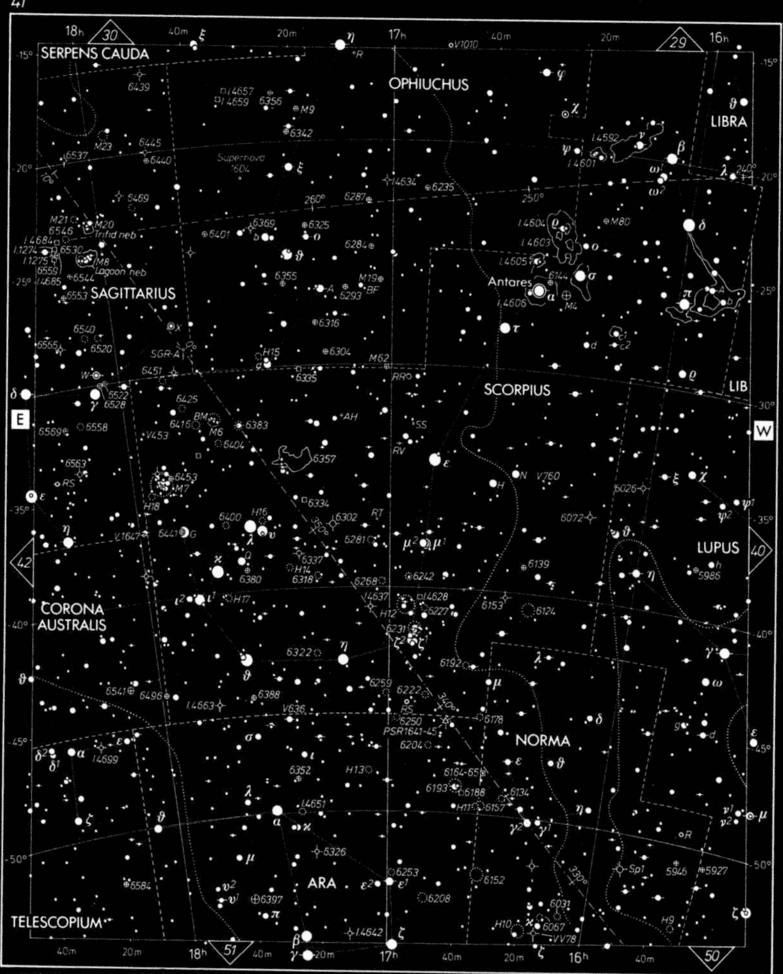

ADAPTÉE DE « ATLAS DU CIEL 2000.0 » PAR WIL TIRION

MAGNITUDES	
-1	>-0.4
0	-0.4 - +0.5
1	0.6 - 1.5
2	1.6 - 2.5
3	2.6 - 3.5
4	3.6 - 4.5
5	4.6 - 5.5
6	5.6 - 6.5
7	6.6 - 7.5

DOUBLE ou MULTIPLE

VARIABLE

AMAS OUVERTS >10' à <10'

AMAS GLOBULAIRES >10' 5'-10' <5'

NEBULEUSES PLANETAIRES >1' 0.5'-1' <0.5'

NEBULEUSES DIFFUSES >10' à <10'

GALAXIES >30' 20'-30' 10'-20' <10'

QUASAR

PULSAR

TROU NOIR

VOIE LACTEE

EQUATEUR GALACTIQUE 0°

ECLIPTIQUE 100°

LIMITES DES CONSTELLATIONS

ALPHABET GREC

α	Alpha	ν	Nu
β	Beta	ξ	Xi
γ	Gamma	ο	Omicron
δ	Delta	π	Pi
ε	Epsilon	ϱ	Rho
ζ	Zeta	σ	Sigma
η	Eta	τ	Tau
θ ϑ	Theta	υ	Upsilon
ι	Iota	ϕ φ	Phi
κ ϰ	Kappa	χ	Chi
λ	Lambda	ψ	Psi
μ	Mu	ω	Omega

NGC 6284: amas globulaire petit et brillant. Ressemblant à une étoile de 10e magnitude dans un télescope moyen.

NGC 6294: amas globulaire de 8e magnitude. A chercher environ 1.75° à l'Est Sud-Est de M 19.

M6 = NGC 6405: (17^h40^m, − 32°); amas ouvert brillant, ressemblant aux Pléiades. Magnitude totale inférieure à 6. Beaucoup d'étoiles ont une magnitude comprise entre 8 et 12. A observer avec un petit télescope pour résoudre ses membres.

NGC 6453: amas globulaire sur le bord Nord-Ouest de M 7.

M7 = NGC 6475: (17^h50^m, − 35°); amas ouvert brillant de 5e magnitude. Parfois visible à l'œil nu par bonnes conditions. Apparaît alors comme une lueur floue sur un fond stellaire très riche. Spectaculaire avec des jumelles. Plus grand que M 6.

IC 4603: nébuleuse par réflexion autour d'une étoile faible.

IC 4604: nébuleuse par réflexion autour de ϱ Oph, à 3° au Nord Nord-Ouest d'Antarès. Trop faible pour des observations visuelles. Montre une nébulosité bleu-pourpre sur des photographies à longue pose au travers de grands télescopes (Pl. 55).

IC 4628: nébuleuse faible à environ 1.5° au Nord de NGC 6231.

H 12: groupe d'environ 200 étoiles brillantes de types spectraux O et B. Situé 1° au Nord et un peu à l'Est de NGC 6231. Un petit télescope montre ce groupe formant une traînée depuis le Nord-Est de NGC 6231 aboutissant dans une région nébuleuse et brillante. Ce groupe marque l'un des bras spiraux de notre galaxie situé à 5 000 a.l. de nous, plus proche du centre galactique que celui qui contient notre Soleil. Une boucle de nébulosité de 300 a.l. de diamètre encercle cette association (anneau irrégulier de 4° de large). C'est l'une des grandes régions HII qui souligne les bras spiraux de notre galaxie et des autres galaxies spirales.

Pipe Nebula: immense nébuleuse obscure s'étendant sur 7°. Visible à l'œil nu. A chercher 2° à l'Est et sous θ Oph (17^h22^m, − 25°). L'absorption par cette nébuleuse diminue beaucoup l'éclat des étoiles de cette zone.

Résidu de **supernova** vu par **Kepler** en **1606:** marqué en haut et à gauche de la carte. Faible même sur des photographies.

Fig. 80. Deux amas globulaires, NGC 6522 et NGC 6528, dans le Sagittaire à 18^h02^m et 18^h03^m et $-39°$. (Kitt Peak National Observatory)

Fig. 81. La Voie Lactée dans le Sagittaire et le Scorpion. (Harvard College Observatory)

Planche 42

Dans cette région, notre regard traverse la Voie Lactée en direction du centre galactique. De nombreux amas ouverts et globulaires, des associations d'étoiles et de curieuses nébuleuses obscures (cf. Pl. 45) caractérisent cette zone. Deux remarquables nébuleuses lumineuses – nébuleuses Trifide et Lagoon –, situées juste à côté du «courant principal» de la Voie Lactée (un peu au Nord et à l'Ouest de γ Sgr, vers $18^h02^m, -23°$) doivent l'énergie qu'elles émettent au rayonnement ultraviolet d'étoiles jeunes et chaudes qui s'y cachent.

Nébuleuse Trifide = M20 = NGC 6514: nébuleuse lumineuse à environ 1.5° au Nord Nord-Ouest de M18. Les régions lumineuses, rouges à cause du rayonnement de l'hydrogène ionisé, sont au nombre de 3 (cf. Pl. 7), séparées par des bandes de poussière. Là où s'imbriquent ces trois bandes, se trouve un système triple. Bandes facilement détectées par un télescope de taille moyenne. La partie bleue au-dessus de M20 est une nébuleuse par réflexion, non liée physiquement à la partie inférieure.

Nébuleuse Lagoon = M8 = NGC 6523 : nébuleuse lumineuse située à 2 500 a.l. Forme irrégulière, de la taille de la pleine Lune, traversée par une large bande absorbante de poussière (d'où son nom: cf. Pl. 2). D'aspect cométaire à l'œil nu. A observer de préférence avec un instrument à grand champ. Contient des nuages de gaz et de poussières où naissent de nouvelles étoiles et une région HII résultant de la présence d'étoiles très chaudes. La partie est de cette nébuleuse renferme l'amas ouvert NGC 6530 (diamètre 10') très jeune (moins de quelques millions d'années) et quelques étoiles T Tauri. A 1.5° à l'Est Nord-Est de M8 se trouvent plusieurs nébuleuses irrégulières, probablement connectées à M8 par des liens gazeux faibles.

M21 = NGC 6531 : amas ouvert petit mais riche de magnitude 6.5.

NGC 6544: petit amas globulaire. Très lointain et très difficile à trouver à 1° au Sud-Est de M8.

NGC 6553: amas globulaire très difficile à résoudre, suite à la forte absorption de lumière par les poussières.

NGC 6624: amas globulaire faible situé un peu au Sud-Est de δ Sgr.

M28 = NGC 6626 : amas globulaire brillant, très compact. Pas très frappant, car difficile à résoudre par des télescopes de taille moyenne.

M69 = NGC 6637: $(18^h30^m, -32°)$; amas globulaire de 8e magnitude résolu seulement par de grands télescopes.

NGC 6638: petit amas globulaire. Très lointain, difficile à résoudre.

NGC 6642: petit amas globulaire environ 1° à l'Ouest Nord-Ouest de M22. Faible, ressemble à un point flou.

ADAPTÉE DE « ATLAS DU CIEL 2000.0 » PAR WIL TIRION

MAGNITUDES

-1	> -0.4
0	-0.4 - 0.5
1	0.6 - 1.5
2	1.6 - 2.5
3	2.6 - 3.5
4	3.6 - 4.5
5	4.6 - 5.5
6	5.6 - 6.5
7	6.6 - 7.5

DOUBLE ou MULTIPLE

VARIABLE

AMAS OUVERTS — >10' à <10'

AMAS GLOBULAIRES — >10' 5'-10' <5'

NEBULEUSES PLANETAIRES — >1' 0.5'-1' <0.5'

NEBULEUSES DIFFUSES — >10' à <10'

GALAXIES — >30' 20'-30' 10'-20' <10'

QUASAR

PULSAR

TROU NOIR

VOIE LACTEE

EQUATEUR GALACTIQUE — 70°

ECLIPTIQUE — 100°

LIMITES DES CONSTELLATIONS

ALPHABET GREC

α	Alpha	ν	Nu
β	Beta	ξ	Xi
γ	Gamma	ο	Omicron
δ	Delta	π	Pi
ε	Epsilon	ϱ	Rho
ζ	Zeta	σ	Sigma
η	Eta	τ	Tau
θ ϑ	Theta	υ	Upsilon
ι	Iota	ϕ φ	Phi
κ ϰ	Kappa	χ	Chi
λ	Lambda	ψ	Psi
μ	Mu	ω	Omega

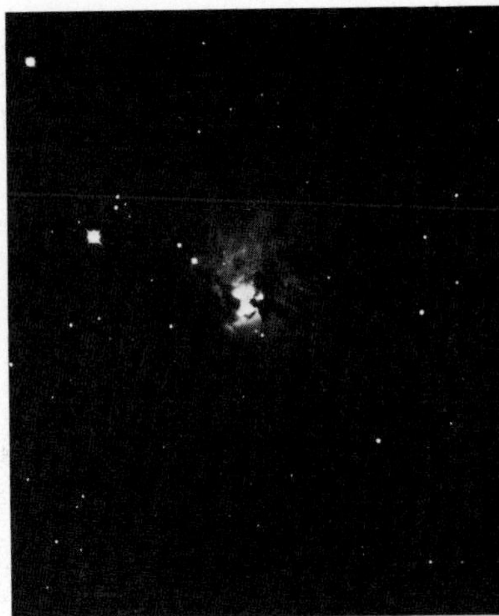

Fig. 82. *(à gauche)* Nébuleuse de la Lagune, M8 (NGC 6523), dans le Sagittaire.

Fig. 83. *(à droite)* Exposition plus courte. (Lick Observatory)

NGC 6652: amas globulaire très petit et très lointain.

M22 = NGC 6656 : ($18^h36^m, -24°$); amas globulaire à 2° au Nord-Est de λ Sgr. Impressionnant, très facile à résoudre. N'a d'égal dans le ciel Nord que M13 (amas d'Hercule, cf. carte 17) . Les étoiles les plus brillantes sont de 11ᵉ magnitude. Population totale voisine d'au moins 0.5 million d'étoiles. Distant de 9 600 a.l.

M70 = NGC 6681 : amas globulaire de mêmes taille et luminosité que M69. A mi-chemin entre ζ et ϵ Sgr.

M54 = NGC 6715 : ($18^h55^m, -31°$); amas globulaire petit et brillant (7ᵉ magnitude). Très concentré, résolu seulement par de grands télescopes.

NGC 6726-7: partie la plus brillante d'un large champ de nébuleuses sombres et lumineuses et de poussière absorbante dans la Couronne Australe environ 7.5° au Sud de ζ Sgr.

NGC 6729: nébuleuse par réflexion dont les variations de luminosité suivent celles de l'étoile excitatrice R CrA.

M55 = NGC 6809 : ($19^h40^m, -31°$); amas globulaire intéressant environ 7° à l'Est et un peu au Sud de ζ Sgr. Visible à l'œil nu. Grand et épars, de 6ᵉ magnitude , semblable à M13 . Apparaît comme une tache brillante de 10' de diamètre dans un petit télescope.

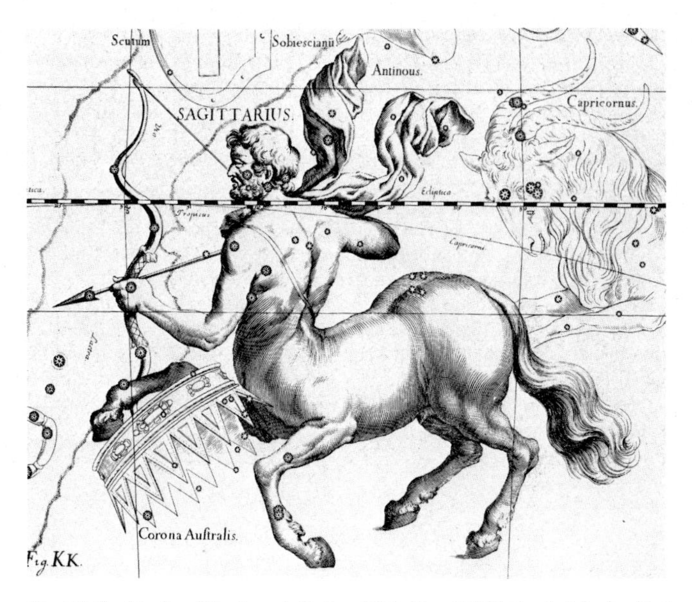

Fig. 84. Sagittarius, l'Archer, de l'atlas d'Hévélius (1690) (dessiné de derrière).

Planche 43

Peu d'objets intéressants dans cette zone aux frontières du Sagittaire et du Capricorne.

M75 = NGC 6864 : (20^h06^m, $-22°$) ; petit, mais riche amas globulaire de 8e magnitude. Suffisamment brillant pour être vu avec de bonnes jumelles, à moins de 7° au Sud-Ouest de β Cap (dessinée au-dessus du bord supérieur de la carte). Très condensé, ne peut être résolu que par de grandes ouvertures. Situé au-delà du centre galactique à 95 000 a.l.

M30 = NGC 7099 : amas globulaire le plus important du Capricorne. Facile à localiser avec des jumelles à environ 4° au Sud-Est de ζ Cap et un peu au Nord-Ouest de 41 Cap ($m = 5$) vers 21^h40^m, $-23°$. Difficile à résoudre. Eloigné de 40 000 a.l.

PKS 2000-330 : quasar situé au milieu et à droite de la carte. Objet le plus lointain connu : 12 milliards d'a.l. (on le voit donc tel qu'il était il y a 12 milliards d'années). Décalage spectral vers le rouge égal à 3.7.

Fig. 85. Capricornus, le Bouc (vu de derrière), de l'atlas d'Hévélius (1690).

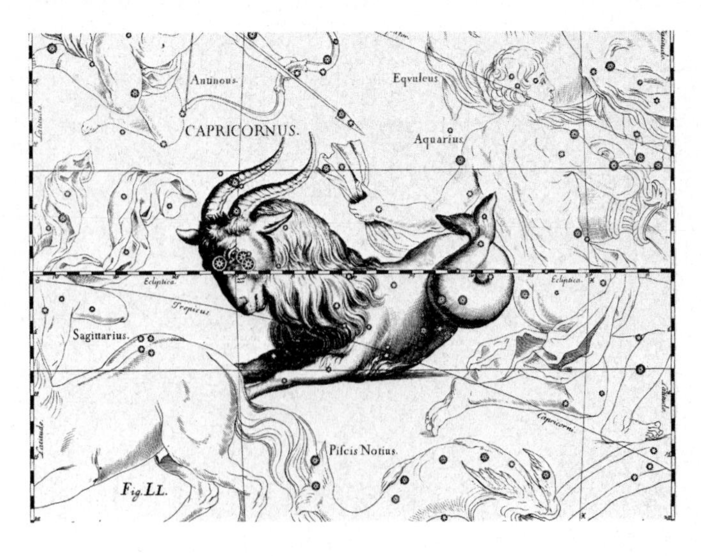

ADAPTÉE DE « ATLAS DU CIEL 2000.0 » PAR WIL TIRION

MAGNITUDES	
-1	>-04
0	-04--05
1	06-15
2	15-25
3	26-35
4	36-45
5	46-55
6	56-65
7	66-75

DOUBLE ou MULTIPLE

VARIABLE

AMAS OUVERTS	>10'	à	<10'	
AMAS GLOBULAIRES	>10'	5'-10'	<5'	
NEBULEUSES PLANETAIRES	>1'	0,5'-1'	<0,5'	
NEBULEUSES DIFFUSES	>10'	à	<10'	
GALAXIES	>30'	20'-30'	10'-20'	<10'

QUASAR

PULSAR

TROU NOIR

VOIE LACTEE

EQUATEUR GALACTIQUE 10°

ECLIPTIQUE 100°

LIMITES DES CONSTELLATIONS

ALPHABET GREC

α	Alpha	ν	Nu
β	Beta	ξ	Xi
γ	Gamma	ο	Omicron
δ	Delta	π	Pi
ε	Epsilon	ϱ	Rho
ζ	Zeta	σ	Sigma
η	Eta	τ	Tau
θ ϑ	Theta	υ	Upsilon
ι	Iota	ϕ φ	Phi
κ ϰ	Kappa	χ	Chi
λ	Lambda	ψ	Psi
μ	Mu	ω	Omega

Planche 44

Peu d'objets intéressants dans cette région relativement sombre et peu familière aux observateurs de l'hémisphère Nord.

Fomalhaut = α **PsA:** étoile blanche très brillante classée en 18ᵉ position (m = 1.16). Fomalhaut dérivé de l'arabe signifie: bouche du poisson.

41 Aqr: étoile double. Située quelques degrés à l'Ouest et un peu au Sud de NGC 7293. Contraste entre les composantes de magnitudes 5.5 et 7.5. Séparées apr 5.2'', peut être résolue par de petits télescopes.

θ **Gru:** (23^h07^m, − 44°); étoile double. Composantes de magnitudes 4.5 et 7.0.

SX Phe: variable céphéide naine. Située à 7.5° à l'Ouest de α Phe. Possède un grand mouvement propre. Distance: 400 a.l. Période: 79 minutes. Variation de magnitude entre 7.1 et 7.5.

NGC 7293: (22^h30^m, − 21°); nébuleuse planétaire. Située à environ 21° au Sud de ζ Aqr. Aussi appelée nébuleuse en hélice à cause de l'immense sphère de gaz s'étendant sur 1.5 a.l. et entourant l'étoile centrale de 13ᵉ magnitude (cf. Pl. 54). C'est la plus grande nébuleuse planétaire. Diamètre apparent moitié de celui de la pleine Lune. Bien que de magnitude totale égale à 6.5, difficile à observer car la luminosité est répartie sur une grande surface. Par bonnes conditions, apparaît comme une tache circulaire et floue. Structure visible avec seulement de grands télescopes ou sur des photographies à longue pose.

Fig. 86. Nébuleuse Hélice (NGC 7293), une nébuleuse planétaire dans le Verseau. (Cerro Tololo Inter-American Observatory)

ADAPTÉE DE « ATLAS DU CIEL 2000.0 » PAR WIL TIRION

MAGNITUDES

- -1 : >-0,4
- 0 : -0,4 - +0,5
- 1 : 0,6 - 1,5
- 2 : 1,6 - 2,5
- 3 : 2,6 - 3,5
- 4 : 3,6 - 4,5
- 5 : 4,6 - 5,5
- 6 : 5,6 - 6,5
- 7 : 6,6 - 7,5

DOUBLE ou MULTIPLE

VARIABLE

AMAS OUVERTS : >10' à <10'

AMAS GLOBULAIRES : >10' 5'-10' <5'

NEBULEUSES PLANETAIRES : >1' 0,5'-1' <0,5'

NEBULEUSES DIFFUSES : >10' à <10'

GALAXIES : >30' 20'-30' 10'-20' <10'

QUASAR

PULSAR

TROU NOIR

VOIE LACTEE

EQUATEUR GALACTIQUE 70°

ECLIPTIQUE 100°

LIMITES DES CONSTELLATIONS

ALPHABET GREC

α Alpha	ν Nu
β Beta	ξ Xi
γ Gamma	ο Omicron
δ Delta	π Pi
ε Epsilon	ϱ Rho
ζ Zeta	σ Sigma
η Eta	τ Tau
θ ϑ Theta	υ Upsilon
ι Iota	ϕ φ Phi
κ ϰ Kappa	χ Chi
λ Lambda	ψ Psi
μ Mu	ω Omega

Planche 45

β **Tuc:** (0^h32^m, − 63°) ; système sextuple écarté. Peut être séparé par des instruments peu puissants en deux étoiles de magnitude 4.4 et 4.5. Autres composantes plus faibles.

κ **Tuc:** (1^h16^m, 69°) ; paires d'étoiles bleues (m = 5.1) et blanches (m = 7.3) résolue par un petit télescope. Au moins deux autres compagnons plus faibles.

47 Tuc = NGC 104: grand amas globulaire très compact. Assez brillant (m = 5) pour être perçu à l'œil nu. Distant de 20 000 a.l. C'est le plus proche amas globulaire.

NGC 362: amas globulaire deux fois plus éloigné de la Voie Lactée que 47 Tuc. Composé d'étoiles de magnitudes 13 à 14, il est très condensé. Difficilement visible à l'œil nu (m = 6).

Petit Nuage de Magellan = PNM (= SMC): galaxie irrégulière séparée de son compagnon, le Grand Nuage de Magellan par 80 000 a.l. Ces deux galaxies, parmi les plus proches de la Voie Lactée, sont reliées par des groupes épars d'amas d'étoiles et d'étoiles... Font partie du Groupe Local de galaxies. A observer avec tous types de télescopes. A l'œil nu, ressemble à un nuage de diamètre d'environ 3.5° contrastant avec le fond sombre (fig. 95). Beaucoup d'amas ouverts et globulaires y ont été découverts. Les deux nuages de Magellan contiennent beaucoup de variables céphéides, véritables bornes stellaires (la relation période-luminosité des céphéides permet de calculer la distance des galaxies où elles se trouvent). La distance du Petit Nuage de Magellan est de 150 000 a.l.

Fig. 87. Amas globulaire 47 Tucanae, NGC 104. (Cerro Tololo Inter-American Observatory)

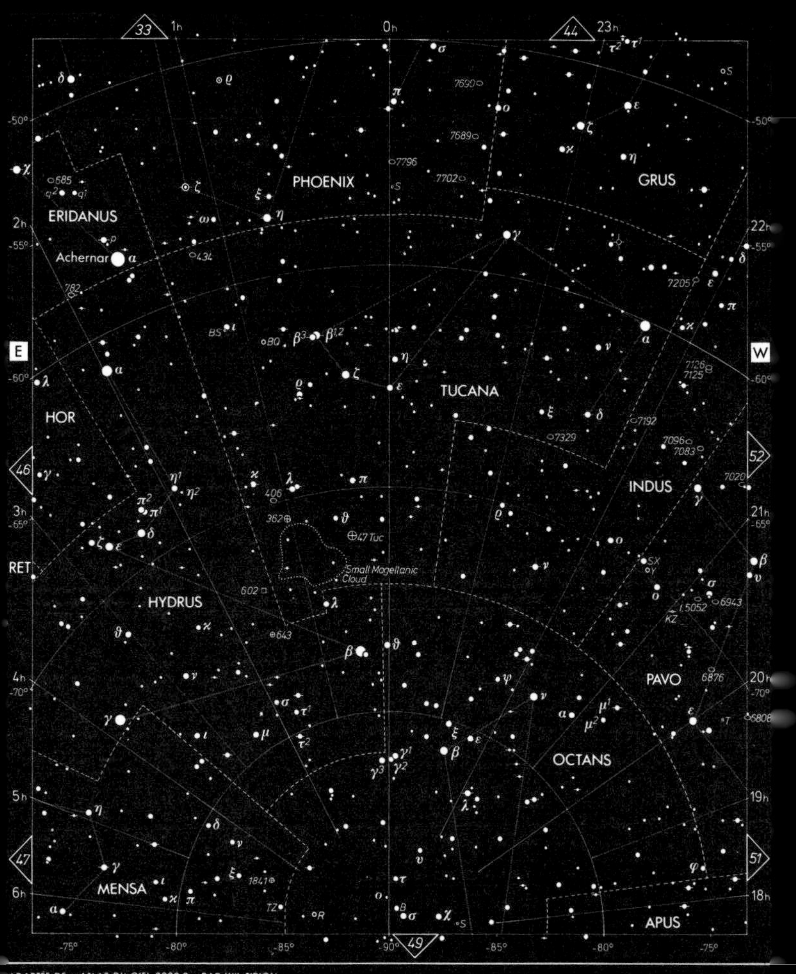

ADAPTÉE DE « ATLAS DU CIEL 2000.0 » PAR WIL TIRION

MAGNITUDES	
-1	>-0.4
0	-0.4 - +0.5
1	0.6-1.5
2	1.6-2.5
3	2.6-3.5
4	3.6-4.5
5	4.6-5.5
6	5.6-6.5
7	6.6-7.5

DOUBLE ou MULTIPLE

VARIABLE

AMAS OUVERTS	>10'	à	<10'
AMAS GLOBULAIRES	>10'	5'-10'	<5'
NEBULEUSES PLANETAIRES	>1'	0.5'-1'	<0.5'
NEBULEUSES DIFFUSES	>10'	à	<10'
GALAXIES	>30'	20'-30'	10'-20' / <10'

QUASAR

PULSAR

TROU NOIR

VOIE LACTEE

EQUATEUR GALACTIQUE 0°

ECLIPTIQUE 100°

LIMITES DES CONSTELLATIONS

ALPHABET GREC

α	Alpha	ν	Nu
β	Beta	ξ	Xi
γ	Gamma	ο	Omicron
δ	Delta	π	Pi
ε	Epsilon	ϱ	Rho
ζ	Zeta	σ	Sigma
η	Eta	τ	Tau
θ ϑ	Theta	υ	Upsilon
ι	Iota	ϕ φ	Phi
κ ϰ	Kappa	χ	Chi
λ	Lambda	ψ	Psi
μ	Mu	ω	Omega

Planche 46
Cette région est dépourvue d'étoiles brillantes, excepté Achernar, α Eri.

α **Eri :** ($1^h 38^m$, $-57°$) ; géante bleue chaude de magnitude 0.46, 650 fois plus brillante que le Soleil, éloignée de 120 a.l. Achernar étoile au bout de la rivière est le point le plus au Sud de l'Eridan.

p Eri : (m = 6.0 et 6.1) : couple d'étoiles orange bien séparées (m = 6.0. et 6.1) au Nord d'Achernar.

θ **Ret :** étoile double dont les composantes de magnitudes 6.2 et 8.3 sont séparées par 3.9'' d'arc, située en dessous d' α Ret ($4^h 14^m$, $-62°$).

R Ret : variable (de 6.8 à 14.0) à longue période (278 jours) à deux degrés au Nord-Est de θ Ret.

Fig. 88. Eridanus, le fleuve dans lequel Cygnus a plongé à la recherche de son ami. Cygnus fut changé en cygne par Apollon et placé dans le ciel. Le serpent de mer Hydrus est proche (dessiné de derrière, de l'atlas d'Hévélius).

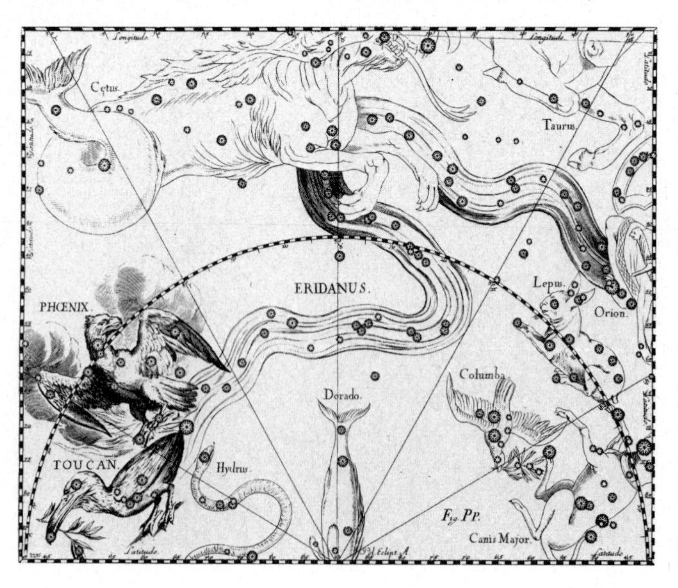

ADAPTÉE DE « ATLAS DU CIEL 2000.0 » PAR WIL TIRION

MAGNITUDES	
-1	>-0.4
0	-0.4 - +0.5
1	0.6 - 1.5
2	1.6 - 2.5
3	2.6 - 3.5
4	3.6 - 4.5
5	4.6 - 5.5
6	5.6 - 6.5
7	6.6 - 7.5

DOUBLE ou MULTIPLE

VARIABLE

AMAS OUVERTS	>10'	à	<10'
AMAS GLOBULAIRES	>10'	5'-10'	<5'
NEBULEUSES PLANETAIRES	>1'	0.5'-1'	<0.5'
NEBULEUSES DIFFUSES	>10'	à	<10'
GALAXIES	>30'	20'-30'	10'-20' <10'

QUASAR

PULSAR

TROU NOIR

VOIE LACTEE

EQUATEUR GALACTIQUE 10°

ECLIPTIQUE 100°

LIMITES DES CONSTELLATIONS

ALPHABET GREC

α	Alpha	ν	Nu
β	Beta	ξ	Xi
γ	Gamma	ο	Omicron
δ	Delta	π	Pi
ε	Epsilon	ϱ	Rho
ζ	Zeta	σ	Sigma
η	Eta	τ	Tau
θ ϑ	Theta	υ	Upsilon
ι	Iota	ϕ φ	Phi
κ ϰ	Kappa	χ	Chi
λ	Lambda	ψ	Psi
μ	Mu	ω	Omega

Planche 47

Canopus = α **Car :** (6^h24^m, − 53°) ; c'est la 2e étoile la plus brillante du ciel (m = 0.72). Utilisée souvent à cause de sa luminosité et de son isolement relatif par rapport à d'autres étoiles brillantes comme point de repère pour les voyages interplanétaires.

Le Grand Nuage de Magellan = GNM (= LMC) : cette immense galaxie irrégulière, compagnon du Petit Nuage de Magellan (carte 45) occupe une importante surface du ciel. Elle apparaît à l'œil nu comme un nuage suffisamment lumineux pour être visible même lors de la pleine Lune (cf. fig. 95, Pl. 34). La partie centrale du GNM s'étend sur 20 000 a.l. et la galaxie toute entière sur au moins 50 000 a.l. Elle se compose de 30 milliards d'étoiles (dont certaines supergéantes sont plus grandes que celles de notre galaxie), d'au minimum 400 nébuleuses planétaires, de plus de 700 amas ouverts et s'environ 60 amas globulaires (semblables à ceux de notre galaxie). Les caractéristiques les plus frappantes du GNM sont les gigantesques régions HII et les nébuleuses rendues lumineuses par le rayonnement des supergéantes. Environ 50 nébuleuses diffuses peuvent être observées avec un télescope de taille moyenne.

NGC 2070 : nébuleuse de la Tarentule entourant l'étoile 30 Dor visible à l'œil nu. Système complexe à structure filamenteuse. Région centrale très lumineuse (plus de 100 supergéantes) ; berceau stellaire. Distance de 190 000 a.l.(elle couvrirait 30° du ciel et brillerait 3 fois plus que Vénus si elle était à la même distance que la nébuleuse d'Orion).

S Dor : variable irrégulière dans NGC 1910. Variant de 8.4 à 9.5. Etoile la plus lumineuse de GNM (500 000 fois plus brillante que le Soleil).

Fig. 89. Nébuleuse Tarentule (NGC 2070). (Cerro Tololo Inter-American Observatory)

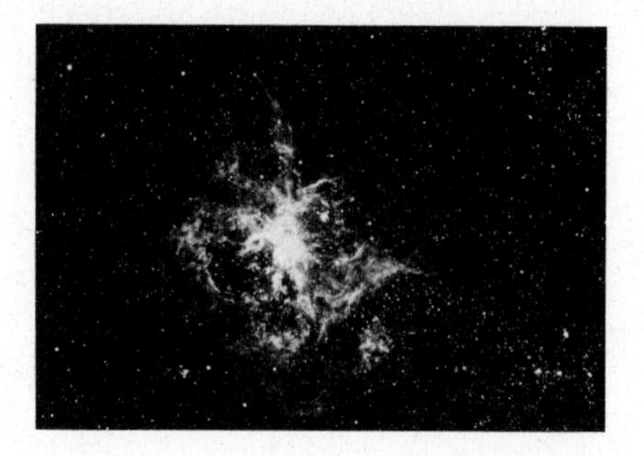

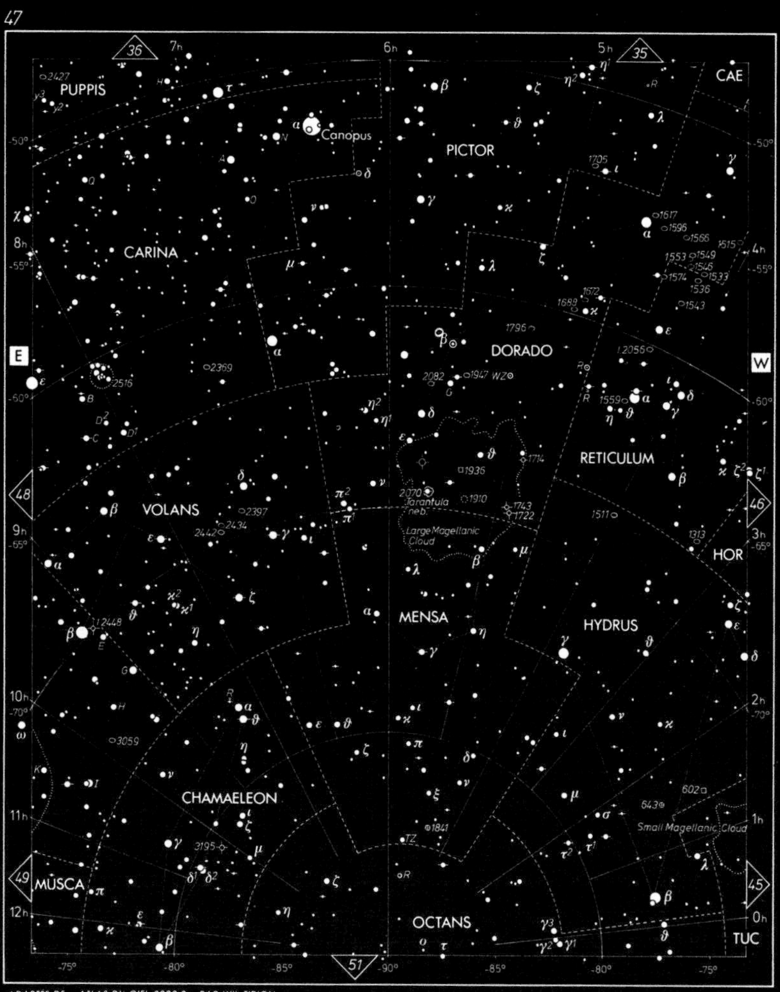

ADAPTEE DE « ATLAS DU CIEL 2000.0 » PAR WIL TIRION

MAGNITUDES	
-1	>-0.4
0	-0.4 - +0.5
1	0.6 - 1.5
2	1.6 - 2.5
3	2.6 - 3.5
4	3.6 - 4.5
5	4.6 - 5.5
6	5.6 - 6.5
7	6.6 - 7.5

DOUBLE ou MULTIPLE

VARIABLE

AMAS OUVERTS: >10' à <10'

AMAS GLOBULAIRES: >10' 5'-10' <5'

NEBULEUSES PLANETAIRES: >1' 0.5'-1' <0.5'

NEBULEUSES DIFFUSES: >10' à <10'

GALAXIES: >30' 20'-30' 10'-20' <10'

QUASAR

PULSAR

TROU NOIR

VOIE LACTEE

EQUATEUR GALACTIQUE (10°)

ECLIPTIQUE (100°)

LIMITES DES CONSTELLATIONS

ALPHABET GREC

α	Alpha	ν	Nu
β	Beta	ξ	Xi
γ	Gamma	ο	Omicron
δ	Delta	π	Pi
ε	Epsilon	ϱ	Rho
ζ	Zeta	σ	Sigma
η	Eta	τ	Tau
θ ϑ	Theta	υ	Upsilon
ι	Iota	ϕ φ	Phi
κ ϰ	Kappa	χ	Chi
λ	Lambda	ψ	Psi
μ	Mu	ω	Omega

Planche 48

La Voie Lactée est d'une étonnante richesse dans la Carène, les Voiles et le Centaure. L'amateur retirera un grand plaisir de toutes les heures qu'il passera à scruter le ciel. De nombreux amas ouverts et globulaires méritent une observation.

H Vel : système double séparé par un petit télescope. Paire d'étoiles bleues et orange de magnitudes 4.9 et 7.7.

υ **Car :** (9^h47^m, $-65°$) ; étoile double de magnitude 3.0. Le compagnon de 6ᵉ magnitude est à 5''.

t^2 Car : (10^h40^m, $-59°$) ; paire écartée orange vert.

1 Car : (9^h45^m, $-63°$) ; variable céphéide de période 35.5 jours. Au maximum, magnitude égale à 4.1. C'est l'une des plus brillantes et des plus grandes céphéides connues : son diamètre est 200 fois celui du Soleil. A 3 000 a.l. du système solaire.

NGC 2516 : (8^h, $-61°$) ; amas ouvert (m = 3.3) à regarder avec un télescope à grand champ à cause de sa grande taille (environ 1°, soit 15 a.l.). Distant de 1300 a.l. Plus vieux que l'amas double de Persée (10 millions d'années), mais plus jeune que les Pléiades (environ 100 millions d'années).

NGC 2808 : (9^h12^m, $-65°$) ; amas globulaire riche en étoiles de la 13ᵉ à la 15ᵉ magnitude, couvrant une région de 5'. Au centre, groupe brillant d'étoiles.

NGC 3114 : (10^h03^m, $-60°$) ; amas ouvert visible à l'œil nu (m = 4.5).

NGC 3293 : (10^h35^m, $-58°$) ; amas ouvert (m = 7.5).

Fig. 90. Traînées d'étoiles autour du pôle céleste sud. Pose de 24 minutes sans guidage avec un grand angle (24 mm) et un film de 25 ISO.

ADAPTÉE DE « ATLAS DU CIEL 2000.0 » PAR WIL TIRION

MAGNITUDES	
-1	> -0,4
0	-0,4 - +0,5
1	0,6 - 1,5
2	1,6 - 2,5
3	2,6 - 3,5
4	3,6 - 4,5
5	4,6 - 5,5
6	5,6 - 6,5
7	6,6 - 7,5

DOUBLE ou MULTIPLE

VARIABLE

AMAS OUVERTS: >10' à <10'

AMAS GLOBULAIRES: >10' 5'-10' <5'

NEBULEUSES PLANETAIRES: >1' 0,5'-1' <0,5'

NEBULEUSES DIFFUSES: >10' à <10'

GALAXIES: >30' 20'-30' 10'-20' <10'

QUASAR

PULSAR

TROU NOIR

VOIE LACTEE

EQUATEUR GALACTIQUE 70°

ECLIPTIQUE 100°

LIMITES DES CONSTELLATIONS

ALPHABET GREC

α	Alpha	ν	Nu
β	Beta	ξ	Xi
γ	Gamma	ο	Omicron
δ	Delta	π	Pi
ε	Epsilon	ϱ	Rho
ζ	Zeta	σ	Sigma
η	Eta	τ	Tau
θ ϑ	Theta	υ	Upsilon
ι	Iota	ϕ φ	Phi
κ ϰ	Kappa	χ	Chi
λ	Lambda	ψ	Psi
μ	Mu	ω	Omega

Planche 49

La partie la plus brillante et spectaculaire de la Voie Lactée traverse la Carène, la Croix et le Centaure offrant des vues exceptionnelles aux observateurs de l'hémisphère Sud. La constellation de la Croix est connue par la fameuse Croix du Sud.

α Cru, Acrux, marque le pied, β Cru, Mimosa, l'extrémité de la branche est, δ Cru l'extrémité de la branche Ouest et γ Cru, Gacrux, le sommet de la croix. Cette figure dont 3 des étoiles sont parmi les plus brillantes ressemble plus actuellement à un cerf-volant qu'à une croix car il n'y a pas d'étoile centrale.

β **Cru :** 20e étoile en brillance (m = 1.25). 0.2 fois plus lointaine que α Cru.

α **Cru :** double facile à séparer. Deux composantes bleues et chaudes de magnitudes 1.4 et 1.9 séparées par 4.5''. Distance de 400 a.l. Chacune des composantes est elle-même une binaire spectroscopique.

γ **Cru :** couple optique très écarté à 90 a.l. de nous seulement. Splendide contraste de couleurs (l'une des étoiles est une géante rouge) et de magnitudes (1.6. et 6.7).

η**Car :** Variable (à gauche de « Keyhole ») ; distance de 4 000 a.l. ; entourée d'une coquille s'éloignant au rythme de 4'' par siècle. Nova extrêmement lente. Notée par Halley en 1677, sa luminosité augmenta au cours du XIXe siècle pour atteindre une magnitude de – 1 en 1843, puis diminua jusqu'à la 7e magnitude. Actuellement de magnitude 6.2 ; 100 fois plus massive que le Soleil, c'est sans doute une supernova. Spectre présentant des abondances anormales en éléments lourds.

NGC 3293 : amas ouvert entouré d'une nébuleuse par réflexion. Distant de seulement 1500 a.l. ; non lié physiquement à la nébuleuse η Car.

NGC 3372 : ($10^{h}45^{m}$, – 59°) ; amas et nébuleuse diffuse de η Car (cf. Pl. 40) méritant une attention spéciale. Structure complexe et étendue de filaments et de taches sombres et brillants. Le nuage absorbant au centre de la nébuleuse est appelé le Trou de Serrure (Keyhole) (NGC 3324).

NGC 3532 : amas ouvert allongé et étendu, situé 3° an Nord-Est de η Car. A regarder avec un télescope à grand champ. Superbe amas contenant au moins 400 membres, dont 150 de 12e magnitude ou moins.

NGC 3766 : ($11^{h}35^{m}$, – 62°) ; amas ouvert riche et compact sur l'équateur galactique. Formé d'au moins 200 étoiles de la 8e à la 15e magnitude. Couvre une surface de 10'. Beau même avec des jumelles.

NGC 3918 : nébuleuse planétaire de 8e magnitude située 5° au Nord de NGC 3766. Apparaît comme un disque bleuâtre, un peu flou, rappelant celui d'Uranus.

NGC 4755 : amas ouvert appelé « Jewel Box » (Ecrin de Pierres Précieuses) visible à l'œil nu. Plus de 100 étoiles disséminées sur

ADAPTEE DE « ATLAS DU CIEL 2000.0 » PAR WIL TIRION

MAGNITUDES	
-1	> -0,4
0	-0,4 - -0,5
1	0,6 - 1,5
2	1,6 - 2,5
3	2,6 - 3,5
4	3,6 - 4,5
5	4,6 - 5,5
6	5,6 - 6,5
7	6,6 - 7,5
DOUBLE ou MULTIPLE	
VARIABLE	

AMAS OUVERTS	>10'	à	<10'
AMAS GLOBULAIRES	>10'	5-10'	<5'
NEBULEUSES PLANETAIRES	>1'	0,5'-1'	<0,5'
NEBULEUSES DIFFUSES	>10'	à	<10'
GALAXIES	>30' 20'-30'	10'-20'	<10'

- QUASAR
- PULSAR
- TROU NOIR
- VOIE LACTEE
- EQUATEUR GALACTIQUE (0°)
- ECLIPTIQUE (100°)
- LIMITES DES CONSTELLATIONS

ALPHABET GREC

α	Alpha	ν	Nu
β	Beta	ξ	Xi
γ	Gamma	ο	Omicron
δ	Delta	π	Pi
ε	Epsilon	ϱ	Rho
ζ	Zeta	σ	Sigma
η	Eta	τ	Tau
θ ϑ	Theta	υ	Upsilon
ι	Iota	ϕ φ	Phi
κ ϰ	Kappa	χ	Chi
λ	Lambda	ψ	Psi
μ	Mu	ω	Omega

50 a.l. 50 étoiles parmi les plus brillantes forment un groupe central. La plupart sont des supergéantes bleues, contrastant avec les supergéantes rouges dispersées. Vieux de quelques millions d'années, c'est l'un des plus jeunes amas ouverts connus. A observer avec un instrument à grand champ.

IC 2602: amas ouvert entourant l'étoile θ Car. Une trentaine d'étoiles plus brillantes que la 9e magnitude et beaucoup d'autres plus faibles. A observer avec un instrument à champ large car étendu sur 1°. θ Car est seulement à 750 a.l.

IC 2944: ($11^h35^m, -63°$); nébuleuse pâle autour de λ Cen. Région HII marquant avec d'autres nébuleuses visibles alentour les bras spiraux de notre Galaxie.

IC 2948: amas ouvert dipersé se trouvant en arrière de la partie la plus dense de IC 2944.

Sac à charbon «Coal Sack»: vaste nuage de poussière couvrant une surface de 7° sur 5° (60-70 a.l. de diamètre) qui obscurcit la Voie Lactée au voisinage de $\varkappa$ et α Cru. Les quelques étoiles visibles se trouvent entre nous et cette nébuleuse obscure. Peu éloignée: 500 à 600 a.l. Nettement visible à l'œil nu.

Fig. 91. La Boîte à Bijoux (NGC 4755), un amas ouvert entourant l'étoile $\varkappa$ Crucis. Les 8 étoiles les plus brillantes ont des magnitudes de 6 à 10; l'amas a un diamètre de 10 minutes d'arc.

Fig. 92. La Voie Lactée. Acrux (α Crucis) est au centre, juste à gauche du Sac à Charbon. La nébulosité autour d'η Carinae est à droite. (Royal Astronomical Society).

Planche 50

A travers le Centaure (Centaurus) et la Règle (Norma), la Voie Lactée reste brillante, obscurcie ici et là par des nuages de poussière. Les étoiles caractéristiques de cette région sont deux étoiles de 1re magnitude: α et β Centauri (Rigil Kent et Hadar) situées à 4.5° (largeur de deux doigts) l'une de l'autre.

α **Cen:** système multiple le plus proche de la Terre. α Cen A (m = 0.00) à 4.34 a.l., composante principale est trois fois plus brillante que α Cen B. Le troisième compagnon plus faible, de 11e magnitude, est une naine rouge de diamètre 20 fois plus petit que le Soleil. C'est une des plus petites étoiles connues (1/3 de la taille de Jupiter). Des trois composantes de ce système, c'est l'étoile la plus proche de nous: elle est appelée Proxima Centauri.

β **Cen:** système double serré (écart entre les composantes: 1.3''). Difficile à résoudre à cause de l'éclat de la composante principale (m = 0.61), grande bleue 10 000 fois plus brillante que le Soleil.

Circinus X-1: source de rayons X, objet intéressant non visible à l'œil nu. C'est probablement une étoile à neutrons.

Fig. 93. Carte de la région de Proxima Centauri, étoile la plus proche du Soleil. Comme elle est proche on la voit se déplacer par rapport aux étoiles plus lointaines. (W. Tirion)

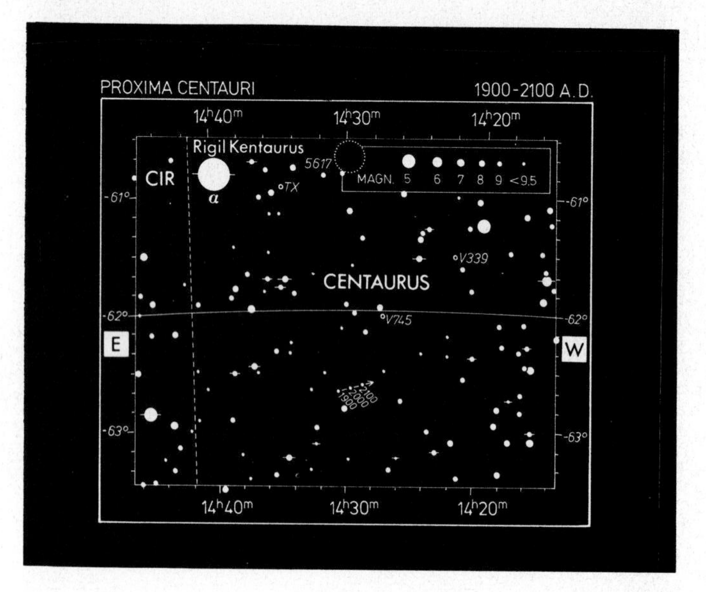

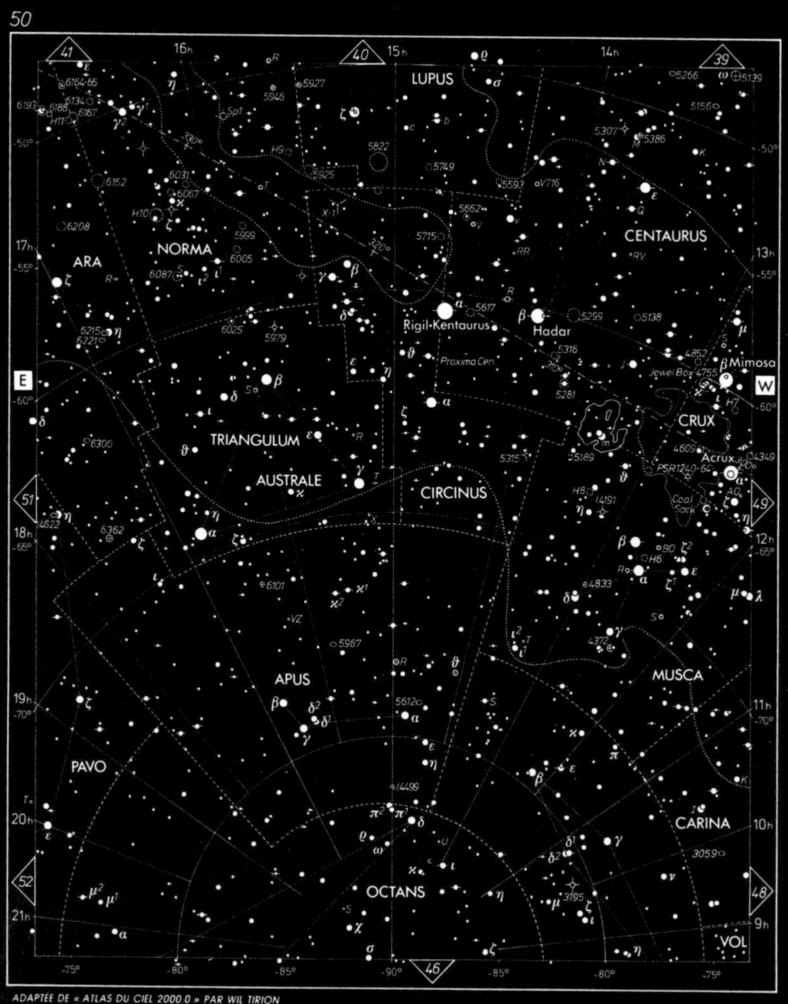

ADAPTÉE DE « ATLAS DU CIEL 2000.0 » PAR WIL TIRION

MAGNITUDES

Magnitude	
-1	>-0.4
0	-0.4 - +0.5
1	0.6 - 1.5
2	1.6 - 2.5
3	2.6 - 3.5
4	3.6 - 4.5
5	4.6 - 5.5
6	5.6 - 6.5
7	6.6 - 7.5

DOUBLE ou MULTIPLE

VARIABLE

AMAS OUVERTS	>10'	à	<10'
AMAS GLOBULAIRES	>10'	5'-10'	<5'
NEBULEUSES PLANETAIRES	>1'	0.5'-1'	<0.5'
NEBULEUSES DIFFUSES	>10'	à	<10'
GALAXIES	>30'	20'-30'	10'-20' / <10'

QUASAR

PULSAR

TROU NOIR

VOIE LACTEE

EQUATEUR GALACTIQUE (10°)

ECLIPTIQUE (100°)

LIMITES DES CONSTELLATIONS

ALPHABET GREC

α	Alpha	ν	Nu
β	Beta	ξ	Xi
γ	Gamma	ο	Omicron
δ	Delta	π	Pi
ε	Epsilon	ϱ	Rho
ζ	Zeta	σ	Sigma
η	Eta	τ	Tau
θ ϑ	Theta	υ	Upsilon
ι	Iota	ϕ φ	Phi
κ ϰ	Kappa	χ	Chi
λ	Lambda	ψ	Psi
μ	Mu	ω	Omega

Planche 51

Le champ stellaire au Sud-Est de la Voie Lactée perd de sa richesse, malgré la présence de quelques amas globulaires.

ξ **Pav**: (18^h23^m, $-62°$); étoile double intéressante. Paire orange vert de magnitudes 4.4 et 8.

NGC 6397: (17^h40^m, $-54°$); amas globulaire de magnitude totale 7.3, sur le bord Est (gauche) de la Voie Lactée, à environ 10.5° au Sud de θ Sco. Groupe assez disséminé, facilement résolu par de petits télescopes. Distant de 8200 a.l., c'est le plus proche amas globulaire.

NGC 6744: spirale barrée dans le Pavo (cf Pl. 49)

NGC 6752: (19^h10^m, $-60°$); de magnitude totale 7.2 c'est le 7e plus brillant amas globulaire et le 3e en largeur apparente, dépassé seulement par ω Cen et 47 Tuc. Distant de 14.000 a.l.

Fig. 94. Les constellations proches du pôle céleste sud, de l'atlas d'Hévélius. Inversé par rapport à ce que nous observons.

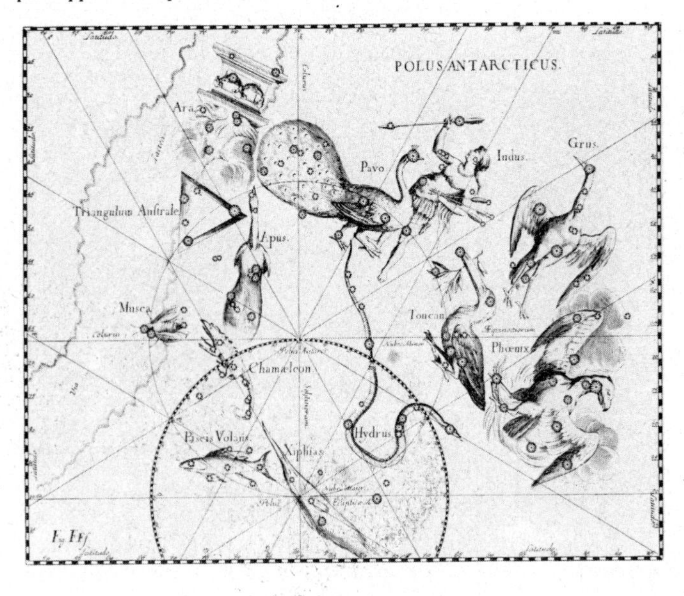

ADAPTÉE DE « ATLAS DU CIEL 2000.0 » PAR WIL TIRION

MAGNITUDES	
-1	> -0.4
0	-0.4 - +0.5
1	0.6-1.5
2	1.6-2.5
3	2.6-3.5
4	3.6-4.5
5	4.6-5.5
6	5.6-6.5
7	6.6-7.5

DOUBLE ou MULTIPLE

VARIABLE

AMAS OUVERTS — >10' à <10'

AMAS GLOBULAIRES — >10' 5'-10' <5'

NEBULEUSES PLANETAIRES — >1' 0.5'-1' <0.5'

NEBULEUSES DIFFUSES — >10' à <10'

GALAXIES — >30' 20'-30' 10'-20' <10'

QUASAR

PULSAR

TROU NOIR

VOIE LACTEE

EQUATEUR GALACTIQUE — 70°

ECLIPTIQUE — 100°

LIMITES DES CONSTELLATIONS

ALPHABET GREC

α Alpha	ν Nu
β Beta	ξ Xi
γ Gamma	ο Omicron
δ Delta	π Pi
ε Epsilon	ϱ Rho
ζ Zeta	σ Sigma
η Eta	τ Tau
θ ϑ Theta	υ Upsilon
ι Iota	ϕ φ Phi
κ ϰ Kappa	χ Chi
λ Lambda	ψ Psi
μ Mu	ω Omega

Planche 52

Les constellations de cette région sont relativement pauvres à l'œil nu. On n'y trouve que deux étoiles brillantes : α **Pavonis** appelée aussi l'œil du Paon et α **Gruis ou Al Na'ir** de 2ᵉ magnitude. Comparée à celle du pôle Nord, la localisation du pôle Sud est moins évidente. Aucune formation, ni étoile remarquable dans le voisinage, si ce n'est σ **Octantis** de magnitude 5.5, visible à l'œil nu par une nuit noire à environ 1° du pôle Sud.

λ **Oct** : (21^h51^m, – 83°) ; étoile double résolue par un petit télescope. La composante principale est orange (m = 5.5) ; son compagnon vert (m = 7.7).

Fig. 95. Le Grand et le Petit Nuages de Magellan, 20° et 40° au-dessus de l'horizon. Pose de 45 secondes avec un film de 400 ASA et un objectif de 35 mm a f/1.5. Le pôle céleste sud est proche du bord gauche de cette photographie. Canopus est en bas à gauche et Achernar en haut à gauche.

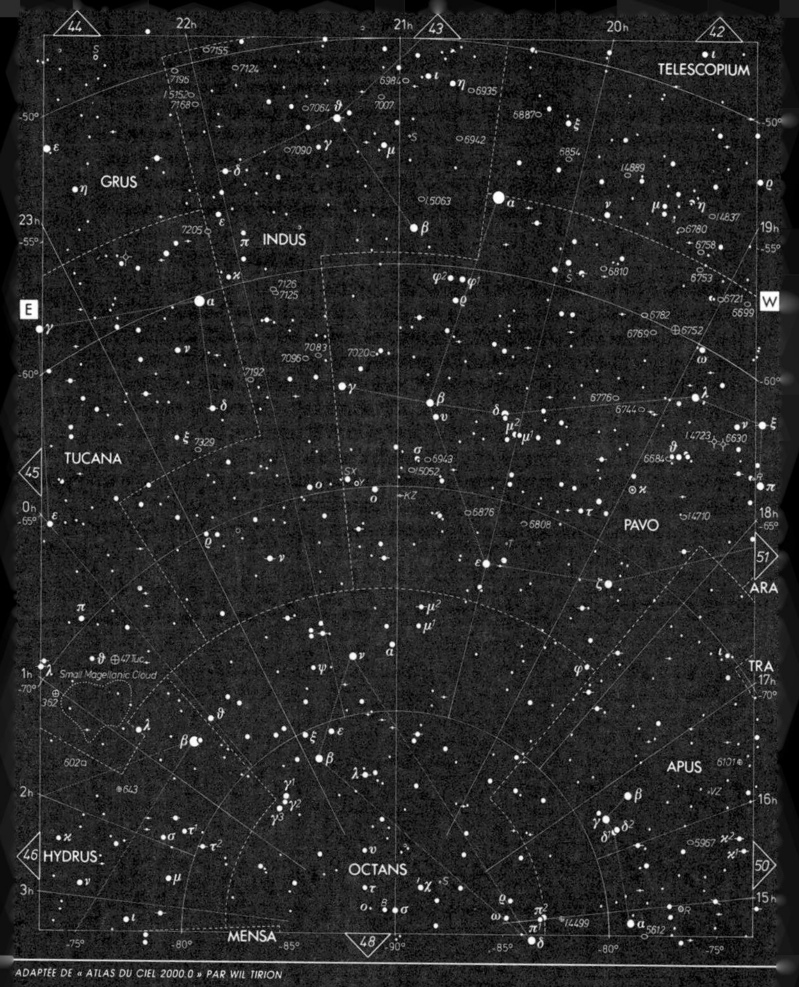

ADAPTÉE DE « ATLAS DU CIEL 2000.0 » PAR WIL TIRION

MAGNITUDES	
-1	> -0,4
0	-0,4 - +0,5
1	0,6 - 1,5
2	1,6 - 2,5
3	2,6 - 3,5
4	3,6 - 4,5
5	4,6 - 5,5
6	5,6 - 6,5
7	6,6 - 7,5

DOUBLE ou MULTIPLE

VARIABLE

AMAS OUVERTS — >10' à <10'

AMAS GLOBULAIRES — >10' 5'-10' <5'

NEBULEUSES PLANETAIRES — >1' 0,5'-1' <0,5'

NEBULEUSES DIFFUSES — >10' à <10'

GALAXIES — >30' 20'-30' 10'-20' <10'

QUASAR

PULSAR

TROU NOIR

VOIE LACTEE

EQUATEUR GALACTIQUE — 70°

ECLIPTIQUE — 100°

LIMITES DES CONSTELLATIONS

ALPHABET GREC

α	Alpha	ν	Nu
β	Beta	ξ	Xi
γ	Gamma	ο	Omicron
δ	Delta	π	Pi
ε	Epsilon	ϱ	Rho
ζ	Zeta	σ	Sigma
η	Eta	τ	Tau
θ ϑ	Theta	υ	Upsilon
ι	Iota	ϕ φ	Phi
κ ϰ	Kappa	χ	Chi
λ	Lambda	ψ	Psi
μ	Mu	ω	Omega

CHAPTIRE VIII

LA LUNE

La Lune est l'objet le plus important de notre ciel nocturne. D'un diamètre environ 4 fois plus petit que celui de la Terre, elle est le plus grand satellite du système solaire comparé à la planète qu'il accompagne. Cette association Terre-Lune peut être considérée comme une planète double, unique dans le système solaire. D'autres satellites sont plus grands que la Lune, mais ils sont de taille insignifiante par rapport aux astres qu'ils escortent.

La Lune tourne autour de la Terre en 27.3 jours. Pendant ce temps, la Terre et la Lune parcourent un douzième de leur trajectoire annuelle autour du Soleil. Ainsi, si la Lune à un certain point de son orbite est exactement entre la Terre et le Soleil, 27.3 jours plus tard elle ne se retrouvera pas dans cette même position. La Lune doit tourner autour de la Terre un peu plus pour retrouver le même alignement par rapport à la Terre et au Soleil. Le système Terre-Lune atteint cette configuration 2 jours plus tard. Le temps entre deux conjonctions successives – même longitude céleste –, la *période synodique* est donc de 29.5 jours. Les calendriers lunaires utilisent les mois synodiques.

Les Phases de la Lune

Pour nous, depuis la Terre, la Lune change d'aspect. Au cours d'un mois, nous voyons différentes fractions de sa face éclairée. Ces phases de la Lune se répètent avec une période de 29.5 jours, car elles dépendent de l'angle entre la Terre, le Soleil et la Lune. Seule la face orientée vers le Soleil est éclairée. Quand le Soleil et la Lune sont dans des positions opposées par rapport à la Terre, la Lune est *pleine* (face visible éclairée). Quand le Soleil et la Lune sont du même côté de la Terre, c'est la *nouvelle* Lune (face visible sombre). On peut souvent voir la face sombre de la Lune par le rayonnement terrestre - la lumière du Soleil réfléchie par la Terre éclaire la Lune.

Entre la nouvelle et la pleine Lune, la Lune évolue d'un fin croissant (moins de la moitié est éclairée) à une demi-lune ou *premier quartier* (la moitié est éclairée), puis elle devient *gibbeuse* (plus de la moitié est éclairée). Le premier quartier correspond au quart du trajet dans le cycle mensuel des phases. De la nouvelle à la pleine Lune, la partie éclairée devient de plus en plus importante, la Lune est *croissante*. Entre la pleine et la nouvelle Lune elle est *décroissante*.

La table 15 donne les dates des phases de la Lune. L'orbite de la Lune étant elliptique, la Lune voyage à différentes vitesses autour de la Terre, faisant varier légèrement la période entre ses phases.

Fig. 96. Pleine Lune (le Nord est en haut, l'Ouest à gauche) telle qu'elle est observée de l'hémisphère nord terrestre, à l'œil nu ou aux jumelles. Remarquez la petite Mer des Crises près du limbe nord-est et le cratère Tycho (au centre en bas) d'où part tout un système de raies. (Lunar and Planetary Laboratory, University of Arizona)

Les levers et couchers de Lune sont liés à la phase, elle-même déterminée par l'angle entre la Terre, la Lune et le Soleil. Ainsi la pleine Lune se couche au moment où le Soleil se lève ; la nouvelle Lune se lève et se couche en même temps que le Soleil. Le lever de la Lune est retardé de 50 minutes en moyenne par nuit. Le premier quartier - qui a lieu environ une semaine après la nouvelle Lune - se lève donc environ à minuit, se couche autour de midi et ainsi est à son plus haut point au coucher du Soleil. Un projet intéressant est d'observer la Lune le plus grand nombre de jours et de nuits possible en un mois et de dessiner chaque phase et son orientation par rapport au Soleil. Vous pourrez souvent voir la Lune la journée, spécialement si vous calculez approximativement l'endroit où la chercher.

Tableau 15. Phases de la Lune

1989	Nouvelle Lune	Premier Quartier	Pleine Lune	Dernier Quartier	Nouvelle Lune	Premier Quartier
Janv.	7 19 h 21	14 13 h 58	21 21 h 32	30 2 h 00		
Fév.	6 7 h 36	12 23 h 14	20 15 h 31	28 20 h 08		
Mars	7 18 h 19	14 10 h 11	22 9 h 57	30 10 h 23		
Avril	6 3 h 33	12 23 h 14	21 3 h 14	28 20 h 47		
Mai	5 11 h 47	12 14 h 21	20 18 h 17	28 4 h 01		
Juin	3 19 h 54	11 6 h 59	19 6 h 59	26 9 h 09		
Juil.	3 5 h 01	11 0 h 19	18 17 h 44	25 13 h 34		
Août	1 16 h 07	9 17 h 30	17 3 h 09	23 18 h 42	31 5 h 46	
Sept.		8 9 h 50	15 11 h 52	22 2 h 10	29 21 h 47	
Oct.		8 0 h 52	14 20 h 32	21 13 h 18	29 15 h 26	
Nov.		6 14 h 10	13 5 h 51	20 4 h 43	28 9 h 39	
Déc.		6 1 h 25	12 16 h 29	19 23 h 54	28 3 h 19	

1990	Premier Quartier	Pleine Lune	Dernier Quartier	Nouvelle Lune	Premier Quartier	Pleine Lune
Janv.	4 10 h 39	11 4 h 56	18 21 h 15	26 19 h 19		
Fév.	2 18 h 31	9 19 h 15	17 18 h 45	25 8 h 54		
Mars	4 2 h 04	11 10 h 57	19 14 h 32	26 19 h 49		
Avril	2 10 h 25	10 3 h 18	18 7 h 06	25 4 h 28		
Mai	1 20 h 19	9 19 h 30	17 19 h 47	24 11 h 47	31 8 h 11	
Juin		8 11 h 02	16 4 h 48	22 18 h 56	29 22 h 07	
Juil.		8 1 h 25	15 11 h 03	22 2 h 55	29 14 h 01	
Août		6 14 h 21	13 15 h 56	20 12 h 39	28 7 h 35	
Sept.		5 1 h 47	11 20 h 55	19 0 h 46	27 2 h 07	
Oct.		4 12 h 02	11 3 h 32	18 15 h 36	26 20 h 26	
Nov.		2 21 h 48	9 13 h 01	17 9 h 04	25 13 h 09	
Déc.		2 7 h 50	9 2 h 03	17 4 h 21	25 3 h 14	31 18 h 35

1991	Dernier Quartier	Nouvelle Lune	Premier Quartier	Pleine Lune	Dernier Quartier	Nouvelle Lune
Janv.	7 18 h 35	15 23 h 49	23 14 h 20	30 6 h 09		
Fév.	6 13 h 51	14 17 h 32	21 22 h 57	28 18 h 23		
Mars	8 10 h 31	16 8 h 11	23 6 h 01	30 7 h 16		
Avril	7 6 h 46	14 19 h 38	21 12 h 38	28 20 h 58		
Mai	7 0 h 48	14 4 h 36	20 19 h 47	28 11 h 36		
Juin	5 15 h 32	12 12 h 07	19 4 h 20	27 3 h 00		
Juil.	5 2 h 51	11 19 h 07	18 15 h 11	26 18 h 26		
Août	3 11 h 26	10 2 h 28	17 5 h 01	25 9 h 08		
Sept.	1 18 h 18	8 11 h 01	15 22 h 02	23 22 h 41		
Oct.	1 0 h 32	7 21 h 37	15 17 h 33	23 11 h 09	30 7 h 11	
Nov.		6 11 h 09	14 14 h 01	21 22 h 56	28 15 h 20	
Déc.		6 3 h 56	14 9 h 30	21 10 h 23	28 1 h 55	

1992	Nouvelle Lune	Premier Quartier	Pleine Lune	Dernier Quartier	Nouvelle Lune	Premier Quartier
Janv.	4 23 h 09	13 2 h 30	19 21 h 27	26 15 h 27		
Fév.	3 18 h 58	11 16 h 14	18 8 h 02	25 7 h 56		
Mars	4 13 h 22	12 2 h 35	18 18 h 16	26 2 h 29		
Avril	3 5 h 02	10 10 h 05	17 4 h 41	24 21 h 39		
Mai	2 17 h 45	9 15 h 42	16 16 h 03	24 15 h 54		
Juin	1 3 h 58	7 20 h 47	15 4 h 51	23 8 h 13	30 12 h 20	
Juil.		7 2 h 46	14 19 h 08	22 22 h 15	29 19 h 36	
Août		5 11 h 00	13 10 h 29	21 10 h 03	28 2 h 42	
Sept.		3 22 h 38	12 2 h 18	19 19 h 54	26 10 h 40	
Oct.		3 14 h 11	11 18 h 04	19 4 h 13	25 20 h 33	
Nov.		2 9 h 11	10 9 h 20	17 11 h 39	24 9 h 11	
Déc.		2 6 h 16	9 23 h 40	16 19 h 12	24 0 h 42	

Fig. 97. Lune croissante de 5 jours (5 jours après la Nouvelle Lune). La Mer des Crises est toujours visible.

Fig. 98. *(à droite)* Lune gibbeuse de 10 jours

La Surface de la Lune

Même à l'œil nu, vous pouvez voir que la surface de la Lune a une structure variée. Galilée a découvert en 1609 que la Lune possède de grandes surfaces plates, appelées *mers* (en latin mare, maria) et des *cratères*. Le terme de mer induit en erreur car la surface lunaire est totalement dépourvue d'eau. Même avec un petit télescope, la vision de la Lune peut être impressionnante ; vous pourrez déjà voir des plaines quasiment lisses et d'autres régions avec de vastes *chaînes de montagnes* couvertes de cratères. Il y a relativement peu de cratères dans les mers formées de matériel volcanique lisse - de la lave - sorti de dessous la surface de la Lune il y a plus de 3 milliards d'années. Cette lave a recouvert les cratères existants. Les seuls cratères visibles maintenant dans les mers ont été formés par des impacts de roches interplanétaires - les météorites - qui ont percuté la Lune depuis ce temps.

A l'aide de jumelles ou d'un petit télescope, observez la ligne - le *terminateur* - qui sépare la zone illuminée de celle qui se trouve dans l'ombre. L'incidence sans cesse changeante de l'éclairage donne au paysage lunaire une multitude d'aspects. En quelques heures seulement le terminateur s'est suffisamment déplacé pour que l'on puisse assister au lever et au coucher du Soleil sur les pics lunaires déchiquetés. Les ombres très allongées accentuent les aspérités du relief et vous pourrez calculer la hauteur des montagnes lunaires en mesurant la longueur de leur ombre.

Les cartes détaillées de la surface lunaire incluses dans ce chapitre sont des dessins basés sur des photographies de la NASA qui font ressortir les structures topographiques de toutes les parties de la Lune. Les cartes sont dessinées dans une projection qui agrandit les zones près des bords (les *limbes*) de la Lune, trop contractées pour être vues clairement. Dans cette projection une certaine surface représente toujours la même surface lunaire.

La Lune présente toujours la même face à la Terre, probablement à cause d'un mince bulbe de matière qui existe dans cette face, permettant à la gravité terrestre de capturer la rotation de la Lune (ainsi la Lune tourne sur un seul axe par rapport aux étoiles durant chacune de ses orbites autour de la Terre).

Pourtant nous voyons environ 60 % de la surface lunaire. Les oscillations ou *librations* dues au fait que la Lune se meut plus rapidement lorsqu'elle est proche de la Terre et moins vite quand elle en est plus éloignée (la vitesse de rotation autour de son axe demeurant toujours la même) permettent d'apercevoir périodiquement une partie de la face cachée. C'est pour cela que la projection spéciale utilisée pour les cartes lunaires de ce guide seront plus pratiques pour l'observateur que des photographies prises à un instant donné sous un certain angle de libration.

Avant d'étudier les planches de l'atlas de la Lune, il est utile de connaître les formes caractéristiques du sol lunaire. Les *mers* (Mare) sont des plaines quasi lisses, souvent légèrement plus sombres que le terrain environnant (fig. 99). La mer la plus importante est l'Océan des Tempêtes (Oceanus Procellarum). Les mots *lacs* (Lacus) et *marais* (Palus) désignent de petites aires sombres dont la surface rappelle quelque peu celle des mers. La désignation de *golfe* (Sinus) s'applique aux profondes échancrures situées en bordure des mers.

Les *cirques* qui abondent sur la Lune sont de types très variés, allant de la plaine murée dont le fond est relativement plat au véritable cratère dont la structure interne est généralement tourmentée. Nombre de ces derniers possèdent un pic central présentant souvent l'aspect d'un petit volcan avec une dépression au sommet : ce sont les « cratercones » ou *monticules avec cratère*. D'autres ne sont que des dépressions ou de simples ouvertures sans bord de diamètre ne dépassant guère 20 kilomètres : il s'agit de « craterpits » ou *cratères en puits*. Si la plupart des cratères proviennent de la chute de météorites géantes, certains semblent devoir leur origine à un volcanisme secondaire. Ainsi la chaîne de craterpits au voisinage de Copernic ne peut être attribuée au hasard d'impacts météoritiques. On connaît également quelques authentiques *volcans* éteints comparables aux volcans terrestres : des cônes massifs de lave ou de cendres surmontés d'un petit cratère bien distinct.

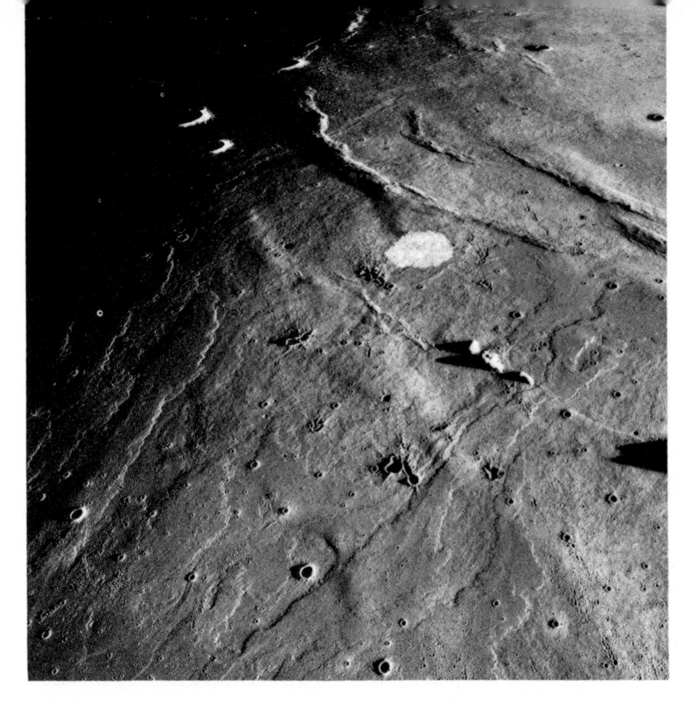

Fig. 99. Coulées de lave dans le sud de la Mer des Pluies (Mare Imbrium) photographiées par Apollo 15. (NASA)

Les *pics* isolés sont assez fréquents. De nombreuses chaînes de montagnes, dont certaines constituent les bords des mers les plus grandes, donnent de la variété au paysage lunaire. Par endroits surgissent des *falaises*, souvent là où le bord d'une cassure du sol s'est surélevé ou abaissé, créant ce que les géologues appellent une faille.

Des dépressions de tous genres se retrouvent sur la surface de la Lune. Il s'agit ou de véritables *vallées* ou de *rainures*, sortes de crevasses dans des régions où le sol s'est fendu en formant de profonds ravins.

Les cirques les plus grands et probablement les plus récents sont entourés d'une auréole d'où rayonnent des traînées rectilignes de teinte plus claire : on les voit le mieux lors de la pleine Lune. Ces *raies* ont sans doute été tracées par de la matière éjectée du cratère lors de l'impact de la météorite. Les raies les plus étendues sont celles de Tycho, l'un des plus récents des grands cratères lunaires ; l'une d'elles traverse toute la Mer de la Sérénité du Sud au Nord. Vous trouverez une description détaillée des formations topographiques les plus intéressantes dans les légendes qui accompagnent les 8 planches de l'atlas de la Lune.

Les fructueuses missions Apollo nous ont forcé à réviser nos idées sur la constitution de la surface lunaire. Les météorites, en s'écrasant sur notre compagnon, ont labouré le terrain et broyé les roches en poudre fine. Dans le vide qui règne là-bas, les fragments adhèrent les uns aux autres et forment un sol compact assez solide pour supporter les astronautes et leurs véhicules. En six missions Apollo, les 12 astronautes (table 16) ont mené à bien différentes expériences : mesure de température du sol lunaire du centre à la surface, récolte de particules solaires, mesure de la dureté des roches de surface, ramassage de roches et de poussières pour analyses détaillées sur Terre (382 kg). Trois missions soviétiques, non habitées ont également ramené sur Terre du matériel lunaire. Beaucoup de roches lunaires sont du basalte, roches communes sur Terre, formées par volcanisme.

L'analyse des roches lunaires permet de donner une chronologie de l'histoire lunaire. Les roches les plus vieilles ont 4.42 milliards d'années : c'est probablement l'époque où la surface de la Lune s'est solidifiée, peu après la formation de la Lune il y a 4.6 milliards d'années. Ensuite, il y a 4.2 à 3.9 milliards d'années, la surface de la Lune a été fortement bombardée de météorites. Une centaine de milliers d'années plus tard, les éléments radioactifs à l'intérieur de la Lune ont généré tellement de chaleur que la lave est montée à la surface, remplissant les grands bassins et créant les mers telles que nous les voyons maintenant. Cette période de volcanisme lunaire a pris fin il y a environ 3.1 milliards d'années. La surface lunaire a depuis très peu changé.

Tableau 16. Missions humaines sur la Lune

Mission	Année	Site d'alunissage (voir Carte de la Lune)
Apollo 11	1969	6
Apollo 12	1969	3
Apollo 14	1971	3
Apollo 15	1971	6
Apollo 16	1972	2
Apollo 17	1972	6

Fig. 100. Photographie prise de la Terre avec un petit télescope (~ 10 cm) montrant les cratères Clavius (en haut) et Tycho (plus au centre). Le sud est en haut, comme sur la planche 3.

Les éclipses de la lune

La Lune tourne autour de la Terre sur un plan orbital incliné de 5° par rapport à l'écliptique. Ainsi quand la Lune passe derrière la Terre (par rapport au Soleil) durant son orbite mensuelle, elle passe habituellement soit au-dessus, soit au-dessous de l'ombre de la Terre (l'ombre de la Terre est un cône qui – à la distance de la Lune depuis la Terre – est environ deux fois aussi grand que le diamètre de la Lune). Mais régulièrement la Lune passe soit partiellement soit entièrement dans l'ombre de la Terre : c'est une *éclipse lunaire partielle ou totale* (fig. 101).

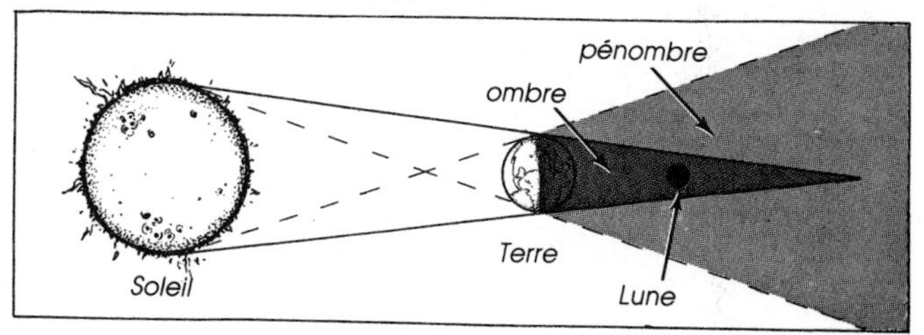

Fig. 101. Schéma d'une éclipse lunaire, montrant l'ombre de la Terre, ainsi que la pénombre.

Tableau 17. Eclipses de Lune du 17 août 1989 au 27 septembre 1996

Date	Heure de la phase maximale (T.U.)	Grandeur (<1 E. part.) (>1 E. tot.)	Demi-durée (min) part.	tot.	Lune au zénith (degré) λ	φ
17 août 1989	3:04	1.60	110	49	− 45	−14
9 février 1990	19:12	1.09	102	23	+ 76	+13
6 août 1990	14:07	0.68	87	—	+149	−17
21 décembre 1991	10:34	0.09	35	—	−159	+23
15 juin 1992	4:57	0.69	87	—	− 74	−23
9 décembre 1992	23:43	1.27	106	37	+ 3	+23
4 juin 1993	13:00	1.58	110	49	+165	−22
29 novembre 1993	6:26	1.11	103	25	− 99	+21
25 mai 1994	3:28	0.28	58	—	− 53	21
15 avril 1995	12:17	0.12	39	—	+176	−10
4 avril 1996	0:09	1.37	108	42	− 1	− 6
27 septembre 1996	2:53	1.24	106	36	− 46	+ 1

Notes: Date et heure en TU pour la plus grande phase de l'éclipse. Les heures du premier et du dernier contact sont trouvées grâce à la demi-durée partielle; tandis que le début et la fin de la totalité sont calculés grâce à la demi-durée totale. λ et φ sont la longitude et la latitude.

L'ombre de la Terre possède un cône intérieur plus sombre, *l'ombre* proprement dite où le Soleil est totalement invisible, et un cône extérieur, la *pénombre* où une partie du Soleil peut être vue. La pénombre n'est pas assez sombre pour avoir un effet notable sur l'éclat de la Lune, ainsi les éclipses de pénombre sont-elles souvent ignorées.

Durant une éclipse partielle, l'ombre de la Terre passe d'un côté à l'autre de la surface de la Lune, sans autre effet.

Pendant une éclipse totale (table 17), l'ombre atteint la Lune (premier *contact*) et la couvre graduellement jusqu'à totalement la couvrir (deuxième contact). La Lune est alors, pendant une heure ou deux, immergée dans l'ombre de la Terre. Cette ombre de la Terre n'est cependant pas complètement noire : comme au coucher du Soleil, une partie de la lumière rouge filtre à travers l'atmosphère terrestre et atteint la Lune la plongeant dans un éclairage cuivre. Le rougissement dépend de la quantité de poussières volcaniques présentes dans l'atmosphère terrestre ; plus il y a de poussières, plus la Lune est sombre et moins elle est rouge. Parfois de très grands orages ou des régions étendues de nuages peuvent modifier l'intensité de l'ombre de la Terre la rendant irrégulière.

Les prochaines éclipses de Lune sont données dans la table 17.

Pour photographier une éclipse de Lune, utilisez de préférence un téléobjectif d'au moins 200 mm de focale, bien qu'un grand angle puisse également être intéressant. Pendant la phase partielle, la partie brillante de la Lune est éclairée directement par le Soleil. Comme elle est environ à la même distance du Soleil que la Terre, utilisez le même temps d'exposition que pour photographier des personnes en plein air par un jour ensoleillé (par exemple 1/25 sec. avec une ouverture à f/11 pour un film de 64 ASA). Pendant la phase d'éclipse totale, la Lune est plus sombre, un temps d'exposition d'une minute ou plus est nécessaire avec un objectif totalement ouvert. Si vous ne suivez pas le mouvement de la Lune votre photographie sera floue. Les meilleurs résultats seront obtenus en faisant un grand nombre de poses, tant en noir et blanc qu'en couleur.

Les Cartes de la Lune

Projection des Cartes

Vues depuis la Terre, les régions du limbe (bord) de la Lune apparaissent très raccourcies à cause de l'angle de vision de la Lune ; les formations situées dans une zone de 10° à partir des bords de la carte ne peuvent être observées qu'avec difficultés et uniquement dans des conditions d'éclairement et de libration favorables. Les cartes lunaires utilisées ici (préparées en collaboration avec la National Geographic Society et l'U.S. Geological Survey) sont dessinées en utilisant une projection qui étale les régions des bords et les rend

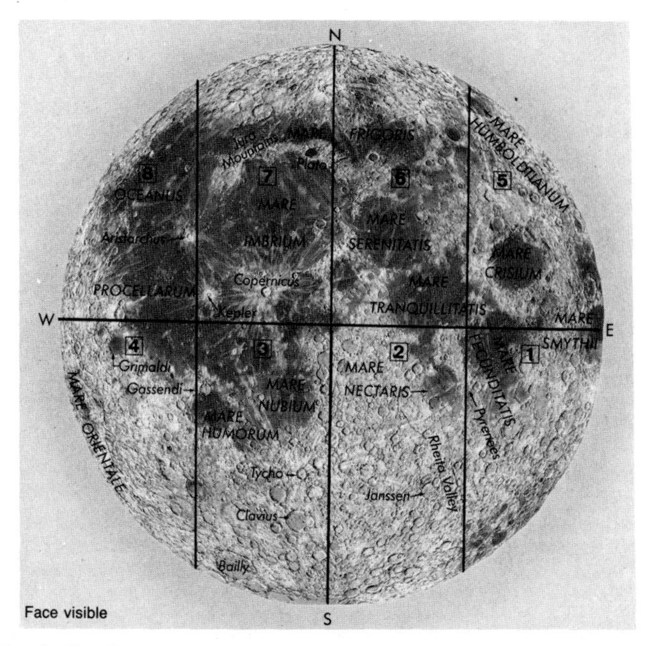

Face visible

plus faciles à voir. Cette projection conserve les surfaces relatives des particularités de la surface lunaire mais déforme légèrement leur vraie dimension.

Orientation sur la Lune

Comme la Lune possède deux pôles Nord et Sud, s'y orienter n'est pas difficile. Avant 1961, l'Est et l'Ouest sur la Lune étaient définis comme pour le ciel ; par exemple pour un observateur situé dans l'hémisphère terrestre Nord et regardant au Sud, l'Est était à gauche et l'Ouest à droite. Cependant ces orientations sont à l'opposé de celles utilisées universellement sur les cartes terrestres, et l'avènement de l'âge spatial a exigé qu'une convention commune soit adoptée. Ainsi l'Est et l'Ouest qui accompagnent les planches de l'atlas et leur description sont conformes à ces vraies directions lunaires (ainsi qu'aux documents professionnels publiés depuis 1961). Les lecteurs qui désireraient consulter des cartes plus détaillées de la Lune publiées précédemment devront faire attention aux orientations Est et Ouest de ces publications qui se réfèrent aux directions dans le ciel. Tous les télescopes courants inversent les images de la Lune, ainsi les cartes agrandies de la face visible de la Lune de ce guide sont orientées avec le Sud en haut et l'Est à gauche afin de rendre ces cartes plus faciles à utiliser avec un télescope. La carte générale n'est cependant pas inversée ; elle correspond à ce que l'on peut voir à l'œil nu ou aux jumelles.

Planche 1

Ce sont essentiellement des régions montagneuses, au relief très déchiqueté (beaucoup de cratères), bien que dans les limites de cette carte figurent la plus grande partie de la Mer de la Fécondité (Mare Feconditatis), ainsi qu'une partie des mers de Smyth (Mare Smythii) et Australe (Mare Australe). Les principaux cratères sont : Humbolt, Furnerius, Petavius, Vendelinus et Langrenus.

Humbolt, un cratère relativement récent d'un diamètre de 200 km, serait très impressionnant s'il était situé plus près du centre du disque lunaire. C'est une nuit après la pleine Lune qu'il est le plus visible, si la libration est favorable. Vendelinus et Funerius sont mieux placés pour une bonne vision, mais sont plus anciens (grand nombre de cratères plus récents et apparence plus émoussée). Petavius, 177 km de diamètre, est un peu plus jeune et est intéressant car une importante faille coule de sa paroi ouest vers le groupe imposant de pics centraux. Langrenus, d'après Van Langren qui a fabriqué la première carte lunaire, est également relativement frais et d'apparence nette, avec un petit pic central et des parois finement érigées. Au Sud-Ouest de Petavius (en haut à droite) sont situées les sources de deux systèmes étendus de surfaces brillantes rayées. C'est durant les périodes proches de la pleine Lune, quand le terminateur en est éloigné, qu'elles sont le plus visibles. Ces rayons sont remarquables surtout par le fait que leurs cratères d'origine, Furnerius A et Stevinus A, sont très petits.

La Mer de la Fécondité (Mare Feconditatis) est constituée de deux régions contiguës presque rondes en laves de basalte ; la partie nord a environ trois fois le diamètre de la partie sud. La plus grande partie de cette mer présente un système typique de vallées. Les petits cratères Messier et Messier A attirent l'attention par des raies qui s'en échappent vers l'Ouest, avec l'apparence d'une queue de comète. Messier a probablement été créé par une météorite arrivée presque horizontalement, faisant gicler de la matière dans une seule direction. Messier A, le plus ancien des deux cratères, ayant fait écran, les substances éjectées ont laissé deux trainées distinctes. Ces cratères très étudiés par le passé doivent leur changement d'apparence à des variations d'éclairement et d'angle de vision.

Fig. 102. Cratères Messier et Messier A dans la Mer de la Fécondité, photographiés lors de la mission Apollo 8. Messier a une longueur de 14 km, une largeur de 9 km et 2 150 m de profondeur. (NASA)

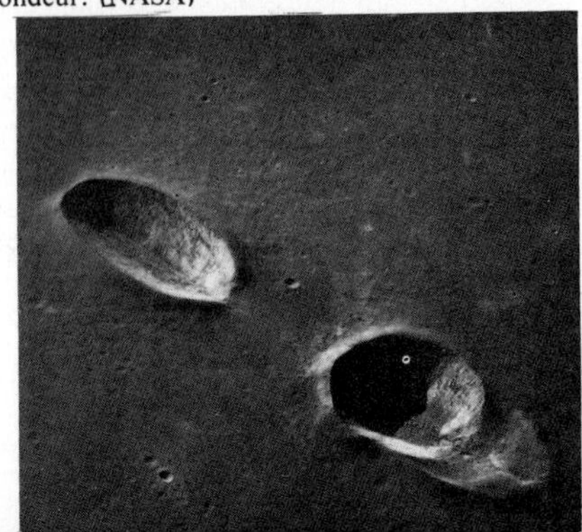

1

S

Jeans
Lyot
Brisbane
Peirescius
Hamilton
Gum
Oken
Vega
VALLIS RHEITA
MARE AUSTRALE
Marinus
Abel
Fraunhofer
Furnerius
Barnard
Adams
Furnerius A
Rheita
Stevinus
Legendre
Hase
Stevinus A
Phillips
Palitzsch
Reichenbach
Snellius
2
Humboldt
Hecataeus
Petavius
Schorr
Wrottesley
Borda
Gibbs
Balmer
Biot
Santbech
Holden
Monge
Behaim
Cook
Ansgarius
Lamé
Vendelinus
Colombo
Montes Pyrenaeus
McClure
La Pérouse
Crozier
Kapteyn
Lohse
Bellot
Magelhaens
Langrenus
MARE FECUNDITATIS
Goclenius
Kiess
Kästner
Gilbert
Lubbock
Messier A
Van Vleck
Maclaurin
Weierstrass
Messier
Webb
Luna 16
MARE SMYTHII
E
5

Planche 2

Cette région est également essentiellement montagneuse, mais elle est intéressante par la présence de la Mare Nectaris (en bas à gauche) et du bassin qui lui est associé, et par celle de la Vallée de Rheita, une des formations lunaires les plus remarquables, constituée de deux segments d'origine différente. La partie nord de 320 km semble avoir été créée par l'affaissement de la croûte lunaire ; la partie sud coupée en plusieurs endroits par des cratères s'étend du Nord au Sud sur 180 km environ tout en se rétrécissant. Elle ressemble à d'autres vallées qui paraissent rayonner à partir du bassin Imbrium (planche 7) ou à celle située au Sud-Est du cratère Hipparcos. Elle est particulièrement visible par une Lune de 4 ou 5 jours (phase croissante) ou 2 ou 3 jours après la pleine Lune.

Janssen est un des plus grands cratères de cette planche (190 km de diamètre) ; son sol est très accidenté, il présente également des rainures importantes, d'autres moindres et des failles ressemblant à des falaises en partent. Maurolycus est une magnifique plaine murée dont le diamètre dépasse 200 km et dont les bords en terrasses très hauts, atteignant par endroits 4 570 m sont ébréchés ici et là par des cratères isolés ou des groupes de cratères. Très impressionnant quand il est près du terminateur. Théophilus (au centre en bas), qui a un diamètre de 100 km, semble plus récent (bords plus effilés). Il est bien situé pour l'observation de sa couverture d'éjection (matériau éjecté du cratère) qui s'étend dans la direction Nord.

Un télescope de taille moyenne nous révèle que cette région est très accidentée par rapport à la surface lisse de la mer du Nectar. Mare Nectaris, importante région quasi-circulaire (354 km de diamètre), sombre, en lave de basalte présente des murailles concentriques sur sa partie est. Cette mer due au remplissage d'une dépression centrale pré-existante causée par l'impact qui a formé le bassin du Nectar. Les limites de ce bassin sont marquées, au Sud-Ouest, par la faille Rupes Altai et à l'Est par les Pyrénées. Ces escarpements et montagnes forment un cercle concentrique de diamètre double de celui de la mer – une caractéristique présentée par toutes les plus grandes structures d'impact de la Lune.

Fig. 103. Vallées lunaires rectilignes dans le Bassin des Pluies, près du cratère Hipparcos. (Lunar and Planetary laboratory, University of Arizona)

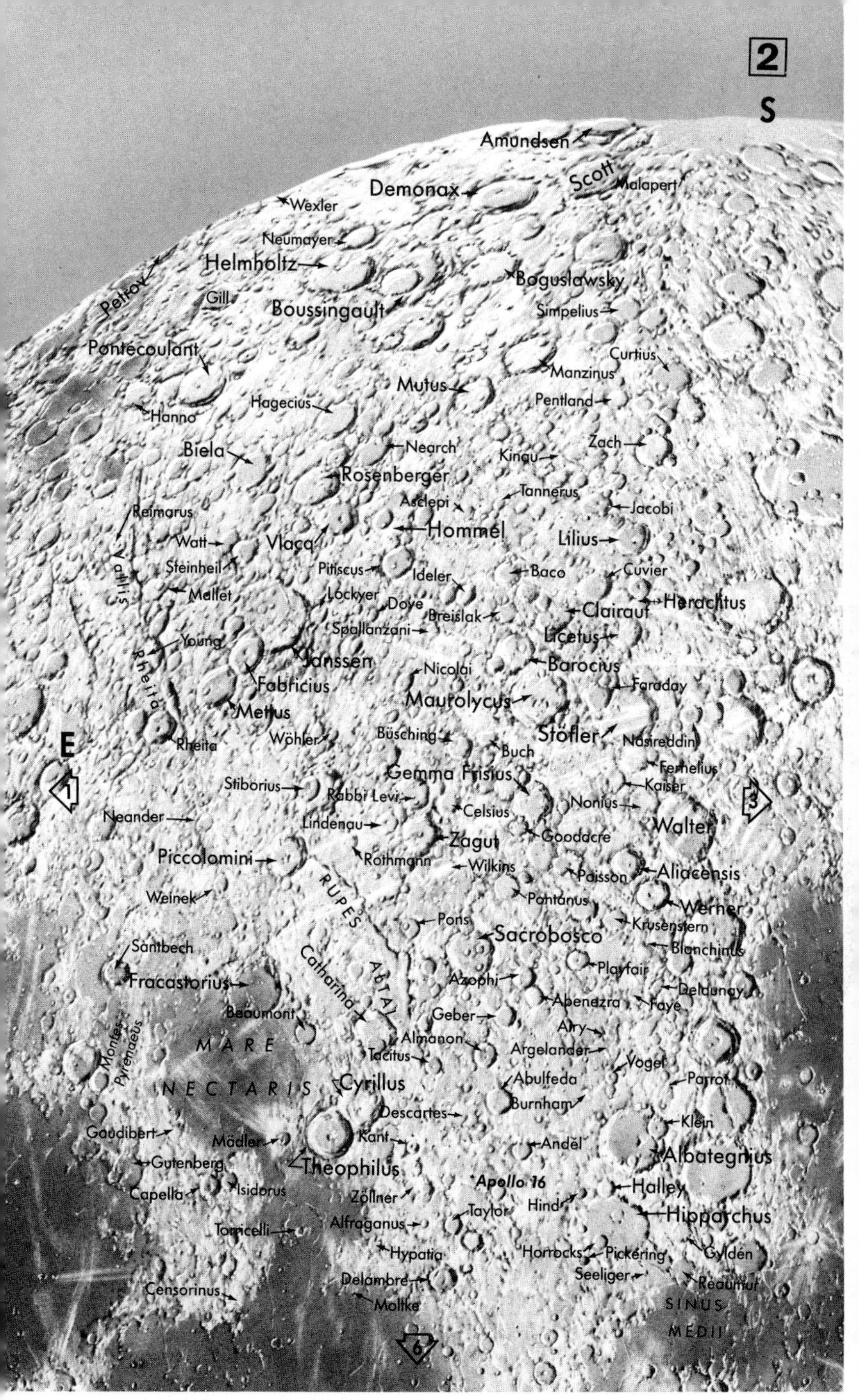

2

S

Amundsen
Scott
Malapert
Demonax
Wexler
Neumayer
Helmholtz
Petrov
Boguslawsky
Gill
Boussingault
Simpelius
Pontécoulant
Curtius
Manzinus
Mutus
Hagecius
Pentland
Hanno
Nearch
Zach
Biela
Kinau
Rosenberger
Tannerus
Asclepi
Jacobi
Reimarus
Hommel
Lilius
Watt
Vlacq
Vallis
Steinheil
Pitiscus
Baco
Ideler
Cuvier
Mallet
Lockyer
Heraclitus
Dove
Clairaut
Breislak
Spallanzani
Licetus
Young
Rheita
Janssen
Barocius
Nicolai
Fabricius
Faraday
Maurolycus
Metius
Stöfler
Wöhler
Büsching
Nasireddin
E
Rheita
Buch
Fernelius
Gemma Frisius
Stiborius
Kaiser
1
Rabbi Levi
3
Nonius
Neander
Celsius
Walter
Lindenau
Zagut
Goodacre
Piccolomini
Rothmann
Wilkins
Poisson
Aliacensis
RUPES
Weinek
Pontanus
Werner
Pons
Krusenstern
Sacrobosco
Santbech
Blanchinus
Catharina
Playfair
Fracastorius
ALTAI
Azophi
Delaunay
Apenazra
Faye
Beaumont
Gaber
Montes Pyrenaeus
Airy
MARE
Almanon
Argelander
Tacitus
Vogel
Abulfeda
Parrot
NECTARIS
Cyrillus
Burnham
Descartes
Klein
Goudibert
Mädler
Kant
Andel
Albategnius
Theophilus
Gutenberg
Apollo 16
Halley
Capella
Isidorus
Zöllner
Hind
Taylor
Hipparchus
Torricelli
Alfraganus
Hypatia
Horrocks
Pickering
Gyldén
Seeliger
Delambre
Réaumur
Censorinus
Moltke
SINUS
MEDII
6

Planche 3

Prédominance sur cette planche des mers sombres et étendues – Mer des Nuées (Mare Nubium), Mer Connue (Mare Cognitum), Mer des Humeurs (Mare Humorum) et une partie de l'Océan des Tempêtes (Oceanus Procellarum) (voir planche 8). Les régions montagneuses du Sud montrent également des formations intéressantes, dont le cratère Tycho de 87 km de diamètre. Quand il est situé près du terminateur, ce cratère apparaît plus accidenté et plus profond que ses alentours. Ses remparts, en terrasses vers l'intérieur comme vers l'extérieur, atteignent 4 000 m ; un pic pointe en son milieu. Tycho est le centre du plus vaste système de raies qu'on puisse observer sur la Lune, particulièrement bien visible lors de la pleine Lune.

Au Sud de Tycho, il y a plusieurs autres grands cratères. Clavius, le plus grand cirque de la face visible (255 km de diamètre), a une superficie équivalente à celle de la Suisse. Sa muraille, hérissée de pics dépassant 5 000 m, s'élève à 3 600 m ; le fond, piqueté de plusieurs cratères, présente un spectacle extraordinaire sous la lumière du Soleil levant ou couchant. Maginus (175 km de diamètre) est remarquable par l'abondance de cratères qui jalonnent son bord. Schiller est unique par sa forme passablement allongée. Près du bord, la magnifique plaine murée de Schickard, une des plus grandes (215 km), aux remparts peu élevés et Wargentin, dont l'intérieur, rempli de lave, se trouve 300 m au-dessus du sol environnant.

Près du centre du disque lunaire, en bas à gauche de cette carte, nous trouvons les grands cratères Ptolémée, Alphonse et Arzachel. Arzachel a un fond raboteux tandis que celui de Ptolémée est relativement lisse. Alphonse est l'une des régions où des émanations de gaz, provenant du pic central, ont été observées en 1958. Au Sud-Ouest d'Arzachel, le Mur Droit, Rupes Recta, falaise haute de 300 m s'étend sur plus de 100 km. Cette paroi est impressionnante au Soleil levant quand la Lune a 8-9 jours.

Le Marais des Epidémies (Palus Epidemarum), aire sombre reliant la Mer des Nuées et la Mer des Humeurs contient le beau cratère Ramsden (20 km) caractérisé par des rainures s'étalant vers l'Ouest. Remarquez les nombreux cratères démantelés sur les bords de la Mer des Humeurs. Gassendi (110 km) paraît très vieux. Ses remparts sont brisés et l'intérieur semble avoir été partiellement envahi par la mer voisine ; au centre émerge un beau groupe de montagnes alors que tout autour s'entrecroisent rides et crevasses. Des phénomènes lunaires passagers, colorations, rougissements, obscurcissements, etc., ont été observés dans ce cratère à de nombreuses occasions.

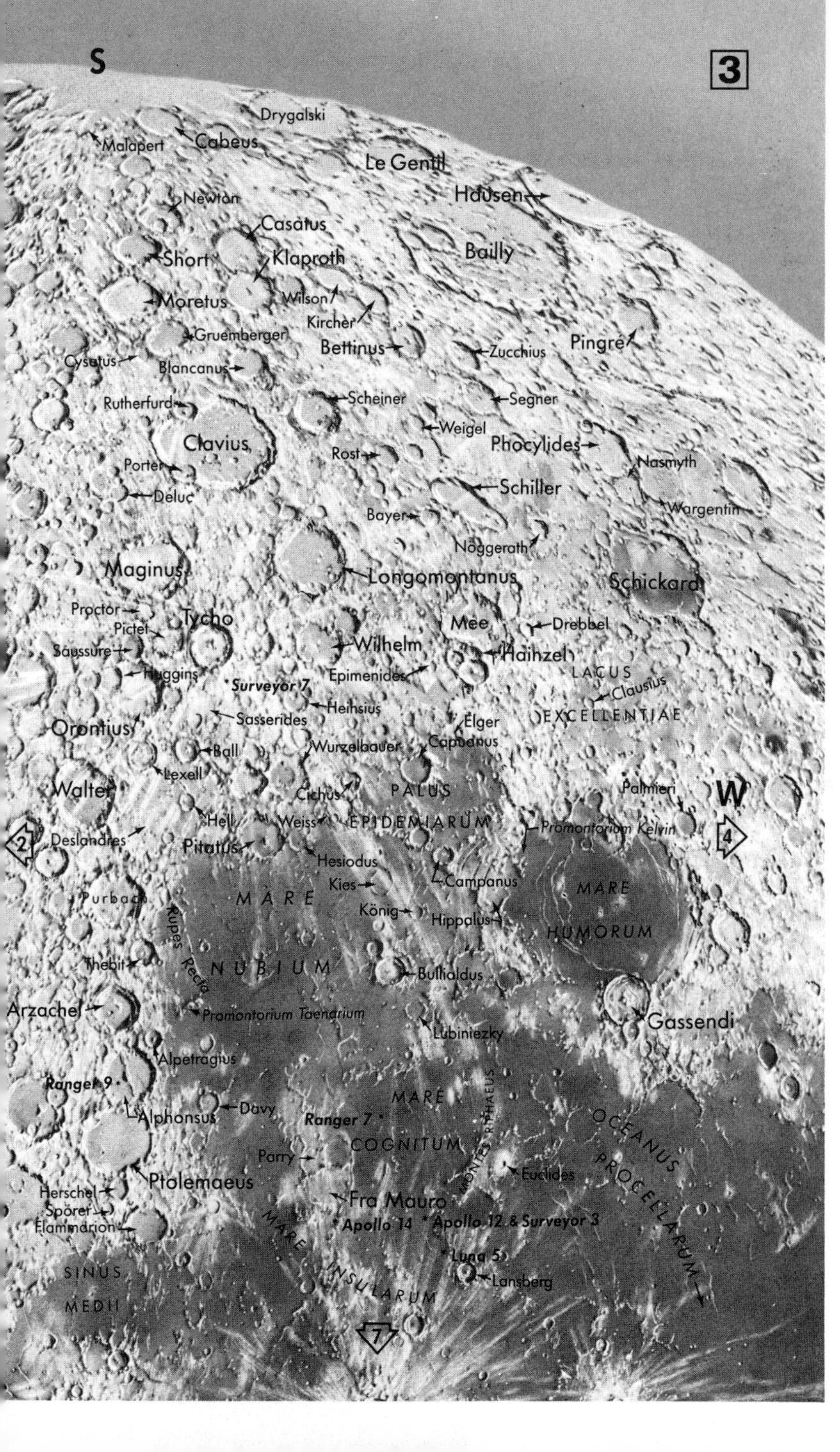
S
3
Drygalski
Malapert
Cabeus
Le Gentil
Hausen
Newton
Casatus
Short
Klaproth
Bailly
Moretus
Wilson
Kircher
Gruemberger
Bettinus
Zucchius
Pingré
Cysatus
Blancanus
Rutherfurd
Scheiner
Segner
Weigel
Clavius
Rost
Phocylides
Nasmyth
Porter
Schiller
Deluc
Wargentin
Bayer
Noggerath
Maginus
Longomontanus
Schickard
Proctor
Tycho
Mee
Drebbel
Pictet
Saussure
Wilhelm
Hainzel
Huggins
Epimenides
LACUS
Clausius
Surveyor 7
Heinsius
Orontius
Sasserides
Elger
EXCELLENTIAE
Ball
Wurzelbauer
Capuanus
Lexell
Walter
Cichus
PALUS
Palmieri
W
Hell
Weiss
EPIDEMIARUM
Promontorium Kelvin
2
Deslandres
Pitatus
4
Hesiodus
Kies
Campanus
MARE
Purbach
MARE
König
Hippalus
Rupes Recta
HUMORUM
Thebit
NUBIUM
Bullialdus
Arzachel
Promontorium Taenarium
Gassendi
Lubiniezky
Alpetragius
MONTES RIPHAEUS
Ranger 9
MARE
Alphonsus
Davy
Ranger 7
OCEANUS
COGNITUM
Parry
Euclides
PROCELLARUM
Ptolemaeus
Herschel
Fra Mauro
Spörer
Flammarion
Apollo 14
Apollo 12 & Surveyor 3
MARE INSULARUM
Luna 5
SINUS
Lansberg
MEDII
7

Planche 4

En plus de l'Océan des Tempêtes (Oceanus Procellarum), la plus grande de toutes les mers, cette carte couvre la moitié Est de la Mer Orientale. Mais cette formation est trop proche du limbe pour être bien observée. Les régions montagneuses comprennent le cratère Grimaldi, le système de rainure Sirsalis-Darwin et le cratère Mersenius. Le cirque Grimaldi est en fait un petit bassin (240 km) avec des murailles internes et externes concentriques. Son sol est couvert de lave sauf au Nord.

La rainure de Sirsalis est une des plus longues fissures lunaires ; elle est contiguë au système Darwin. Là où la rainure traverse les parois du cratère, ces parois ont été coupées par des failles parallèles, tout comme le terrain plus bas.

Le cratère Mersenius (83 km) est inhabituel car son fond est passablement plus bas que la surface de la Lune. Ce bulbe est impressionnant au Soleil levant quand sa partie orientale est bien illuminée tandis que la partie occidentale reste dans l'ombre.

Les côtes ouest de la Mer des Humeurs présentent des caractéristiques intéressantes, telles que la surface accidentée au Nord est de Mersenius, les failles du Sud-Est de ce cratère et un autre petit cratère (Liebig F) à cheval sur une de ces failles. Le cratère inondé Doppelmayer, à structure concentrique, est incomplet et dégradé par l'érosion.

Le cratère au fond sombre Billy et son compagnon Hansteen, de taille comparable mais d'apparence différente, sont situés près du bord de l'Océan des Tempêtes. Ces cratères sont séparés par une montagne exceptionnellement brillante, Mons Hansteen ; des photographies ont montré qu'elle est nettement plus rouge que les montagnes proches.

Fig. 104. Bassin oriental avec sa structure en œil-de-bœuf dans la mer du même nom. Le bassin a été créé par l'impact d'un corps d'un diamètre probable de 50 km. Grimaldi est la petite région sombre à droite du Bassin oriental, avec l'Océan des Tempêtes au-dessus. Le Nord est en haut de cette photographie prise par Lunar Orbiter 4. (NASA)

4

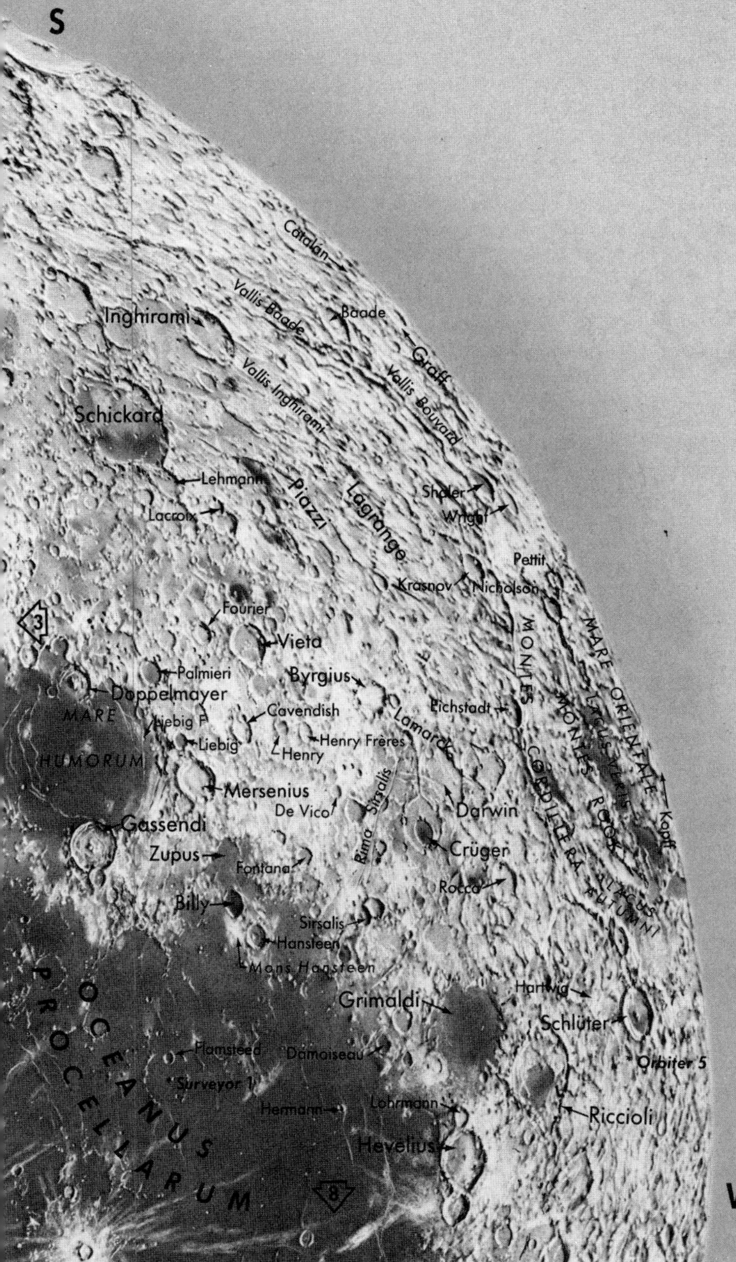

S
Catalán
Vallis Baade
Baade
Inghirami
Graff
Vallis Inghirami
Vallis Bouvard
Schickard
Lehmann
Piazzi
Lagrange
Shaler
Wright
Lacroix
Pettit
Krasnov
Nicholson
Fourier
3
Vieta
MARE ORIENTALE
MONTES CORDILLERA
MONTES ROOK
LACUS VERIS
Palmieri
Byrgius
Doppelmayer
MARE HUMORUM
Eichstadt
Cavendish
Liebig F
Lamarck
Liebig
Henry Frères
Henry
Mersenius
Kopff
De Vico
Sirsalis
Darwin
Gassendi
Rima Sirsalis
Crüger
Zupus
Fontana
Rocco
LACUS AUTUMNI
Billy
Sirsalis
Hansteen
Mons Hansteen
OCEANUS PROCELLARUM
Hartwig
Grimaldi
Schlüter
Flamsteed
Damoiseau
Orbiter 5
Surveyor 1
Hermann
Lohrmann
Riccioli
Hevelius
8
W

Planche 5

La Mer des Crises (Mare Crisis) presque circulaire est facilement visible à l'œil nu. Cette mer lunaire autrefois appelée « la Caspienne » a une taille comparable à la Mer du Nectar et à la Mer des Humeurs, mais, contrairement à ces dernières, est complètement isolée des autres grandes mers. L'anneau extérieur du bassin des Crises, d'un diamètre double de celui de la mer, est surtout visible au Nord quand le Soleil se lève sur cette région, environ 2 jours après la pleine Lune. La région entre les anneaux contient différentes zones de lave sombre nommées Mare Anguis (Serpent de Mer), Mare Undarum (Mer des Vasques) et Lacus Bonitatis (Lac de Bonté). Bien que n'ayant que 28 km de diamètre, le cratère Proclus à l'Ouest de la Mer des Crises, attire le regard par son extrême brillance. Quand la Lune est proche de sa phase pleine, un système de rainures devient apparent. De telles rainures asymétriques peuvent être reproduites en laboratoire par des impacts tangentiels.

Au Nord de la Mer de la Fécondité, le cratère Taruntius (70 km) possède une muraille peu élevée et un fond à deux terrasses circulaires concentriques ; notez le petit cratère posé sur son bord nord et son système de raies faibles.

Parmi les plus grands cratères de cette carte, Néper (nommé d'après Napier, l'inventeur des logarithmes), avec ses grandes parois en terrasses et son pic central important, serait très impressionnant s'il était situé dans des régions centrales. Mais il est sur le limbe lunaire et ne peut être vu que peu après la nouvelle ou la pleine Lune, si la libration est favorable. Tout près l'on peut voir la Mer Marginale et la Mer de Smyth (fig. 105), très petites, fortement raccourcies et toujours difficiles à observer. Le cratère Gauss (177 km de diamètre) est plus facile à voir ; son sol est couvert de petits cratères. Burckardt, au Nord de la Mer des Crises, est intéressant car il a partiellement couvert deux cratères plus anciens et légèrement plus petits.

Fig. 105. Lever de Terre au-dessus du limbe lunaire lors du rendez-vous du module lunaire et de la station d'Apollo 11. La grande zone sombre à gauche est la Mer de Smyth, que l'on peut voir depuis la Terre sur le limbe est de la Lune. (NASA)

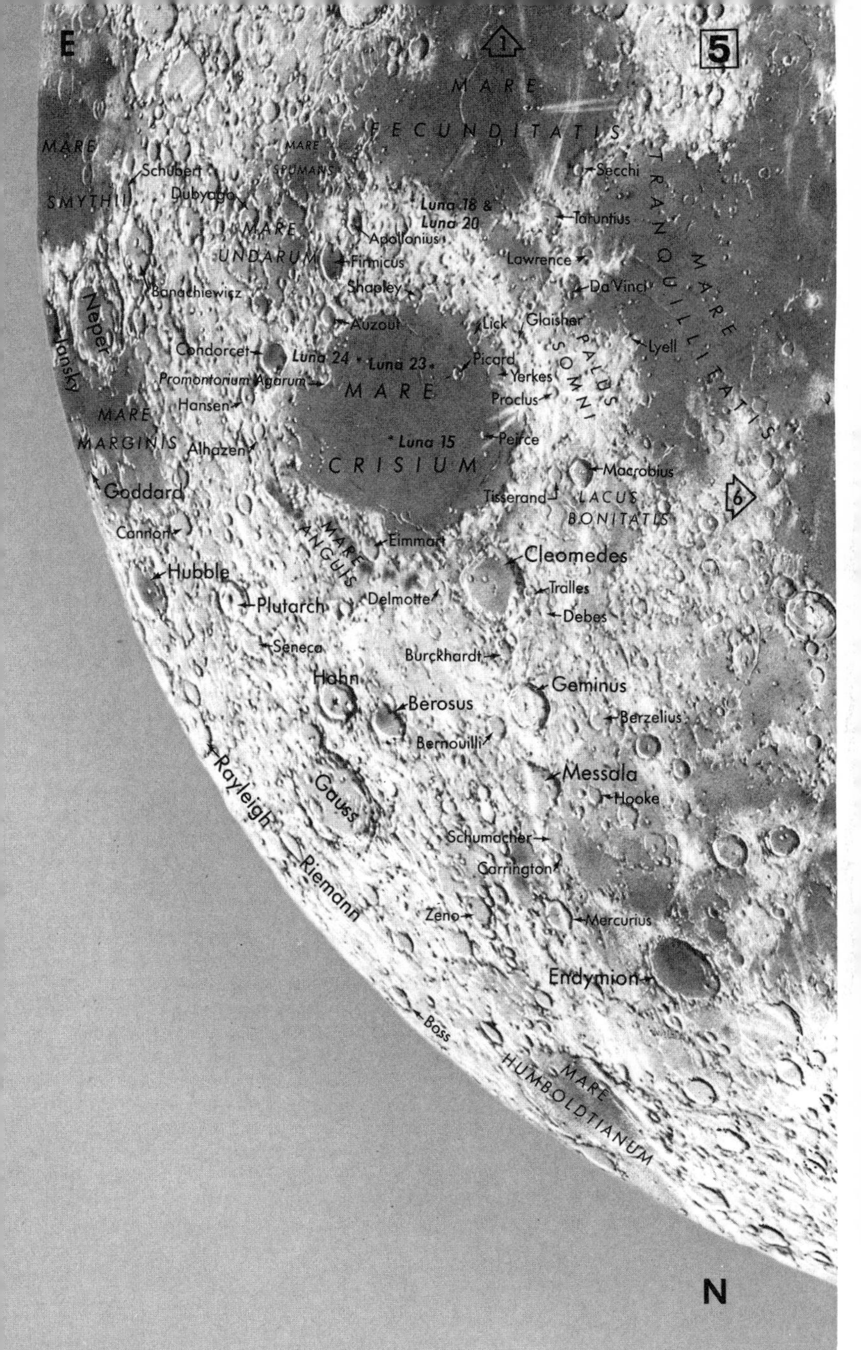
E
1
5
MARE
FECUNDITATIS
MARE
SMYTHII
MARE
SPUMANS
Schubert
Dubyago
MARE
UNDARUM
Luna 18 &
Luna 20
Apollonius
Firmicus
Shapley
Secchi
Taruntius
Lawrence
Da Vinci
MARE
TRANQUILLITATIS
Banachiewicz
Neper
Jansky
Auzout
Lick
Glaisher
Lyell
Condorcet
Luna 24
Luna 23
Picard
PALUS
SOMNI
Yerkes
Promontorium Agarum
MARE
Proclus
Hansen
MARE
MARGINIS
Alhazen
Luna 15
Peirce
CRISIUM
Macrobius
Goddard
Tisserand
LACUS
BONITATIS
6
Cannon
MARE
ANGUIS
Eimmart
Cleomedes
Hubble
Tralles
Plutarch
Delmotte
Debes
Seneca
Burckhardt
Hahn
Geminus
Berosus
Berzelius
Bernouilli
Rayleigh
Messala
Gauss
Hooke
Schumacher
Riemann
Carrington
Zeno
Mercurius
Endymion
Boss
MARE
HUMBOLDTIANUM
N

Planche 6

Région principalement composée de mers, dont les plus importantes sont la Mer de la Tranquillité (Mare Tranquilitatis) et la Mer de la Sérénité (Mare Serenitatis). La Mer des Vapeurs (Mare Vaporum) est séparée des autres mers par les Monts Haemus et les Appenins.

Les Monts du Caucase longent la Mer de la Sérénité au Nord-Est, présentant à leur extrémité nord deux magnifiques cirques, Eudoxe (55 km) et Aristote (80 km), tous deux très escarpés avec des murailles raides en gradins vers l'intérieur et portant des sillons radiaux vers l'extérieur.

Les Alpes lunaires forment la côte nord-ouest de la Mer des Pluies (Mare Imbrium). La célèbre Vallée Alpine, entaille de 130 km de long sur 5 à 10 km de large, les traverse en ligne droite.

La région proche du centre lunaire, où se trouve le Golfe Medii, abonde en formations intéressantes. Triesnecker (22 km) marque le centre approximatif d'un système de rainures et de crevasses qui partent de son bord ouest, s'étendent au Sud jusqu'à Rhaeticus et au Nord jusqu'au petit cratère Hyginus, lui-même placé au milieu d'une rainure spectaculaire portant le même nom et qui prolonge plus ou moins de la rainure d'Ariadaeus. Le bras ouest est ponctué de petits cratères, visibles uniquement avec de grands instruments. Ils confirment l'existence de volcanisme lunaire ou l'activité interne dans le passé. Hyginus est un cratère à fond plat sans bord. A l'Est d'Hyginus, la rainure d'Ariadaeus, grande faille linéaire, traverse montagnes et plaines. La région au Nord d'Hyginus est une des plus sombres de la Lune. Grâce aux satellites lunaires et à d'autres observations terrestres, nous savons que cette teinte foncée est principalement due à la quantité d'ilménite contenue dans le sol. Le sol de cette région est essentiellement composé de cendre volcanique (surtout des petits grains de verre).

La pleine Lune apparaît souvent argentée dans un ciel sombre, mais sa vraie couleur est plutôt gris brun. Mais vous pouvez voir des variations de couleur, spécialement si vous regardez les mers de la Sérénité et de la Tranquillité avec un télescope à grand champ, quand le terminateur en est assez éloigné. Le ton brun plutôt chaud de la Mer de la Sérénité contraste fortement avec les nuances plus gris-acier de la Mer de la Tranquilité. Cette couleur grise provient de la quantité assez inhabituelle d'ilménite contenue dans les laves de basalte. Tout un système d'arêtes et de rainures traverse sa moitié ouest.

La Mer de la Sérénité présente les crêtes concentriques typiques d'un bassin de laves. Le site d'alunissage d'Apollo 17 est situé à la partie la plus à l'est de la mer, dans une région particulièrement sombre. Lunokhod 2, transportant la sonde soviétique Luna 21, s'est posé près du cratère Le Monnier (160 km), un peu plus au Nord.

Posidonius, remarquable plaine murée de 100 km de diamètre,

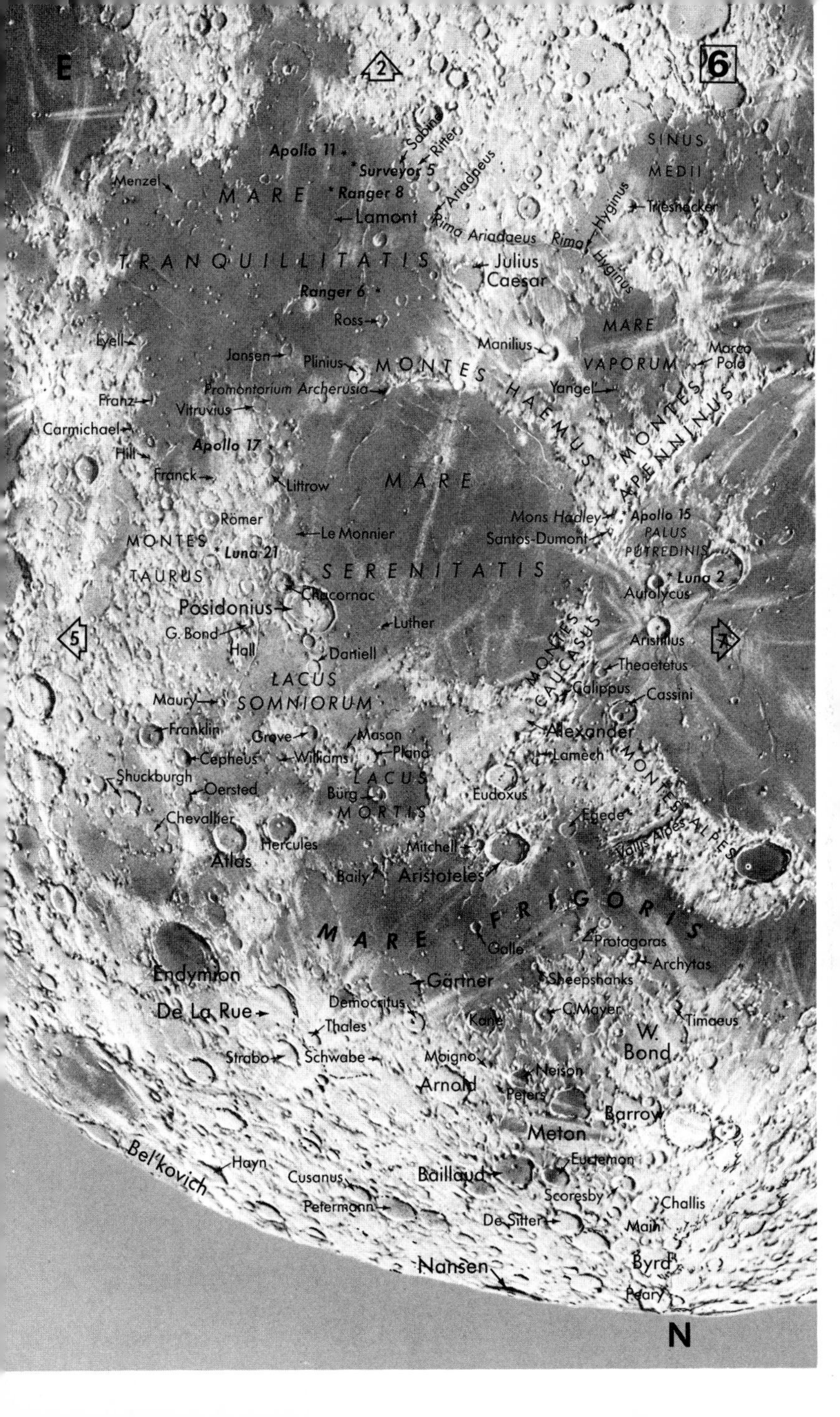
E
2
6
Apollo 11
Sabine
Ritter
Surveyor 5
Ranger 8
Ariadaeus
SINUS
MEDII
Menzel
MARE
Lamont
Rima Ariadaeus
Hyginus
Triesnecker
Rima
Hyginus
TRANQUILLITATIS
Julius
Caesar
Ranger 6
Ross
MARE
Lyell
Jansen
Plinius
MONTES HAEMUS
Manilius
VAPORUM
Marco
Polo
Promontorium Archerusia
Yangel'
Franz
Vitruvius
MONTES APENNINUS
Carmichael
Apollo 17
Hill
Franck
Littrow
MARE
Römer
Le Monnier
Mons Hadley
Apollo 15
Santos-Dumont
PALUS
PUTREDINIS
MONTES
Luna 21
TAURUS
SERENITATIS
Luna 2
Autolycus
Chacornac
Posidonius
Luther
5
G. Bond
Hall
Daniell
MONTES CAUCASUS
Aristillus
7
Theaetetus
LACUS
Calippus
Cassini
Maury
SOMNIORUM
Alexander
Franklin
Grove
Mason
Plana
Cepheus
Williams
Lamech
MONTES
Shuckburgh
LACUS
Oersted
Bürg
Eudoxus
MORTIS
Chevallier
Egede
ALPES
Vallis Alpes
Hercules
Mitchell
Atlas
Baily
Aristoteles
MARE FRIGORIS
Galle
Protagoras
Archytas
Endymion
Gärtner
Sheepshanks
Democritus
De La Rue
C.Mayer
Kane
Timaeus
Thales
W.
Bond
Strabo
Schwabe
Moigno
Neison
Arnold
Peters
Barrow
Meton
Bel'kovich
Hayn
Euctemon
Cusanus
Baillaud
Scoresby
Challis
Petermann
De Sitter
Main
Nansen
Byrd
Peary
N

sur la rive nord-ouest de la Mer de la Sérénité, contient les vestiges d'un ancien cirque plus petit, phénomène que toutes les hypothèses sur l'origine des cratères expliquent difficilement. Des rainures sinueuses et profondes traversent ce cratère.

Planche 7

Cette région est dominée par la Mer des Pluies (Mare Imbrium) ; d'autres mers et golfes occupent la plus grande partie des zones restantes (Mare insularum, Sinus Aestum, Mare Frigoris, Sinus Roris). Le bassin des Pluies est un des plus récents, formé il y a environ 3.9 milliards d'années. Il est immense : sur la surface visible de la Lune, seul le bassin des Tempètes, plus âgé, est plus grand. Tous les cratères situés au sud de la Mer du Froid sont plus récents. La mer de lave doit également être plus jeune que le bassin. Il est fort probable que le volcanisme lunaire, qui a produit les mers de laves sombres, n'ait pas eu lieu avant 3.7 milliards d'années. La surface de la Mer des Pluies présente les systèmes habituels de crètes concentriques, mais sous certaines conditions, des fronts de lave aux limites nettes peuvent être détectés. Des montagnes et des pics isolés, comme les Monts Ténériffe, la Chaîne Droite (Mons Recti), le Mont Pico, les Monts Spitzberg, forment un cercle de diamètre deux fois plus petit que celui formé par les Carpates, les Apennins et le Caucase. Sur la rive ouest de la Mer des Pluies trois cratères attirent le regard. Archimède : plaine murée de près de 80 km de diamètre à l'arène relativement lisse et dont les remparts en terrasses atteignent 2000 m. Aristillus (55 km), dont l'intérieur (situé 900 m au-dessous de la mer environnante) raboteux, étagé, présentant un massif montagneux central, contraste avec les fonds plats d'Archimède et de Platon ; sa muraille s'élève à 3 300 m ; son bord extérieur est marqué de sillons radiaux. Autolycus (40 km) ressemble au précédent et tous deux sont nettement plus récents qu'Archimède. Les Apennins sont très impressionnants juste après le premier quartier ou près du dernier quartier. Les pics les plus éloignés atteignent 5 000 m ; des photographies prises par les astronautes d'Apollo 15 montrent qu'ils sont généralement lissés par l'érosion naturelle. La rainure de Hadley, visité par ces mêmes astronautes est parfois aperçue avec de petits télescopes si les conditions atmosphériques sont bonnes et quand la Lune a environ 9 jours.

La côte nord de la Mer des Pluies est marquée par une bande montagneuse comprenant les Alpes, le cratère Platon et le spectaculaire Golfe des Iris (Sinus Iridum). La situation de cette bande est totalement anormale par rapport au reste du bassin des Pluies. Elle est le résultat de la rencontre de 2 plaques de croûte lunaire qui se sont déplacées d'environ 160 km vers le Nord-Est pendant que le cratère des Pluies se remplissait de magma (la forme étroite et allongée de la Mer du Froid, le « faux » emplacement des Alpes et d'autres petits faits amènent à cette conclusion). Les Alpes, un

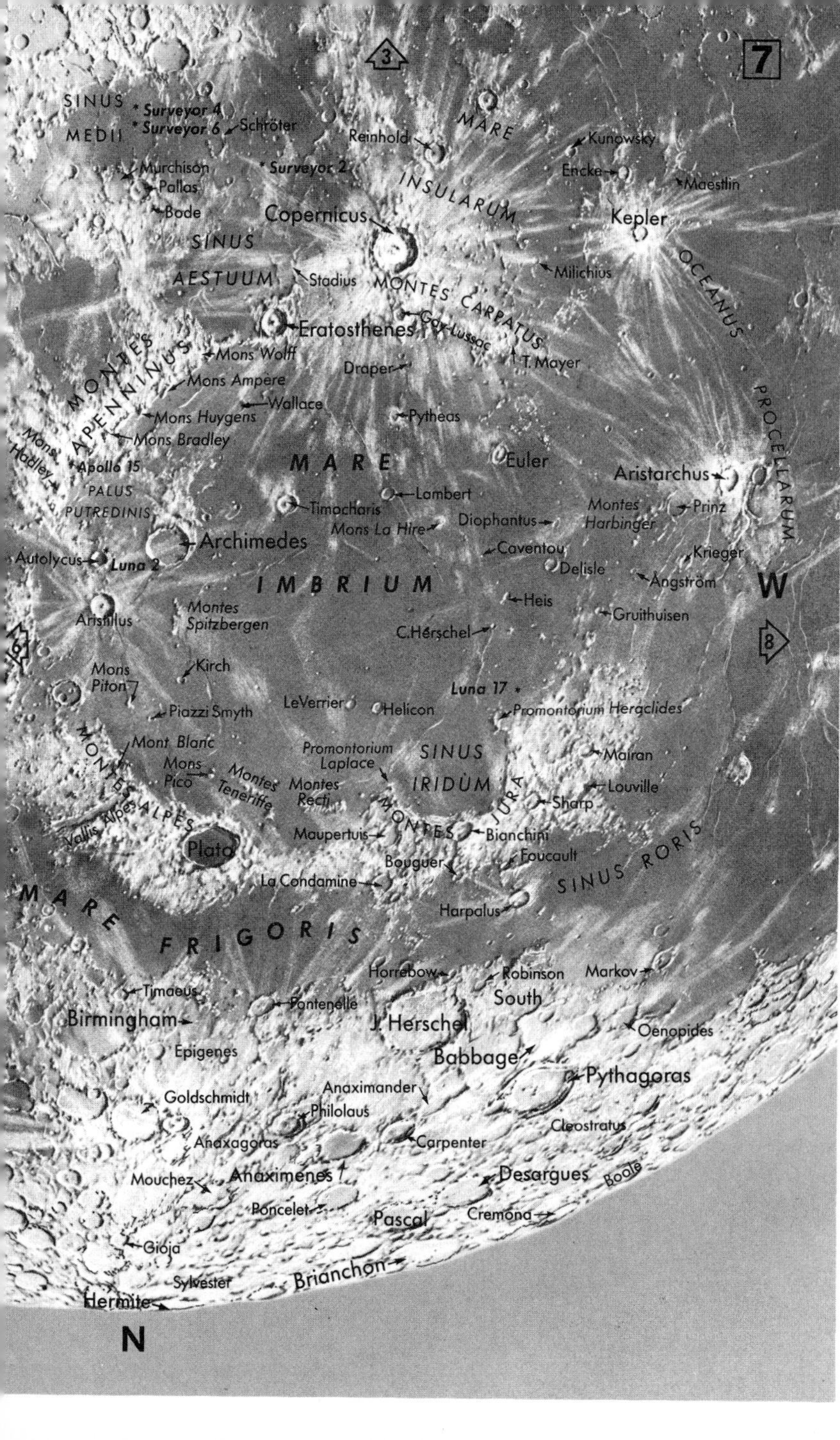

3
7
SINUS MEDII
* Surveyor 4
* Surveyor 6
Schröter
Reinhold
MARE INSULARUM
Kunowsky
Murchison
Pallas
Bode
* Surveyor 2
Encke
Maestlin
Copernicus
Kepler
SINUS AESTUUM
Stadius
Milichius
OCEANUS
MONTES CARPATUS
Eratosthenes
Gay-Lussac
MONTES APENNINUS
Mons Wolff
Draper
T. Mayer
Mons Ampère
Wallace
PROCELLARUM
Mons Huygens
Pytheas
Mons Bradley
Mons Hadley
* Apollo 15
MARE IMBRIUM
Euler
Aristarchus
PALUS PUTREDINIS
Lambert
Timocharis
Montes Harbinger
Prinz
Archimedes
Mons La Hire
Diophantus
Caventou
Krieger
Autolycus
Luna 2
Delisle
Ångström
W
Aristillus
Montes Spitzbergen
Heis
Gruithuisen
6
C. Herschel
8
Mons Piton
Kirch
Luna 17 *
LeVerrier
Helicon
Piazzi Smyth
Promontorium Heraclides
Mont Blanc
Promontorium Laplace
SINUS IRIDUM
Mairan
Mons Pico
Montes Teneriffe
Montes Recti
JURA
Louville
MONTES ALPES
Sharp
Vallis Alpes
MONTES
Plato
Maupertuis
Bianchini
SINUS RORIS
Bouguer
Foucault
MARE FRIGORIS
La Condamine
Harpalus
Horrebow
Robinson
Markov
South
Timaeus
Fontenelle
Birmingham
J. Herschel
Oenopides
Epigenes
Babbage
Pythagoras
Anaximander
Goldschmidt
Philolaus
Cleostratus
Anaxagoras
Carpenter
Mouchez
Anaximenes
Desargues
Boole
Poncelet
Pascal
Cremona
Gioja
Brianchon
Sylvester
Hermite
N

Fig. 106. Partie nord-est de la Mer des Pluies (Mare Imbrium), montrant le Caucase et les Alpes lunaires, ainsi que la Vallée Alpine. Le sud est en haut sur cette photographie prise avec un télescope de 152 cm. (Lunar and Planetary, University of Arizona)

groupe de montagnes et de collines isolées, contiennent la fameuse Vallée Alpine (Vallis Alpes), une « balafre » s'étendant sur plus de 160 km et large de 10 km environ. Autrefois on pensait que cette vallée s'était formée sous l'impact d'une météorite arrivée tangentiellement ou par l'impact d'un fragment ayant formé le bassin des Pluies, mais cette idée a été abandonnée. Il semble que de telles configurations soient formées par des mouvements de la croûte lunaire.

Très remarquable, la grande plaine murée de Platon (environ 100 km), a une arène relativement unie bien qu'on puisse y voir quelques cratères en puits lorsque l'éclairage est favorable (Lune d'environ 10 jours). Les ombres très découpées donnent une idée de l'aspérité de la muraille environnante dont certains pics atteignent ou dépassent 2 000 m (jusqu'à 5 000 m).

Les deux cratères Copernic (92 km) et Eratosthène (60 km) sont parmi les plus beaux de la Lune. Tous deux ont des remparts escarpés en terrasses atteignant parfois 5 000 m. Leurs systèmes de raies ne sont cependant pas aussi étendus que celui de Tycho. Copernic est un excellent exemple de grand cratère d'impact relativement récent. Son sol est très rugueux. Eratosthène semble placé sur une sorte de péninsule prolongeant les Apennins. Entre les deux, au Nord du cratère englouti Stadius, il existe plusieurs files de cratères en puits résultant visiblement de volcanisme.

Planche 8

Région de vastes plaines piquetées ici et là de cratères pour la plupart désagrégés et enfouis sous la poussière.

Cette planche est presque entièrement occupée par l'Océan des Tempêtes (Oceanus Procellarum) dont la côte ouest est très proche du limbe lunaire.

Le cratère Aristarque (50 km) est de loin la formation la plus brillante de cette région, ou même de toute la Lune. Il présente, comme tous les cratères d'impact relativement frais, un système complexe de raies. Sa muraille culmine à 2 700 m. Plus que partout ailleurs des phénomènes lunaires éphémères ont été observés dans et autour d'Aristarque. Dans le passé une grande partie de ces phénomènes résultait directement ou indirectement des effets de la grande brillance du cratère. Quand la lune a moins d'une semaine, le cratère semble rayonner dans la partie du disque située dans l'ombre de la Terre ; observé plutôt bas dans le ciel, le cratère non éclairé par le Soleil est assez brillant par rapport à la mer sombre environnante pour produire un spectre que l'atmosphère terrestre réfracte, provoquant les effets de couleurs signalés. Cependant, maintenant, les observateurs confirmés tiennent compte de ces « diversions rougies », et ainsi tous les comptes-rendus ne peuvent pas facilement être rejetés. Toute la zone est inhabituelle à différents points de vue et des phénomènes rares, comme l'émission de gaz, peuvent avoir lieu. La sonde orbitale Apollo a détecté là beaucoup plus de radon que partout ailleurs sur la Lune.

La Vallée Schröter, dans les contreforts d'Aristarque, offre un excellent exemple de rainure sinueuse facilement visible dans une petite lunette. Ce canal doit son nom à un astronome amateur allemand. Le volcan lui-même est plutôt une modeste colline immédiatement au Nord-Ouest d'Aristarque et le flanc nord de la vallée débute par une dépression nommée la Tête du Cobra. La vallée coupe à travers une zone accidentée plus sombre que la mer voisine malgré la présence de raies concentriques venant d'Aristarque. Toute la région est couverte de cendre volcanique contenant beaucoup d'ilménite. Bien que sombre, la région est distinctement plus brune que la mer environnante, ou même que d'autres régions sombres également couvertes de cendre, toutes plus grises que leur voisinage. Il est intéressant de voir que ce sol riche en ilménite peut exister sous deux formes de composition identique mais de couleur différente.Les sols orange et noirs récoltés près du cratère Shorty(non indiqué sur la carte car trop petit) par les astronautes d'Apollo 17 sont identiques, à part leur couleur. Cette différence de couleur est peut-être due à divers taux de refroidissement déterminant si l'ilménite noire se cristallise ou reste dispersée sous forme de coloration orange dans les grains de verre du terrain.

La tache extrêmement brillante, Reiner Gamma, (en haut à droite, fig. 107) est un exemple de tache de la surface assez rare ; d'autres se trouvent uniquement sur la face cachée de la Lune. Elle n'est reliée à aucune forme topographique visible et ne semble présenter aucun relief. Un champ magnétique lui est associé ; ce champ protège la surface des effets d'assombrissement dus au vent solaire et lui conserve ainsi son aspect brillant. au Nord-Est, les détails topographiques d'un grand champ de structures volcaniques plutôt petites, la Colline de Marius, ne deviennent visibles qu'à travers de grands télescopes (fig. 107).

Dans la région montagneuse, en haut à droite, le cratère Hévélius (119 km de diamètre) demande beaucoup d'attention. Son sol est quadrillé par un réseau de raies rectilignes, dont deux d'entre elles traversent la paroi du cratère et continuent sur le sol voisin.

Kepler est un très beau cratère avec un piton central et un système de raies bien marquées.

Le cratère Lichtenberg (ressemblant au système Proclus) possède un système de raies qui s'étendent vers le Nord. Cependant leur origine est différente (la partie sud du système Lichtenberg a été recouverte de flots de lave).

Fig. 107. Cratères Reiner (en haut), Marius (à gauche) et l'unique tache brillante lunaire, appelée Reiner Gamma, à l'ouest (droite) de Reiner. Certains détails de la Colline de Marius sont visibles à l'Ouest Nord-Ouest du cratère Marius. Le sud est en haut. (Lunar and Planetary Laboratory, University of Arizona)

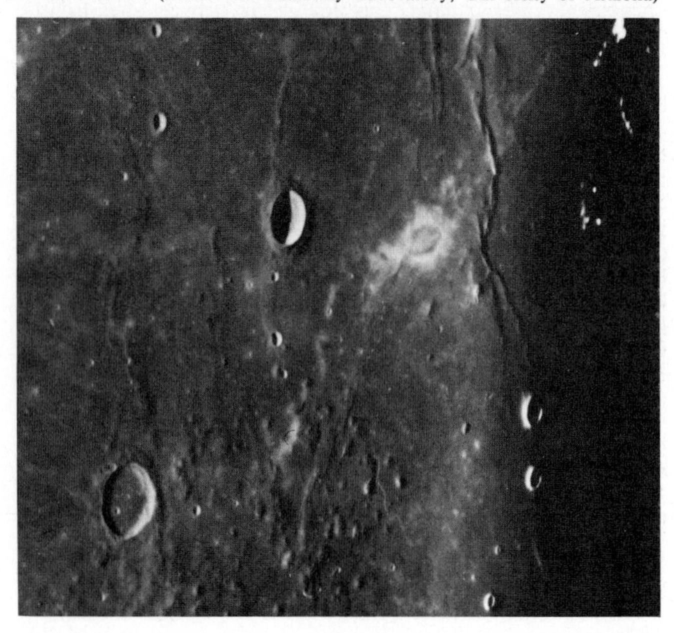

8

W
N
4
7
OCEANUS PROCELLARUM
SINUS RORIS
Lohrmann
Hevelius
Hedin
Cavalerius
Suess
Reiner
Reiner Gamma
Luna 9
Kepler
Luna 7
Luna 8
Olbers
Galilaei
Marius
Marius Hills
Vasco da Gama
Cardanus
Bohr
Einstein
Krafft
Luna 13
Dalton
Herodotus
Aristarchus
Schiaparelli
Seleucus
Balboa
Vallis Schröteri
Eddington
Struve
Briggs
Wollaston
Russell
Bartels
Nielsen
Lichtenberg
Voskresenskiy
Naumann
Ulugh Beigh
Aston
Mons Rümker
Röntgen
Lavoisier
Harding
Dechen
Bunsen
Gerard
Repsold
Galvani
Longley
Babbage
Stokes
Volta
Xenophanes
Regnault

La Face Cachée de la Lune

Seuls les astronautes d'Apollo ont pu voir la face cachée de la Lune, mais elle a été abondamment photographiée par eux et par les sondes inhabitées, aussi sa topographie est-elle très bien documentée.

Sa pauvreté en mers sombres est frappante. A part les mers qui chevauchent le limbe (Mare Humboldtianum, Mare Marginis, Mare Smythii, Mare Australe et Mare Orientale), les seules mers de la face cachée sont Mare Moscoviense et Mare Ingenii. Le bassin Apollo présente des traces d'écoulements de lave, tout comme certains des cratères les plus grands près de Von Kármán. Tsiolkovskiy est le cratère submergé le plus remarqué de par sa situation isolée et son sol d'apparence excessivement sombre. Bien que la face cachée soit dénuée des écoulements de lave existant sur l'autre face, plusieurs bassins comme Hertzsprung, Korolev, Birkhoff, etc., montrent une structure d'anneaux caractéristiques des bassins de la face visible.

La face cachée présente également quelques restes de bassins plus grands. L'un est une petite flaque de lave près du cratère Buys-Ballot, l'autre est une structure très grande centrée entre les cratères Von Kármán et Bose. L'existence de cette structure est justifiée par la présence dans cette région de plaques de lave et de cratères partiellement inondés. La muraille de ce bassin s'étend environ du cratère Aitken à un point immédiatement au-delà du pôle Sud.

Les régions de cratères de la face cachée ressemblent fortement aux zones de cratères situées au sud de la face visible, tant par la taille des cratères que par leur état de fraîcheur apparente. Schrödinger (plutôt un bassin), Compton, Antoniadi et Tsiolkovskiy sont parmi les plus grands de ces cratères jeunes. Croches, King, Ohm et Giordano Bruno sont des cratères récents plus petits. Ohm est remarquable car un de ses rayons s'étend de sa droite jusque sur la face visible, passant au Nord d'Aristarque et prenant fin vers Timochardis ! Sur la carte, ces rayons paraissent être injustement centrés sur un cratère proche, Robertson. Giordano Bruno, 22 km de diamètre seulement, possède également des rayons s'étendant sur des centaines de kilomètres jusque sur la face visible à l'Ouest et au Nord de la Mer des Crises. La présence de ces raies indique que le cratère est très récent. En fait, l'impact qui l'a formé a dû avoir lieu en 1178, lorsque Gervase de Canterbury nota que plusieurs témoins avaient observé des phénomènes inhabituels dans la mince Lune croissante ; ces faits peuvent être expliqués par un tel impact et par l'éjection de poussières qui en a résulté.

La pauvreté en mers (régions couvertes de lave) de la face cachée signifie une presque complète absence de particularités volcaniques comme les rainures, les dômes, les cheminées, etc., qui diversifient la topographie de la face visible. Outre les cratères et les mers, deux vallées – Vallis Schrödinger et Vallis Planck – sont les caractéristiques les plus importantes de cette face. Ces vallées, rayonnant du grand cratère Schrödinger (312 km), résultent des mécanismes de formation des cratères. Catena Leuschner est une formation de même origine s'étendant du bassin oriental, mais ressemblant à une chaîne de cratères plutôt qu'à une vallée.

Face cachée de la Lune (Nord en haut)

CHAPITRE IX

LES PLANÈTES ET LEURS POSITIONS

Les planètes les plus brillantes sont très faciles à reconnaître. Elles se différencient assez bien des étoiles fixes. Bien qu'elles puissent être très lumineuses, elles ne scintillent pas parce qu'elles ne sont pas des sources ponctuelles produisant leur lumière propre. Elles ne font que réfléchir la lumière solaire qu'elles reçoivent. De plus, toutes les planètes sont situées près de l'écliptique – ligne imaginaire au travers du ciel qui marque le passage annuel du Soleil dans les étoiles. (L'écliptique est indiqué sur les cartes mensuelles du ciel du Chapitre II et sur les planches de l'atlas du Chapitre VII.)

La plupart des planètes peuvent être vues à l'œil nu ; Vénus, par exemple, est souvent confondue avec l'étoile du matin ou du soir, ou encore avec l'étoile du Berger. Cependant les planètes sont encore plus belles à regarder avec un télescope. Dans le chapitre suivant, nous décrivons à quoi ressemble dans un télescope chacune des planètes et ce que les dernières observations des sondes spatiales nous ont appris sur elles. Dans ce chapitre, nous vous montrons comment repérer à l'œil nu les planètes et comment savoir à l'avance quelle planète sera levée – visible au-dessus de l'horizon – quand vous observerez. Ainsi, si vous apercevez un objet brillant dans le ciel, vous pourrez utiliser les informations données dans ce chapitre pour déterminer si c'est bien une planète.

La figure 108 montre schématiquement les orbites autour du Soleil (S) de la Terre (T), d'une *planète inférieure* (dont l'orbite est intérieure à celle de la Terre ; Mercure ou Mars) et d'une *planète supérieure* (dont l'orbite est extérieure à celle de la Terre). Les positions principales des planètes sont les suivantes. Une planète inférieure peut se situer sur la ligne Terre-Soleil, soit entre ces deux astres : la planète est en *conjonction inférieure* (CI), soit au-delà du Soleil : elle est en *conjonction supérieure* (CS) ; les positions (EE) et (EW) correspondent respectivement à la *plus grande élongation orientale* et à la *plus grande élongation occidentale* de la planète.

Lorsqu'une planète supérieure s'aligne avec la Terre et le Soleil, elle peut être en *conjonction* avec le Soleil (C) ou en *opposition* (O) ; lorsque cette planète se trouve 90° à l'ouest du Soleil, elle est en *quadrature occidentale* (QW) ; 90° à l'Est, elle est en *quadrature orientale* (QE). La meilleure époque pour observer une planète supérieure est celle de son opposition, quand elle se lève au coucher du Soleil : sa distance à la Terre est alors la plus courte, son éclat le plus grand. Cette même planète, invisible en C, peut être observée en QE et QW.

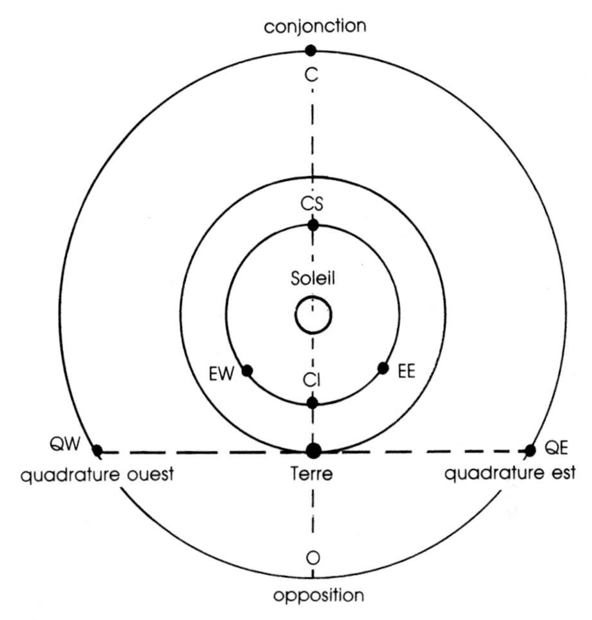

Fig. 108. Configurations des planètes.
O = opposition ; C = conjonction ; CI = conjonction inférieure ; CS = conjonction supérieure ; EE = élongation orientale ; EW = élongation occidentale ; QE = quadrature orientale ; QW = quadrature occidentale.

Une planète inférieure présente des phases analogues à celles de la Lune : de EE à EW, elle apparaît comme un croissant ; elle est gibbeuse, c'est-à-dire que sa face visible est plus qu'à demi éclairée, le reste du temps. Au voisinage des conjonctions (CI et CS), elle est invisible. Une planète supérieure ne prend jamais la forme d'un croissant. Seul Mars est assez proche de la Terre pour que l'on puisse distinguer sa phase gibbeuse.

On appelle *révolution synodique* l'intervalle de temps qui s'écoule entre deux apparitions successives de la même phase d'une planète donnée (même position relative par rapport à la Terre et au Soleil). La *révolution sidérale* d'une planète est l'intervalle de temps mis par cette planète pour accomplir un tour autour du Soleil (même position par rapport aux étoiles).

Du fait de leur inclinaison sur l'écliptique, Mercure et Vénus ne passent que très rarement devant le disque solaire lors de leurs conjonctions inférieures. Les prochains passages auront lieu le 16 novembre 1993 et le 15 novembre 1999 pour Mercure, et les 7 juin 2004 et 5 juin 2012 pour Vénus.

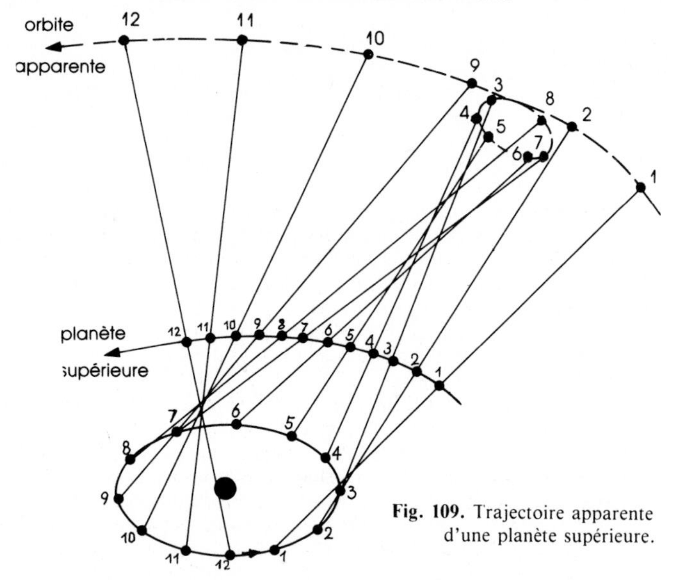

Fig. 109. Trajectoire apparente d'une planète supérieure.

La trajectoire apparente d'une planète est sinueuse et peut comporter des boucles (fig. 109). Le mouvement apparent est *rétrograde* lorsque la Terre dépasse une planète supérieure, plus lente, donc au moment de l'opposition, ou lorsqu'elle est dépassée par une planète inférieure, plus rapide, donc au moment de la conjonction inférieure.

Tournant autour du Soleil, les planètes changent de position par rapport aux étoiles. Vous trouverez toutes les indications nécessaires pour l'observation des planètes dans de nombreuses revues d'astronomie ou de vulgarisation scientifique (Ciel et Espace, Orion, Sky and Telescope, etc).

Ces renseignements sont parfois donnés sous forme de graphique montrant en même temps les périodes de visibilité et les positions des planètes. Nous en présentons ici un exemple commenté pour l'année 1989 (fig. 112), ainsi que les graphiques pour les années 1990 et 1991 (fig. 113 et 114). Ces exemples ont été calculés pour une latitude moyenne de 46° N.

Ces graphiques sont un moyen pratique de représenter les heures de lever, de coucher et de transit des planètes ; ils donnent également les heures de lever et de coucher du Soleil, ainsi que celles des crépuscules. (Un objet transite quand il traverse le méridien local, donc le transit d'une planète correspond à sa plus haute position dans le ciel.)

Une fois familiarisé avec ces graphiques, ce qui demande un peu de pratique, vous pourrez déterminer rapidement quels sont les objets observables à n'importe quelle période de l'année et à toute heure de la nuit ; vous serez également capable d'identifier les planètes visibles dans le ciel. Vous pouvez également localiser les planètes en utilisant les informations de la table A-8 de l'Appendice, pour définir leurs positions le long de l'écliptique (toujours indiqué sur les cartes et planches).

En fonction de la date et de l'heure d'observation vous pouvez savoir quelles sont les planètes brillantes visibles à ce moment-là. L'heure de transit indique à quelle heure la planète apparaît à votre Sud ; auparavant la planète est à l'Est, le long de l'écliptique, et après elle est à l'Ouest, toujours le long de l'écliptique. Si une planète se couche durant la nuit, elle est généralement visible du crépuscule du soir à son coucher. Si elle se lève durant la nuit, elle reste visible jusqu'au crépuscule du matin.

Les périodes de visibilité sont dessinées pour des observateurs situés à la latitude 46°N. Les corrections pour d'autres latitudes ne sont que de quelques minutes, aussi ne sont-elles pas données ici. Les heures de lever et de coucher supposent un horizon plat (en tenir compte si vous êtes entouré de montagnes).

Les courses des planètes sont très différentes chaque année. Ces trajets sont indiqués même pour la journée, quand les planètes ne sont pas observables.

Le cycle régulier des heures de lever et de coucher de Mercure, qui tourne rapidement autour du Soleil, ressemble à une onde sinusoïdale de part et d'autre du lever et du coucher du Soleil. Vénus, autre planète inférieure, a un trajet similaire mais sur une plus longue période (19.2 mois entre deux conjonctions supérieures, soit la période synodique).

Les planètes supérieures se lèvent et se couchent beaucoup plus loin du Soleil, et leurs trajets sur les graphiques sont plus rectilignes. 25 à 27 mois séparent deux oppositions de Mars. Son orbite étant elliptique, cette planète est plus ou moins éloignée de la Terre lors de ses oppositions. Elle en fut particulièrement proche, environ 59 millions de km, lors de celle de 1988.

Jupiter est en opposition tous les 13 mois et Saturne tous les 12.4 mois.

Pour l'utilisation de ces graphiques, prenons un exemple : la nuit du 29-30 avril 1989. Au niveau de cette date, tracez une droite horizontale. Tout d'abord vous trouvez l'heure du coucher du Soleil, 19 h TU ou 20 h TL ; environ une demi-heure plus tard, le coucher de Vénus ; ensuite, autour de 22 h, c'est le coucher de Mercure ; une demi-heure plus tard, le coucher de Jupiter et à minuit, le coucher de Mars. Les premières courbes rencontrées étant celles des couchers de ces planètes, vous savez qu'elles seront toutes visibles à partir du coucher du Soleil (autrement vous auriez rencontrer les courbes indiquant leurs levers). Vous constatez donc que cette soirée sera excellente pour l'observation des planètes.

Toujours durant la même nuit, Saturne se lèvera une heure après minuit (il faut souvent attendre environ une heure jusqu'à ce qu'un objet soit assez haut pour être observé). Le 30 avril, le crépuscule commencera à $4^h 15^m$ et le transit de Saturne – passage à votre Sud – aura lieu vers $5^h 30^m$, juste avant l'aube. Mercure, Vénus et Jupiter se lèveront au cours de la journée.

Ces graphiques permettent également d'identifier un objet visible dans le ciel. Il faut tout d'abord repérer s'il s'agit d'une planète ou d'une étoile, et ensuite consulter le graphique correspondant (fig. 2 pour les étoiles brillantes). Si l'objet est à l'Est, il est fort probable que ce soit une planète qui vient de se lever. S'il est au Sud, cherchez une ligne de transit et comparez-la avec celles des étoiles brillantes. Un objet à l'Ouest est peut-être une planète qui se couche.

Fig. 111. Sept planètes (dont la Terre) sont visibles en même temps sur ce montage photographique fait avec un objectif de 50 mm.

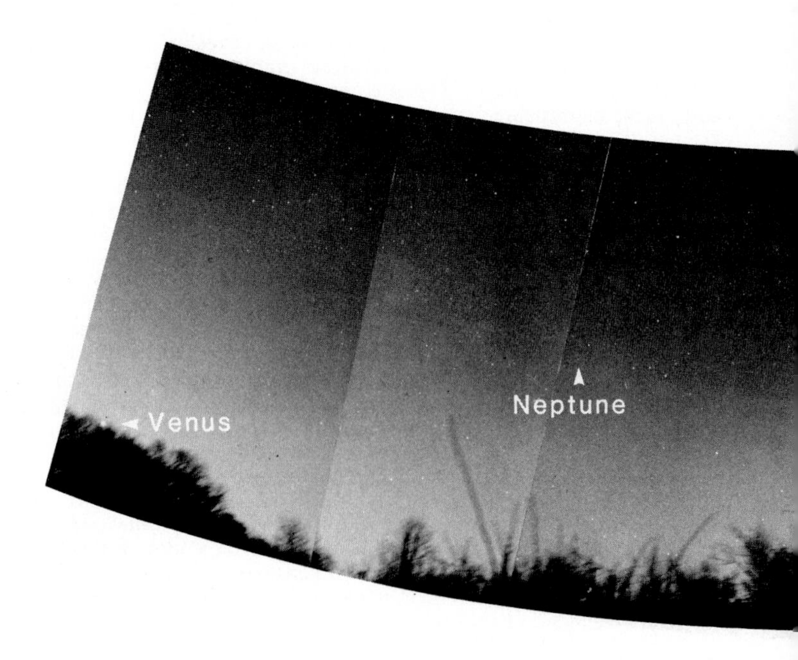

Fig. 110. *Lois de Képler*
Képler établit les lois suivantes, relatives au mouvement orbital des planètes :
1. Les planètes décrivent des ellipses, le Soleil se trouve à l'un des foyers.
2. Le rayon-vecteur Soleil-planète balaie des surfaces égales en des temps égaux. $S^1 = S^2$.
3. Le carré de la durée de révolution est proportionnel au cube du demi grand axe de l'orbite.
$P^2 \div a^3$ (= P^2 est proportionnel à a^3).

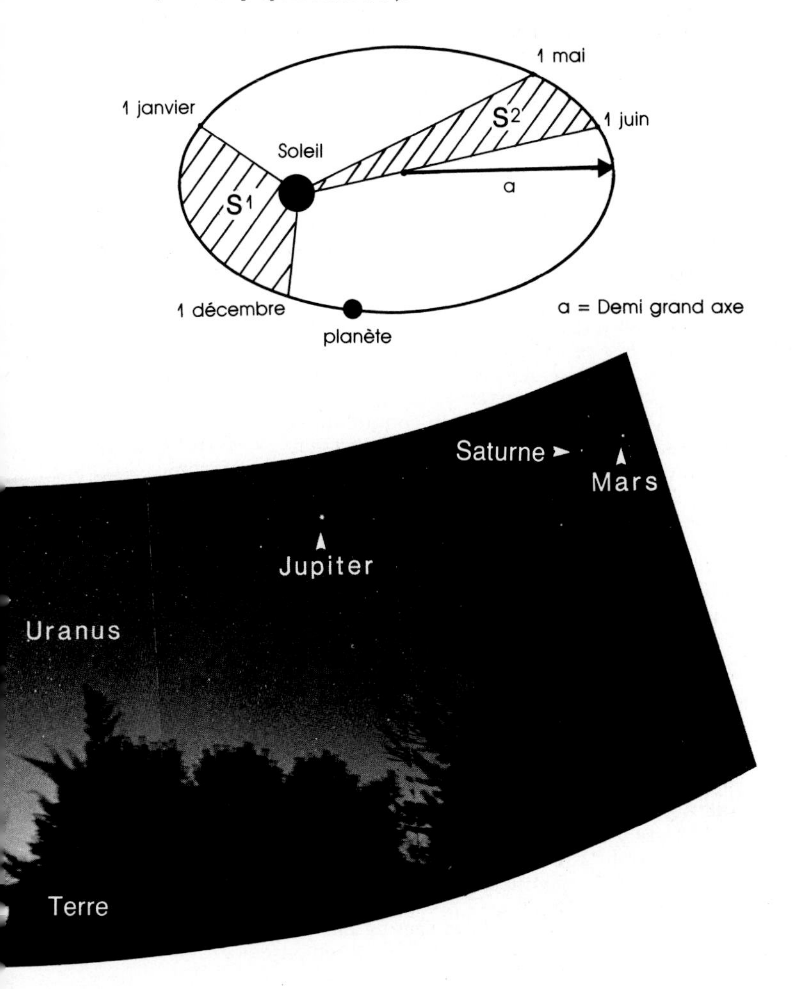

1989

VENUS est une « étoile du matin » basse au Sud-Est au crépuscule pendant les premiers mois de l'année. Elle passe Saturne le 16 janvier ; de jour en jour Vénus apparaît plus basse dans le ciel et plus proche du Soleil, alors que Saturne est toujours plus haut.

Vénus passe derrière le Soleil le 4 avril et à mi-mai elle émerge à l'Ouest Nord-Ouest au crépuscule. C'est maintenant une « étoile du soir » pour plusieurs mois. Vénus passe Jupiter le 22 juin, Mars le 12 juin, Régulus le 23 juillet, Spica le 6 septembre et Antarès le 16 octobre. Le 8 novembre, Vénus atteint sa plus grande élongation, 47° du Soleil. Elle ne sera plus aussi au Sud avant 1997. Vénus revient vers Saturne le 15 novembre. Elle se couche environ 3 heures après le Soleil au début décembre ; c'est sa meilleure position de l'année. Des jumelles ou des télescopes montrent Vénus comme un croissant s'agrandissant et diminuant de semaine en semaine.

MERCURE a trois bonnes apparitions en soirée : au début janvier ; en avril-mai (très favorable, près d'Aldébaran) ; et en décembre. Vous pouvez observer cette planète le matin en février, juin et octobre.

MARS est une « étoile du soir » de magnitude 0.0 dans les Poissons au début de l'année. Haut dans le ciel Sud dans le crépuscule de janvier, Mars se déplace vers le Sud-Ouest et sa magnitude est de 1 à mi-février. Mars passe entre Jupiter et les Pléiades le 11 mars et passe Aldébaran le 26 mars et continuant vers l'Est passe Pollux le 5 juin. En juillet, Mars est très bas à l'Ouest Nord-Ouest au crépuscule et sa magnitude vaut 2.0.

Au début novembre, Mars émerge à l'aube, à l'Est Sud-Est, plus bas et à gauche de Spica. Au crépuscule de fin de l'année Mars est à 5° au Nord d'Antarès au Sud-Est.

JUPITER est dans le Taureau, haut dans le ciel Est, au crépuscule en début d'année. Le 9 mars Jupiter passe les Pléiades, et 2 jours plus tard il est dépassé par Mars. Jupiter passe Aldébaran le 1 mai et disparaît dans les lueurs du crépuscule à l'Ouest Nord-Ouest plus tard dans le même mois.

Jupiter émerge comme une « étoile du matin » à l'Est Nord-Est à l'aube en début juillet. Il se lève toujours plus tôt jusqu'à son opposition du 27 décembre. Sa magnitude vaut -2.3, il est au-dessus de l'horizon toute la nuit.

SATURNE émerge à mi-janvier comme une « étoile du matin » bas au Sud-Est au crépuscule. Dans le Sagittaire toute l'année, Saturne se lève environ 2 heures plus tôt chaque mois jusqu'à son opposition du 2 juillet. Sa magnitude est alors de $+0.2$, il est au Sud-Est au crépuscule et reste visible toute la nuit. Ses anneaux ont une inclinaison de 25°.

Saturne reste un objet du soir jusqu'à mi-décembre, quand il disparaît au Sud-Ouest dans les lueurs du crépuscule.

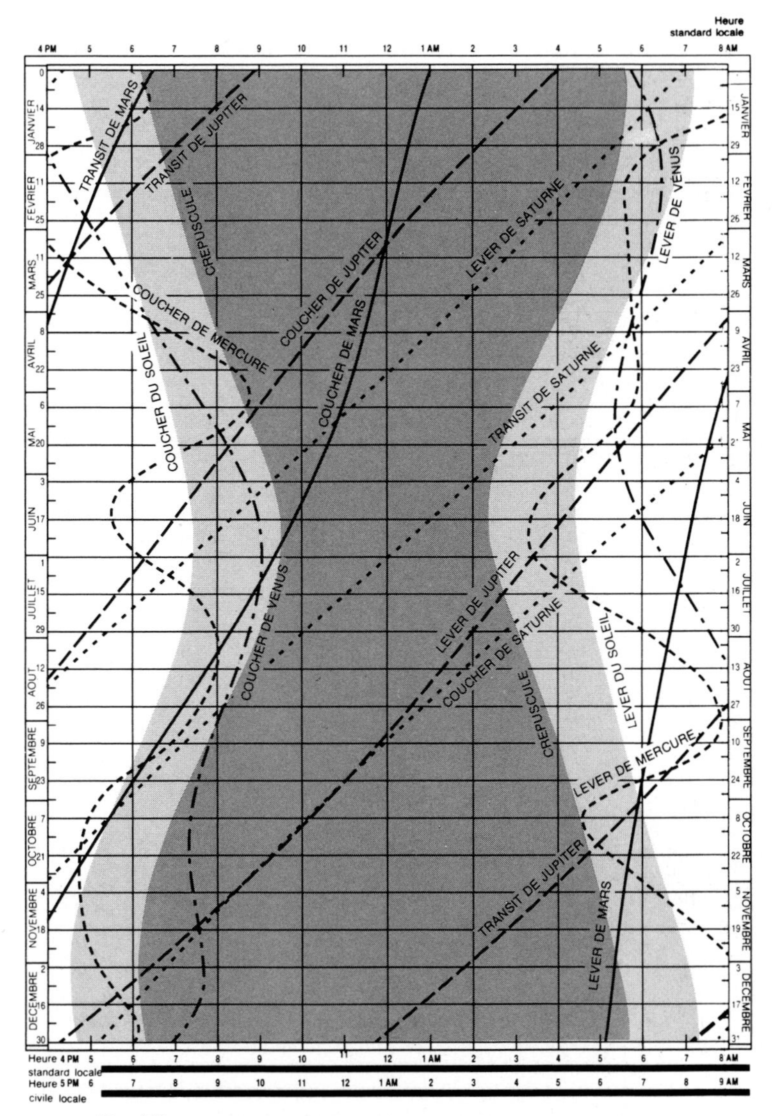

Fig. 112. Périodes de visibilité et positions des planètes en 1989.

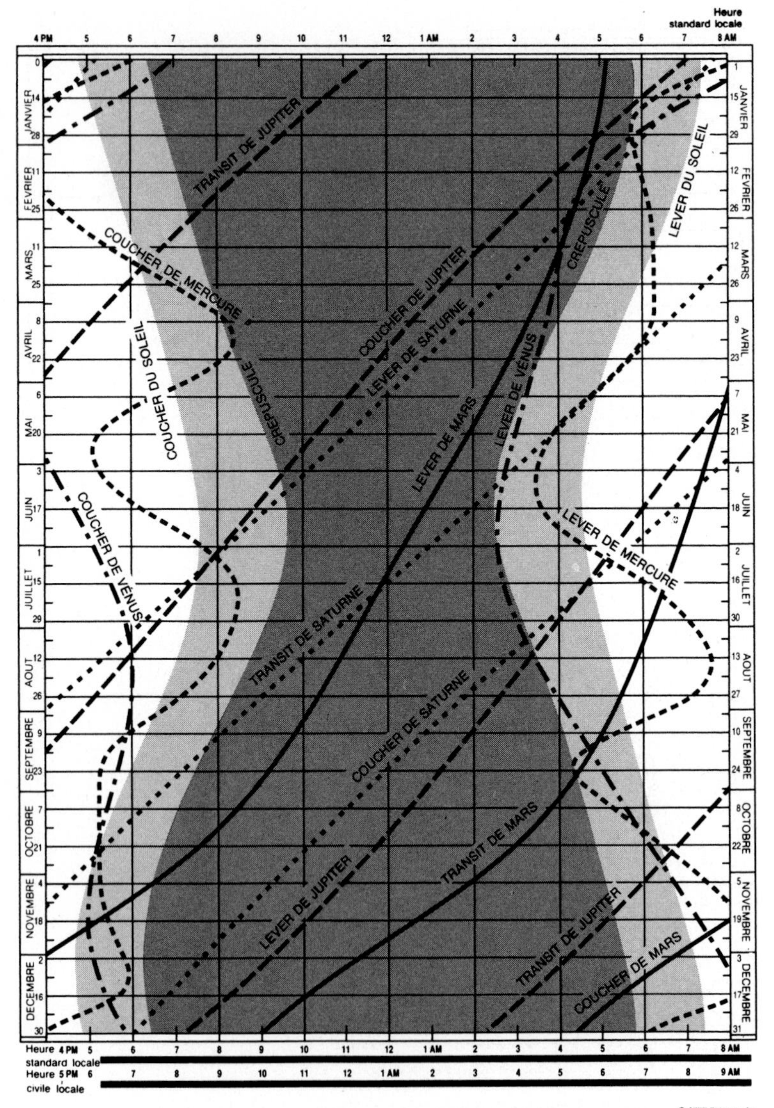

Fig. 113. Périodes de visibilité et positions des planètes en 1990.

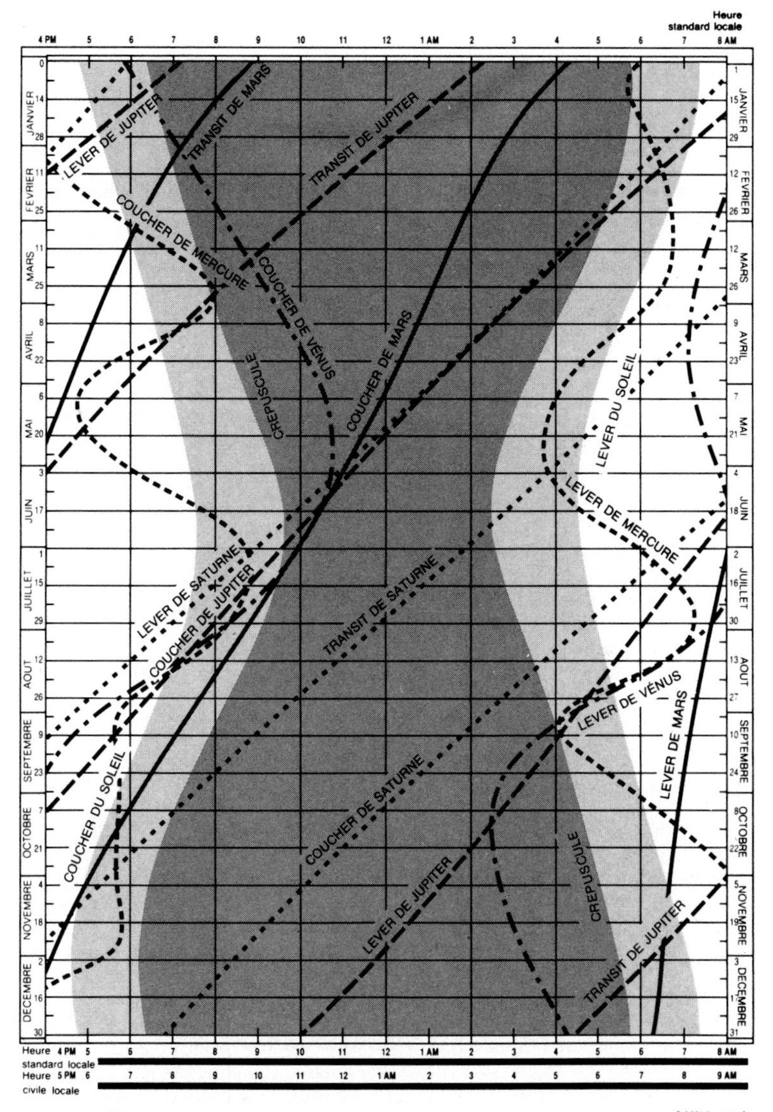

Fig. 114. Périodes de visibilité et positions des planètes en 1991.

CHAPITRE X

OBSERVATION DES PLANÈTES

Dans le chapitre précédent nous vous avons expliqué comment trouver les planètes dans le ciel. Dans le présent chapitre nous parlons de l'observation des planètes. Même avec un petit télescope, vous pouvez voir qu'elles sont différentes et que leurs formes apparentes changent avec le temps. Nous décrivons les planètes dans un ordre inhabituel, de la plus facile à la plus difficile à observer: d'abord Jupiter, puis Saturne, Vénus, Mars, Mercure, Uranus, Neptune et Pluton.

JUPITER

Jupiter, la plus grande des planètes du système solaire, a 11 fois le diamètre de la Terre et des milliers de fois son volume. Il est environ 5.2 fois plus loin du Soleil que la Terre; la distance moyenne de la Terre au Soleil est définie comme 1 unité astronomique (1 U.A), donc Jupiter est en moyenne à 5.2 U.A. du Soleil. Ainsi quand Jupiter est du même côté du Soleil que la Terre, il est à environ 4.2 U.A. de nous. Son diamètre apparent est alors d'environ 50 secondes d'arc (environ 1/40 du diamètre de la pleine Lune) et sa magnitude vaut à peu près −2.5, soit trois fois plus lumineux que Sirius, l'étoile la plus brillante. Suivant son éloignement à la Terre, Jupiter peut être de diamètre différent. En conjonction (Jupiter et le Soleil rapprochés par la perspective; distance à la Terre maximale), ce diamètre est le plus petit. En opposition (déc. 1989, janv. 1991, fév. 1992, Mars 1993 et Avr. 1994), il est maximum (distance à la Terre minimale)

Le Disque de Jupiter

Dans un petit télescope, Jupiter se présente comme un disque aplati aux pôles, d'une teinte généralement jaunâtre coupée de bandes parallèles sombres dont la couleur va du brun au violet. Le nombre de bandes dépend de la distance de Jupiter à la Terre et des conditions atmosphériques du lieu d'observation. Ce sont des nuages étirés en longues bandes par la rotation de la planète sur elle-même. Entièrement constituée de gaz, elle tourne à des vitesses différentes selon la latitude (ce qui n'arrive pas aux corps solides comme la Terre). Le gaz proche du pôle tourne plus vite (de 5 minutes) que celui proche de l'équateur. La rotation est très rapide: il lui faut 10 heures pour opérer un tour sur elle-même. (Chaque planète tourne sur son axe – spin – et fait une révolution autour du Soleil – orbite).

Fig. 115. Jupiter, photographié depuis la Terre, avec ses zones horizontales et ses ceintures sombres. Le Sud est en haut (car vu dans un télescope).
Les quatre satellites galiléens sont également visibles. (Lunar and Planetary Laboratory/University of Arizona)

La figure 115 est basée sur des photographies de Jupiter et représente le plus grand nombre de détails qu'il soit possible de voir même avec un grand télescope, à cause des effets de l'atmosphère terrestre. La forme des bandes change lentement sur de très longues périodes. Les bandes claires sont appelées des *zones* et les bandes foncées des *ceintures;* sur la figure 116 vous trouverez les noms de ces différentes régions (Pl.65). Les ceintures et les zones présentent des couleurs subtiles.
A cause de la rotation, la planète est bombée à l'équateur – elle est *oblate* – de 7%. Cet aplatissement est évident même avec un petit télescope.

Une grande région rougeâtre, «La Grande Tache Rouge» a été observée depuis des siècles. Elle a environ 14 000 km sur 30 000 km, et est bien plus grande que la Terre. Cette tache, parfois plus ou moins visible, est un gigantesque ouragan dans les nuages de Jupiter. Quelquefois sa forme change. Des vues rapprochées prises par les sondes Voyager ont mis en évidence la rotation de la Grande Tache Rouge (fig. 117, Pl. 63).

Les sondes Voyager ont aussi découvert un anneau mince autour de Jupiter (fig. 118), mais il est trop faible pour être détecté depuis la Terre.

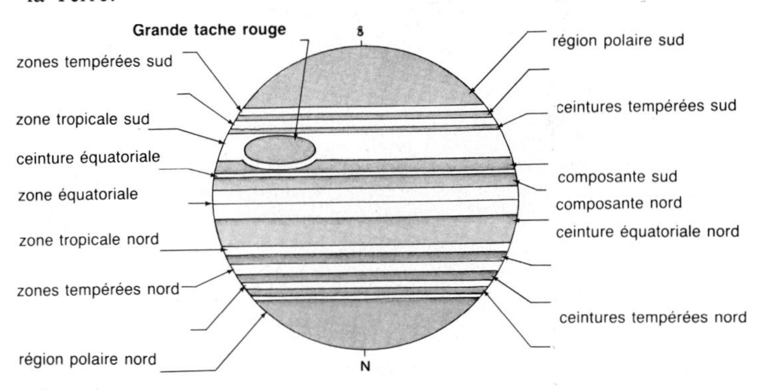

Fig. 116. Principales caractéristiques de Jupiter

Les Satellites de Jupiter

Les quatre satellites (ou lunes) les plus brillants de Jupiter peuvent être vus même avec des jumelles. Ils se nomment : Io, Europa, Ganymède et Callisto, d'après des amants de Jupiter. Leurs diamètres sont compris entre 3 100 et 5 300 km (de la taille de notre Lune ou de Mercure). Ganymède, le plus grand satellite de Jupiter est même plus grand que la planète Mars. Cependant, ces quatre satellites galiléens n'étaient que des points lumineux dans le ciel avant que les deux sondes Voyager ne passent dans leur voisinage en 1979 et 1980 et nous envoient des photographies rapprochées de la surface de ces lunes (Pl. 64). Io est couvert de volcans dont environ une dizaine sont en éruption actuellement (fig. 119) ; c'est le corps le plus actif du système solaire. Europa est apparemment couvert de glace. Ganymède – le plus grand de tous les satellites du système solaire – doit contenir de l'eau et de la glace qui recouvrent un noyau de rochers ; sa surface montre des cratères et d'étranges rayures (fig. 120). Callisto est couvert de cratères dont un « œil-de-bœuf » appelé Valhalla.

Ces quatre lunes brillantes sont en orbite dans le plan équatorial de Jupiter; ainsi semblent-elles toujours disposées le long d'un axe traversant Jupiter. La période orbitale de Io est : 1 jour 18 heures, celle d'Europa : 3 jours 13 heures, celle de Ganymède : 7 jours 13 heures et celle de Callisto : 16 jours 16 heures. Si vous observez ces lunes avec un télescope durant une nuit ou de nuit en nuit, vous pourrez voir changer leurs positions relatives. Vous verrez parfois les lunes passer devant ou derrière Jupiter ; quand elles passent devant, leurs ombres se voient sur la planète. Ganymède peut attein-

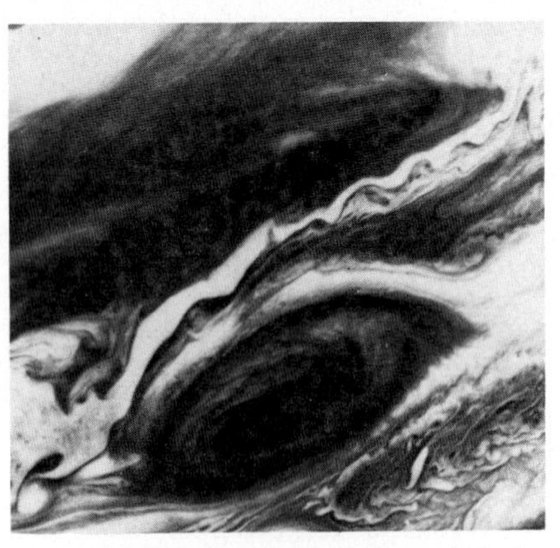

Fig. 117. Vue rapprochée de la Grande Tache Rouge de Jupiter et des turbulences qui l'entourent. Le Nord est en haut (comme sur toutes les photographies prises dans l'espace). (JPL/NSA)

dre la magnitude 4.6 et les autres sont un peu moins d'une magnitude plus faible.

Chaque année les positions des satellites galiléens sont données graphiquement dans «the Astronomical Almanac» et ces graphiques sont repris par différents magazines. Un graphique pour chaque mois est nécessaire, aussi n'avons nous pas assez de place dans ce Guide pour imprimer ces cartes. Cependant, la table 18 donne une formule qui vous permettra de calculer facilement avec une calculatrice de poche les positions des lunes de Jupiter pour une heure et une date données.

Fig. 118. Les anneaux de Jupiter, photographiés par Voyager 2. (JLP/NASA)

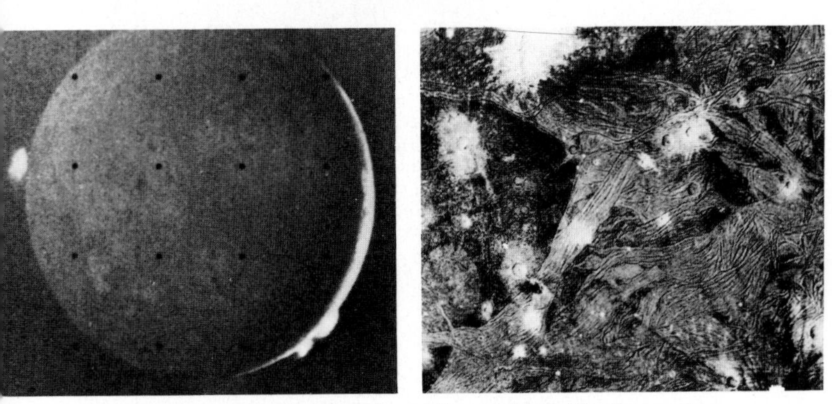

Fig. 119 *(à gauche)* Eruptions volcaniques à des centaines de kilomètres au-dessus de la surface de Io, un satellite de Jupiter. (JLP/NASA)

Fig. 120 *(à droite)* Photographie de la surface de Ganymède montrant des cratères (zones sombres) et des rainures.

Table 18. Identification des lunes de Jupiter

Les satellites de Jupiter se déplacent sur des orbites qui semblent les transporter d'un côté à l'autre de l'image de la planète. Une calculatrice possédant la fonction sinus permet de repérer les différentes lunes en utilisant la formule suivante :

$\times = A \sin (2\pi\ D\ /\ B + C)$,

où D est le nombre de jours depuis le 0 janvier 1984 à 0.00 h TU et A, B et C sont les constantes tabulées ci-dessous. Le 0 janvier 1984 est le même jour que le 31 décembre 1983. Cette date a été choisie afin de simplifier l'estimation de D ; ainsi pour le 24 janvier D = 24 et pour le 31 décembre D = 365, sauf pour les années bissextiles ou D = 366.

La valeur π est donnée par la plupart des calculatrices ; π = 3 1415926536... Pour le nombre de jours dans l'année, ajouter 1 827 pour 1989, 2 192 pour 1990, 2 537 pour 1991, 2 922 pour 1992, 3 288 pour 1993, 3 653 pour 1994.

La parenthèse est exprimée en radians, donc utilisez ce mode si votre machine le possède π (rad) = 180°. Sinon calculez :

$\times = A \sin 180° / \pi\ (2\pi\ D\ /\ B + Cr)$

$\times = A \sin (360°D\ /\ B + Cd)$,

si vous travaillez en degrés d'arc (l'indice d est mis pour les degrés et r pour les radians).

Reportez les valeurs de x le long d'un axe horizontal allant de − 100 à + 100. Elles donnent l'alignement des satellites les uns par rapport aux autres. Le diamètre de Jupiter vaut 4 à cette échelle.

(A est la taille de l'orbite par rapport à celle de Callisto, qui vaut 100 unités ; B est la période en jours ; et C est la phase de l'orbite, quand sa courbe croise un point zéro mis au centre de Jupiter).

Objet	A	B	Cr	Cd
Io	22	1.76986049	0.8533	48.89
Europa	36	3.55409417	− 1.4482	−82.98
Ganymède	57	7.16638722	5.2447	300.5
Callisto	100	16.75355227	1.3642	78.16

Exemple: pour le 8 janvier 1984 à 0.00 TU, D = 8, Io = − 18 ; Europa = + 4 ; Ganymède = − 17 ; Callisto = − 94. Ainsi, Io et Ganymède seront du même côté de Jupiter que Callisto (satellite galiléen ayant la plus grande orbite) ; Europa sera très proche de Jupiter, de l'autre côté.

Avant de calculer la configuration pour la date qui vous intéresse, vérifiez vos calculs avec l'exemple donné. (Les valeurs arrondies sont suffisantes dans la plupart des cas.)

Observation de Jupiter et de ses Satellites

Comptez, dessinez et notez les couleurs des ceintures et des zones du disque. Observez et dessinez la Grande Tache Rouge et peut-être d'autres perturbations de l'atmosphère jovienne ; notez l'aplatissement du disque de Jupiter. Observez et identifiez les satellites galiléens et notez leurs mouvements ; observez leurs occultations par Jupiter (quand ils passent derrière la planète), leurs éclipses, leurs transits et leurs ombres à travers le disque de Jupiter.

SATURNE

Galilée, avec son très petit télescope, a pu voir que Saturne n'était pas tout à fait sphérique. Quelques décennies plus tard, les astronomes ont réalisé que Saturne était entouré d'un anneau (fig. 121) et même de plusieurs anneaux. En 1970, nous connaissions une demi douzaine d'anneaux, et maintenant après les survols Voyager nous en connaissons des centaines de milliers (fig. 122).

Saturne a un diamètre de 9.4 fois celui de la Terre, environ la taille de Jupiter. Son anneau s'étend beaucoup plus loin, jusqu'à 135.000 km du centre de la planète.

Cette planète située à 9.5 U.A. du Soleil: elle est donc au moins deux fois plus loin de la Terre que Jupiter. Sa taille maximale est environ de 20 secondes d'arc et elle n'est jamais plus brillante que la magnitude zéro. Saturne est en opposition en juil. 1989, juil. 1990, juil. 1991, août 1992, août 1993 et sept. 1994.

Les Anneaux de Saturne

Même les petits télescopes révèlent les anneaux de Saturne. C'est souvent le premier objet qu'un amateur regarde, et c'est certainement la première chose à montrer à des débutants. Les anneaux sont tellement beaux que même les professionnels aiment les regarder. Quand vous observez Saturne (ou toute autre planète), vous cons-

Fig. 121. Saturne, photographié depuis la Terre avec un télescope de 60 cm. La grande zone sombre dans les anneaux est la division de Cassini qui sépare l'anneau extérieur (anneau A) de l'anneau brillant du milieu (anneau B). L'anneau C, plus à l'intérieur, est trop faible pour être visible sur la photo. Le Sud est en haut. (New Mexico State University Observatory)

taterez que de bonnes conditions atmosphériques donnent de bien meilleures images.

L'anneau extérieur, plus faible (anneau A), est séparé de l'anneau intérieur brillant par la principale ligne de division noire, la « division de Cassini » (découverte au XVIIe siècle par Cassini). A l'intérieur de l'anneau brillant, on distingue parfois un autre anneau à peine visible, l'*anneau de crêpe*, ainsi nommé à cause de l'impression de transparence qu'il donne. La division de Cassini ressemble à un trou dans les anneaux, mais les sondes Voyager ont révélé qu'elle est en réalité constituée de matériel opaque. Un autre trou, la *division de Encke*, existe dans l'anneau A, mais est extrêmement difficile à détecter, même avec de grands télescopes.

Les photographies en couleurs 67 et 68 montrent des vues de Saturne et de ses anneaux prises par Voyager. Vus de près, les anneaux de Saturne se séparent en milliers de petits anneaux (ou « annelets) (fig. 122). Ces anneaux et annelets sont constitués de gros morceaux de roches, du petit caillou au gros rocher, tournant autour de Saturne indépendamment les uns des autres.

Les anneaux de Saturne et son équateur sont inclinés de 27° par rapport à l'orbite de la planète, ce qui fait que nous les voyons sous différents aspects selon le moment (fig. 123). L'angle selon lequel nous pouvons voir les anneaux varie sur une période de 30 ans. En 1979-80, les anneaux étaient invisibles depuis la Terre, ensuite ils se sont élargis pour nous jusqu'en 1987-88. En 1995-96, ils seront à nouveau de profil (invisibles).

Fig. 122. Photographie au contraste poussé montrant environ 95 des anneaux de Saturne, prise par Voyager 1. Voyager 2 a révélé des centaines de milliers de ces petits anneaux. (JLP/NASA)

Fig. 123. Les anneaux de Saturne tels qu'ils sont vus depuis la Terre. (Lowell Observatory)

Le Disque de Saturne

Le disque de Saturne, aplati de 10 % présente moins de contraste dans ses bandes que celui de Jupiter. Ceci parce que Saturne est plus éloigné du Soleil et donc plus froid ; les températures plus basses ralentissent les réactions chimiques qui créent les couleurs des nuages.

Les Satellites de Saturne

Saturne possède la deuxième plus grande lune du système solaire, Titan. En tenant compte de ses nuages, Titan a un diamètre de 5.150 km, environ la moitié de la taille de la Terre ; il possède une atmosphère qui est plus mince que celle de la Terre. Mais Titan est tellement éloigné qu'il n'est jamais plus brillant que la 8ᵉ magnitude ; il peut cependant être vu comme un petit point lumineux ressemblant à une étoile même avec un petit télescope.

Saturne a une douzaine d'autres grandes lunes (plus de 100 km) et beaucoup d'autres plus petites (table A-7). Des vues rapprochées prises par Voyager sont données dans la Pl. 68.

Observation de Saturne et de ses Satellites

Observez les anneaux et leur orientation ; observez et dessinez la division de Cassini ; essayez d'observer les bandes du disque de Saturne.

Observez Titan, la plus grande lune de Saturne et dessinez ses changements de position durant sa période orbitale de 16 jours ; comptez les satellites que vous pouvez observer (tels que Rhea, Tethys et Dione).

VENUS

Vénus peut être l'objet le plus brillant du ciel après le Soleil et la Lune. Comme son orbite est à l'intérieur de celle de la Terre, nous ne voyons Vénus que quand nous regardons dans la direction générale du Soleil. Cette planète n'est visible que quelques heures en début ou en fin de nuit ; elle est souvent appelée l'étoile du soir, l'étoile du matin ou encore l'étoile du Berger. Vénus est parfois plus brillante que la magnitude −4 et peut même produire des ombres.

Vénus est entourée d'épaisses couches de nuages au travers desquels il est impossible de voir la surface. De la Terre, nous ne voyons donc aucune structure. Mais nous pouvons distinguer les différentes phases de Vénus tout au long de son orbite. Seules les planètes qui ont une orbite plus petite que celle de la Terre – Vénus et Mercure – peuvent avoir une phase croissante. Le fait que Vénus passe par un cycle complet de phases, dont une phase croissante, a été découvert par Galilée et a été la preuve principale du système héliocentrique de Copernic.

Remarquez dans la fig. 124 comment Vénus, passant juste entre le Soleil et nous, ressemble à un croissant et est à sa taille la plus grande. Nous pouvons même voir les rayons de Soleil se courber vers nous à travers son atmosphère épaisse.

Depuis les sondes spatiales au travers de filtres ultraviolets nous pouvons étudier la circulation des nuages autour de la planète. La sonde « Pioneer Venus Orbiter » en 1979 a même établi une carte de la surface de Vénus en utilisant un radar (Pl. 58).

Une série de sondes soviétiques ont atterri sur Vénus et ont envoyé des photographies de sa surface (fig. 125). L'analyse de la composition de la surface, montre que les mêmes processus géologiques ont formé la surface de la Terre, et celle de Vénus. Cependant, la Terre a plusieurs continents et est principalement composée de bas-

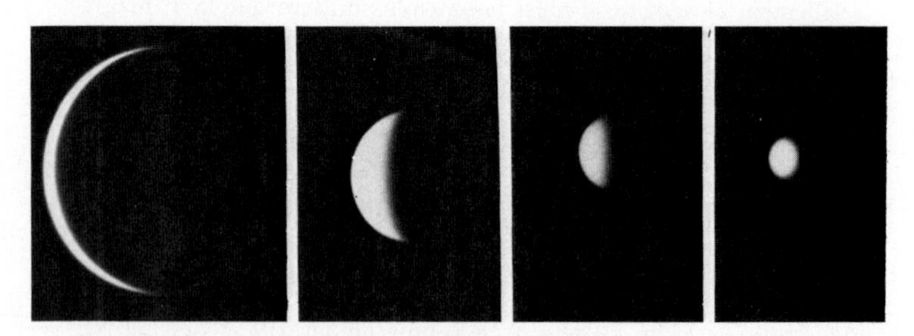

Fig. 124. Phases de Vénus. Remarquez la taille différente de Vénus selon la phase. Quand nous la voyons comme un croissant, Vénus est du même côté du Soleil que la Terre, elle est alors relativement grande. (New Mexico State University Observatory)

sins océaniques profonds. Vénus n'a que quelques rares petits continents et bassins profonds; elle est principalement recouverte d'une large plaine ondulée.

Les nuages de Vénus sont constitués principalement de gouttelettes d'acide sulfurique. Son atmosphère, essentiellement du dioxyde de carbone, exerce une pression à la surface égale à 90 fois celle sur la Terre. La Terre contient environ la même proportion de dioxyde de carbone, cependant sur Terre il est enfermé dans les roches carbonées formées dans les océans. Ainsi, la présence d'eau sur la Terre nous préserve du destin éprouvant de Vénus.

Le dioxyde de carbone de l'atmosphère de Vénus capte les rayons solaires, qui pénètrent principalement comme lumière visible mais sont changés en rayonnement infrarouge par la surface de Vénus. L'infrarouge ne peut s'échapper, principalement à cause du dioxyde de carbone mais aussi à cause d'autres gaz et particules, aussi l'atmosphère se réchauffe-t-elle pour atteindre une température de 500°C à la surface. Cet effet est connu comme «l'effet de serre». Si nous déséquilibrons l'atmosphère de notre Terre d'une façon quelconque, peut-être en brûlant trop de combustible fossile et en libérant alors trop de dioxyde de carbone, notre atmosphère deviendrait aussi invivable que celle de Vénus.

L'atmosphère de Vénus nous enseigne également autre chose sur la pollution de l'air. Si nous introduisons trop de chlorofluoro carbone (CFC) dans l'atmosphère terrestre par l'utilisation des aérosols ou par des pertes d'air conditionné ou de liquide réfrigérant, nous pouvons détruire une grande partie de la couche d'ozone terrestre, couche qui nous protège du rayonnement ultraviolet du Soleil. Les effets de l'ozone et des autres gaz sont maintenant mieux compris par l'étude comparative des atmosphères de la Terre, de Vénus et des autres planètes.

Fig. 125. Surface de Vénus, photographiée en 1982 par une sonde soviétique, montrant le sol et des rochers plats.

Transits de Vénus

Vénus ne transite que rarement devant le Soleil. Elle est alors vue comme un point noir projeté sur le disque solaire ; la lumière courbée par l'atmosphère de Vénus forme un anneau brillant autour de la planète.

Historiquement, les transits de Vénus ont été importants pour établir l'échelle de distance dans le système solaire ; à présent, nous pouvons trouver une distance plus précise grâce au radar et en suivant les sondes spatiales. Maintenant, les transits de Vénus ne sont plus qu'une curiosité observationnelle.

Les transits de Vénus ont lieu par paires séparées de 8 années ; l'intervalle entre des paires successives est de plus de 100 ans. Les derniers transits ont eu lieu en 1874 et 1882. Les prochains seront observés le 8 juin 2004 et les 5-6 juin 2012.

Observation de Vénus

Observez les phases, spécialement durant les 10 semaines avant et après la conjonction inférieure, quand Vénus passe d'étoile du soir à étoile du matin. Un filtre ultraviolet renforce les contrastes quand on photographie le disque.

MARS

Mars, la planète rouge, a longtemps été un objet d'intérêt pour les hommes à cause de son mouvement relativement rapide parmi les étoiles et de sa couleur rougeâtre. Pendant une période de quelques mois, le cheminement de Mars parmi les étoiles est apparemment inversé et fait une grande boucle (fig. 126). En 1543, Coper-

Fig. 126. Simulation, dans un planétarium, du passage de Mars dans la Balance et le Scorpion, entre janvier 1984 et septembre 1984, montrant la boucle rétrograde de son orbite.

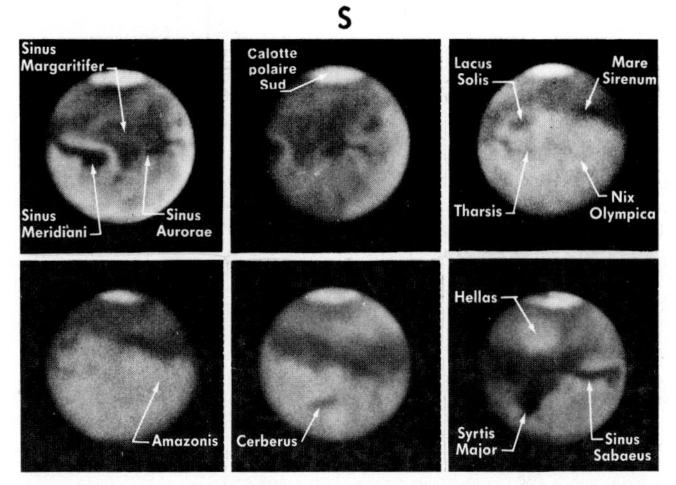

Fig. 127. Calottes polaires et autres caractéristiques de Mars que l'on peut observer depuis la Terre.

nic a expliqué la boucle de l'orbite de Mars, appelée *mouvement rétrograde*, en montrant que ce n'est en fait qu'un effet de perspective. Cela a lieu quand la Terre double Mars, les deux planètes tournant autour du Soleil. Les orbites des autres planètes ont des boucles rétrogrades similaires.

La surface de Mars, vue depuis la Terre, présente des caractéristiques semi-permanentes (Pl. 60), qui peuvent être suivies pendant 25 heures, soit un jour martien. Ces caractéristiques changent avec les saisons de l'année sur Mars ; le cycle des saisons martiennes dure 23 mois terrestres, le temps mis par Mars pour parcourir toute son orbite autour du Soleil. La teinte rouge de Mars est évidente même à l'œil nu ou avec un petit télescope, et quelques détails de la surface de Mars peuvent être vus depuis la Terre (fig. 127).

Lors des oppositions, Mars n'est jamais, à cause de son orbite elliptique, à la même distance de la Terre. Plus la planète est proche de nous, plus grande elle paraît. Le diamètre angulaire de son disque en opposition varie entre 14 et 25 secondes d'arc, ce qui représente 1/130 à 1/75 du diamètre de la pleine Lune et environ la même taille que le disque de Saturne. En septembre 1988, Mars est passé seulement à 59 millions de kilomètres de la Terre. Cette opposition a été spécialement favorable pour l'observation. Mars peut paraître beaucoup plus petite quand elle n'est pas en opposition, parfois uniquement 4 secondes d'arc.

A cause de ses changements saisonniers et des traits minces traversant sa surface quand on l'observe depuis la Terre, Percival Lowell et d'autres, au tournant du siècle dernier, ont suggéré qu'il y avait de la vie sur Mars. Les changements saisonniers seraient dûs à de la végétation et les traits seraient des canaux construits par les Martiens pour conduire l'eau.

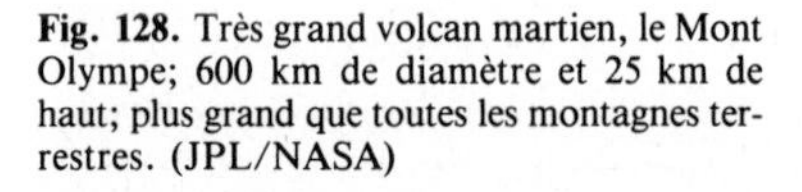

Fig. 128. Très grand volcan martien, le Mont Olympe; 600 km de diamètre et 25 km de haut; plus grand que toutes les montagnes terrestres. (JPL/NASA)

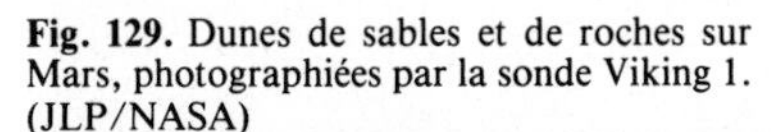

Fig. 129. Dunes de sables et de roches sur Mars, photographiées par la sonde Viking 1. (JLP/NASA)

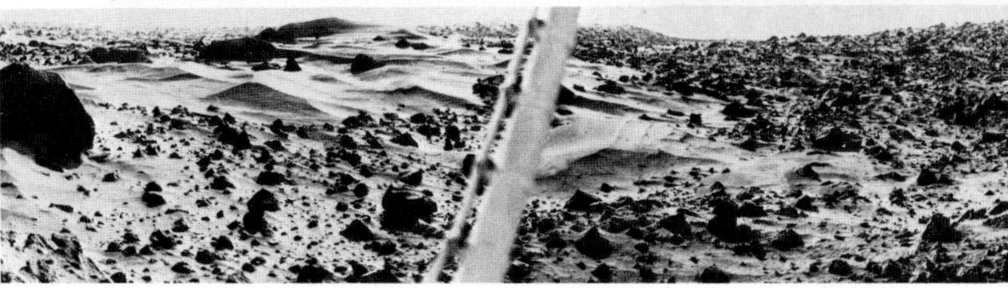

Mais d'autres observations et plus tard les sondes spatiales ont montré que ces changements saisonniers sont le résultat de poussières soufflées durant d'importants orages produits par des effets de réchauffement dûs au Soleil. Quand la poussière est soufflée de certaines surfaces, c'est la matière plus profonde et plus sombre que l'on voit. Des vues rapprochées ont prouvé que les canaux n'existent pas; ils résultent probablement d'un effet de l'œil et du cerveau, qui tendent à imaginer des connections même quand elles n'existent pas. En fait, ces particularités que dévoilent les télescopes aux observateurs terrestres ne correspondent pas nécessairement à des caractéristiques physiques de Mars.

Les calottes polaires sur Mars, qui croissent et décroissent au rythme des saisons martiennes, semblent être principalement composées de dioxyde de carbone gelé condensé sur un noyau d'eau congelée. L'existence de grandes quantités d'eau est bien entendu essentiel pour la vie, aussi la découverte de la présence d'eau sur Mars est encourageante pour ceux qui espèrent prouver que la vie a commencé ici indépendamment de la vie sur Terre.

Les missions américaines Viking de 1976 ont permis une reconnaissance rapprochée de Mars. Des photographies prises lors de leur approche (Pl. 61) et de leur révolution autour de Mars pendant une période de l'année montrent une grande partie de sa surface: des volcans géants (fig. 128), un immense canyon plus grand en longueur que le continent nord américain, beaucoup de cratères dans

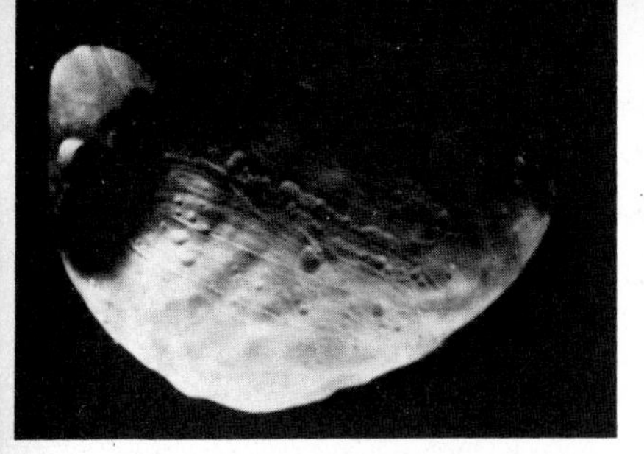

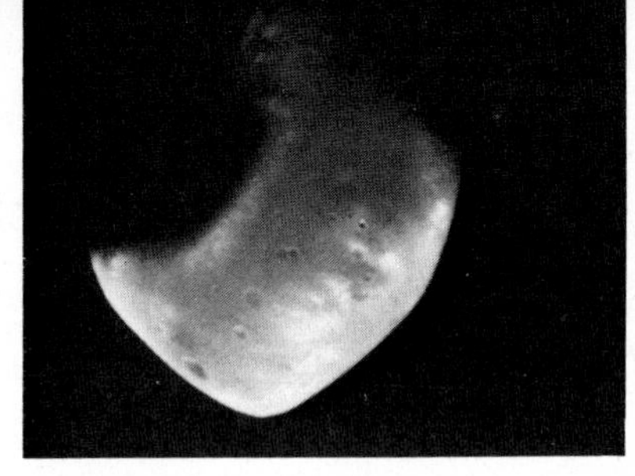

Fig. 130. Phobos *(à gauche)* et Deimos *(à droite)*. (JPL/NASA)

certaines régions, des canaux ramifiés comme les lits de rivières sur Terre, indiquant que l'eau a dû couler sur Mars dans le passé, et d'autres caractéristiques géologiques.

Chaque Viking a envoyé une sonde sur Mars; ces sondes ont photographié la surface (fig. 129, Pl. 59) et possédaient un petit laboratoire biologique qui devait rechercher des signes de vie. Les résultats, après de nombreuses investigations, semblent être négatifs, toutefois la possibilité que la vie existe ne peut être complètement rejetée sur la base de ces études.

Mars possède deux lunes (fig. 130), Phobos (peur en grec) et Deimos terreur en grec) nommées d'après les compagnons mythologiques du dieu romain de la guerre Mars. Des photographies prises par les sondes Voyager et précédemment par Mariner 9 ont révélé que ces deux lunes sont elliptiques, le plus long diamètre de Phobos n'étant que de 27 km et celui de Deimos de 15 km. Ces lunes ne sont pas grandes et ne sont pas devenues symétriques par la gravité comme notre Lune, qui est en fait une petite planète. Les lunes de Mars ne sont réellement uniquement que de gros morceaux de rocher en orbite, comparables à quelques uns des plus petits astéroïdes. Elles ne sont jamais plus brillantes que les magnitudes 11 et 12 et ne sont donc pas faciles à observer depuis la Terre.

Observation de Mars

Observez la couleur rouge et les particularités du disque (tels que Syrtis Major, Hellas et les calottes polaires) durant la rotation de la planète; notez le changement de ces régions selon la saison martienne. Observez les orages de poussière saisonniers. Un filtre orange est utile pour accentuer les contrastes de la surface de Mars; un filtre bleu révèle l'état des tempêtes de poussières.

Tableau 19. Oppositions de Mars

Date de l'opposition	Diamètre du disque (sec arc)	Distance à la Terre (millions km)
28 sept. 1988	23.8	58.8
27 nov. 1990	18.1	77.3
7 janv. 1993	14.9	93.7
12 fév. 1995	13.8	101.1

MERCURE

Mercure, la planète la plus proche du Soleil, a un diamètre de moins de la moitié de celui de la Terre. Elle ne possède aucune lune, son atmosphère est très ténue et c'est un lieu extrêmement inhospitalier. La température au milieu de la journée est de plus de 400°C du côté exposé au Soleil et de − 150°C de l'autre côté.

Cette planète est difficile à observer car elle n'est jamais loin du Soleil dans le ciel et elle n'est visible que brièvement après le coucher du Soleil ou avant son lever, comme on peut le voir dans les graphiques du chapitre précédent.

De la Terre nous pouvons observer les phases de Mercure (fig. 131), mais même les grands télescopes ne révèlent rien de sa surface. Les particularités de sa surface ne sont connues que grâce à la sonde américaine Mariner 10 qui a survolé Mercure trois fois en 1974 et 1975. Les images (fig. 132) ont révélé que Mercure est couverte de cratères ressemblant en cela beaucoup à la Lune, mais ses cratères sont plus plats et leurs bords sont plus minces (à cause de sa gravité plus élevée).

Transits de Mercure

Les transits de Mercure ne sont pas aussi rares que ceux de Vénus : 11 dans notre siècle. Les plus récents ont eu lieu le 10 novembre 1973 et le 13 novembre 1986 ; Mercure a traversé le disque solaire en quelques heures. Le prochain aura lieu le 6 novembre 1993 ; il sera visible de l'Europe mais pas de l'Amérique du Nord. Les observateurs pourront noter le moment exact où Mercure touche le bord du Soleil, la durée de la traversée du disque solaire et la sortie du disque.

Le transit suivant, le 15 novembre 1999, sera un transit rasant, Mercure passera très près du bord du disque solaire. Il sera visible de l'Antarctique et probablement du sud de l'Australie. Le 7 mai 2003 (juste une année avant le prochain transit de Vénus) un transit de Mercure sera visible des USA et du Canada.

Observation de Mercure

Observez les phases. Pour une meilleure visibilité, localisez Mercure un matin favorable avant le lever du Soleil et suivez-le avec votre télescope, même après le lever du Soleil.

Fig. 131. Deux phases de Mercure. Diamètre apparent de 7.1 secondes d'arc à gauche et 5.4 secondes d'arc à droite. (New Mexico State University Observatory)

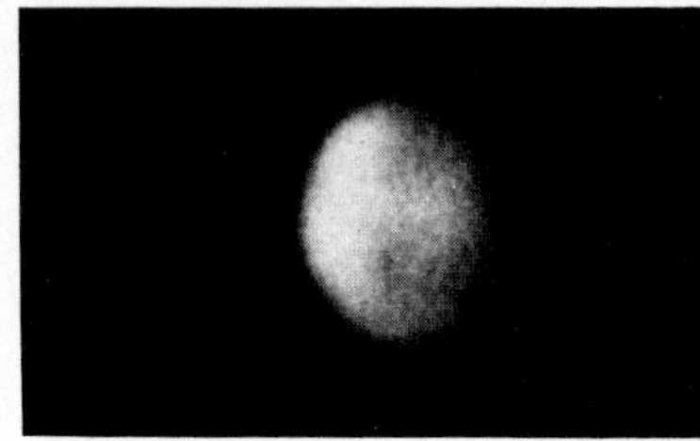

Fig. 132. (*A gauche*)*:* Montage d'images de Mercure prises par la sonde Mariner 10. Environ 2/3 des mers se trouvent dans l'hémisphère Sud. (NASA) *A droite:* Vue rapprochée, prise par Mariner 10, d'un champ de raies rayonnant au Nord (en haut) d'un cratère ne figurant pas sur la photographie. Le plus grand des cratères montrés à 100 km de diamètre. (NASA)

URANUS et NEPTUNE

Uranus et Neptune atteignent les magnitudes 6 et 8, respectivement, quand elles brillent le plus. Ce sont toutes deux des planètes géantes, environ quatre fois le diamètre de la Terre et 15 fois sa masse. Ce sont de minuscules disques verdâtres ou bleuâtres vus dans les télescopes terrestres ; leur couleur provient du méthane qui constitue leur atmosphère. Elles ressemblent à des points dans des jumelles ou de petits télescopes. Le rayon de l'orbite d'Uranus est de 19 U.A. et celui de Neptune est de 30 U.A. Ces planètes sont tellement éloignées qu'Uranus n'est jamais plus grand que 4 secondes d'arc, et que Neptune atteint à peine 2.5 secondes d'arc. Comme la meilleure résolution atteinte à partir de la surface terrestre est d'environ 1/2 seconde d'arc, nous ne pouvons pas voir beaucoup de détails de la surface tant d'Uranus que de Neptune.

Uranus

Uranus, la troisième planète géante, se singularise par son axe de rotation parallèle au plan de l'écliptique alors que toutes les autres planètes ont un axe perpendiculaire à ce même plan. Ainsi le pôle nord est le point le plus chaud. De plus, l'axe des pôles magnétiques est très décalé par rapport à l'axe de rotation.

Nous lui connaissions 5 lunes (fig. 133); en janvier 1986, Voyager 2 en a révélé 10 autres. La sonde a réussi à affiner les mesures des diamètres des satellites connus: Miranda (480 km), Ariel (1.180 km), Umbriel (1.220 km), Titania (1.620 km) et Obéron (1.570 km). La plus petite des nouvelles lunes découvertes a un diamètre de 48 km.

Ces lunes d'Uranus présentent également des particularités. Et Miranda est de loin la plus étrange; il n'existe rien de comparable dans le système solaire. C'est un véritable résumé de tout ce que l'on a pu trouver sur les satellites des autres planètes. Elle montre les traces d'un passé géologique pour le moins agité: falaises de 6 km de haut, canyons de 20 km de large, réseaux de rainures, failles profondes, etc. et des cratères comme toutes les lunes d'Uranus.

Des anneaux (11) et des arcs d'anneaux encerclent la planète.

Fig. 133. Uranus avec ses cinq lunes majeures.

Neptune

Actuellement nous connaissons deux satellites de Neptune (fig. 134), qui se déplacent sur des orbites inattendues. Triton, le plus proche, est plus grand que notre Lune, et Néréide a une taille comparable à celle d'un astéroïde. Il est possible que Neptune possède également des anneaux. Nous en saurons plus lors de son rendez-vous avec la sonde Voyager en 1989.

Observation d'Uranus et de Neptune

Observez leurs disques verdâtres (des cartes qui vous permettront de trouver ces planètes sont publiées chaque année dans le numéro de janvier de Sky et Telescope, ainsi que de nombreuses autres revues).

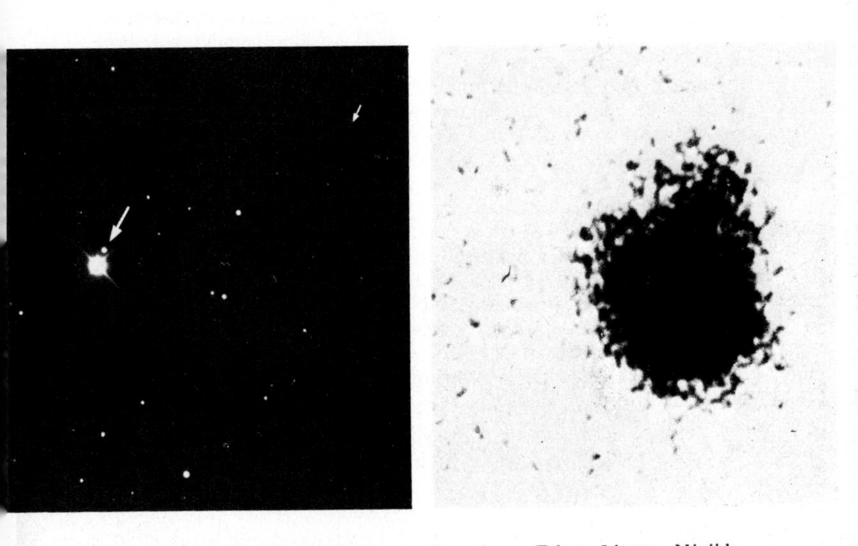

Fig. 134. *(à gauche)* Neptune, avec une de ses lunes, Triton. L'autre, Néréide, est plus loin et trop faible pour être clairement visible. (Lick Observatory)

Fig. 135. *(à droite)* Le bulbe en haut à droite de l'image de Pluton est son satellite Charon. Cette photographie est tellement agrandie que le grain de film est apparent, cependant c'est peut-être la meilleure et la plus nette prise de cette planète extrêmement éloignée.

PLUTON

Pluton est tellement éloignée et petite que nous ne connaissons pas grand chose de cette planète. Son orbite est très elliptique et de rayon moyen 39 U.A. Pluton est maintenant sur la partie de son orbite qui est à l'intérieur de celle de Neptune, plus proche que Neptune du Soleil et de la Terre, et cela jusqu'en l'an 2000.

Pluton ne fut découverte qu'en 1930. Une photographie fondamentale prise en 1978 révèle que l'image de Pluton n'est pas tout à fait ronde. Un bulbe dans le coin de l'image de Pluton suggère la présence d'un satellite, Charon (fig. 135).

Lorsque Pluton, Charon et la Terre sont alignés, les mesures de ces astres peuvent être affinées, mais cet alignement ne se produit que deux fois au cours de la révolution orbitale de la planète, qui dure 248 ans.

En 1986 les planètes étaient alignées avec la Terre et ainsi on a étudié les éclipses de Pluton par Charon et les occultations de Charon par Pluton.

Les résultats obtenus sont surprenants : le diamètre de Pluton est deux fois plus petit qu'on ne le croyait, 2 200 km seulement, et le diamètre de Charon est de 1 160 km.

Pluton, tout comme la lune de Neptune Triton, est couvert de glace ou de neige de méthane et son atmosphère est constituée de gaz de méthane et de traces d'autres substances.

Si l'on suppose que les compositions de Pluton et de Charon sont identiques, la masse de Charon équivaut à 13 % de la masse totale. A titre de comparaison, le diamètre de la Lune est de 3 470 km et sa masse n'est que 1 % de la masse totale su système Terre-Lune.

Pluton a environ la magnitude de 13.7, il est devenu sensiblement plus brillant en 1989 après avoir atteint son périphélie, le point de son orbite le plus proche du Soleil. Si Pluton a toujours été aussi brillant depuis des siècles, il est encore beaucoup trop faible pour être vu avec de petits télescopes. Pour des observateurs attentifs, cependant il est possible de voir un point lumineux à partir de télescopes de 20cm. Aucun détail de sa surface n'est détectable.

Observation de Pluton

Avec un télescope suffisamment grand, observez Pluton comme un point dans le ciel qui change de position parmi les étoiles de nuit en nuit. Une carte vous permettant de trouver Pluton est publiée chaque année dans le numéro de janvier de Sky and Telescope, par exemple.

CHAPITRE XI

COMÈTES ET ASTÉROÏDES

Les comètes et les astéroïdes sont des corps en orbite dans notre système solaire. Dans ce chapitre, nous discutons des différences entre ces deux types d'objets, et comment les observer.

LES COMÈTES

Parfois un objet flou devient visible dans le ciel. Il ressemble à une tache. Si vous avez de la chance, cette tache deviendra plus brillante en quelques semaines ou quelques mois, et une queue se formera. Cette queue peut devenir si longue qu'elle peut s'étendre sur presque tout le ciel (fig. 136).

De tels corps sont des *comètes*, de grandes boules de neige glacée dans le ciel. Chaque comète provient d'un gigantesque nuage contenant des centaines de millions de petits corps entourant le système solaire, loin après les planètes extérieures. Parfois sous l'impulsion gravitationnelle d'une étoile, un de ces corps bouge et se rapproche du Soleil. L'énergie solaire le réchauffe, et le corps perd du gaz et de la poussière ce qui forme une queue. Le gaz est propulsé loin de la comète par le *vent solaire* composé de particules de gaz éjectées de la couronne solaire. Quelques comètes ont deux queues visibles, une queue de poussières qui s'étend gracieusement derrière la comète et une queue de gaz dont les irrégularités montrent des variations du vent solaire (fig. 137).

Une comète suffisamment brillante pour être vue à l'œil nu ou aux jumelles peut être un très beau spectacle (Pl. 69). Si vous reportez soigneusement sa position par rapport aux étoiles, vous remarquerez une différence de 1° par jour, mais le mouvement de la comète n'est pas visible à l'œil. La queue d'une comète n'est absolument pas le résultat d'un mouvement apparent dans le ciel; elle n'est due qu'au vent solaire.

Il peut y avoir une douzaine, ou plus, de comètes dans le ciel en même temps, mais la plupart sont si faibles qu'elles ne peuvent être vues qu'avec de grands télescopes. Les comètes spectaculaires, les plus brillantes (magnitude 1 ou 2), sont assez rares: il en apparaît une tous les dix ans en moyenne. L'aspect d'une comète brillante est généralement imprévisible. Parmi les comètes prévisibles, seule la comète de Halley est parfois spectaculaire.

Le temps mis par une comète pour parcourir son orbite dépend de la grandeur de cette orbite. La comète d'Encke revient tous les 3.3 ans, mais elle est faible. La comète de Halley revient tous les

Fig. 136. Comète Ikeya-Seki, observée du Mont Wilson au-dessus de Los Angelès. Pose de 32 secondes à f/6, film 400 ASA.

76 ans et elle est souvent suffisamment brillante pour être vue à l'œil nu. Elle a été vue au moins à 28 occasions depuis 87 avant J.C., cependant, ce n'est qu'au XVIIIe siècle qu'Edmond Halley a réalisé que les grandes comètes décrites par différents observateurs du passé étaient en fait des réapparitions de la même comète. Une comète perd moins de 1 % de sa matière à chaque passage près du Soleil, aussi peut-elle réapparaître plusieurs fois.

Comète de Halley

La comète de Halley revient donc tous les 76 ans environ, et son dernier passage au périhélie a eu lieu le 9 février 1986. Pour cet événement exceptionnel, une flotille de satellites lancés à sa poursuite avaient rendez-vous avec la comète entre le 6 et le 14 mars 1986.

– Deux sondes soviétiques Véga ont transmis les premières images d'une distance inférieure à 9.000 km du noyau de la comète.

Fig. 137. Comète Kohoutek, photographiée avec le télescope à chambre Schmidt du Palomar. La queue de poussières lisse et la queue de gaz torsadée sont visibles.

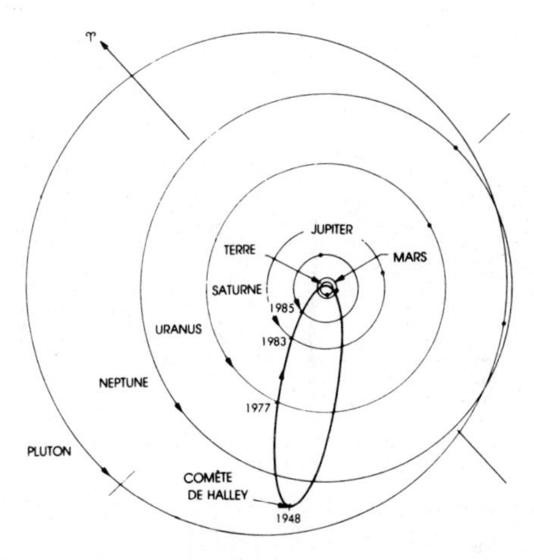

Fig. 138. Orbite de la comète de Halley.

– Deux petites sondes japonaises ont survolé Halley à des distances de son noyau plus respectables, 151 000 km et 7 millions de km. Elles ont fourni une contribution précieuse de l'environnement de la comète, complétant utilement les données recueillies à plus faible distance du noyau par les autres sondes.

- La sonde européenne Giotto a fourni les résultats les plus étonnants en s'approchant à moins de 600 km du noyau et en transmettant, entre autre, plus de 2 000 photographies.

Que nous ont révélé ces observations ?

Le noyau de la comète de Halley est oblong, assez comparable à une pomme de terre irrégulière, au relief accidenté, mesurant environ 15 km sur 7 à 10 km. De loin, il évoque Phobos et Deimos, les lunes de Mars, et de plus près, les petits satellites de Saturne et d'Uranus. Cette constatation corrobore l'hypothèse selon laquelle les comètes sont apparues dans la région des orbites de Jupiter et de Neptune, avant d'être rejetées aux confins du système solaire lors de la formation de ces planètes.

Ce noyau est très sombre, sa surface noire absorbant l'essentiel de la lumière qui lui parvient (albédo ~ 4 %). La température à sa surface est de 100°C, mais à l'intérieur elle tombe jusqu'à – 70°C.

Il semble que le noyau se présente sous la forme d'un conglomérat de glaces et de particules disséminées de matières réfractaires, isolé de l'extérieur par une croûte de matière poreuse noire, peu compacte. Cette surface apparaît très irrégulière ; elle constitue une sorte d'écran thermique de quelques centimètres d'épaisseur.

Le Soleil parvient malgré tout jusqu'à la surface de la glace. Celle-ci s'évapore. Le noyau perd ainsi quotidiennement plusieurs mil-

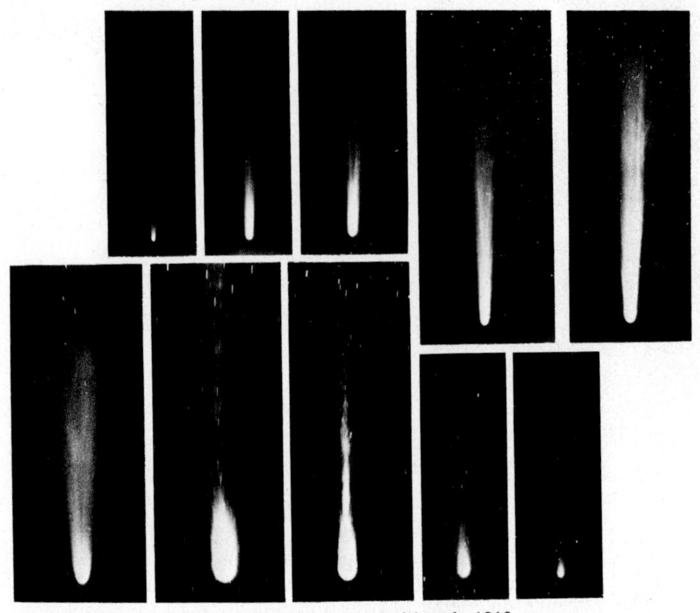

Fig. 139. Comète de Halley lors de son apparition de 1910.

Fig. 140. Tête de la comète de Halley, le 8 mai 1910.

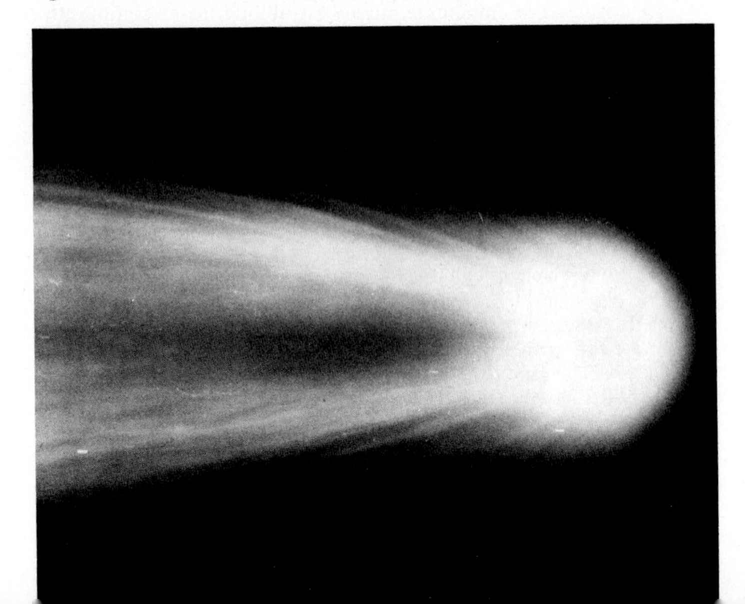

Fig. 141. La comète de Halley le 17 avril 1986. Chambre Schmidt, pose 10 min. (Namibie, Gerhart Klaus).

liers de tonnes de vapeur d'eau. Il se produit souvent des jets puissants orientés essentiellement en direction du Soleil. En s'approchant du Soleil, le noyau a sans doute perdu moins de 5 m d'épaisseur... ce qui est infime pour un objet dont les dimensions se chiffrent en kilomètres ! A ce rythme, la comète pourrait survivre encore plus de 250 000 ans et revenir nous visiter quelque 330 fois avant de se désintégrer.

Sous la pression du vent solaire, toute cette masse de poussières et de glace oriente sa queue dans une direction antisolaire. La longueur de cette queue, de l'ordre d'une dizaine de millions de kilomètres est impressionnante.

Des données importantes sur la composition chimique du noyau ont été obtenues à l'aide de mesures directes de la composition de la poussière, du gaz et du plasma dans la coma, effectuées tout au long du survol de la comète.

Ces quelques résultats ne sont qu'un aperçu très sommaire de la masse d'informations recueillies par Giotto et les autres sondes.

Fig. 142. La comète de Halley le 11 avril 1986. Chambre Schmidt, pose 10 min. (Namibie, Gerhart Klaus).

Fig. 143. La comète de Halley le 12 avril 1986, 4 heures après la fig. 142. Dans la chevelure on remarque deux éruptions. La première, qui s'étend du point A jusqu'au bord nord de la photo, s'est séparée près de la coma et la 2e, plus récente, part de la tête de la comète vers le point B. Leurs vitesses sont très différentes : A : 60 km/s et B : 94 km/s. Chambre Schmidt, pose 10 min. (Namibie, Gerhart Klaus).

Photographier une Comète

Occasionnellement une comète peut être assez brillante pour être photographiée avec un appareil ordinaire. Aucun équipement spécial n'est nécessaire; vous n'avez besoin que d'un trépied et d'un objectif à grande ouverture (de préférence f/1.4 ou au moins f/2). Utilisez un film rapide, et faites bien attention de ne pas bouger. (Utilisez un déclencheur souple et relevez le miroir avant d'ouvrir l'obturateur, si cela est possible.) Les films noir et blanc ou couleur donnent de bons résultats.

Si vous utilisez un objectif normal ou un grand angle, vous devez pouvoir obtenir la comète en haut de l'image avec un paysage en bas. Une telle photographie donne une idée de l'échelle et sera plus intéressante qu'une image centrée sur la comète.

Essayez des temps d'exposition variés: 1, 2, 4, 8, 15, 30 et 60 secondes. La pellicule est bon marché par rapport à la perte d'une occasion rare, aussi n'hésitez pas à prendre plus de photos que d'habitude.

Si vous fixez votre appareil sur un télescope qui suit les étoiles, vous pourrez faire de plus longues expositions.

Il est également très intéressant de dessiner la comète et sa queue. L'œil peut détecter des détails très intéressants.

Si vous découvrez une Comète

Un grand nombre de comètes ont été découvertes par des astronomes amateurs, habituellement avec de bonnes jumelles (7 × 50, par exemple) ou avec de petites lunettes de 7 à 13 cm d'ouverture d'un type spécial, dites « chercheurs de comètes » avec de faibles grossissements (30 à 40 fois). Pour découvrir une comète, il vous faut bien connaître le ciel, afin de savoir si vous observez une nouvelle comète ou une nébuleuse bien connue.

Pour chercher une comète, l'observateur de comète américain John Bortle recommande de balayer votre champ de vision aller et retour au rythme de 1° de ciel par seconde au maximum. Il conseille de commencer sur l'horizon après le coucher du Soleil, et de balayer sur 45° de part et d'autre de l'endroit où s'est couché le Soleil, en montant graduellement vos jumelles ou votre télescope en superposant légèrement la précédente zone observée. Continuez ainsi jusqu'à 45° au-dessus de l'horizon. Si vous observez avant le lever du Soleil, commencez à 45° au-dessus de l'horizon et balayez le ciel en descendant graduellement votre instrument.

Si vous pensez avoir découvert une comète, notez sa position dans le ciel (ascension droite et déclinaison) en repérant sa position parmi les étoiles ou d'après l'Atlas du Chapitre VII. Notez également son éclat (sa magnitude approximative) en la comparant avec les étoiles voisines et notez l'heure d'observation. Ensuite, regardez-la pendant quelque temps pour noter la direction ainsi que la vitesse de son déplacement. Il est utile de dessiner à différents moments la position de la comète parmi les étoiles, afin de définir sa trajectoire ; la présence d'un mouvement est un point important pour être sûr que vous avez trouvé une comète. Si un mouvement est présent, vous avez sûrement trouvé une comète. Avertissez sans tarder l'observatoire le plus proche. Chaque comète nouvelle reçoit un nom, en principe celui de son premier observateur qui se voit ainsi récompensé de sa vigilance persistante.

LES ASTÉROÏDES

Le système solaire contient, outre les neuf planètes principales et leurs satellites, un grand nombre de *petites planètes* ou *astéroïdes*, dont le diamètre peut être compris entre un kilomètre et plusieurs centaines de kilomètres. Les premiers astéroïdes découverts (Céres en 1801 par Piazzi, Pallas, Junon, Vesta), tout d'abord pris pour de nouvelles planètes principales, sont en réalité de petites planètes. Un nombre, assigné aux astéroïdes et donnant l'ordre de la découverte, accompagne leur nom : 1 Céres, 2 Pallas, 3 Junon, 4 Vesta.

Les astronomes en ont maintenant trouvé quelques milliers dont le diamètre n'atteint souvent pas le kilomètre. Il doit en exister des milliers d'autres trop petites pour être découvertes. Plus de 200 ont un diamètre supérieur à 100 km et une demi-douzaine dépassent 300 km. Bien que la plupart de ces astéroïdes soient situés entre les orbites de Mars et de Jupiter dans la ceinture d'astéroïdes, beaucoup d'autres viennent très près de la Terre. Un groupe d'astéroïdes, le groupe Apollon (nommé d'après le premier astéroïde du groupe découvert en 1862), ont des orbites qui traversent celle de la Terre. Nous connaissons environ trois douzaines d'astéroïdes dans ce

Tableau 20. Les astéroïdes les plus brillants

Astéroïde	Magnitude visuelle maximale	Diam. (en km)	Astéroïde	Magnitude visuelle maximale	Diam. (en km)
4 Vesta	5.1	555	15 Eunomia	7.9	261
2 Pallas	6.4	583	8 Flora	7.9	160
1 Ceres	6.7	1 025	324 Bamberga	8.0	256
7 Iris	6.7	222	1 036 Ganymed	8.1	40
433 Eros	6.8	20	9 Metis	8.1	168
6 Hebe	7.5	206	192 Nausikaa	8.2	99
3 Juno	7.5	249	20 Massalia	8.3	140
18 Melpomene	7.5	164			

groupe. L'orbite de 1 566 Icare, un autre astéroïde inhabituel, passe plus près du Soleil que Mercure. Celle d'Aten (2 062 Aten et ceux qui ont une orbite similaire) traverse l'orbite de la Terre. Icare est même venu à 6 millions de km de la Terre en 1968, un rendez-vous manqué à l'échelle astronomique.

Fig. 144. Un astéroïde sous forme de traînée sur une photographie prise avec un télescope qui suit les étoiles. (Harvard College Observatory)

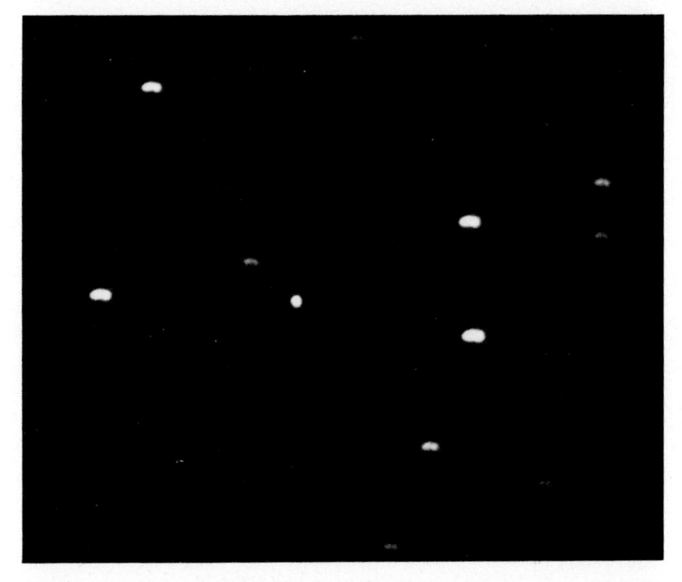

Fig. 145. Astéroïde 1967 Menzel. Le télescope a suivi l'astéroïde ; ce sont les étoiles qui laissent des traînées sur cette photographie. (Harvard College Observatory)

Vesta peut être plus brillant que la 6ème magnitude (limite de visibilité l'œil nu). Un petit télescope permet de voir un grand nombre d'astéroïdes (table 20). Une soixantaine de petites planètes peuvent être plus brillantes que la magnitude 10 selon leur position sur leur orbite. Le mouvement de ces astéroïdes par rapport aux étoiles peut être suivi de nuit en nuit.

Parfois un astéroïde passe devant – *occulte* – une étoile. En mesurant le temps pendant lequel l'étoile est cachée, on peut calculer la taille de l'astéroïde. De telles occultations ont permis, par exemple, de déterminer la taille de Pallas : 558 × 526 × 532 km. Pour observer ces occultations, il faut être placé, en se basant sur des observations de dernières minutes, à l'endroit précis où l'ombre de l'astéroïde a le plus de chance de passer. Le magazine Sky and Telescope publie les informations les plus récentes sur les lieux d'occultation des astéroïdes.

Les astéroïdes apparaissent sous forme de trait sur les photographies astronomiques faites à l'aide de télescopes qui suivent les étoiles (fig. 144). Sur les photographies qui suivent les astéroïdes, ce sont les étoiles qui forment des traits alors que l'astéroïde est un point (fig. 145).

CHAPITRE XII

ÉTOILES FILANTES ET MÉTÉORITES

Si vous êtes dehors et levez la tête dans la soirée du 12 août, vous verrez probablement une *étoile filante* ou *météore*, qui traverse le ciel en moins d'une seconde (Pl. 75). Vous êtes en train de regarder des particules solides – plus grandes que des poussières mais plus petites que des astéroïdes (minuscules planètes) – qui rencontrent l'atmosphère terrestre. Chaque année, le 12 août, l'orbite de la Terre croise le centre d'un groupe de particules qui produisent une *pluie de météores* assez importante : c'est l'*essaim d'étoiles filantes* des Perséides (parfois une par minute).

La terminologie ici est un peu délicate. Quand ils sont dans l'espace, ces corps sont appelés *météoroïdes* ; les phénomènes lumineux observés dans notre atmosphère sont les *météores* et les débris qui atteignent le sol (de la Terre, de la Lune, etc.) ou un objet (sonde spatiale, par exemple) sont nommés *météorites*.

Chaque nuit où les conditions d'observation sont bonnes, vous pouvez voir un météore toutes les 10 minutes environ. Ce sont les *météores sporadiques*.

Plusieurs fois dans l'année, l'orbite de la Terre croise un essaim de particules qui sont pour la plupart des restes de comètes désintégrées. Ces particules produisent les *pluies d'étoiles filantes* (table 21). Le taux de météores est différent selon les essaims. Certains comme les Perséides (près du 12 août), les Geménides (autour du 14 décembre), et les Quadrantides (près du 3 janvier) ont à peu près toujours la même force chaque année, aussi pouvons-nous nous attendre à voir approximativement le même nombre de météores lors du maximum. La force d'autres essaims comme les Léonides (autour du 17 novembre) diffère beaucoup d'une année à l'autre. La chute de certains, comme δ Aquarides de mi-juillet à fin août ou les Taurirides a lieu pendant plusieurs semaines.

Les Léonides sont particulièrement spectaculaires tous les 33 ans environ. En 1966, une pluie de plus de 100 météores par minute et ce pendant une heure, et même de plus de 1 000 météores par minute pendant 40 autres minutes, a été observée. Leur magnitude moyenne est de 1.5 à 2 et quelques uns des plus brillants restent visibles plus d'une minute. Certains observateurs ont pu voir jusqu'à 40 Léonides par seconde. L'essaim d'étoiles filantes météoritiques des Léonides de 1998-1999 est attendu avec impatience.

La meilleure façon d'observer une pluie de météores est de se coucher sur le dos, sur une chaise longue ou sur une couverture dans l'herbe, et de regarder. Une étoile filante peut apparaître n'importe où dans le ciel, aussi utiliser un télescope ou des jumelles ne ferait que limiter votre champ de vision. Au contraire, pour voir une étoile

Tableau 21. Principaux essaims de météores

Essaim	Date du maximum	Heure	Radiant (au maximum) a.r.		dec.
			(2000.0)		
	1988, 1992		**h**	**m**	**°**
Lyrides	Avril 21	11 p.m.	18	16	+34
Eta Aquarides	Mai 4	2 a.m.	22	24	0
Delta Aquarides	Juillet 28	5 a.m.	22	36	−17
Perséides	Août 11	8 p.m.	03	04	+58
Orionides	Oct. 21	minuit	06	20	+15
Taurides	Nov. 3	–	03	32	+14
Léonides	Nov. 17	7 a.m.	10	08	+22
Géminides	Déc. 13	7 p.m.	07	32	+32
Ursides	Déc. 22	1 a.m.	14	28	+76
	1989, 1993				
Quadrantides	Jan. 3	3 a.m.	15	28	+50

Notes: L'année ayant 365.25 jours, nous avons donné des dates et heures commençant en mars des années bissextiles (1988, 1992, etc.); ajoutez 6 heures pour chaque année suivant ces dates. La plupart des essaims sont désignés d'après la constellation dans laquelle est situé le radiant. Quadrantides vient de Quadrans Muralis (partie nord de Bootes), constellation suggérée par J.E. Bode en 1801, mais refusée.

filante, il faut regarder le ciel à l'œil nu en déplaçant lentement vos yeux. Bien entendu, il est préférable d'être loin de toute lumière. Si la lune est levée, en particulier entre le premier et le dernier quartier, le ciel est trop brillant pour bien voir les météores. Dans ce cas, il faut attendre que la Lune se couche ou observer avant son lever.

Essayez de tracer le trajet des météores dans le ciel lors de certaines pluies; toutes les traces sembleront venir d'un même point du ciel, appelé le *radiant* (fig. 146). C'est un effet de perspective, car les météores atteignent la Terre sur des lignes parallèles. Comme des rails parallèles semblent converger vers un point distant sur l'horizon, les trajets parallèles des météores semblent venir d'un point convergeant du ciel. Durant les pluies d'étoiles filantes, vous

Tableau 21 (Suite). Principaux essaims de météores

Comète associée	Taux horaire moyen (*)	Durée moyenne du maximum (**)
1861 I Thatcher	10 à 40	2
Halley	20	3
	20	7
1862 III Swift-Tuttle	50 à 200	5
Halley	25	2
Encke	15	†
Temple-Tuttle	15	—
	50	3
Tuttle	15	2
	30 à 100	1

* = Nombre de météores (d'essaims ou sporadiques) que vous pouvez espérer voir dans des conditions d'observation idéale. La force d'un essaim varie de nuit en nuit et d'année en année.

** = Entre les jours ayant un taux valant 1/4 du maximum.

— = Durée maximale variable.

† = En novembre, pendant plusieurs semaines, des météores émanant d'un grand nombre de petits radiants proches de la constellation du Taureau sont visibles.

pouvez voir plus de météores après minuit : la Terre avance alors, à cause de sa rotation, vers les météores.

Pour tenter d'associer un météore à un essaim, il faut tracer son trajet afin d'identifier s'il provient d'une constellation qui a un radiant actif connu. La nuit du maximum d'un essaim, la plupart des météores viennent de cet essaim, mais les nuits éloignées de tout pic d'essaim, la seule façon d'identifier des météores d'essaims étendus est de déterminer s'ils proviennent d'un radiant connu.

Occasionnellement, des météores sporadiques peuvent être extrêmement brillants ; leur éclat dépasse celui de Vénus : il s'agit alors de *bolides*, véritables boules de feu qui peuvent être des morceaux d'astéroïde. Ces météores spectaculaires laissent parfois derrière eux une *traînée* lumineuse persistante qui dure plusieurs minutes. Il est même possible d'entendre un bruit, dans ce cas il y a plus de chance

Fig. 146. Essaim de météores des Léonides, le 17 novembre 1966. Les météores semblent venir d'un même point, le radiant ; deux météores ont la forme de point, car ils viennent droit vers nous. L'étoile brillante en bas est Régulus. Environ 70 traînées de Léonides ont été enregistrées sur le négatif de cette pose de 35 minutes sur un film Tri-X à f/3.5. (Dennis Milon)

que soit tombé sur Terre un morceau de météoroïde plutôt qu'une météorite. Mais, les bolides sont extrêmement rares, aussi n'est-il pas possible de prévoir leur observation. Si vous en voyez un, notez le maximum d'informations : l'heure, son éclat par rapport aux étoiles voisines ou même à la Lune, et si possible son altitude et son azimuth au début et à la fin de son trajet. Transmettez ces informations à l'observatoire le plus proche. Si vous entendez un bruit il est important de le signaler rapidement afin que la météorite soit repérée et analysée scientifiquement.

Les météores ionisent leur trajet dans la haute atmosphère terrestre. Des astronomes, professionnels et amateurs, utilisent la radioastronomie pour détecter ces trajets ; l'équipement radio nécessaire est relativement peu cher et peut se trouver par annonces dans de nombreux magazines de radio amateurs.

Fig. 147. Météorite Ahnighito, une des plus grandes météorites jamais découvertes, pesant 31.000kg, trouvée en Arctique en 1982 par Peary et Henson. A présent, elle est exposée au Musée d'Histoire Naturelle de New-York.

Les météorites sont particulièrement importantes pour les astronomes car, à part les roches et poussières rapportées de la Lune par les missions Apollo ou par les sondes russes, elles constituent le seul matériau extraterrestre qu'il soit possible d'étudier en laboratoire. Il y a deux types principaux de météorites (bien que les experts fassent des divisions plus fines) : les *météorites ferreuses* ou *sidérites* qui contiennent du fer et du nickel et les *météorites pierreuses* ou *aérolithes*. La plupart des météorites découvertes accidentellement sur le sol sont des sidérites ; elles sont très denses et d'aspect très différent des roches ordinaires. Par contre, quand quelqu'un voit une chute météoritique et la recherche, il trouve souvent des aérolithes. Cela indique que la plupart des météorites actuelles sont pierreuses ; elles ne sont pas découvertes parce que ressemblant trop aux pierres terrestres. L'exploration de l'Antarctique a permis la découverte de nombreuses météorites, anciennes et récentes.

Les plus belles météorites sont à voir dans les musées (fig. 147). Vous pouvez également visiter certains cratères de météores comme celui de Barringer dans le sud de l'Arizona (fig. 148), qui a 1.2 km de diamètre et est le résultat de la plus récente grande météorite qui soit tombée sur Terre, il y a environ 25 000 ans. Plus d'une douzaine de grands cratères de météores sont connus sur Terre.

Fig. 148. Cratère de météore Barringer près de Winslow, en Arizona, d'un diamètre de 1.2 km et formé il y a 25 000 ans.

Observer les Météores

Vous avez besoin d'un endroit confortable pour vous étendre dehors, loin des lumières, d'une montre précise à la seconde près et peut-être d'un ami pour prendre des notes (cela vous aidera à garder une bonne adaptation à l'obscurité). Quand un météore se déplace au-dessus de vous, enregistrez l'heure de l'événement à la seconde près, sa durée (habituellement moins de 2 secondes), la longueur de sa traînée, la magnitude du météore (par comparaison avec des étoiles voisines) et sa couleur. Les données habituellement notées sont le nombre de météores à l'heure, vues par un même observateur et les variations des moyennes horaires durant la nuit ; ces informations indiquent quand le maximum d'un essaim a lieu. Il peut être utile de mesurer et de reporter le nombre de météores par intervalles de 15 minutes. Quand cela est possible, il est bon de savoir si un météore semble venir d'un radiant ou si c'est un météore sporadique. Des observateurs plus expérimentés notent sur une carte le trajet de chaque météore ainsi que sa magnitude en utilisant une carte différente, pour chaque heure d'observation.

CHAPITRE XIII

OBSERVATION DU SOLEIL

Alors que la plupart des étoiles ne sont visibles que la nuit, l'une d'entre elles – notre Soleil – brille le jour. Le Soleil est plus proche de nous que toutes les autres étoiles. Sa lumière met 8 minutes et 20 secondes pour nous parvenir ; alors que l'étoile la plus proche est à plus de 4 années lumière. La proximité du Soleil fait que son disque couvre 1/2° du ciel et que nous pouvons voir beaucoup de détails de sa surface.

La Surface du Soleil

Le Soleil, comme toutes les étoiles, est une boule de gaz chaud. Il possède un intérieur et une atmosphère. Sa surface nous envoie l'énergie indispensable à la vie terrestre. Il nous éclaire et nous chauffe.

L'énergie est libérée profondément à l'intérieur du Soleil par des processus de fusion nucléaire qui transforment des groupes de quatre atomes d'hydrogène en un seul atome d'hélium. La masse de chaque atome d'hélium formé est légèrement plus faible (0.7 %) que la somme des masses des quatre atomes d'hydrogène. Au début du siècle, Albert Einstein a compris que la masse se transforme en énergie traduite par une équation célèbre $E = MC^2$. Cette équation dit qu'une faible masse qui disparaît se transforme en une relativement grande quantité d'énergie (car c – la vitesse de la lumière – est un nombre très grand). Le Soleil est un bon exemple de réacteur nucléaire, d'un type qu'il n'est pas encore possible de construire sur Terre. Ce réacteur de fusion nucléaire est situé à 150 millions de kilomètres de nous.

La surface solaire est appelée *photosphère*, du grec photos qui signifie lumière. Quand on regarde le Soleil en utilisant des filtres protecteurs et en suivant les précautions décrites plus loin, on constate que son éclat n'est pas du tout uniforme, qu'il devient progressivement plus sombre près du bord du disque et qu'il y a quelques zones sombres sur sa surface (fig. 149). Ces régions sombres – les *taches solaires* – sont des régions plus froides de la surface solaire.

Le centre des taches solaires, l'*ombre*, est presque noir ; la partie qui l'entoure, la *pénombre* est plus claire (fig. 150). Habituellement, les taches forment des groupes ; chaque tache peut durer des semaines. Comme le Soleil tourne sur lui-même en 25 jours, nous pouvons voir les taches se former et se déplacer.

Les taches solaires sont des régions où le champ magnétique est spécialement fort, peut-être 3 000 fois plus intense que le champ

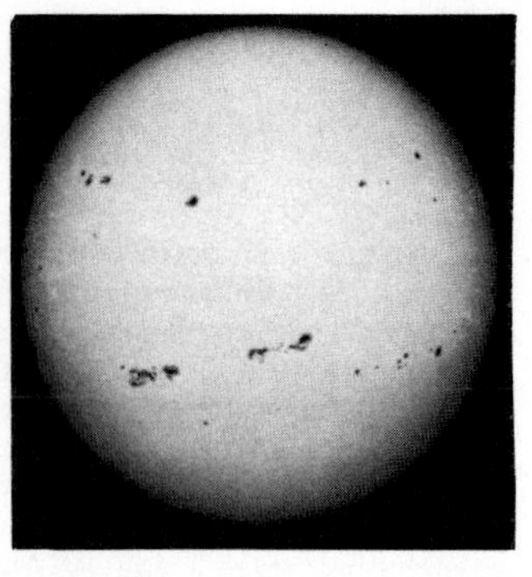

Fig. 149. Le Soleil lors du minimum solaire de 1974 (*à gauche*) et lors du maximum solaire de 1979 (*à droite*). Sur ces deux photographies en lumière blanche, le Soleil est nettement plus sombre vers le bord ; des zones plus claires, les facules deviennent alors visibles.

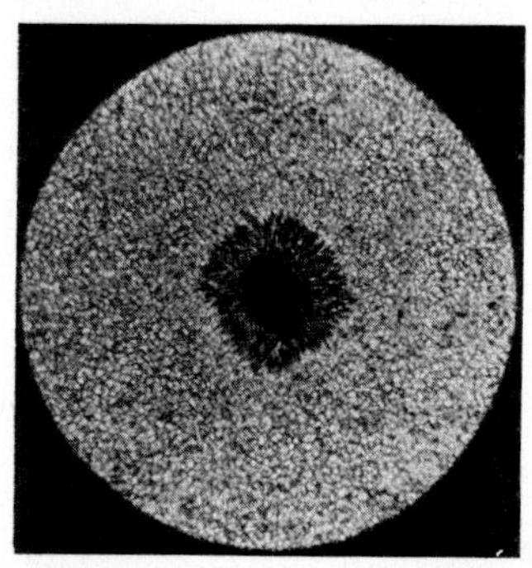

Fig. 150. Tache solaire, avec la zone d'ombre foncée au centre, entourée de la pénombre. La granulation solaire est bien visible. Chaque granule a environ 700 km de diamètre. (Sacramento Peak Observatory).

magnétique moyen du Soleil, de la Terre ou d'un petit aimant, qui sont de force comparable. Les taches ont tendance à se grouper. A l'intérieur de chaque groupe de taches situé dans un hémisphère, les taches de tête dans le sens de rotation ont un pôle magnétique nord et celles de queue ont un pôle magnétique sud. Dans l'autre hémisphère, les pôles sont inversés.

Le nombre et l'étendue des taches solaires varient avec des périodes de maxima espacées de 11 ans (fig. 151). L'axe vertical du graphique représente le *nombre de taches* ou *nombre de Wolf*. Actuellement, ce n'est pas un comptage direct ; cette valeur rend compte non seulement du nombre de taches individuelles mais aussi de la présence de groupes de taches. Le nombre de taches est donné par k(10g + f), où k est un facteur de correction pour tenir compte des estimations personnelles de chaque observateur, g est le nombre de groupes, et f est le nombre total de taches. (Votre valeur k ne peut être définie que par un centre spécialisé qui compare vos nombres de taches à ceux établis). Une tache isolée est considérée comme un groupe ayant une seule tache, aussi ajoutez 1 aux valeurs g et f.

Après un cycle de 11 ans, les polarités dans chaque hémisphère sont inversées ; ainsi, les taches de tête qui avaient un pôle magnétique nord ont alors un pôle magnétique sud. Il faut donc 2 cycles ou 22 ans pour que les taches retrouvent leur polarité d'origine, et cette période de 22 ans constitue le vrai *cycle d'activité solaire*.

Le prochain maximum de taches est attendu pour 1990. Quand on s'approche de cette date, le nombre des immenses *éruptions solaires* augmente. Ces éruptions projetèrent des particules, des rayons X et gamma qui peuvent atteindre la Terre. Elles peuvent créer des perturbations dans le courant électrique ou dans les ondes radio et elles sont à l'origine des aurores. Les aurores sont le plus souvent visibles près des pôles car elles sont produites par le champ magnétique terrestre qui guide les particules (le champ magnétique sort de la Terre aux pôles). Le pôle magnétique nord est situé près de la baie d'Hudson au Canada. Mais, parfois,les aurores peuvent être excitées au point d'être visibles à des latitudes inhabituelles.

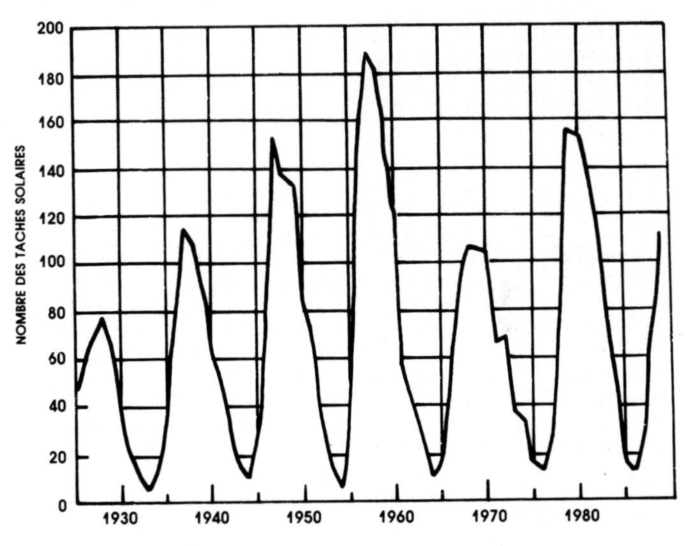

Fig. 151. Cycle des taches solaires, d'une période moyenne de 11.2 ans.

Quand nous observons le centre du disque solaire, nous ne pouvons pas voir très profondément, car le gaz est opaque (l'effet est le même quand on regarde l'air un jour de brouillard, on ne peut voir très loin). Par contre, en observant le bord du disque, le *limbe*, nous regardons en diagonale à travers l'atmosphère solaire et pénétrons plus profondément. Nous voyons alors les couches les plus hautes de l'atmosphère du Soleil sensiblement plus froides. C'est pourquoi la surface du Soleil paraît un peu plus sombre vers ses bords.

Le rayonnement solaire est dévié par l'atmosphère terrestre, des effets de couleur sont alors observés. C'est au coucher ou au lever du Soleil que cet effet, la réfraction, est le plus important et qu'il peut donner lieu au *rayon vert*, phénomène très beau qui ne dure qu'une seconde environ, et qui ne peut être vu que lorsque le Soleil est complètement dégagé. Pour l'observer, au coucher du Soleil, vous devez regarder au-dessus d'une étendue d'eau ; il ne doit y avoir aucune brume ni aucun nuage à l'horizon. (Il est plus difficile de voir le rayon vert au lever du Soleil, car on ne sait pas exactement où et quand regarder.) Quand le Soleil se rapproche de l'horizon, les images se superposent. Les couleurs sont dans l'ordre : rouge, orange, jaune, vert, bleu, indigo et violet ; le rouge étant le plus bas. Mais les rayons bleus, indigo et violets sont tellement dispersés par l'atmosphère qu'ils ne nous atteignent pas. L'orange et le jaune sont absorbés par la vapeur d'eau de l'atmosphère terrestre. Ainsi, ne voyons-nous que les images rouges et vertes ; durant la phase rouge, nous pouvons voir parfois un bref flash vert sur l'horizon (Pl. 72).

Comment observer le Soleil

La plupart du temps, le Soleil est trop brillant pour être regardé directement à l'œil nu en toute sécurité. A part pendant de courts instants lors des éclipses totales, les seules occasions de regarder sans danger le Soleil sont quand il est bas sur l'horizon ou quand sa lumière est atténuée par de la fumée, du brouillard ou de la brume.

Le moyen le plus sûr d'étudier le Soleil n'est pas de le regarder directement, mais de projeter l'image obtenue au moyen d'un télescope ou de jumelles sur un écran de carton ou de papier blanc. Il ne faut jamais regarder le Soleil directement en mettant l'œil à l'oculaire, vous pourriez devenir aveugle. Si un chercheur est monté sur le télescope que vous utilisez, vérifiez qu'il est bien obturé.

Essayez, en faisant varier la distance entre l'oculaire et l'écran et en ajustant la mise au point, d'obtenir sur cet écran une image nette du Soleil d'environ 15 cm ou plus de diamètre. Il est bon de maintenir l'écran en place au moyen d'un support solide fixé au porte-oculaire et également de faire de l'ombre sur cet écran en installant un deuxième écran percé d'une ouverture suffisante pour laisser passer l'objectif du télescope. Une bonne image doit montrer assez de détails pour vous révéler clairement les taches solaires. Ce dispositif simple devrait vous permettre l'observation des principaux phénomènes: 1) les taches solaires, leur nombre et leur pénombre; 2) les marbrures brillantes ou *facules* qui généralement précèdent les taches et qu'on voit mieux sur le bord du disque; 3) la structure granuleuse de la surface du Soleil et finalement 4) l'assombrissement des bords déjà mentionné. Il est facile de fixer la position des phénomènes observés en dessinant à même l'écran.

Le Soleil est environ un million de fois plus brillant que la pleine Lune. Aussi, pour observer directement le Soleil à travers un instrument, lunette ou télescope, il faut interposer quelque part sur le trajet lumineux, souvent à l'entrée de l'instrument, un filtre judicieusement choisi. Il est assez dangereux d'utiliser un verre ordinaire fumé à la flamme d'une bougie ou un morceau de film photographique noirci: la chaleur concentrée du Soleil peut faire éclater le verre ou enflammer la pellicule, un éclair lumineux intense venant alors frapper l'œil.

Une fois que vous saurez observer sans danger le Soleil, vous pourrez déterminer votre propre nombre de taches solaires.

La Chromosphère, les Protubérances et Filtres

De nombreuses caractéristiques de l'atmosphère solaire ne sont pas visibles quand on observe le Soleil dans la lumière blanche (tout le rayonnement); elles ne ressortent que quand une seule couleur (longueur d'onde spécifique) est isolée dans la lumière visible. Cette lumière, représentée par la raie *H-alpha* (l'une des raies du spectre de l'hydrogène), est située dans la partie rouge du spectre. Les astronomes professionnels et un nombre toujours plus grands d'amateurs observent à travers des filtres qui ne laissent passer que cette raie (Pl. 76 et 77).

Dans ces conditions, nous observons la *chromosphère* (du grec chromos, couleur, car elle semble colorée lors des éclipses). C'est une fine couche de l'atmosphère solaire juste au-dessus de la photosphère. La chromosphère est constituée de courants de gaz, les *spicules*, qui montent et descendent avec une période de 15 minutes. Ces spicules sont habituellement très délicats à voir sauf avec un équipement professionnel.

Les filtres H-alpha sont souvent livrés comme accessoires et s'installent alors sur l'oculaire du télescope; dans ce cas, ils doivent être utilisés avec précaution. A travers un filtre H-alpha, la surface du Soleil semble tachetée (marbrée) et des lignes noires, les *filaments* la serpentent. Quand un filament est vu sur le bord solaire, il est nommé *protubérance* (fig. 153). Des sursauts dans l'activité solaire

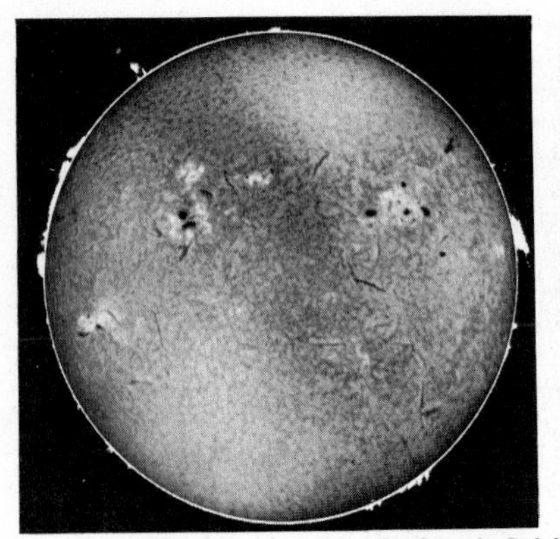

Fig. 152. *(à gauche)* Surface du Soleil le 25 juillet 1981, photographiée à travers un filtre H-alpha. Sur le disque solaire, des filaments sombres et des régions actives brillantes sont visibles. Autour, une image à la même échelle, prise après occultation du disque solaire.

Fig. 153 . *(à droite)* Protubérance solaire, de type « quiescent », particulièrement stable ; d'autres sont de type éruptif.

produisent ces protubérances, jets de flammes, rubans, boucles ou arches.

Chaque jour ensoleillé vous permet de découvrir des choses excitantes en pointant votre télescope vers le Soleil. Une protection de l'oculaire ou un filtre spécial vous permet de voir les taches. Un filtre H-alpha vous révèle les filaments et les protubérances. Comme la surface du Soleil change de jour en jour, vous verrez chaque fois une image différente.

Quelques notes techniques à propos de votre équipement : au moment où vous désirez acheter des filtres ou du matériel pour observer le Soleil, consultez les revues spécialisées (*Sky and Telescope,* Ciel et Espace,...) afin de savoir ce qui est présentement le mieux. Actuellement, Celestron et Questar fabriquent des filtres solaires de haute qualité qui diminuent l'intensité de la lumière solaire, mais ils sont coûteux. DayStar fabrique des filtres H-alpha. Un filtre dont la bande passante est inférieure à 1 angstroem (0.0001 micromètre) est nécessaire pour voir les filaments sur le disque solaire ; un filtre qui laisse passer 3 à 4 angstroems est suffisant pour voir les protubérances sur les bords du Soleil.

Les Eclipses Solaires

Le spectacle le plus impressionnant que l'on puisse voir est une *éclipse de Soleil*. Graduellement la Lune cache le Soleil et brusquement le croissant solaire donne place à la nuit. Quelques points lumineux sont visibles pendant quelques secondes sur le bord du Soleil, ce sont les *grains de Baily*. Le dernier grain de Baily sur le bord lunaire (Pl. 82) est tellement lumineux qu'il étincelle comme un joyau : on le nomme l'*effet d'anneau de diamant*. Il dure 3 à 5 secondes et est ensuite caché par la Lune. L'effet d'anneau de diamant vient du dernier morceau de photosphère qui brille à travers le relief du bord de la Lune. La chromosphère rosée est visible pendant les quelques secondes qui suivent ; des protubérances peuvent être vues un peu plus longtemps. Les scientifiques décomposent alors la lumière solaire en ses différentes couleurs (Pl. 80) afin de l'analyser. Quand l'anneau du diamant disparaît, nous pouvons voir un halo de lumière autour du Soleil – la *couronne*, atmosphère extérieure très étendue du Soleil. Elle est constituée de gaz ténu ; sa température est d'environ 200 000°C. Elle entoure le Soleil, mais elle est environ un million de fois moins lumineuse que la photosphère et normalement elle est plus faible que le ciel bleu. Le ciel paraît bleu à cause de la réfraction de la lumière venant de la photosphère solaire. Pour que nous puissions voir la chromosphère et la couronne, il faut que le Soleil soit levé quand le ciel n'est pas illuminé ; c'est ce qui se passe durant une éclipse totale de Soleil (fig. 154).

Même pendant l'heure qui précède la phase totale de l'éclipse, quand le Soleil n'est que partiellement couvert par la Lune (Pl. 78), la partie encore visible du Soleil est toujours trop brillante pour que l'on puisse la regarder sans danger. Mais, dans les minutes qui pré-

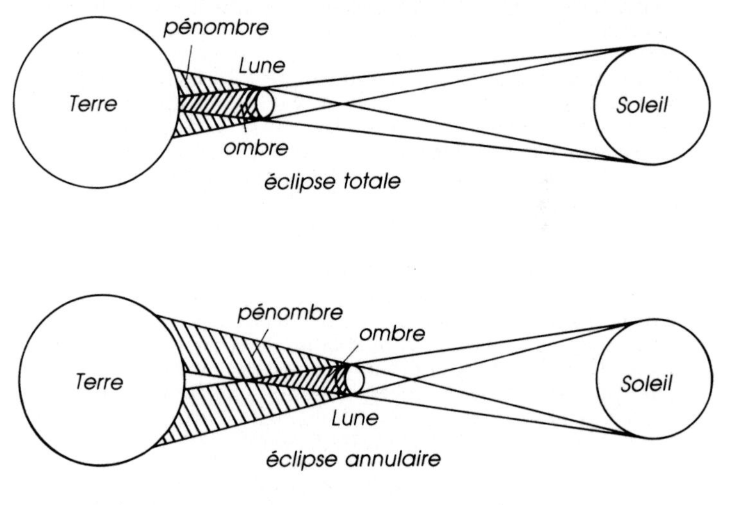

Fig. 154. Éclipses de Soleil

Fig. 155. Éclipse solaire totale de 1980, photographiée en Inde. Le disque sombre de la Lune est entouré de la couronne solaire, qui s'étend sur des millions de kilomètres (le diamètre du Soleil à peine caché par la Lune est de 1.4 millions de kilomètres).

cèdent la totalité, la lumière provenant de la photosphère est alors suffisamment réduite pour que le réflexe de clignement des yeux qui normalement nous protège ne marche plus. Même à ce moment, vous pouvez vous blesser les yeux en regardant le Soleil sans protection. Ce n'est qu'après la phase d'anneau de diamant que vous pouvez éventuellement regarder le Soleil sans filtre.

La couronne a une forme irrégulière, avec des courants qui peuvent s'étendre dans l'espace sur des millions de kilomètres (fig. 155, Pl. 79). Sa forme dépend de l'activité solaire. Le Soleil agit en fait comme une barre magnétique géante, ainsi pouvons-nous parfois voir des *plumes polaires* – rayonnement mince sortant des pôles – aussi bien que des courants apparaissant au niveau des latitudes solaires plus basses. La couronne en expansion forme le *vent solaire* qui s'étend à travers tout le système solaire.

Pendant la phase totale de l'éclipse, quand la couronne est visible, elle peut être regardée en toute sécurité. Elle a à peu près le même éclat que la pleine Lune. Quand le second effet d'anneau de diamant apparaît, ce qui marque la fin de la totalité, vous devez à nouveau éviter de regarder directement le Soleil.

Pendant la totalité, le ciel est aussi noir que durant la nuit, ou au moins que pendant le crépuscule du matin. Si vous regardez audelà de l'horizon, dans n'importe quelle direction (Pl. 81), vous pouvez voir la partie la plus sombre de l'ombre de la Lune. Sur l'horizon vous voyez une lueur rose qui ressemble à celle du coucher du Soleil, mais qui s'étend sur 360° autour du ciel.

Table 22. Eclipses de Soleil

26 janvier 1990, annulaire, commence en Antarctique et prend fin dans l' Atlantique sud. Les phases partielles sont visibles dans l'île sud de la Nouvelle Zélande et en Amérique du sud.

22 juillet 1990, totale, commence en Finlande et passe le long des côtes de l'Europe et de l'Asie. La bande de la totalité a 208 km de large au maximum et le soleil est environ à 40° d'altitude. La phase totale dure 2 minutes 20 secondes, elle est vue des îles Seguam et Amlis, et d'Atka. Les phases partielles sont visibles du nord-est de l'Europe, du nord-ouest de l'Amérique du nord de l'Asie et d'Hawaii

15-16 janvier 1991, annulaire, la bande d'éclipse traverse le sud-ouest de l'Australie, la Tasmanie et la Nouvelle Zélande

11 juillet 1991, totale, traverse la grande île d'Hawaii; la ligne centrale passe très près du volcan Mauna Kea et de son observatoire, où la totalité dure 4 minutes 8 secondes. La bande de totalité passe au Mexique, où la totalité dure 6 minutes 54 secondes, et en Amérique centrale et du sud. La largeur de la bande au maximum est de 258 km.

4 janvier 1992, annulaire, la bande d'éclipse, traverse uniquement l'Océan Pacifique de la Micronésie jusqu'au large de Los Angeles.

30 juin 1992, totale, visible des océans uniquement; commence au large de Buenos Aires, traverse l'Atlantique et se termine dans l'Océan Indien au sud-est de l'Afrique du Sud.

Durant une ou deux minutes avant le début de la totalité ou après sa fin, des bandes d'ombre étroites semblent se déplacer à travers le paysage. Ces bandes d'ombre existent quand des régions inhomogènes de la haute atmosphère terrestre réfractent la lumière venant du croissant du Soleil partiellement éclipsé. Si vous posez sur le sol un drap blanc, vous verrez particulièrement bien ces bandes d'ombre; vous pourrez, en mesurant la distance entre deux bandes, déterminer l'espacement entre des bandes adjacentes et la distance qu'une bande semble couvrir chaque seconde (ce qui peut facilement être converti en vitesse, en kilomètres par seconde). Il est également intéressant de noter la direction du déplacement de ces ombres, direction souvent différente avant et après la totalité de l'éclipse.

Les éclipses solaires ne sont pas particulièrement rares; environ trois éclipses partielles, dans lesquelles la partie centrale de l'ombre de la Lune n'atteint pas la Terre, ont lieu chaque année. Les éclipses solaires totales ont lieu environ tous les 18 mois (table 22). Comme la Lune et le Soleil semblent avoir approximativement la même taille dans le ciel – le Soleil est actuellement 400 fois plus grand que la Lune, mais se trouve 400 fois plus loin – l'ombre n'a pas plus de 300 km de large quand elle atteint la Terre. Son trajet sur la Terre (fig. 156) trace une bande longue, des milliers de kilomètres, mais étroite, seulement quelques dizaines ou centaines de kilomètres. Ce n'est que près de ce trajet étroit que vous pouvez voir la couronne et l'éclipse.

Actuellement, toujours plus de personnes font de longs voyages pour admirer une éclipse totale de Soleil; une fois que vous avez eu la chance d'en voir une, il est difficile de résister au plaisir d'en admirer d'autres. Parmi les observations que vous pouvez effectuer pendant une éclipse: 1) notez les heures des *contacts*: le premier contact a lieu quand la Lune commence à cacher le Soleil, le second contact est le moment où la totalité commence et le troisième quand elle prend fin, le quatrième contact est l'instant où la Lune quitte le disque solaire; 2) dessinez ou photographiez les protubérances; 3) dessinez ou photographiez la couronne et 4) observez les bandes d'ombre. Certains aiment se couvrir un œil avant la totalité, de façon à avoir un œil adapté à l'obscurité quand la totalité commence. Beaucoup d'observateurs regardent la couronne aux jumelles durant la totalité.

Photographier une éclipse est toujours intéressant, et en particulier parce que le choix du temps d'exposition n'est pas critique. Chaque combinaison d'ouverture et de temps d'exposition donne un effet différent, mais toutes sont bonnes. L'éclat de la couronne diminue rapidement quand on s'éloigne du Soleil, aussi plus vous exposerez longtemps, plus vous verrez la couronne. Mais, il faut choisir un temps d'exposition assez court pour que le bord de la Lune ne rende pas flou votre photo quand le Soleil et la Lune se déplacent dans le ciel. Des temps d'exposition typiques peuvent être d'environ 1 seconde avec un téléobjectif de 500 mm ou de 10 secondes avec un objectif « normal » de 50 mm (pour un appareil de 35 mm). Il est important d'utiliser un trépied aussi stable que possible, un déclencheur souple et d'attendre que votre appareil ne vibre plus après avoir avancé votre film (attendre une seconde ou deux).

Les photos prises au téléobjectif, au moins 200 mm de focale, mais de préférence avec 500 mm, donnent les meilleures images de la couronne. Vous pouvez utiliser un objectif normal ou un grand angle pour prendre des vues avec la couronne au sommet du cliché et un paysage en bas qui fixera l'échelle du phénomène. Pour photographier les phases partielles d'une éclipse vous avez besoin d'un filtre spécial; enlever ce filtre pour photographier l'anneau de diamant, les protubérances ou la couronne. Mais, remettez-le pour la fin de l'éclipse, et peut-être pour prendre une photo rapide du second

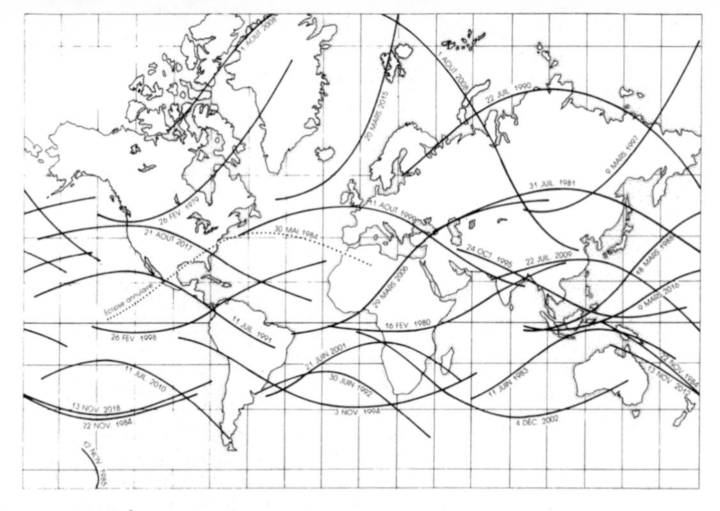

Fig. 156. Éclipses totales de Soleil de 1979 à 2017

anneau de diamant. Des temps d'exposition conseillés sont donnés dans la table 23. Un choix difficile doit être fait entre les films les plus rapides, comme les films ultra-rapides Ektachrome et les films plus lents, mais à grains plus fins, comme les Kodachrome; actuellement, on trouve sur le marché de plus en plus de films rapides qui ont un grain toujours plus fin; mais il n'y a pas de « bonne réponse » à cette question. Utilisez de préférence des diapositives au lieu des films papier, car la gamme des intensités est plus fine; faites par la suite un tirage papier de vos diapositives.

Beaucoup de personnes ayant vu une éclipse partielle se demandent ce qu'il y a de plus dans une éclipse totale. Mais, la différence est aussi grande qu'entre le jour et la nuit. Comme la photosphère est 1 million de fois plus brillante que la couronne, même une éclipse partielle à 99 % laisse passer 1 % de 1 million soit 10.000 fois plus de lumière de la photosphère que de la couronne. Ainsi, le ciel est trop brillant pour que la couronne puisse être vue pendant une éclipse partielle. Cela vaut vraiment la peine de se rendre dans la zone de totalité chaque fois qu'il y a une éclipse. Voir une éclipse partielle et dire que vous avez vu une éclipse revient à dire que vous avez vu un opéra alors que vous êtes resté devant le bâtiment; dans les deux cas vous avez manqué l'événement principal.

Comme les orbites de la Lune autour de la Terre et de la Terre autour du Soleil sont elliptiques, la Lune apparaît parfois trop petite pour couvrir complètement le Soleil lors d'une éclipse. Un anneau de la photosphère reste alors visible (fig. 157); c'est une *éclipse annulaire*. La photosphère étant toujours visible, des filtres spéciaux doivent être utilisés pour regarder une telle éclipse, tant pour les yeux que pour les appareils photographiques. Vous devez utiliser des

Fig. 157. Eclipse solaire annulaire vue sur un filtre solaire fait avec des films noir et blanc exposés et développés.

téléobjectifs d'au moins 200 mm de focale pour prendre des photographies à travers des filtres.

Utilisez les mêmes filtres que ceux décrits précédemment pour photographier les éclipses. Du matériel meilleur marché, comme du Mylar aluminisé, peut également être employé comme filtre solaire. Suivez les conseils donnés dans les magazines d'astronomie les plus récents (*Sky and Telescope, Astronomy*, Ciel et Espace...). Le Mylar n'est pas cher, mais il donne une image bleue du Soleil au lieu d'une couleur orange plus agréable.

Vous pouvez fabriquer votre propre filtre solaire pour observer une éclipse en vous y prenant plusieurs jours à l'avance. Tout d'abord voilez complètement un rouleau de pellicule noir et blanc, en la déroulant au Soleil, par exemple. Développez-la au maximum de densité. Une ou deux épaisseurs de ce film noir et blanc voilé et développé devrait atténuer suffisamment l'éclat du Soleil pour qu'il ne soit plus dangereux ; essayez tout d'abord avec trois couches, si le Soleil n'est pas visible essayez avec deux ou peut-être même une seule sera suffisante.

L'argent contenu dans les pellicules noir et blanc absorbe la lumière de tout le spectre, donc aussi le rayonnement infrarouge, invisible pour nos yeux. Les films couleur ne contiennent pas d'argent, aussi ne peuvent-ils pas constituer des filtres solaires sûrs. Les filtres de gélatine, comme les filtres de densité neutre Wratten de Kodak, ne doivent pas être utilisés pour une observation du Soleil à l'œil nu, car ils ne sont efficaces que dans le domaine de sensibilite des films photographiques et laissent passer le rayonnement infrarouge qui peut être néfaste pour l'œil.

Quel que soit le filtre que vous utilisez, ne regardez jamais fixement le Soleil. Vous pouvez voir beaucoup de choses en jetant uniquement un bref coup d'œil à travers un filtre. Les phases partielles ne changent pas assez rapidement pour rendre une longue observation indispensable.

Table 23. Photographie d'une éclipse de Soleil

Ne pas regarder le Soleil à travers le viseur – sauf pendant la phase totale – sans avoir couvert les lentilles de filtres de densité neutre.

Utilisez le grain le plus fin possible.

Installez votre appareil de photo sur un pied solide. Les temps d'exposition pour la totalité ne sont pas critiques ; la plupart des problèmes viennent de montures branlantes. L'appareil vibrera à chaque avance du film ; attendez une seconde ou deux afin d'être sûr que la vibration sera terminée avant de prendre la photographie suivante. Utilisez un déclencheur souple, et si cela est possible relevez manuellement le miroir des appareils reflex.

Pour prendre des vues rapprochées de la totalité avec un appareil de 35 mm, utilisez un téléobjectif de 300 mm au moins, et si possible de 500 mm.

Faites de nombreuses poses en variant les temps d'exposition pour une ouverture donnée.

Arrangez-vous pour ne pas avoir à changer de film au cours de la séquence d'exposition.

Exemple de séquence d'exposition avec un film 64 ASA/ISO (par exemple, Kodachrome 64):

Phases partielles: Toutes les cinq minutes, prenez une série d'expositions à travers un filtre de densité 5, filtre qui ne laisse passer que 1/100 000 de la lumière. **Note**: Ne jamais regarder le Soleil dans le viseur s'il n'est pas recouvert d'un filtre de densité 5; les filtres de densité Wratten ne sont pas sûrs pour l'œil. Si vous avez fabriqué vous-même votre filtre, avec des films exposés et développés, prenez une grande gamme d'expositions par mesure de sécurité. Votre posemètre sera probablement faux, car généralement il moyenne la lumière sur tout le champ, alors que vous photographiez un objet brillant sur fond sombre. Mettez un nouveau film cinq minutes avant la totalité.

Anneau de diamant: Enlevez les filtres de densité neutre, et sans bouger l'appareil faites une ou deux poses d'environ 1/30 seconde à f/8.

Protubérances: Aussitôt que l'anneau de diamant disparaît, prenez une série d'expositions à f/8 de 1/60, 1/30, 1/15 et 1/8 seconde.

Couronne: Pendant la totalité, faites une série de photographies avec des temps d'exposition différents. Avec f/8 ou f/5.6, essayez 1/2 seconde, 1, 2 et 4 secondes. Eventuellement, recommencez la séquence. Ensuite, soyez prêt à photographier l'anneau de diamant qui marque la fin de la totalité.

Si vous utilisez un grand angle, utilisez la plus grande ouverture possible (f/2.8, f/2 ou f/1.4, par exemple). Utilisez un film rapide, 200 ou 1 000 ASA/ISO. Photographiez l'éclipse avec un paysage. Faites des poses de 1, 2, 4 et 8 secondes.

A la fin de l'éclipse : Photographiez le second anneau de diamant sans regarder dans le viseur, et tournez votre appareil pour qu'il ne soit plus face au Soleil. Ajoutez vos filtres de densité neutre pour faire éventuellement des photographies des phases partielles.

CHAPITRE XIV

LE TEMPS

Les habitants de la Terre disposent de deux unités naturelles de temps : le jour et l'année. La durée d'une rotation de la Terre sur elle-même détermine le *jour* (24 heures). Une révolution entière de la Terre autour du Soleil, en 365.2422 jours, définit l'*année*.

Comme la Terre tourne sur elle-même, le ciel semble tourner dans le sens opposé. Les étoiles paraissent se lever à l'Est, se déplacer au-dessus de nous toute la nuit pour se coucher à l'Ouest. Il est pratique dans bien des cas de faire comme si les étoiles étaient fixes sur une *sphère céleste* qui tourne en 24 heures.

Latitude et longitude

Les géographes définissent la position d'un lieu sur notre globe par sa *latitude* et sa *longitude*. L'axe de rotation de la Terre (ou ligne des pôles) et l'équateur, dont le plan situé à mi-chemin entre le pôle nord et le pôle sud est perpendiculaire à la ligne des pôles, forment la base de référence de ce système de coordonnées. La latitude d'un lieu est la distance angulaire de l'équateur à ce lieu, mesurée positivement vers le Nord (pôle nord : +90°) et négativement vers le Sud (pôle sud : −90°) le long d'un arc de grand cercle passant par les pôles et le lieu considéré : ce cercle est appelé le *méridien du lieu*. La longitude se mesure le long de l'équateur : c'est l'angle compris entre les intersections avec l'équateur du méridien de Greenwich (méridien zéro) et du méridien du lieu ; elle peut être comptée vers l'Est ou l'Ouest (de 180° E à 180° W).

Déclinaison et ascension droite

Le système utilisé par les astronomes pour repérer la position d'un astre sur la voûte céleste ressemble beaucoup à celui des latitudes et longitudes géographiques. La rotation apparente du ciel nous permet de localiser les deux pôles célestes et l'équateur céleste situé à mi-chemin entre eux. La *déclinaison*, analogue à la latitude, est la distance angulaire entre l'équateur céleste et l'astre le long d'un *méridien* ou *« cercle horaire »*, arc de grand cercle passant par les deux pôles et l'astre. Elle est comptée en degrés : de +90° (pôle nord) à −90° (pôle sud). L'*ascension droite*, équivalent de la longitude, se mesure le long de l'équateur à partir d'un point arbitrairement choisi comme origine ; celui-ci, point de trajectoire du Soleil (écliptique) croise l'équateur céleste au printemps, c'est-à-dire le *point vernal* ou *équinoxe de printemps*. L'ascension droite est comptée d'Ouest en Est entre le point vernal et le point d'intersection de l'équateur céleste et du cercle horaire de l'astre ; elle se mesure en *heures* (minutes et secondes). L'équateur céleste est divisé en 24

Tableau 24. Unités angulaires pour les coordonnées célestes

Ascension droite	**unités d'arc** (degrés, minutes ou secondes)
24^h	360°
1^h	15°
4^m	1°
1^m	15'
4^s	1'
1^S	15''

heures d'ascension droite ; comme le ciel fait un tour complet de 360° en 24 heures, chaque heure d'ascension droite vaut 15°.

Une minute vaut donc 1/60 de 15° soit 15' (minutes d'arc), etc. L'écliptique coïncide avec le plan de l'orbite de la Terre autour du Soleil (fig. 158).

Sur les planches de l'Atlas du Chapitre VII, l'ascension droite est notée sur l'axe vertical. Quand on regarde le ciel face au Nord, le ciel semble tourner dans le sens contraire des aiguilles d'une montre autour du pôle céleste nord, qui est marqué par l'Etoile Polaire nord, Polaris. En dessous de Polaris, nous voyons les étoiles se lever à l'Est (à notre droite), se déplacer, et se coucher à l'Ouest (à notre gauche). Quelques étoiles sont toujours au-dessus de l'horizon, ce sont les étoiles *circumpolaires*.

Bien que le jour et la nuit soient théoriquement d'égale longueur les jours d'équinoxe, cela ne se vérifie pas car le Soleil est un disque et non un point et car le rayonnement solaire est réfracté par l'atmosphère terrestre. Le sommet du disque du Soleil se lève quelques minutes avant son centre - le point utilisé pour les calculs. De plus, l'atmosphère terrestre dévie le rayonnement solaire ; nous pouvons ainsi voir le Soleil quelques minutes de plus le matin comme le soir.

Pour trouver les coordonnées célestes d'une étoile (fig. 158), nous mesurons le nombre d'heures autour de l'équateur céleste jusqu'à son cercle horaire, et le nombre de degrés nord ou sud de l'équateur céleste à sa déclinaison. L'ascension droite est souvent abrégée AR, Ascensio Recto ou α (alpha). La déclinaison est abrégée Dec. ou δ (delta). L'ascension droite est l'angle compris entre le méridien passant par le point vernal et le cercle horaire. L'ascension droite d'un astre est la différence de temps entre le temps sidéral (angle horaire du point vernal) et l'angle horaire. Cet intervalle est mesuré en *temps sidéral* ; une rotation prend 24 heures sidérales.

Les étoiles sont quasiment fixes dans le ciel ; aussi leur ascension droite et leur déclinaison ne changent-elles pas de façon significative sur une petite période. Par contre, le Soleil, la Lune et les pla-

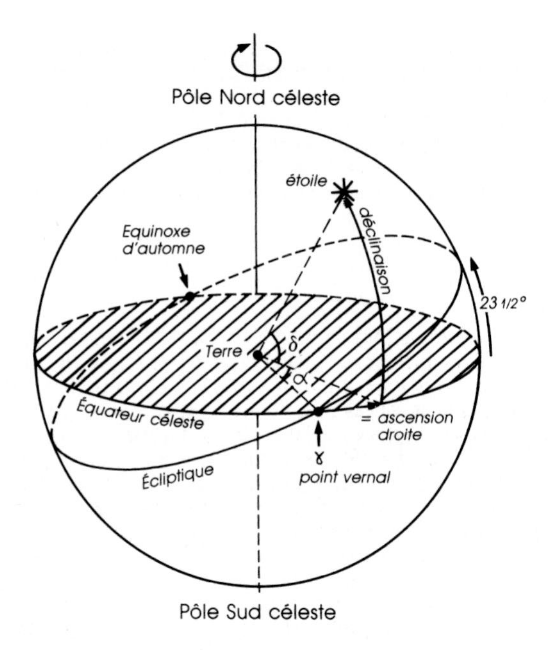

Fig. 158. L'ascension droite, notée α, est mesurée en heures d'ouest en est depuis le point vernal (équinoxe de printemps). La déclinaison, notée δ, est mesurée en degrés nord (+) ou Sud (−) à partir de l'équateur céleste.

nètes se déplacent dans le ciel par rapport aux étoiles; leur ascension droite et leur déclinaison changent donc au cours de l'année.

Précession

La détermination des positions des étoiles présente une difficulté que ne connaît pas la géographie. Les pôles de la rotation terrestre sont relativement fixes sur notre globe, si l'on fait abstraction de tout petits déplacements d'environ 10 mètres. Latitude et longitude d'un point de la surface terrestre restent quasiment constantes. Les pôles célestes, par contre, ne sont pas immobiles. Ils se déplacent lentement par rapport aux étoiles. Ces pôles étant situés exactement à la verticale des pôles géographiques, nous devons en conclure que l'axe de rotation de la Terre bouge relativement aux étoiles. L'attraction gravifique du Soleil et de la Lune sur le renflement équatorial de la Terre est la cause de ce mouvement qui s'apparente à celui de l'axe de rotation incliné (de 23.5°) d'une toupie en mouvement rapide.

Ce mouvement de l'axe de la Terre entraîne un déplacement de chacun des pôles célestes sur une trajectoire circulaire ayant le pôle de l'écliptique pour centre; un tour complet dure 26 000 ans. En même temps, l'équateur céleste est décalé par rapport aux étoiles. Les points d'intersection de cet équateur et de l'écliptique se déplacent ainsi lentement vers l'Ouest à la vitesse de 50.27 secondes d'arc par an. Il en résulte un accroissement graduel des ascensions droites avec le temps, puisque le point de référence zéro n'est pas fixe. Les déclinaisons changent également. La variation annuelle des deux coordonnées dépend de la position des étoiles. Ce mouvement et ses effets constituent la *précession des équinoxes* ou simplement la *précession*.

L'importance que nous attribuons à α UMi comme Etoile Polaire n'est donc que temporaire. 3 000 ans avant J.-C., α Draconis était l'étoile polaire et en l'an 14 000, α Lyrae (Véga) jouera le même rôle.

Les positions des étoiles sont données pour une époque standard, par exemple pour l'année 1950 ou 2000, les dates en années avec décimales, par exemple 1989.4 ou 2000.0. Passer d'une époque donnée à la date actuelle est facile à l'aide d'une petite calculatrice; cela se fait automatiquement à l'aide d'ordinateurs sur de nombreux télescopes. Des formules utiles pour calculer la précession sont:

$$\text{nouv. RA} = \text{RA} + [3.074^s + 1.336^s \sin(\text{RA}) \tan(\text{Dec})] \times N;$$

$$\text{nouv. Dec.} = \text{Dec.} + 20.04'' \cos(\text{RA}) \times N,$$

où N est le nombre d'années depuis l'époque standard. Dans ce guide, nous avons adopté l'année 2000.0 comme époque standard. Aussi N sera négatif pour toutes les années avant l'an 2000 (par exemple N = -11 pour 1989). Les observateurs occasionnels n'ont pas besoin de se préoccuper de calculs de précession.

La Nutation

L'axe de rotation de la Terre possède, en plus de la précession lente et régulière, un petit mouvement giratoire très faible, la *nutation*, essentiellement due aux changements de position du plan de l'orbite de la Lune. Sous l'effet de la nutation, la ligne des pôles célestes dessine sur le ciel de toutes petites ellipses, dont les axes mesurent 18.5" et 13.7", parcourues en 19 ans environ. En se superposant à la précession, la nutation entraîne la formation de boucles du cercle de précession: 1 300 boucles durant un cycle complet de précession.

L'Aberration de la Lumière

Une personne qui marche vite sous une pluie battante doit incliner légèrement son parapluie vers l'avant pour ne pas se mouiller. De la même façon, et pour la même raison, l'astronome placé sur la Terre animée d'un mouvement rapide (environ 30 km/sec.) doit décaler sa lunette un peu plus vers l'Est afin que la lumière de l'étoile visée pénètre exactement suivant l'axe de l'instrument. De ce fait, la position apparente d'une étoile ne coïncide pas avec sa position vraie. Ce phénomène porte le nom d'*aberration de la lumière*; le décalage maximal entre les positions vraie et apparente est de 20 .47.

Dans la plupart des catalogues, et dans ce guide, les tables donnent les positions des étoiles en tenant compte de la précession, mais pas de la nutation ou de l'aberration.

L'Année et le Calendrier

Un jour solaire est le temps mis par la Terre pour faire un tour complet sur elle-même. Une année, soit une révolution entière de la Terre autour du Soleil, correspond à 365.2422 jours solaires (environ 365.25).

Au lieu de changer nos montres de 1/4 de jour chaque année, un jour est ajouté tous les quatre ans. C'est en 46 av. J.C., sur l'injonction de Jules César et d'après l'astronome Sosigène, que fut introduite l'*année bissextile* de 366 jours pour toutes les années dont le millésime est divisible par 4. Mais, cette correction était un peu trop grande. Les minutes perdues s'étaient accumulées au point que le pape Grégoire XIII décida, en 1582, de supprimer 10 jours. Dès lors, les années séculaires (1800, 1900,... ; sauf celles dont le millésime est divisible par 400, 2000, par exemple) sont non bissextiles bien que multiples de 4.

Le Temps Solaire

Les *jours solaires vrais*, c'est-à-dire les intervalles entre deux passages consécutifs du Soleil au méridien, n'ont pas la même durée tout au long de l'année. Comme l'orbite de la Terre est elliptique, notre planète se meut à des vitesses différentes au cours de l'année. Pour ne pas devoir changer de jour en jour la vitesse de nos horloges, l'usage établi emploie le *temps solaire moyen* au lieu du *temps solaire vrai*.

Temps Universel

Midi, en heure solaire, est déterminé par l'instant où le Soleil passe au méridien. Mais cette heure est locale, elle n'est valable que pour un méridien. Pour compenser ces légères différences entre lieux proches, un *temps standard* a été établi. Les 360° de longitude autour de l'équateur ont été subdivisés en 24 intervalles de 15°, les *fuseaux horaires*, un pour chaque heure. Ainsi, le méridien d'origine ou *méridien zéro*, qui est le *méridien de Greenwich*, est le centre d'un de ces fuseaux de 15°. Son heure s'appelle le *temps universel*. A l'intérieur de chaque fuseau, l'heure reste constante ; elle diffère d'une heure en plus ou en moins avec les fuseaux voisins. Les limites actuellement adoptées de ces fuseaux sont souvent irrégulières, pour satisfaire aux commodités de chaque nation.

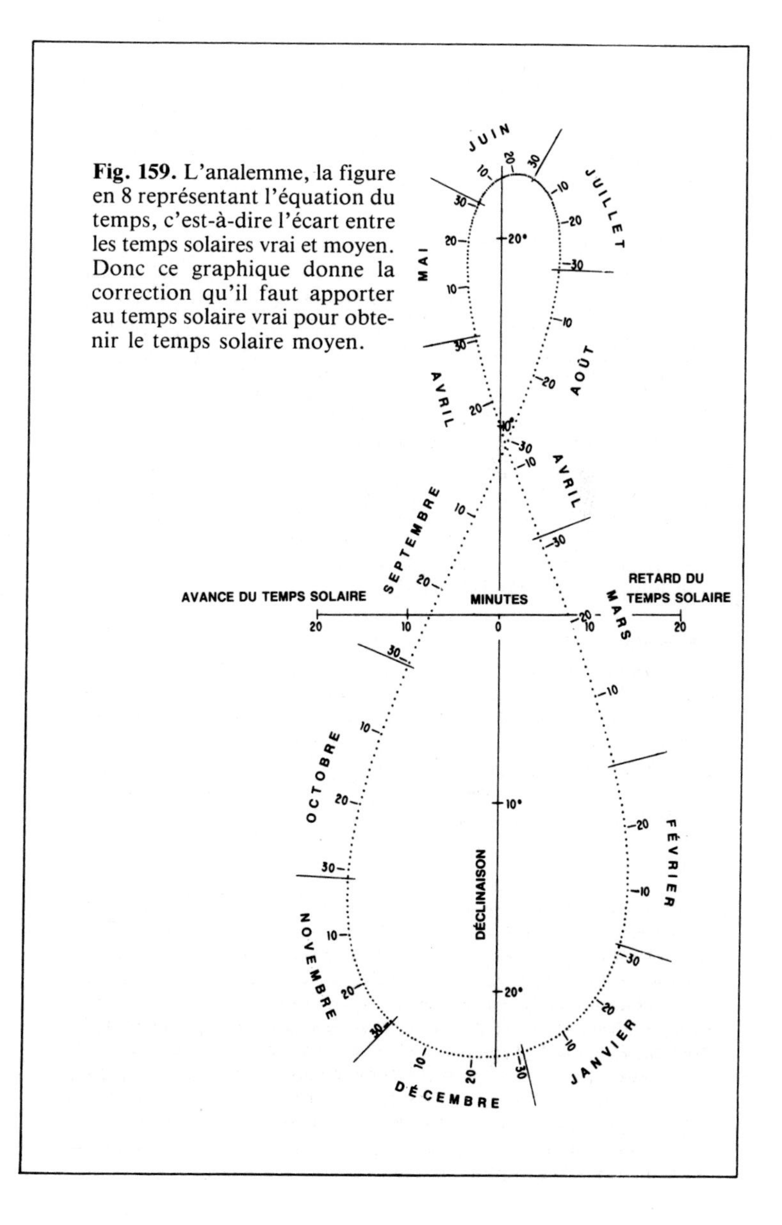

Fig. 159. L'analemme, la figure en 8 représentant l'équation du temps, c'est-à-dire l'écart entre les temps solaires vrai et moyen. Donc ce graphique donne la correction qu'il faut apporter au temps solaire vrai pour obtenir le temps solaire moyen.

Heure Solaire Vraie

Notre heure est basée sur un temps solaire moyen. La différence entre l'heure solaire vraie (celle indiquée par les cadrans solaires) et l'heure locale est l'*équation du temps (ET)*. On obtient donc l'heure solaire vraie en ajoutant à l'heure locale l'équation du temps. La différence peut atteindre jusqu'à 16 minutes ; nous pouvons voir cet effet sur la fig. 159.

Cette équation nous indique combien le vrai Soleil est en avance ou en retard sur le Soleil moyen. Comme cette valeur change au cours de l'année, le Soleil culmine plus ou moins haut dans le ciel. La position du Soleil à une heure standard moyenne chaque jour suit une figure en 8 ou *analemme* (fig. 159). La Pl. 71 est une photographie à exposition multiple, une pose toutes les deux semaines à la même heure . Le solstice d'été est le plus haut point alors que le solstice d'hiver est le point le plus bas. L'ouverture de l'objectif est variable afin d'obtenir une exposition standard. La photographie du paysage a été prise un autre jour sans le filtre de densité qui était utilisé pour que le Soleil soit visible.

Les astronomes utilisent le temps universel (TU), le temps du méridien de Greenwich avec 0 h à minuit (l'heure GMT – Greenwich men time – n'est plus beaucoup utilisée car il était ambigu de savoir si elle commençait à midi ou à minuit).

La révolution de la Terre autour du Soleil fait que ce dernier dérive d'un jour à l'autre de 1° vers l'Est à travers les étoiles. Ainsi, au bout d'une année, alors que la Terre accomplit 365.2422 tours sur elle-même par rapport au Soleil, elle aura effectué exactement un tour de plus par rapport aux étoiles. L'année compte donc 366.2422 jours sidéraux. Le *jour sidéral*, temps que la Terre met pour tourner sur elle-même par rapport aux étoiles (ou encore le temps qu'il faut à une même étoile pour revenir au méridien d'un lieu donné) est plus court de 3 mn 56.555 sec. que le jour solaire.

Le jour sidéral est donc défini comme étant l'intervalle de temps qui sépare deux passages consécutifs du point vernal au méridien.

Au moment de l'équinoxe de printemps (autour du 21 mars), début des années solaire et sidérale, il est 0 h sidérale à midi solaire juste (c'est-à-dire 12 h solaires). Six mois plus tard, lors de l'équinoxe d'automne (autour du 23 septembre) l'horloge sidérale aura déjà gagné 12 heures sur l'horloge solaire : il sera donc 12 heures sidérales à midi solaire et les deux horloges marqueront 0 h à minuit. L'avance de l'horloge sidérale continuera à augmenter de 3 mn 56 sec. sidérales par jour solaire.

Une table de conversion entre le temps sidéral et le temps solaire est donnée dans l'Appendice (table A-9).

Le temps sidéral local est le nombre d'heures écoulées depuis que le point vernal a traversé le méridien local. Il est aussi égal à l'ascension droite des étoiles qui passent actuellement ce méridien. Ainsi, si vous connaissez le temps sidéral local, vous pouvez savoir quelles sont les étoiles mieux placées pour l'observation.

Inversement, ceux qui connaissent les constellations savent dire l'heure au cours de la nuit, après un coup d'œil sur le ciel.

Un observateur de l'hémisphère Nord peut considérer la ligne reliant la Polaire aux Gardes de la Grande Ourse (α et β UMa) comme l'aiguille des heures d'une horloge dont le cadran est un cercle centré sur la Polaire et divisé en 24 heures (fig. 159). L'aiguille de cette horloge tourne dans le sens contraire à celui des aiguilles d'une montre ordinaire.

Toutes les fois que les Gardes (dont les ascensions droites sont voisines de 11 h) passent au méridien et se trouvent alignées au-dessus de la Polaire, il est 11 heures sidérales. Au cours d'une année ordinaire de 365 jours, l'aiguille de notre horloge stellaire fait 366 tours, ce qui signifie qu'elle avance d'environ 4 minutes par jour.

Chaque année, le 6 mars à minuit (heure locale), les pendules sidérales marquent 11 heures et notre horloge céleste se trouve dans la position de la Figure 159 semblant montrer 0 heure : son indication coïncide avec l'heure locale. A partir de cet instant, elle avance en gros de 4 minutes de temps solaire par jour écoulé, soit une heure tous les 15 jours ou 2 heures par mois. Ainsi, le 21 mars, quand l'horloge céleste indique 23 heures, l'heure locale qui retarde d'une heure est 22 heures.

APPENDICES

Tableau A-1. Les Constellations

Abréviation	Nom latin	Génétif	Nom français
And	Andromeda	Andromedae	Andromède
Ant	Antlia	Antliae	La Machine pneumatique
Aps	Apus	Apodis	L'Oiseau de Paradis
Aqr	Aquarius	Aquarii	Le Verseau
Aql	Aquila	Aquilae	L'Aigle
Ara	Ara	Arae	L'Autel
Ari	Aries	Arietis	Le Bélier
Aur	Auriga	Auriagae	Le Cocher
Boo	Boötes	Bootis	Le Bouvier
Cae	Caelum	Caeli	Le Burin
Cam	Camelopardalis	Camelopardalis	La Girafe
Cnc	Cancer	Cancri	Le Cancer
CVn	Canes Venatici	Canum Venaticorum	Les Chiens de Chasse
CMa	Canis Major	Canis Majoris	Le Grand Chien
CMi	Canis Minor	Canis Minoris	Le Petit Chien
Cap	Capricornus	Capricorni	Le Capricorne
Car	Carina	Carinae	La Carène
Cas	Cassiopeia	Cassiopeiae	Cassiopée
Cen	Centaurus	Centauri	Le Centaure
Cep	Cepheus	Cephei	Céphée
Cet	Cetus	Ceti	La Baleine
Cha	Chamaeleon	Chamaeleonis	Le Caméléon
Cir	Circinus	Circini	Le Compas
Col	Columba	Columbae	La Colombe
Com	Coma Berenices	Comae Berenices	La Chevelure de Bérénice
CrA	Corona Australis	Coronae Australis	La Couronne australe
CrB	Corona Borealis	Coronae Borealis	La Couronne boréale
Crv	Corvus	Corvi	Le Corbeau
Crt	Crater	Crateris	La Coupe
Cru	Crux	Crucis	La Croix du Sud
Cyg	Cygnus	Cygni	Le Cygne
Del	Delphinus	Delphini	Le Dauphin
Dor	Dorado	Doradus	La Dorade
Dra	Draco	Draconis	Le Dragon

Abréviation	Nom latin	Génétif	Nom français
Equ	Equuleus	Equulei	Le petit Cheval
Eri	Eridanus	Eridani	L'Eridan
For	Fornax	Fornacis	Le Fourneau
Gem	Gemini	Geminorum	Les Gémeaux
Gru	Grus	Gruis	La Grue
Her	Hercules	Herculis	Hercule
Hor	Horologium	Horologii	L'Horloge
Hya	Hydra	Hydrae	L'Hydre femelle
Hyi	Hydrus	Hydri	L'Hydre mâle
Ind	Indus	Indi	L'Oiseau indien
Lac	Lacerta	Lacertae	Le Lézard
Leo	Leo	Leonis	Le Lion
LMi	Leo Minor	Leonis Minoris	Le petit Lion
Lep	Lepus	Leporis	Le Lièvre
Lib	Libra	Librae	La Balance
Lup	Lupus	Lupi	Le Loup
Lyn	Lynx	Lyncis	Le Lynx
Lyr	Lyra	Lyrae	La Lyre
Men	Mensa	Mensae	La Table
Mic	Microscopium	Microscopii	Le Microscope
Mon	Monoceros	Monocerotis	La Licorne
Mus	Musca	Muscae	La Mouche
Nor	Norma	Normae	La Règle
Oct	Octans	Octantis	L'Octant
Oph	Ophiuchus	Ophiuchi	Ophiuchus
Ori	Orion	Orionis	Orion
Pav	Pavo	Pavonis	Le Paon
Peg	Pegasus	Pegasi	Pégase
Per	Perseus	Persei	Persée
Phe	Phoenix	Phoenicis	Le Phénix
Pic	Pictor	Pictoris	Le Peintre
Psc	Pisces	Piscium	Les Poissons
PsA	Piscis Austrinus	Piscis Austrini	Le Poisson austral

Tableau A-1. Les Constellations (Suite)

Tableau A-1. Les Constellations (Suite)

Abréviation	Nom latin	Génétif	Nom français
Pup	Puppis	Puppis	La Poupe
Pyx	Pyxis	Pyxidis	La Boussole
Ret	Reticulum	Reticuli	La Réticule
Sge	Sagitta	Sagittae	La Flèche
Sgr	Sagittarius	Sagittarii	Le Sagittaire
Sco	Scorpius	Scorpii	Le Scorpion
Scl	Sculptor	Sculptoris	Le Sculpteur
Sct	Scutum	Scuti	L'Ecu
Ser	Serpens	Serpentis	Le Serpent
Sex	Sextans	Sextantis	Le Sextant
Tau	Taurus	Tauri	Le Taureau
Tel	Telescopium	Telescopii	Le Télescope
Tri	Triangulum	Trianguli	Le Triangle
TrA	Triangulum Australe	Trianguli Australis	Le Triangle austral
Tuc	Tucana	Tucanae	Le Toucan
UMa	Ursa Major	Ursae Majoris	La Grande Ourse
UMi	Ursa Minor	Ursae Minoris	La Petite Ourse
Vel	Vela	Velorum	Les Voiles
Vir	Virgo	Virginis	La Vierge
Vol	Volans	Volantis	Le Poisson volant
Vul	Vulpecula	Vulpeculae	Le Renard

Tableau A-2. Etoiles de magnitudes supérieures à 3.5

Cette liste contient 287 étoiles jusqu'à la magnitude 3.5 comprise. La première colonne indique le numéro Flamsteed de l'étoile, la deuxième est sa désignation selon Bayer (lettre grecque) et sa constellation. Pour quelques étoiles qui ne possèdent pas ces numéros ou désignations, c'est le numéro d'ordre dans le catalogue SAO (Smithsonian Astrophysical Observatory) qui figure. Les positions sont celles de l'époque 2000.0.

V est la magnitude mesurée à travers un filtre standard jaune, qui simule la sensibilité de l'œil humain (pour les variables, c'est l'éclat maximum qui est donné). B-V est l'indice de couleur, la magnitude vue à travers un filtre standard bleu moins la magnitude visuelle; cela reflète la température de l'étoile. Ensuite, c'est la magnitude absolue de l'étoile (M_v est la magnitude qu'aurait l'étoile si elle était située à une distance de 10 parsecs, soit 3.26 années lumière) et son type spectral. Les chiffres romains indiquent la classe de luminosité de l'étoile: V pour les étoiles naines comme le Soleil (étoiles les plus courantes) ; IV pour les sous-géantes; II, les géantes brillantes et I, les supergéantes. La notation Md signifie que l'étoile (Mira – ° Ceti) est une naine M. W indique les Wolf-Rayet – étoiles présentant de larges raies en émission (du gaz éjecté) en plus des raies d'absorption; le C dans WC indique un fort rayonnement de carbone et d'oxygène.

Sous Notes, m signifie que l'étoile fait partie d'un système multiple ou a un voisin optique proche; v signifie que l'étoile est variable, et le point d'interrogation indique que la variabilité est mise en question ou suspectée.

Parfois, le nom populaire de l'étoile apparaît dans la dernière colonne.

Nom et numéro de catalogue	Position (2000.0) a.r. h m s	déc. ° ′ ″	Magnitudes V	B – V	M_v	Type Spectral	Distance a.l.	Notes	Autre nom
21 α And	0 08 23	+29 05 26	2.1	–0.11	0.3	A0	72	m	Alpheratz
11 β Cas	0 09 11	+59 08 59	2.3	0.3	1.9	F2 IV	42	m	Caph
88 γ Peg	0 13 14	+15 11 01	2.8	–0.2	–3.0	B2 IV	490	mv	Algenib
β Hyi	0 25 45	–77 15 16	2.8	0.6	3.8	G1 IV	21		
α Phe	0 26 17	–42 18 22	2.4	1.1	0.2	K0 III	78	m	Ankaa
31 δ And	0 39 20	+30 51 40	3.3	1.3	–0.2	K3 III	160	m	
18 α Cas	0 40 30	+56 32 15	2.2	1.2	–0.9	K0 II	120	mv?	Schedar
16 β Cet	0 43 35	–17 59 12	2.0	1.0	0.2	K0 III	68		Deneb Kaitos
24 η Cas	0 49 06	+57 48 58	3.4	0.6	4.6	G0 V	19	m	

Tableau A-2. Etoiles de magnitudes supérieures à 3.5 (suite)

Nom et numéro de catalogue	Position (2000.0) a.r. h m s	déc. ° ' "	Magnitudes V	B−V	M_v	Type Spectral	Distance a.l.	Notes	Autre nom
27 γ Cas	0 56 42	+60 43 00	2.5	−0.2	−4.6	B0 IV	780	mv	
β Phe	1 06 05	−46 43 07	3.3	0.9	0.3	G8 III	130	m	
31 η Cet	1 08 35	−10 10 56	3.5	1.2	−0.1	K2 III	120	m	
43 β And	1 09 44	+35 37 14	2.1	1.6	−0.4	M0 III	88	m	Mirach
37 δ Cas	1 25 49	+60 14 07	2.7	0.1	2.1	A5 V	62	mv?	Ruchbah
γ Phe	1 28 22	−43 19 06	3.4	1.6	−4.4	K5 I	910		
α Eri	1 37 43	−57 14 12	0.5	−0.2	−1.6	B5 IV	85		Achernar
52 τ Cet	1 44 04	−15 56 15	3.5	0.7	5.7	G8 V	12	m	
2 α Tri	1 53 05	+29 34 44	3.4	0.5	2.2	F6 IV	59	m	
45 ε Cas	1 54 24	+63 40 13	3.4	−0.2	−2.9	B3 III	520		
6 β Ari	1 54 38	+20 48 29	2.6	0.1	2.1	A5 V	46		Sheratan
α Hyi	1 58 46	−61 34 12	2.9	0.3	2.6	F0 V	36		
57 γ^1 And	2 03 54	+42 19 47	2.2	1.2	−0.1	K2 III	121	m	Almach
13 α Ari	2 07 10	+23 27 45	2.0	1.2	−0.1	K2 III	85		Hamal
4 β Tri	2 09 33	+34 59 14	3.0	0.1	0.3	A5 III	110		
68 o Cet	2 19 21	−2 58 39	3.0	1.4	0.9	Md	95	mv	Mira
1 α UMi	2 31 50	+89 15 51	2.0	0.6	−4.6	F8 I	—	mv	Polaris
86 γ Cet	2 43 18	+3 14 09	3.5	0.1	1.4	A2 V	75	m	
θ^1 Eri	2 58 16	−40 18 17	3.2	0.1	1.7	A3 V	55	m	Acamar
92 α Cet	3 02 17	+4 05 23	2.5	1.6	−0.5	M2 III	130		Menkar
23 γ Per	3 04 48	+53 30 23	2.9	0.7	0.3	G8 III	110	m	
25 ρ Per	3 05 11	+38 50 25	3.4	1.7	−0.5	M4 III	200	v	
26 β Per	3 08 10	+40 57 21	2.1	−0.1	−0.2	B8 V	95	mv	Algol
33 α Per	3 24 19	+49 51 40	1.8	0.5	−4.6	F5 I	620	m	Mirfak

Tableau A-2. Etoiles de magnitudes supérieures à 3.5 (suite)

Nom et numéro de catalogue	Position (2000.0) a.r. h m s	déc. ° ′ ″	Magnitudes V	B−V	M_v	Type Spectral	Distance a.l.	Notes	Autre nom
39 δ Per	3 42 55	+47 47 15	3.0	−0.1	−2.2	B5 III	330	m	
γ Hyi	3 47 15	−74 14 20	3.2	1.6	−0.4	M0 III	160		
25 η Tau	3 47 29	+24 06 18	2.9	−0.1	−1.6	B7 III	240	m	Alcyone
44 ζ Per	3 54 08	+31 53 01	2.9	0.1	−5.7	B1 I	1,110	m	Atik
45 ε Per	3 57 51	+40 00 37	2.9	−0.2	0.1	B0 V	130	m	
34 γ Eri	3 58 02	−13 30 31	3.0	1.6	−0.4	M0 III	140	m	Zaurak
35 λ Tau	4 00 41	+12 29 25	3.5	−0.1	−1.7	B3 V	330	v	
α Ret	4 14 26	−62 28 26	3.4	0.9	−2.1	G6 II	390	m	
78 θ^2 Tau	4 28 40	+15 52 15	3.4	0.2	0.5	A7 III	120	m	
α Dor	4 34 00	−55 02 42	3.3	−0.1	−0.6	A0 III	190	m	
87 α Tau	4 35 55	+16 30 33	0.9	1.5	−0.3	K5 III	68	m	Aldebaran
1 π^3 Ori	4 49 50	+6 57 41	3.2	0.5	3.8	F6 V	25	m	
3 ι Aur	4 56 59	+33 09 58	2.7	1.5	−2.3	K3 II	270		
7 ε Aur	5 01 58	+43 49 24	3.0	0.5	−8.5	F0 I	4,570	mv	
2 ε Lep	5 05 28	−22 22 16	3.2	1.5	−0.3	K5 III	160		
10 η Aur	5 06 31	+41 14 04	3.2	−0.2	−1.7	B3 V	200		
67 β Eri	5 07 51	−5 05 11	2.8	0.1	0.0	A3 III	90	m	Cursa
5 μ Lep	5 12 56	−16 12 20	3.3	−0.1	−0.8	B9 III	220		
19 β Ori	5 14 32	−8 12 06	0.1	0.0	−7.1	B8 I	910	m	Rigel
13 α Aur	5 16 41	+45 59 53	0.1	0.8	0.3	G8 III	42	m	Capella
28 η Ori	5 24 29	−2 23 50	3.4	−0.2	−3.5	B1 V	750	mv	
24 γ Ori	5 25 08	+6 20 59	1.6	−0.2	−3.6	B2 III	360	m	Bellatrix
112 β Tau	5 26 18	+28 36 27	1.7	−0.1	−1.6	B7 III	130	m	Elnath
9 β Lep	5 28 15	−20 45 35	2.8	0.8	−2.1	G2 II	320	m	Nihal

Tableau A-2. Etoiles de magnitudes supérieures à 3.5 (suite)

Nom et numéro de catalogue	Position (2000.0) a.r. h m s	déc. ° ' "	Magnitudes V	B−V	M_v	Type Spectral	Distance a.l.	Notes	Autre nom
34 δ Ori	5 32 00	−0 17 57	2.2	−0.2		O9 II		mv	Mintaka
11 α Lep	5 32 44	−17 49 20	2.6	0.2	−4.7	F0 I	950	m	Arneb
39 λ Ori	5 35 08	+9 56 02	3.4	−0.2	2.0	O8		m	Meissa
44 ι Ori	5 35 26	−5 54 36	2.8	−0.2	−6.0	O9 III	1,860	m	
46 ε Ori	5 36 13	−1 12 07	1.7	−0.2	−6.2	B0 I	1,210	m	Alnilam
123 ζ Tau	5 37 39	+21 08 33	3.0	−0.2	−3.0	B2 IV	490		
α Col	5 39 39	−34 04 27	2.6	−0.1	−0.2	B8 V	120		Phact
50 ζ Ori	5 40 46	−1 56 34	1.8	−0.2	−5.9	O9 I	1,110	m	Alnitak
53 κ Ori	5 47 45	−9 40 11	2.1	−0.2	0.4	B0 I	68		Saiph
β Col	5 50 58	−35 46 06	3.1	1.2	−0.1	K2 III	140		Wazn
58 α Ori	5 55 10	+7 24 26	0.5	1.9	−5.6	M2 I	310	mv	Betelgeuse
34 β Aur	5 59 32	+44 56 51	1.9	0.0	0.6	A2 IV	72	mv	Menkalinan
37 θ Aur	5 59 43	+37 12 45	2.6	−0.1	2.2	A0	82	m	
7 η Gem	6 14 53	+22 30 24	3.3	1.6	−0.5	M3 III	190	mv	Propus
1 ζ CMa	6 20 19	−30 03 48	3.0	−0.2	−1.7	B3 V	290		Furud
2 β CMa	6 22 42	−17 57 22	2.0	−0.2	−4.8	B1 II	720	mv	Mirzam
13 μ Gem	6 22 58	+22 30 49	2.9	1.6	−0.5	M3 III	150	m	
α Car	6 23 57	−52 41 44	−0.7	0.2	−8.5	F0 I	1,170		Canopus
24 γ Gem	6 37 43	+16 23 57	1.9	0.0	0.0	A0 IV	85	m	Alhena
ν Pup	6 37 46	−43 11 45	3.2	−0.1	−1.2	B8 III	250		
27 ε Gem	6 43 56	+25 07 52	3.0	1.4	−4.5	G8 I	690	m	Mebsuta
9 α CMa	6 45 09	−16 42 58	−1.5	0.0	1.4	A1 V	9	m	Sirius
31 ξ Gem	6 45 17	+12 53 44	3.4	0.4	0.7	F5 III	75		
α Pic	6 48 11	−61 56 29	3.3	0.2	2.1	A5 V	52		

Tableau A-2. Etoiles de magnitudes supérieures à 3.5 (suite)

Nom et numéro de catalogue	Position (2000.0) a.r. h m s	déc. ° ' "	Magnitudes V	B−V	M	Type Spectral	Distance a.l.	Notes	Autre nom
τ Pup	6 49 56	−50 36 53	2.9	1.2	0.2	K0 III	82		
21 ε CMa	6 58 38	−28 58 20	1.5	−0.2	−4.4	B2 II	490	m	Adhara
22 σ CMa	7 01 43	−27 56 06	3.5	1.7	−5.7	M0 I	1,500	m	
24 o^2 CMa	7 03 01	−23 50 00	3.0	−0.1	−6.8	B3 I	2,810		
25 δ CMa	7 08 23	−26 23 36	1.9	0.7	−8.0	F8 I	3,070		
π Pup	7 17 09	−37 05 51	2.7	1.6	−0.3	K5 III	130	m	
31 η CMa	7 24 06	−29 18 11	2.4	−0.1	−7.0	B5 I	2,480	m	Aludra
3 β CMi	7 27 09	+8 17 21	2.9	−0.1	−0.2	B8 V	140		Gomeisa
σ Pup	7 29 14	−43 18 05	3.3	1.5	−0.3	K5 III	170		
66 α Gem	7 34 36	+31 53 18	1.6	0.0	1.2	A1 V	46	m	Castor
10 α CMi	7 39 18	+5 13 30	0.4	0.4	2.6	F5 IV	11	m	Procyon
78 β Gem	7 45 19	+28 01 34	1.1	1.0	0.2	K0 III	36	m	Pollux
7 ξ Pup	7 49 18	−24 51 35	3.3	1.2	−4.5	G3 I	750	m	
χ Car	7 56 47	−52 58 56	3.5	−0.2	−3.0	B2 IV	590		
ζ Pup	8 03 35	−40 00 12	2.3	−0.3		O5			
15 ρ Pup	8 07 33	−24 18 15	2.8	0.4	−2.0	F6 II	300	mv	
γ Vel	8 09 32	−47 20 12	1.8	−0.2		WC7		m	
ε Car	8 22 31	−59 30 34	1.9	1.3	−2.1	K0 II	200		Avior
1 o UMa	8 30 16	+60 43 05	3.4	0.8	−0.9	G4 II	230	m	Muscida
δ Vel	8 44 42	−54 42 30	2.0	0.0	0.6	A0 V	68	m	
11 ε Hya	8 46 47	+6 25 07	3.4	0.7	0.6	G0 III	110	m	
16 ζ Hya	8 55 24	+5 56 44	3.1	1.0	0.2	K0 III	120		
9 ι UMa	8 59 12	+48 02 29	3.1	0.2	2.4	A7 V	49	m	Talitha
λ Vel	9 08 00	−43 25 57	2.2	1.7	−4.4	K5 I	490	m	

Tableau A-2. Etoiles de magnitudes supérieures à 3.5 (suite)

Nom et numéro de catalogue	Position (2000.0) a.r. h m s	déc. ° ' "	Magnitudes V	B−V	M_v	Type Spectral	Distance a.l.	Notes	Autre nom
236693	9 10 58	−58 58 01	3.4	−0.2	−3.0	B2 IV	620		a Car
β Car	9 13 12	−69 43 02	1.7	0.0	−0.6	A0 III	85		Miaplacidus
ι Car	9 17 05	−59 16 31	2.3	0.2	−4.7	F0	820		Aspidiske
40 α Lyn	9 21 03	+34 23 33	3.1	1.6	−0.4	M0 III	170		
κ Vel	9 22 07	−55 00 38	2.5	−0.2	−3.0	B2 IV	390		
30 α Hya	9 27 35	−8 39 31	2.0	1.4	−0.2	K3	85	m	Alphard
237067	9 31 13	−57 02 04	3.1	1.6	−0.3	K5	150	v?	N Vel
25 θ UMa	9 32 51	+51 40 38	3.2	0.5	2.2	F6 IV	46	m	
17 ε Leo	9 45 51	+23 46 27	3.0	0.8	−2.0	G0 II	310		
υ Car	9 47 06	−65 04 18	3.0	0.3	−2.0	A7 II	320	m	
32 α Leo	10 08 22	+11 58 02	1.4	−0.1	−0.6	B7 V	85	m	Regulus
ω Car	10 13 44	−70 02 16	3.3	−0.1	−1.0	B7 IV	230		
36 ζ Leo	10 16 41	+23 25 02	3.4	0.3	0.6	F0 III	120	m	Adhafera
250905	10 17 05	−61 19 56	3.4	1.5	−4.4	K5 I	910	m	q Car
33 λ UMa	10 17 06	+42 54 52	3.5	0.0	0.6	A2 IV	120		Tania Borealis
41 γ^1 Leo	10 19 58	+19 50 30	2.3	1.1	0.2	K0 III		m	Algieba
34 μ UMa	10 22 20	+41 29 58	3.1	2.0	−0.4	M0 III	160		Tania Australis
251006	10 32 01	−61 41 07	3.3	−0.1	−1.7	B3 V	310	v	p Car
θ Car	10 42 57	−64 23 39	2.8	−0.2	−4.1	B0 V	750		
μ Vel	10 46 46	−49 25 12	2.7	0.9	0.3	G5 III	98	m	
ν Hya	10 49 37	−16 11 37	3.1	1.3	−0.1	K2 III	130		
48 β UMa	11 01 50	+56 22 56	2.4	0.0	1.2	A1 V	62		Merak
50 α UMa	11 03 44	+61 45 03	1.8	1.1	0.2	K0 III	75	m	Dubhe
52 ψ UMa	11 09 40	+44 29 54	3.0	1.1	0.0	K1 III	120		

Tableau A-2. Etoiles de magnitudes supérieures à 3.5 (suite)

Nom et numéro de catalogue	Position (2000.0) a.r. h m s	déc. ° ' "	Magnitudes V	B−V	M_v	Type Spectral	Distance a.l.	Notes	Autre nom
68 δ Leo	11 14 06	+20 31 25	2.6	0.1	1.9	A4 V	52	m	Zosma
70 θ Leo	11 14 14	+15 25 46	3.3	0.0	1.4	A2 V	78		Chertan
54 ν UMa	11 18 29	+33 05 39	3.5	1.4	−0.2	K3 III	150	m	Alula Borealis
λ Cen	11 35 47	−63 01 11	3.1	0.0	−0.8	B9 III	190	m	
94 β Leo	11 49 04	+14 34 19	2.1	0.1	1.7	A3 V	39	m	Denebola
64 γ UMa	11 53 50	+53 41 41	2.4	0.0	0.6	A0 V	75		Phecda
δ Cen	12 08 22	−50 43 20	2.6	−0.1	−2.5	B2 V	330	m	
2 ε Crv	12 10 07	−22 37 11	3.0	1.3	−0.1	K2 III	100		
δ Cru	12 15 09	−58 44 55	2.8	−0.2	−3.0	B2 IV	260		
69 δ UMa	12 15 26	+57 01 57	3.3	0.1	1.7	A3 V	65	m	Megrez
4 γ Crv	12 15 48	−17 32 31	2.6	−0.1	−1.2	B8 III	190		Gienah
α^1 Cru	12 26 36	−63 05 56	1.4	0.1	−3.9	B1 IV	360	m	Acrux
α^2 Cru	12 26 37	−62 05 58	1.9		−3.3	B3	360	m	
7 δ Crv	12 29 52	−16 30 55	3.0	−0.1	0.2	B9 V	120	m	Algorab
γ Cru	12 31 10	−57 06 47	1.6	1.6	−0.5	M3 III	88	m	Gacrux
9 β Crv	12 34 23	−23 23 48	2.7	0.9	−2.1	G5 II	290		
α Mus	12 37 11	−69 08 07	2.7	−0.2	−2.3	B3 IV	330	m	
γ Cen	12 41 31	−48 57 34	2.2	0.0	−0.6	A0 III	110	m	
29 γ Vir	12 41 40	−1 26 57	2.8	0.4	2.6	F0 V	36	m	Porrima
β Mus	12 46 17	−68 06 29	3.1	−0.2	−1.7	B3 V	290	m	
β Cru	12 47 43	−59 41 19	1.3	−0.2	−5.0	B0 III	420	mv	Mimosa
77 ε UMa	12 54 02	+55 57 35	1.8	0.0	0.4	A0	62	v	Alioth
43 δ Vir	12 55 36	+3 23 51	3.4	1.6	−0.5	M3 III	150	m	
12 α^2 CVn	12 56 02	+38 19 06	2.9	−0.1	1.4	A0	65	mv	Cor Caroli

Tableau A-2. Etoiles de magnitudes supérieures à 3.5 (suite)

Nom et numéro de catalogue	Position (2000.0) a.r. h m s	déc. ° ' ''	Magnitudes V	B − V	M_v	Type Spectral	Distance a.l.	Notes	Autre nom
47 ε Vir	13 02 11	+10 57 33	2.8	0.9	0.2	G9 III	100	m	Vindemiatrix
46 γ Hya	13 18 55	−23 10 17	3.0	0.9	0.3	G5 III	100	m	
ι Cen	13 20 36	−36 42 44	2.8	0.0	1.4	A2 V	52		
79 ζ UMa	13 23 56	+54 55 31	2.3	0.0	1.4	A2 V	59	m	Mizar
67 α Vir	13 25 12	−11 09 41	1.0	−0.2	−3.5	B1 V	260	mv	Spica
79 ζ Vir	13 34 42	−0 35 46	3.4	0.1	1.7	A3 V	75		
ε Cen	13 39 53	−53 27 58	2.3	−0.2	−3.5	B1 V	490	m	
85 η UMa	13 47 32	+49 18 48	1.9	−0.2	−1.7	B3 V	110		Alkaid
ν Cen	13 49 30	−41 41 16	3.4	−0.2	−2.5	B2 V	490		
μ Cen	13 49 37	−42 28 25	3.0	−0.2	−1.7	B3 V	290	mv	
8 η Boo	13 54 41	+18 23 51	2.7	0.6	2.7	G0 IV	32	m	Muphrid
ζ Cen	13 55 32	−47 17 17	2.6	−0.2	−3.0	B2 IV	360		
β Cen	14 03 49	−60 22 22	0.6	−0.2	−5.1	B1 II	460	m	
49 π Hya	14 06 22	−26 40 56	3.3	1.1	−0.1	K2 III	150		
5 θ Cen	14 06 41	−36 22 12	2.1	1.0	1.7	K0 III	46	m	Menkent
16 α Boo	14 15 40	+19 10 57	0.0	1.2	−0.2	K2 III	36		Arcturus
27 γ Boo	14 32 05	+38 18 30	3.0	0.2	0.5	A7 III	100	mv?	Seginus
η Cen	14 35 30	−42 09 28	2.3	−0.2	−2.9	B3 III	360		
α^2 Cen	14 39 35	−60 50 13	1.4		5.8	K1 V	4	m	
α^1 Cen	14 39 37	−60 50 02	0.0	0.7	4.4	G2 V	4	m	Rigil Kentaurus
α Lup	14 41 56	−47 23 17	2.3	−0.2	−4.4	B1 III	690	m	
α Cir	14 42 28	−64 58 43	3.2	0.2	2.6	F0 V	46	m	
36 ε Boo	14 44 59	+27 04 27	2.4	1.0	−0.9	K0 II	150	m	Izar
7 β UMi	14 50 42	+74 09 19	2.1	1.5	−0.3	K4 III	95	m	Kochab

Tableau A-2. Etoiles de magnitudes supérieures à 3.5 (suite)

Nom et numéro de catalogue	Position (2000.0) a.r. h m s	déc. ° ' "	Magnitudes V	B−V	M_v	Type Spectral	Distance a.l.	Notes	Autre nom
9 α^2 Lib	14 50 53	−16 02 30	2.8	0.2	4.7	A	72	m	Zubenelgenubi
β Lup	14 58 32	−43 08 02	2.7	−0.2	−2.5	B2 V	360		
κ Cen	14 59 10	−42 06 15	3.1	−0.2	−2.5	B2 V	420	m	
42 β Boo	15 01 57	+40 23 26	3.5	1.0	0.3	G8 III	140		Nekkar
20 σ Lib	15 04 04	−25 16 55	3.3	1.7	−0.5	M4 III	170		
ζ Lup	15 12 17	−52 05 57	3.4	0.9	0.3	G8 III	140	m	
49 δ Boo	15 15 30	+33 18 53	3.5	1.0	0.3	G8 III	140	m	
27 β Lib	15 17 00	−9 22 58	2.6	−0.1	−0.2	B8 V	120		Zubeneschamali
γ Tra	15 18 55	−68 40 46	2.9	0.0	0.6	A0 V	91		
13 γ UMi	15 20 44	+71 50 02	3.1	0.1	−1.1	A3 II	230		Pherkad
δ Lup	15 21 22	−40 38 51	3.2	−0.2	−3.0	B2 IV	590		
ε Lup	15 22 41	−44 41 21	3.4	−0.2	−2.3	B3 IV	460	m	
12 ι Dra	15 24 56	+58 57 58	3.3	1.2	−0.1	K2 III	160	m	Edasich
5 α CrB	15 34 41	+26 42 53	2.2	0.0	0.6	A0 V	78	v	Alphecca
γ Lup	15 35 08	−41 10 00	2.8	−0.2	−1.7	B3 V	260	m	
24 α Ser	15 44 16	+6 25 32	2.7	1.2	−0.1	K2 III	85	m	Unukalhai
β Tra	15 55 08	−63 25 50	2.9	0.3	3.0	F2 V	33	m	
6 π Sco	15 58 51	−26 06 50	2.9	−0.2	−3.5	B1 V	620	m	
η Lup	16 00 07	−38 23 48	3.4	−0.2	−2.5	B2 V	490		
7 δ Sco	16 00 20	−22 37 18	2.3	−0.1	−4.1	B0 V	550		
8 β^1 Sco	16 05 26	−19 48 19	2.6	−0.1		B0 V		m	Graffias
1 δ Oph	16 14 21	−3 41 39	2.7	1.6	−0.5	M1 III	140	m	Yed Prior
2 ε Oph	16 18 19	−4 41 33	3.2	1.0	0.3	G8 III	100	m	Yed Posterior
20 σ Sco	16 21 11	−25 35 34	2.9	0.1	−4.4	B1 III	590	mv	

Tableau A-2. Etoiles de magnitudes supérieures à 3.5 (suite)

Nom et numéro de catalogue	Position (2000.0) a.r. h m s	déc. ° ' "	Magnitudes V	B − V	M_v	Type Spectral	Distance a.l.	Notes	Autre nom
14 η Dra	16 23 59	+61 30 51	2.7	0.9	0.3	G8 III	85	m	
21 α Sco	16 29 24	−26 25 55	1.0	1.8	−4.7	M1 I	330	mv	Antares
27 β Her	16 30 13	+21 29 22	2.8	0.9	0.3	G8 III	100	m	Kornephoros
23 τ Sco	16 35 53	−28 12 58	2.8	−0.3	−4.1	B0 V	780		
13 ζ Oph	16 37 09	−10 34 02	2.6	0.0	−4.4	O9 V	550		
40 ζ Her	16 41 17	+31 36 10	2.8	0.7	3.0	G0 IV	31	m	
α Tra	16 48 40	−69 01 39	1.9	1.4	−0.1	K2 III	55		Atria
26 ε Sco	16 50 10	−34 17 36	2.3	1.2	−0.1	K2 III	65		
μ^1 Sco	16 51 52	−38 02 51	3.0	−0.2	−3.0	B1 V	520	mv	
27 κ Oph	16 57 40	+9 22 30	3.2	1.2	−0.1	K2 III	120	v?	
ζ Ara	16 58 37	−55 59 24	3.1	1.6	−0.3	K5 III	140		
22 ζ Dra	17 08 47	+65 42 53	3.2	−0.1	−1.9	B6 III	320		
35 η Oph	17 10 23	−15 43 30	2.4	0.1	1.4	A2 V	59	m	Sabik
η Sco	17 12 09	−43 14 21	3.3	0.4	0.6	F2 III	68		
64 α^1 Her	17 14 39	+14 23 25	3.2	1.4	−0.9	M5 II	220	mv	Rasalgethi
65 δ Her	17 15 02	+24 50 21	3.1	0.1	0.9	A3 IV	91	m	
67 π Her	17 15 03	+36 48 33	3.2	1.4	−2.3	K3 II	390		
42 θ Oph	17 22 00	−24 59 58	3.3	−0.2	−3.0	B2 IV	590		
β Ara	17 25 18	−55 31 47	2.9	1.5	−4.4	K3 I	780		
γ Ara	17 25 24	−56 22 39	3.3	−0.1	−4.4	B1 III	1,080	m	
23 β Dra	17 30 26	+52 18 05	2.8	1.0	−2.1	G2 II	270	m	Rastaban
34 υ Sco	17 30 46	−37 17 45	2.7	−0.2	−5.7	B3 I	1,570		Lesath
α Ara	17 31 50	−49 52 34	3.0	−0.2	−1.7	B3 V	190	m	
35 λ Sco	17 33 36	−37 06 14	1.6	−0.2	−3.0	B2 IV	270	m	Shaula

Tableau A-2. Etoiles de magnitudes supérieures à 3.5 (suite)

Nom et numéro de catalogue	Position (2000.0) a.r. h m s	déc. ° ' ''	Magnitudes V	B–V	M_v	Type Spectral	Distance a.l.	Notes	Autre nom
55 α Oph	17 34 56	+12 33 36	2.1	0.2	0.3	A5 III	62		Rasalhague
θ Sco	17 37 19	–42 59 52	1.9	0.4	–5.6	F0 I	910		
κ Sco	17 42 29	–39 01 48	2.4	–0.2	–3.0	B2 IV	390		
60 β Oph	17 43 28	+4 34 02	2.8	1.2	–0.1	K2 III	120		Cebalrai
86 μ Her	17 46 27	+27 43 15	3.4	0.8	3.9	G5 IV	26	m	
ι^1 Sco	17 47 35	–40 07 37	3.0	0.5	–8.4	F2 I	5,550	m	
209318	17 49 51	–37 02 36	3.2	1.2	–0.1	K2 III	150	m	G Sco
33 γ Dra	17 56 36	+51 29 20	2.2	1.5	–0.3	K5 III	100	m	Eltanin
64 ν Oph	17 59 01	–9 46 25	3.3	1.0	0.2	K0 III	140		
10 γ Sgr	18 05 48	–30 25 26	3.0	1.0	0.2	K0 III	120		Alnasl
η Sgr	18 17 38	–36 45 42	3.1	1.6	–2.4	M3 II	430	m	
19 δ Sgr	18 21 00	–29 49 42	2.7	1.4	–0.1	K2 III	82	m	Kaus Media
58 η Ser	18 21 18	–2 53 56	3.3	0.9	1.7	K0	52	m	
20 ε Sgr	18 24 10	–34 23 05	1.9	0.0	–0.3	B9 IV	85	m	Kaus Australis
22 λ Sgr	18 27 58	–25 25 18	2.8	1.0	–0.1	K2 III	98		Kaus Borealis
3 α Lyr	18 36 56	+38 47 01	0.0	0.0	0.5	A0 V	26	m	Vega
27 ϕ Sgr	18 45 39	–26 59 27	3.2	–0.1	–1.2	B8 III	250		
10 β Lyr	18 50 05	+33 21 46	3.5	0.0	–0.6	B7 V	300	mv	Sheliak
34 σ Sgr	18 55 16	–26 17 48	2.0	–0.2	–2.0	B3 IV	210	m	Nunki
14 γ Lyr	18 58 56	+32 41 22	3.2	–0.1	–0.8	B9 III	190	m	Sulafat
38 ζ Sgr	19 02 37	–29 52 49	3.0	0.1	0.6	A2 IV	78	m	Ascella
17 ζ Aql	19 05 24	+13 51 48	3.0	0.0	0.2	B9 V	100	m	
16 λ Aql	19 06 15	–4 52 57	3.4	–0.1	0.0	B8 V	98		
40 τ Sgr	19 06 56	–27 40 13	3.3	1.2	0.0	K1 III	130		

Tableau A-2. Etoiles de magnitudes supérieures à 3.5 (suite)

Nom et numéro de catalogue	Position (2000.0) a.r. h m s	déc. ° ' "	Magnitudes V	B – V	M_v	Type Spectral	Distance a.l.	Notes	Autre nom
41 π Sgr	19 09 46	−21 01 25	2.9	0.4	−2.0	F2 II	310	m	
57 δ Dra	19 12 33	+67 39 41	3.1	1.0	0.2	G9 III	120	m	Altais
30 δ Aql	19 25 30	+3 06 53	3.4	0.3	2.1	F0 IV	52	m	
6 β Cyg	19 30 43	+27 57 35	3.1	1.1	−2.3	K3 II	390	m	Albireo
18 δ Cyg	19 44 58	+45 07 51	2.9	0.0	0.6	A0 III	160	m	
50 γ Aql	19 46 15	+10 36 48	2.7	1.5	−2.3	K3 II	280	m	Tarazed
53 α Aql	19 50 47	+8 52 06	0.8	0.2	2.2	A7 IV	17	m	Altair
12 γ Sge	19 58 45	+19 29 32	3.5	1.6	−0.3	K5 III	177		
65 θ Aql	20 11 18	−0 49 17	3.2	−0.1	−0.8	B9 III	200	m	
9 β Cap	20 21 01	−14 46 53	3.1	0.8	4.0	F8 V	100	m	Dabih
37 γ Cyg	20 22 14	+40 15 24	2.2	0.7	−4.6	F8 I	750	m	Sadr
α Pav	20 25 39	−56 44 06	1.9	−0.2	−2.3	B3 IV	230	m	Peacock
α Ind	20 37 34	−47 17 29	3.1	1.0	0.2	K0 III	120	m	
50 α Cyg	20 41 26	+45 16 49	1.3	0.1	−7.5	A2 I	1,830	m	Deneb
β Pav	20 44 57	−66 12 12	3.4	0.2	1.2	A5 IV	91		
3 η Cep	20 45 17	+61 50 20	3.4	0.9	3.2	K0 IV	46	m	
53 ε Cyg	20 46 13	+33 58 13	2.5	1.0	0.2	K0 III	82	m	
64 ζ Cyg	21 12 56	+30 13 37	3.2	1.0	−2.1	G8 II	390	m	
5 α Cep	21 18 35	+62 35 08	2.4	0.2	1.9	A7 IV	46	m	Alderamin
8 β Cep	21 28 39	+70 33 39	3.2	−0.2	−3.6	B2 III	750	mv	Alfirk
22 β Aqr	21 31 33	−5 34 16	2.9	0.8	−4.5	G0 I	980	m	Sadalsuud
8 ε Peg	21 44 11	+9 52 30	2.4	1.5	−4.4	K2 I	520	m	Enif
49 δ Cap	21 47 02	−16 07 38	2.9	0.3	2.0	A	49	mv	Deneb Algedi
γ Gru	21 53 56	−37 21 54	3.0	−0.1	−1.2	B8 III	230		

Tableau A-2. Etoiles de magnitudes supérieures à 3.5 (suite)

Nom et numéro de catalogue	Position (2000.0) a.r. h m s	déc. ° ' "	Magnitudes V	B−V	M_v	Type Spectral	Distance a.l.	Notes	Autre nom
34 α Aqr	22 05 47	−0 19 11	3.0	1.0	−4.5	G2 I	950	m	Sadalmelik
α Gru	22 08 14	−46 57 40	1.7	−0.1	−1.1	B5 V	68	m	Al Na'ir
21 ζ Cep	22 10 51	+58 12 05	3.4	1.6	−4.4	K1 I	720		
α Tuc	22 18 30	−60 15 35	2.9	1.4	−0.2	K3 III	110		
42 ζ Peg	22 41 28	+10 49 53	3.4	−0.1	0.0	B8 V	160	m	Homam
β Gru	22 42 40	−46 53 05	2.1	1.6	−2.4	M3 II	170		
44 η Peg	22 43 00	+30 13 17	2.9	0.9	−0.9	G2 II	170	m	Matar
ε Gru	22 48 33	−51 19 01	3.5	0.1	1.4	A2 V	82		
48 μ Peg	22 50 00	+24 36 06	3.5	0.9	0.2	K0 III	150		Sadalbari
76 δ Aqr	22 54 39	−15 49 15	3.3	0.1	−0.2	A2 III	98		Skat
24 α Psa	22 57 39	−29 37 20	1.2	0.1	2.0	A3 V	22		Fomalhaut
53 β Peg	23 03 46	+28 04 58	2.4	1.7	−1.4	M2 II	180	mv	Scheat
54 α Peg	23 04 46	+15 12 19	2.5	−0.0	0.2	B9 V	100		Markab
35 γ Cep	23 39 21	+77 37 57	3.2	1.0	2.2	K1 IV	52		Errai

Les données de cette table sont extraites du *Sky Catalogue 2000.0*, édité par A. Hirshfeld et R.W. Sinott (copyright 1982: Sky Publishing Corp.) et sont reproduites avec leur autorisation.

Table A.3 - Propriétés des principaux types spectraux

Type spectral	Couleur apparente	Eclat intrinsèque (M_ν)	Température de surface (K)	Principales raies d'absorption	Exemples
O	bleu	moins que −0.2	25 000-40 000	Fortes raies d'hélium ionisé et de métaux hautement ionisés ; raies d'hydrogène faibles	ζ Orionis (09.5)
B	bleu	−0.2-0.0	11 000-25 000	Raies d'hélium neutre importantes ; raies d'hydrogène plus fortes que pour le type O	Spica (B1) Rigel (B8)
A	bleu à blanc	0.0-0.3	7 500-11 000	Fortes raies d'hydrogène, de calcium ionisé et autres métaux ionisés ; raies d'hélium faibles	Véga (A0) Sirius (A1) Déneb (A2)
F	blanc	0.3-0.6	6 000-7 500	Raies d'hydrogène plus faibles que pour le type A ; calcium ionisé plus fort ; raies de métaux neutres devenant importantes	Canopus (F0) Procyon (F5) Polaris (F8)
G	blanc à jaune	0.6-1.1	5 000-6 000	Nombreuses raies fortes de calcium ionisé et de métaux neutres et ionisés ; raies d'hydrogène plus faibles que pour le type A	Soleil (G2) Capella (G8)
K	orange à rouge	1.1-1.5	3 500-5 000	Nombreuses raies fortes de métaux neutres	Arturus (K2) Aldébaran (K5)
M	rouge	plus grand que 1.5	3 000-3 500	Nombreuses raies fortes de métaux neutres ; fortes bandes moléculaires (tout d'abord d'oxyde de titane)	Antares (M1) Bételgeuse (M2)

Table A.4 - Etoiles proches

No.	Nom	Position a.r. h m	(2000.0) déc. ° '	Distance (a-l)	Type spectral	Magnitude V	M_v	Luminosité Soleil = 1
1	Soleil				G2 V	−26.72	4.85	1.0
2	Proxima Cen	14 32	−62 49	4.24	dM5e	11.05	15.49	0.00006
	α (alpha) Cen A	14 42	−60 59	4.34	G2 V	−0.01	4.37	1.6
	α (alpha) Cen B				K0 V	1.33	5.71	0.45
3	Barnard's star	17 58	+04 36	5.97	M5 V	9.54	13.22	0.00045
4	Wolf 359	10 59	+06 54	7.76	dM8e	13.53	16.65	0.00002
5	BD + 36°2147 (Lalande 21185)	11 06	+35 51	8.22	M2 V	7.50	10.50	0.0055
6	L 726-8 = A	01 39	−17 49	8.42	dM6e	12.52	15.46	0.00006
	UV Cet = B				dM6e	13.02	15.96	0.00004
7	Sirius A	06 46	−16 45	8.64	A1 V	−1.46	1.42	23.5
	Sirius B				DA	8.3	11.2	0.003
8	Ross 154 (V 1216 Sgr)	18 52	−23 46	9.46	dM5e	10.45	13.14	0.00048
9	Ross 248 (HH And)	23 42	+44 21	10.37	dM6e	12.29	14.78	0.00011
10	ε (epsilon) Eri	03 34	−09 22	10.76	K2 V	3.73	6.14	0.30
11	Ross 128 (FI Vir)	11 50	+00 41	10.96	dM5	11.10	13.47	0.00036
12	61 Cyg A	21 08	+38 50	11.09	K5 V	5.22	7.56	0.082
	61 Cyg B				K7 V	6.03	8.37	0.039
13	ε (epsilon) Ind	22 06	−56 37	11.22	K5 V	4.68	7.00	0.14
14	BD + 43°44 A (GX And)	00 21	+43 39	11.25	M1 V	8.08	10.39	0.0061
	+ 43°44 B (GQ And) (Groombridge 39 AB)				M6 Ve	11.06	13.37	0.00039
15	L 789-6	22 41	−15 12	11.25	dM7e	12.18	14.49	0.00014

Notes: a.r. = ascension droite; déc = déclinaison; a.l. = années-lumière; V = magnitude visuelle; M = magnitude absolue. Sous Type spectral, le chiffre romain indique la classe de luminosité. V = étoile naine, comme le Soleil; d = naine e = raies en émission.

Table A.5 - Choix de nébuleuses planétaires brillantes

Nébuleuse planétaire	Nom et constellation	a.r. (2 000.0) h m s	dec. ° ' "	Magnitude (visuelle)	Diamètre (arc sec)
NGC 7293	Hélice dans Aquarius	22 29 38	−20 50 09	6.5	770
NGC 6853	Dumbbell dans Vulpecula, M 27	19 59 36	22 43 15	7.6	350
NGC 3132	dans Antlia	10 07 01	−40 25 41	8.2	67
NGC 2392	Esquimau dans Gemini	07 29 10	20 54 43	8.3	45
NGC 7009	Saturne dans Aquarius	21 04 11	−11 22 48	8.4	48
NGC 246	dans Cetus	00 47 03	−11 52 22	8.5	230
NGC 6543	Œil de chat dans Draco	17 58 33	66 37 59	8.8	22
NGC 6826	dans Cygnus	19 44 48	50 31 31	8.8	25
NGC 7662	dans Andromeda	23 25 54	42 32 06	8.9	31
NGC 3242	Fantôme de Jupiter dans Hydra	10 24 47	−18 38 24	9.0	37
NGC 6720	Nébuleuse Anneau dans Lyra M 57	18 53 34	33 07 49	9.3	71
NGC 7535	dans Eridanus	04 14 15	−12 44 29	9.3	18
NGC 6572	dans Ophiucus	18 12 07	06 51 14	9.6	11
NGC 6210	dans Hercules	16 44 30	23 48 01	9.7	19
NGC 6818	dans Sagittaire	19 43 57	−14 09 11	9.9	25

Table A.6 - Propriétés des planètes

Propriétés intrinsèques et rotatoires

Nom	Rayon km	équatorial ÷ Terre	Masse ÷ Terre	Densité moyenne (g/cm^3)	Apla- tissement	Gravité de surface (Terre = 1)	Période de rotation sidérale	Inclinaison de l'équa- teur sur l'orbite (degrés)	m^{ν} lors de l'opposition de 1982	Diamètre équatorial apparent (sec arc)
Mercure	2 439	0.3824	0.0553	5.43	0.0	0.38	58.646^{j}	0	− 1.8	5.5
Vénus	6 052	0.9489	0.8150	5.24	0.0	0.89	243.01^{j}R	177.3	− 4.3	30.5
Terre	6 378.140	1	1	5.515	0.0034	1	$23^{h}56^{m}04.1^{s}$	23.45		
Mars	3 397.2	0.5326	0.1074	3.93	0.005	0.38	$24^{h}37^{m}22.662^{s}$	25.19	− 1.2	8.9
Jupiter	71 398	11.194	317.89	1.36	0.061	2.54	$9^{h}50^{m}$ à $9^{h}55^{m}$	3.12	− 2.0	98.4
Saturne	60 000	9.41	95.17	0.71	0.109	1.07	$10^{h}39.9^{m}$	26.73	+ 0.5	82.8
Uranus	26 145	4.1	14.56	1.30	0.03	0.8	12^{h} à $24^{h} \pm 4^{h}$	97.86	+ 5.8	32.9
Neptune	24 300	3.8	17.24	1.8	0.03	1.2	$18^{h}12^{m} \pm 24^{m}$	29.56	+ 7.7	31.1
Pluton	1 140	0.2	0.002	0.5-0.8	?	?	$6^{j}9^{h}17^{m}$	118 ?	+ 13.7	0.1

R = retrograde ; j = jours ; h = heures ; m = minutes ; s = secondes.

Propriétés orbitales

Nom	Demi grand axe (U.A.)	Demi grand axe (10^6km)	Période sidérale (ans)	Période sidérale (jours)	Période synodique (jours)	Excentricité de l'orbite	Inclinaison par rapport à l'écliptique
Mercure	0.3871	57.9	0.24084	87.96	115.9	0.2056	7°00'26"
Vénus	0.7233	108.2	0.61515	224.68	584.0	0.0068	3°23'40"
Terre	1	149.6	1.00004	365.26		0.0167	0°00'14"
Mars	1.5237	227.9	1.8808	686.95	779.9	0.0934	1°51'09"
Jupiter	5.2028	778.3	11.862	4337	398.9	0.0483	1°18'29"
Saturne	9.5388	1427.0	29.456	10,760	378.1	0.0560	2°29'17"
Uranus	19.1914	2871.0	84.07	30,700	369.7	0.0461	0°48'26"
Neptune	30.0611	4497.1	164.81	60.200	367.5	0.0100	1°46'27"
Pluton	39.5294	5913.5	248.53	90.780	366.7	0.2484	17°09'03"

Table A.7 - Satellites planétaires

		Satellite	Demi grand axe de l'orbite	Période sidérale	Excentricité orbitale	Inclinaison orbitale	Diamètre	Magnitude visuelle
			(km)	*j h m*		(degrés)	(km)	
Terre		La Lune	384.500	27 07 43	0.055	18-29	3476	– 12,7
Mars		Phobos	9.378	0 07 39	0.055	1.1	27 × 21 × 18	11.3
		Deimos	23.459	1 06 18	0.00052	0.9-2.7v	15 × 12 × 10	12.4
Jupiter		Slet	127.000	0 07 04			40	
	XVI	Métis	129.000	0 07 06	0		20	
	XIV	Adrastea	134.000	0 07 09			20	
	V	Amalthea	180.000	0 11 57	0.003	0.4	270 × 165 × 153	14.1
	XV	Thebe	222.000	0 16 11			80	
	I	Io	422.000	1 18 28	0.000	0	3632 ± 60	5.0
	II	Europa	671.000	3 13 14	0.000	0.5	3126 ± 60	5.3
	III	Ganymède	1.070.000	7 03 43	0.001	0.2	5276 ± 60	4.6
	IV	Callisto	1.885.000	16 16 32	0.01	0.2	4820 ± 60	5.6
	XIII	Léda	11.110.000	240	0.147	26.7	10	20
	VI	Himalia	11.470.000	251	0.158	27.6	170	14.7
	X	Lysithea	11.710.000	260	0.130	29.0	20	18.4
	VII	Elara	11.740.000	260	0.207	24.8	80	16.4
	XII	Ananke	20.700.000	617R	0.169	147	20	18.9
	XI	Carme	22.350.000	629R	0.207	164	30	18.0
	VIII	Pasiphae	23.330.000	735R	0.378	145	40	17.7
	IX	Sinope	23.370.000	758R	0.275	153	30	18.3
Saturne	17	Atlas	137.670	14 27	0.002	0.3	80 × 60 × 40	17
	16	Anneau F (intérieur)	139.353	14 43	0.003	0.0	140 × 100 × 80	16
	15	Anneau F (extérieur)	141.700	15 05	0.004	00.5	110 × 90 × 70	16
	10	Janus	151.422	16 40	0.007	0.1	220 × 200 × 160	15

Table A.7 - Satellites planétaires (suite)

		Satellite	Demi grand axe de l'orbite	Période sidérale	Excentricité orbitale	Inclinaison orbitale	Diamètre	Magnitude visuelle
	11	Epimetheus	151.472	16 40	0.009	0.3	140 × 120 × 100	
	1	Mimas	185.600	22 37	0.020	1.5	390	12.9
	2	Enceladus	238.100	1 08 52	0.005	0.0	510	11.7
	3	Tethys	294.700	1 22 15	0.000	1.9	1050	10.3
	13	Telesto	294.700	1 22 15			34 × 28 × 26	19
	14	Calypso	294.700	1 22 15			34 × 22 × 22	19
	4	Dioné	377.500	2 17 36	0.002	0.0	1120	10.4
	12	Hélène	378.060	2 17 45			36 × 22 × 30	19
	5	Rhéa	527.200	4 12 16	0.001	0.4	1530	9.7
	6	Titan	1 221.600	15 21 51	0.029	0.3	5150	8.3
	7	Hypérion	1 483.000	21 06 45	0.104	0.4	400 × 250 × 220	14.2
	8	Iapetus	3 560.100	79 03 43	0.028	14.7	1440	11.2
	9	Phoebe	12.950.000	549 03 33	0.163	159	200	16.3
Uranus	5	Miranda	130.000	1 09 56	0.01	3.4	600	16.5
	1	Ariel	191.000	2 12 29R	0.003	0	1410 ± 105	14.4
	2	Umbriel	260.000	4 03 27R	0.004	0	1160 ± 90	15.3
	3	Titania	436.000	8 16 56R	0.002	03	1670 ± 90	14.0
	4	Obéron	583.000	13 11 07R	0.001	0	1690 ± 90	14.2
Neptune	3		75.000					
		Triton	354.000	5 21 03R	0.000	160.0	3200 ± 400	13.6
		Néreid[e]	5.570.000	365 5	0.76	27.4	600	18.7
Pluton		Charon	20.000?	6 9 17	0?	105 ?	1200	16-17

Notes: R = rétrograde; v = variable; * = magnitude donnée pour une opposition à distance moyenne.

Table A.8 - Longitudes des Planètes

Année	Date	Jour Julien 2 440 000 +	Soleil ☉	Mercure ☿	Vénus ♀	Mars ♂	Jupiter ♃	Saturne ♄
1989	Déc. 29	7 890	278	296	308	248	95	285
1990	Janv. 8	7 900	288	290	306	255	93	286
1990	Janv. 18	7 910	298	280	301	262	92	288
1990	Janv. 28	7 920	308	284	295	269	91	289
1990	Fév. 7	7 930	318	294	291	276	91	290
1990	Fév. 17	7 940	328	307	293	284	90	291
1990	Fév. 27	7 950	339	322	297	291	91	292
1990	Mars 9	7 960	349	340	304	298	91	293
1990	Mars 19	7 970	359	359	312	306	91	294
1990	Mars 29	7 980	8	19	322	313	92	294
1990	Avril 8	7 990	18	37	332	321	93	294
1990	Avril 18	8 000	28	47	342	328	95	295
1990	Avril 28	8 010	38	46	353	335	96	295
1990	Mai 8	8 020	47	40	4	343	98	295
1990	Mai 18	8 030	57	37	14	351	100	295
1990	Mai 28	8 040	67	42	27	350	102	295
1990	Juin 7	8 050	76	53	39	5	104	295
1990	Juin 17	8 060	86	68	50	12	106	294
1990	Juin 27	8 070	95	88	62	19	109	294
1990	Juil. 7	8 080	105	111	74	26	111	293
1990	Juil. 17	8 090	114	130	86	33	113	292
1990	Juil. 27	8 100	124	147	98	40	115	291
1990	Août . 6	8 110	133	160	110	46	118	290

Année	Date	Jour Julien 2 440 000 +	Soleil ☉	Mercure ☿	Vénus ♀	Mars ♂	Jupiter ♃	Saturne ♄
1990	Août 16	8 120	143	170	122	52	120	290
1990	Août 26	8 130	153	174	135	57	122	289
1990	Sep. 5	8 140	162	168	147	63	126	289
1990	Sept. 15	8 150	172	160	160	67	126	289
1990	Sept. 25	8 160	182	164	172	71	127	289
1990	Oct. 5	8 170	192	179	185	74	129	289
1990	Oct. 15	8 180	202	197	197	75	130	289
1990	0ct. 25	8 190	212	214	210	74	131	289
1990	Nov. 4	8 200	222	230	222	72	132	290
1990	Nov. 14	8 210	232	245	235	70	133	290
1990	Nov. 24	8 220	242	260	247	66	133	291
1990	Déc. 4	8 230	252	273	260	62	133	292
1990	Déc. 14	8 240	262	281	272	59	133	293
1990	Déc. 24	8 250	272	273	285	57	132	294
1991	Janv. 3	8 260	283	264	298	57	132	295
1991	Janv. 13	8 270	293	269	310	57	131	297
1991	Janv. 23	8 280	303	281	323	60	129	298
1991	Fév. 2	8 290	313	294	335	63	128	299
1991	Fév. 12	8 300	323	310	348	67	126	301
1991	Fév. 22	8 310	333	327	0	71	125	302
1991	Mars 4	8 320	343	345	13	75	124	303
1991	Mars 14	8 330	353	5	25	80	124	304
1991	Mars 24	8 340	3	22	37	85	123	304

Table A.8 - Longitudes des Planètes (suite)

Année	Date	Jour Julien 2 440 000 +	Soleil ☉	Mercure ☿	Vénus ♀	Mars ♂	Jupiter ♃	Saturne ♄
1991	Avril 3	8 350	13	30	49	91	123	305
1991	Avril 13	8 360	23	26	61	46	124	306
1991	Avril 23	8 370	33	19	73	101	125	306
1991	Mai 3	8 380	42	18	84	107	125	306
1991	Mai 13	8 390	52	25	96	112	126	306
1991	Mai 23	8 400	62	38	106	118	128	307
1991	Juin 2	8 410	71	54	117	124	129	307
1991	Juin 12	8 420	81	74	127	130	131	306
1991	Juin 22	8 430	90	97	136	136	133	306
1991	Juil. 2	8 440	100	117	144	142	134	305
1991	Juil. 12	8 450	109	133	151	148	136	305
1991	Juil. 22	8 460	119	146	155	154	139	304
1991	Août 1	8 470	128	154	158	160	141	303
1991	Août 11	8 480	138	156	155	166	143	302
1991	Août 21	8 490	148	149	149	173	146	301
1991	Août 31	8 500	157	142	144	179	148	301
1991	Sept. 10	8 510	167	149	140	186	150	300
1991	Sept. 20	8 520	177	165	141	192	152	300
1991	Sept. 30	8 530	187	184	146	199	154	300
1991	Oct. 10	8 540	197	201	152	205	156	300
1991	Oct. 20	8 550	206	218	161	212	157	300
1991	Oct. 30	8 560	216	233	170	219	159	301
1991	Nov. 9	8 570	227	247	180	226	161	301

Année	Date	Jour Julien 2 440 000 +	Soleil ☉	Mercure ☿	Vénus ♀	Mars ♂	Jupiter ♃	Saturne ♄
1991	Nov. 19	8 580	237	260	191	233	162	301
1991	Nov. 29	8 590	247	265	202	240	163	302
1991	Déc. 9	8 600	257	256	213	248	164	303
1991	Déc. 19	8 610	267	248	225	255	165	304
1991	Déc. 29	8 620	277	255	237	262	164	305
1992	Janv. 8	8 630	287	267	249	269	164	306
1992	Janv. 18	8 640	298	282	261	277	163	307
1992	Janv. 28	8 650	308	298	274	284	163	308
1992	Fév. 7	8 660	318	314	286	292	162	310
1992	Fév. 17	8 670	328	332	298	299	161	311
1992	Fév. 27	8 680	338	351	310	307	160	312
1992	Mars 8	8 690	348	7	323	315	158	313
1992	Mars 18	8 700	358	12	335	322	157	314
1992	Mars 28	8 710	8	5	348	330	156	315
1992	Avril 7	8 720	18	359	0	338	155	315
1992	Avril 17	8 730	28	1	12	346	155	317
1992	Avril 27	8 740	37	10	25	354	154	317
1992	Mai 7	8 750	47	23	37	1	155	318
1992	Mai 17	8 760	57	40	49	9	155	318
1992	Mai 27	8 770	66	61	62	16	156	319
1992	Juin 6	8 780	76	83	74	24	157	318
1992	Juin 16	8 790	85	103	86	31	158	318
1992	Juin 26	8 800	95	119	98	38	159	318

Table A.8 - Longitudes des Planètes (suite)

Année	Date	Jour Julien 2 440 000 +	Soleil ⊙	Mercure ☿	Vénus ♀	Mars ♂	Jupiter ♃	Saturne ♄
1992	Juil. 6	8 810	104	131	111	46	161	318
1992	Juil. 16	8 820	114	137	123	53	162	317
1992	Juil. 26	8 830	123	136	135	59	164	316
1992	Août 5	8 840	133	129	148	66	166	315
1992	Août 15	8 850	143	125	160	73	168	314
1992	Août 25	8 860	152	134	173	79	170	313
1992	Sept. 4	8 870	162	151	185	85	172	312
1992	Sept. 14	8 880	172	171	197	91	174	312
1992	Sept. 24	8 890	182	189	210	96	177	311
1992	Oct. 4	8 900	191	205	222	102	179	311
1992	Oct. 14	8 910	201	221	234	106	181	311
1992	Oct. 24	8 920	211	234	246	110	182	311
1992	Nov. 3	8 930	221	245	258	113	184	312
1992	Nov. 13	8 940	231	249	270	116	186	312
1992	Nov. 23	8 950	241	238	282	118	188	313
1992	Déc. 3	8 960	252	232	294	118	190	313
1992	Déc. 13	8 970	262	241	305	116	191	314
1992	Déc. 23	8 980	272	254	317	113	192	315
1993	Janv. 2	8 990	282	270	328	109	193	316
1993	Janv. 12	8 900	292	285	338	105	194	317
1993	Janv. 22	9 010	303	302	350	101	195	318
1993	Fév. 1	9 020	313	319	359	99	144	319
1993	Fév. 11	9 030	323	337	8	98	194	321

Année	Date	Jour Julien 2 440 000 +	Soleil ⊙	Mercure ☿	Vénus ♀	Mars ♂	Jupiter ♃	Saturne ♄
1993	Fév. 21	9 040	333	351	15	98	194	322
1993	Mars 3	9 050	343	354	19	100	193	323
1993	Mars 13	9 060	353	345	21	102	192	324
1993	Mars 23	9 070	3	340	17	106	191	325
1993	Avril 2	9 080	13	345	11	109	189	326
1993	Avril 12	9 090	22	356	5	113	188	327
1993	Avril 22	9 100	32	10	2	118	187	328
1993	Mai 2	9 110	42	27	5	123	186	329
1993	Mai 12	9 120	52	47	9	127	185	329
1993	Mai 22	9 130	61	69	16	132	184	330
1993	Juin 1	9 140	71	89	25	138	185	330
1993	Juin 11	9 150	80	104	34	143	185	330
1993	Juin 21	9 160	90	115	44	149	185	330
1993	Juil. 1	9 170	99	118	54	155	186	330
1993	Juil. 11	9 180	109	115	65	161	187	330
1993	Juil. 21	9 190	118	109	76	166	188	329
1993	Juil. 31	9 200	128	109	87	173	190	328
1993	Août 10	9 210	138	120	99	179	191	327
1993	Août 20	9 220	147	138	111	185	192	326
1993	Août 30	9 230	157	158	123	192	194	324
1993	Sept. 9	9 240	167	176	135	193	196	325
1993	Sept. 19	9 250	176	193	147	205	198	324
1993	Sept. 29	9 260	186	208	159	211	201	323

Table A.8 - Longitudes des Planètes (suite)

Année	Date	Jour Julien 2 440 000 +	Soleil ☉	Mercure ☿	Vénus ♀	Mars ♂	Jupiter ♃	Saturne ♄
1993	Oct. 9	9 270	196	221	171	218	203	323
1993	Oct. 19	9 280	206	230	184	225	205	323
1993	Oct. 29	9 290	216	232	196	232	207	323
1993	Nov. 8	9 300	226	221	209	239	210	323
1993	Nov. 18	9 310	236	217	222	246	212	324
1993	Nov. 28	9 320	246	227	234	254	213	324
1993	Déc. 8	9 330	256	242	247	261	215	325
1993	Déc. 18	9 340	267	257	259	269	217	326
1993	Déc. 28	9 350	277	273	272	276	219	326
1994	Janv. 7	9 360	287	289	285	284	220	327
1994	Janv. 17	9 370	297	306	297	292	222	328
1994	Janv. 27	9 380	307	323	309	299	223	325
1994	Fév. 6	9 390	317	336	322	307	224	330
1994	Fév. 16	9 400	327	336	324	315	224	331
1994	Fév. 26	9 410	338	326	347	323	225	333
1994	Mars 8	9 420	348	323	0	330	224	334
1994	Mars 18	9 430	358	330	12	338	224	335
1994	Mars 28	9 440	7	341	25	346	223	334
1994	Avril 7	9 450	17	356	37	354	223	337
1994	Avril 17	9 460	27	13	50	2	222	338
1994	Avril 27	9 470	37	33	62	10	220	339
1994	Mai 7	9 480	44	55	74	17	219	340
1994	Mai 17	9 490	56	75	86	25	218	341

Année	Date	Jour Julien 2 440 000 +	Soleil ☉	Mercure ☿	Vénus ♀	Mars ♂	Jupiter ♃	Saturne ♄
1994	Mai 27	9 500	66	89	98	32	217	341
1994	Juin 6	9 510	75	97	110	40	216	342
1994	Juin 16	9 520	85	97	122	47	215	342
1994	Juin 26	9 530	94	91	134	55	214	342
1994	Juil. 6	9 540	104	89	145	62	214	342
1994	Juil. 16	9 550	113	93	156	69	215	342
1994	Juil. 26	9 560	123	105	167	76	215	342
1994	Août 5	9 570	133	124	178	82	216	341
1994	Août 15	9 580	142	145	188	89	217	340
1994	Août 25	9 590	152	164	198	96	219	339
1994	Sept. 4	9 600	161	180	207	102	220	338
1994	Sept. 14	9 610	171	195	216	108	222	337
1994	Sept. 24	9 620	181	207	223	114	223	336
1994	Oct. 4	9 630	191	215	227	120	225	336
1994	Oct. 14	9 640	201	215	229	125	227	335
1994	Oct. 24	9 650	211	204	226	130	229	335
1994	Nov. 3	9 660	221	202	221	135	231	335
1994	Nov. 13	9 670	231	213	216	140	234	335
1994	Nov. 23	9 680	241	229	213	144	236	335
1994	Déc. 3	9 690	251	245	215	147	238	336
1994	Déc. 13	9 700	261	261	220	150	241	336
1994	Déc. 23	9 710	271	276	227	152	243	337
1995	Janv. 2	9 720	282	293	235	153	245	338

Table A.8 - Longitudes des Planètes (suite)

Année	Date	Jour Julien 2 440 000 +	Soleil ☉	Mercure ☿	Vénus ♀	Mars ♂	Jupiter ♃	Saturne ♄	Année	Date	Jour Julien 2 440 000 +	Soleil ☉	Mercure ☿	Vénus ♀	Mars ♂	Jupiter ♃	Saturne ♄
1995	Janv. 12	9 730	292	309	245	151	247	339	1995	Juil. 11	9 910	108	91	97	174	246	354
1995	Janv. 22	9 740	302	320	255	149	248	340	1995	Juil. 21	9 920	119	110	110	180	245	354
1995	Fév. 1	9 750	312	319	266	147	250	340	1995	Juil. 31	9 930	128	131	122	186	245	354
1995	Fév. 11	9 760	322	307	277	142	252	342	1995	Août 10	9 940	137	151	134	192	245	354
1995	Fév. 21	9 770	332	307	289	138	253	343	1995	Août 20	9 950	147	168	147	198	246	353
1995	Mars 3	9 780	342	315	300	136	254	344	1995	Août 30	9 960	156	182	159	205	247	352
1995	Mars 13	9 790	352	328	312	134	255	345	1995	Sept. 9	9 970	166	193	172	211	247	351
1995	Mars 23	9 800	2	342	324	132	255	347	1995	Sept. 19	9 980	176	200	184	218	247	350
1995	Avril 2	9 810	12	0	336	133	256	348	1995	Sept. 29	9 990	186	198	196	225	250	349
1995	Avril 12	9 820	22	19	348	135	255	349	1995	Oct. 9	10 000	196	187	209	232	252	348
1995	Avril 22	9 830	32	41	0	138	255	350	1995	Oct. 19	10 010	205	187	221	339	253	348
1995	Mai 2	9 840	41	60	12	141	254	351	1995	Oct. 29	10 020	215	200	134	246	255	347
1995	Mai 12	9 850	51	73	24	144	253	351	1995	Nov. 8	10 030	226	216	246	253	257	347
1995	Mai 22	9 860	61	78	36	149	252	352	1995	Nov. 18	10 040	236	233	259	261	259	347
1995	Juin 1	9 870	70	76	48	154	251	353	1995	Nov. 28	10 050	246	249	271	268	261	347
1995	Juin 11	9 880	80	70	60	158	249	353	1995	Déc. 8	10 060	256	264	284	276	264	348
1995	Juin 21	9 890	89	70	73	166	248	354	1995	Déc. 18	10 070	266	280	296	284	266	348
1995	Juil. 1	9 900	99	77	85	169	247	354	1995	Déc. 28	10 080	276	295	308	291	269	349

Table A-9. Heure Sidérale locale à 00 : 00 heure standard locale
(TS) à 0 h (TU)
(calculée pour l'année 1989)

Date	Jan.	Fév.	Mars	Avr.	Mai	Juin	Juil.	Août	Sept.	Oct.	Nov.	Déc.
1	6:42	8:45	10:35	12:37	14:35	16:38	18:36	20:38	22:40	0:39	2:41	4:39
2	6:46	8:49	10:39	12:41	14:39	16:42	18:40	20:42	22:44	0:43	2:45	4:43
3	6:50	8:52	10:43	12:45	14:43	16:46	18:44	20:46	22:48	0:47	2:49	4:47
4	6:54	8:56	10:47	12:49	14:47	16:50	18:48	20:50	22:52	0:51	2:53	4:51
5	6:58	9:00	10:51	12:53	14:51	16:53	18:52	20:54	22:56	0:54	2:57	4:55
6	7:02	9:04	10:55	12:57	14:55	16:57	18:56	20:58	23:00	0:58	3:01	4:59
7	7:06	9:08	10:59	13:01	14:59	17:01	19:00	21:02	23:04	1:02	3:05	5:03
8	7:10	9:12	11:03	13:05	15:03	17:05	19:04	21:06	23:08	1:06	3:09	5:07
9	7:14	9:16	11:07	13:09	15:07	17:09	19:08	21:10	23:12	1:10	3:12	5:11
10	7:18	9:20	11:10	13:13	15:11	17:13	19:11	21:14	23:16	1:14	3:16	5:15
11	7:22	9:24	11:14	13:17	15:15	17:17	19:15	21:18	23:20	1:18	3:20	5:19
12	7:26	9:28	11:18	13:21	15:19	17:21	19:19	21:22	23:24	1:22	3:24	5:23
13	7:30	9:32	11:22	13:25	15:23	17:25	19:23	21:26	23:28	1:26	3:28	5:27
14	7:34	9:36	11:26	13:28	15:27	17:29	19:27	21:29	23:32	1:30	3:32	5:30
15	7:38	9:40	11:30	13:32	15:31	17:33	19:31	21:33	23:36	1:34	3:36	5:34
16	7:42	9:44	11:34	13:36	15:35	17:37	19:35	21:37	23:40	1:38	3:40	5:38
17	7:45	9:48	11:38	13:40	15:39	17:41	19:39	21:41	23:43	1:42	3:44	5:42
18	7:49	9:52	11:42	13:44	15:43	17:45	19:43	21:45	23:47	1:46	3:48	5:46
19	7:53	9:56	11:46	13:48	15:46	17:49	19:47	21:49	23:51	1:50	3:52	5:50
20	7:57	9:59	11:50	13:52	15:50	17:53	19:51	21:53	23:55	1:54	3:56	5:54

Table A-9. Heure Sidérale locale à 00 : 00 heure standard locale
(TS) à 0 h (TU)
(calculée pour l'année 1989)

Date	Jan.	Fév.	Mars	Avr.	Mai	Juin	Juil.	Août	Sept.	Oct.	Nov.	Déc.
21	8:01	10:03	11:54	13:56	15:54	17:57	19:55	21:57	23:59	1:58	4:00	5:58
22	8:05	10:07	11:58	14:00	15:58	18:00	19:59	22:01	0:03	2:01	4:04	6:02
23	8:09	10:11	12:02	14:04	16:02	18:04	20:03	22:05	0:07	2:05	4:08	6:06
24	8:13	10:15	12:06	14:08	16:06	18:08	20:07	22:09	0:11	2:09	4:12	6:10
25	8:17	10:19	12:10	14:12	16:10	18:12	20:11	22:13	0:15	2:13	4:16	6:14
26	8:21	10:23	12:14	14:16	16:14	18:16	20:15	22:17	0:19	2:17	4:19	6:18
27	8:25	10:27	12:17	14:20	16:18	18:20	20:18	22:21	0:23	2:21	4:23	6:22
28	8:29	10:31	12:21	14:24	16:22	18:24	20:22	22:25	0:27	2:25	4:27	6:26
29	8:33		12:25	14:28	16:26	18:28	20:26	22:29	0:31	2:29	4:31	6:30
30	8:37		12:29	14:32	16:30	18:32	20:30	22:33	0:35	2:33	4:35	6:34
31	8:41		12:33		16:34		20:34	22:36		2:37		6:37

Corrections de TS par rapport à 1989:

Du 1er janvier 1990 au 31 décembre 1990, soustraire 1 minute
Du 1er janvier 1991 au 31 décembre 1991, soustraire 2 minutes
Du 1er janvier 1992 au 28 février 1992, soustraire 3 minutes.

Du 29 février 1992 au 31 décembre 1992, ajouter 1 minute.
1993 : idem 1989 ; 1994 : idem 1990.

GLOSSAIRE

Aberration de la lumière. Déplacement apparent d'une étoile dû à la combinaison du mouvement de la Terre et de la propagation à vitesse finie de la lumière.
Almageste. Un des anciens catalogues d'étoiles, établi par l'astronome Claude Ptolémée d'Alexandrie.
Altitude. Distance angulaire (habituellement mesurée en degrés) au-dessus de l'horizon.
Amas. Groupe d'étoiles.
Amas galactique ou amas ouvert. Groupement irrégulier d'étoiles de même origine récente.
Amas globulaire. Groupement sphérique d'étoiles de même origine ; étoiles généralement très vieilles.
Analemme. Figure en forme de 8, représentant l'équation du temps et les variations de l'altitude du Soleil dans le ciel durant sa course annuelle.
Angle de position (AP). Pour une étoile double, l'angle de position est l'angle (compté dans le sens contraire des aiguilles d'une montre) formé par les deux demi-droites issues du centre de l'étoile brillante et dirigées l'une vers le nord, l'autre vers le compagnon faible.
Angle horaire. Angle que forme le cercle horaire de l'astre avec le plan méridien, compté en heures positivement vers l'ouest.
Angstroem. Unité de longueur d'onde ou de distance, équivalente à 1/10 000 micromètre ou 1/10 000 000 000 mètre.
Année lumière (a.l.) . Unité astronomique de distance ; c'est la distance que parcourt la lumière en une année à la vitesse de 299.776 km par seconde, soit 9.460.000.000.000 km ou 63.240 U.A.
Aphélie. Point d'une orbite le plus éloigné du Soleil.
Aplatissement. Déformation du corps sphérique d'une planète causée par la rotation rapide de l'astre sur lui-même.
Apogée. Point de l'orbite de la Lune ou d'un satellite artificiel où cet objet se trouve le plus loin de la Terre.
Ascension droite (a.r.). Angle mesuré d'ouest en est entre le point vernal et le point d'intersection de l'équateur céleste avec le cercle horaire de l'astre.
Astéroïde. Petite planète.
Azimuth. Angle compté positivement vers l'ouest à partir du sud le long de l'horizon jusqu'au pied du cercle vertical de l'astre.

Baily (grain de). Chaîne de plusieurs « grains » brillants de lumière, visible juste avant ou après la phase totale d'une éclipse solaire. (Voir effet de l'anneau de diamant.)

Bayer (désignation de). Lettres grecques assignées aux étoiles dans les constellations, généralement en fonction de leur éclat, par Johann Bayer dans son atlas du ciel (1603).
Binaire. Etoile double dont les composantes tournent l'une autour de l'autre.
Bolide. Météore brillant; boule de feu.

Cassini (division de). Division principale des anneaux de Saturne, entre l'anneau A et l'anneau B.
Céphéide ou variable Céphéide. Etoile variant comme δ Cephei. La magnitude absolue de ces étoiles peut être calculée à partir de la période de variation; la comparaison des magnitudes absolue et apparente détermine la distance de ces étoiles et des galaxies dans lesquelles elles se trouvent.
Cercle horaire. Grand cercle de la sphère céleste perpendiculaire à l'équateur et passant par l'objet céleste.
Chromosphère. Couches atmosphériques du Soleil et d'autres étoiles, au-dessus de la photosphère.
Circumpolaire. Etoile ou constellation assez proche du pôle céleste pour ne jamais paraître se coucher.
Comète. Corps du système solaire ressemblant à une boule de neige et de glace (diamètre 0.1 à 100 km); lorsqu'il s'approche du Soleil, ses constituants s'évaporent et, emportés par le vent solaire, forment la queue de la comète.
Conjonction. Avoir la même ascension droite ou la même longitude que le Soleil. Une planète inférieure peut être en *conjonction inférieure* lorsqu'elle se trouve entre le Soleil et la Terre ou en *conjonction supérieure* lorsqu'elle est au-delà du Soleil.
Constellation. Une des 88 parties en lesquelles le ciel est divisé; groupe d'étoiles qui tire son nom d'un objet, d'un animal ou d'une figure mythologique.
Contact(s). Etape(s) d'une éclipse, occultation ou transit, où les bords des disques apparents des corps célestes semblent se toucher. Lors d'une éclipse solaire le premier contact a lieu quand le bord du disque solaire touche la Lune; le deuxième contact marque le début de la totalité; le troisième en indique sa fin, quand le Soleil commence à réapparaître; et le quatrième contact correspond à la fin de l'éclipse.
Couronne. Atmosphère extérieure du Soleil visible pendant les éclipses totales de l'astre; faible halo extrêmement chaud.
Crèpe (anneau de). Anneau interne de Saturne ou anneau C, qui s'étend vers la planète à partir de l'anneau le plus brillant (anneau B).
Croissant. Une des phases de la Lune ou d'une planète inférieure (Mercure ou Vénus) vue depuis la Terre.
Culmination. Moment où un astre passe au méridien du lieu d'observation.

Déclinaison (dec.). Angle mesuré le long du cercle horaire de l'étoile, de l'équateur à l'étoile, et compté positivement vers le nord.
Diamant (effet de l'anneau de). Effet créé lorsque la phase totale d'une éclipse solaire débute, quand le dernier grain de Baily est tellement lumineux qu'il ressemble à une couronne de diamant. A également lieu à la fin de la totalité.
Double. Système contenant deux étoiles ou plus physiquement liées. (Voir binaire)

Eclipse. Obscurcissement d'un corps céleste par un autre, soit directement par passage de l'un devant l'autre, soit par projection de l'ombre de l'un sur l'autre.
Eclipse lunaire. Passage de la Lune dans l'ombre de la Terre.
Eclipse solaire. Passage de l'ombre de la Lune à travers la Terre.
Eclipse annulaire. Eclipse solaire durant laquelle un anneau de la photosphère solaire reste visible.
Ecliptique. Trajectoire apparente du Soleil tout au long de l'année; le même trajet est suivi par les planètes et la Lune.
Elongation. Lorsque, vue de la Terre, une planète inférieure atteint sa plus grande distance angulaire du Soleil, on dit qu'elle est dans sa *plus grande élongation occidentale* ou *orientale*.
Encke (division de). Division fine dans l'anneau-A de Saturne.
Ephémérides. Tables astronomiques donnant pour chaque jour de l'année la position des astres.
Equateur céleste. Grand cercle de la sphère céleste perpendiculaire à l'axe du monde, à mi-chemin entre les pôles apparents de rotation. Il correspond à l'intersection de la sphère céleste avec le plan de l'équateur terrestre.
Equation du temps (ET). Correction, en minutes et en secondes, qu'il faut apporter à l'heure locale pour avoir l'heure solaire vraie.
Equinoxe. Une des deux intersections de l'écliptique avec l'équateur céleste. L'*équinoxe de printemps* ou *point vernal* est le point où se trouve le Soleil aux environs du 21 mars ; aux environs du 23 septembre, il se trouve à l'*équinoxe d'automne*.
Essaim de météores ou pluie d'étoiles filantes. Ensemble de météorites qui semblent provenir d'un même radiant.
Etoile. Sphère de gaz incandescent.
Etoile à neutrons. Fin d'évolution stellaire d'étoile de masse relativement élevée, après le stade de supernova.
Etoile filante. Synonyme de météore.
Etoile variable. Etoile dont l'éclat varie.
Excentricité. Degré d'aplatissement d'une ellipse.

Filament. Région sombre serpentant à travers le Soleil; protubérance vue en projection sur le disque solaire.

Flamsteed (numéro). Numéro assigné à une étoile d'une constellation donnée, dans l'ordre d'ascension droite du catalogue de John Flamsteed (1725).

Galaxie. Immense ensemble d'étoiles, de gaz et de poussières. Notre Galaxie synonyme de la Voie Lactée.
Galactique. Appartenant à notre Galaxie, la Voie Lactée.
Géante. Etoile plus brillante et plus grande que la plupart des étoiles de même couleur et même température. Une étoile devient une géante (normalement une géante rouge) quand la combustion de l'hydrogène dans le noyau est terminée et que l'étoile quitte la séquence principale.
Gibbeuse. Se dit de la Lune lorsque sa face visible est plus qu'à demi éclairée.
Granulation. Nom donné à la structure granuleuse de la surface solaire, structure attribuée à la convection.

Hauteur. Angle d'élévation d'un astre au-dessus de l'horizon.
Heure sidérale. Angle horaire du point vernal. L'heure sidérale correspond à la somme de l'ascension droite d'une étoile et de son angle horaire; lors de la culmination de l'étoile, l'angle horaire étant nul, l'heure sidérale coïncide avec l'ascension droite.
Horizon. Grand cercle de la sphère céleste perpendiculaire à la verticale du lieu; tous ses points sont à 90° du zénith.
Hubble (loi de). Relation entre la vitesse et la distance des galaxies et autres objets lointains; elle montre que l'univers est en expansion.
Hα, hydrogène alpha. La plus intense des raies d'hydrogène dans la partie visible du spectre; elle est située dans le rouge.

Jour Julien. Nombre de jours écoulés depuis le 1er janvier 4713 avant J.C.

Latitude écliptique. Angle nord ou sud que forme la direction de l'objet avec le plan de l'écliptique.
Libration. Balancement apparent de la Lune.
Limbe. Bord apparent du disque d'un corps céleste comme le Soleil, la Lune ou une planète.
Longitude écliptique. Angle mesuré vers l'est le long de l'écliptique à partir du point vernal jusqu'à l'intersection de l'écliptique et du cercle perpendiculaire à ce dernier passant par l'objet.
Lunette ou réfracteur. Instrument d'observation dont l'objectif est constitué par un système de lentilles.

Magnitude. Nombre qui caractérise l'éclat d'un astre selon une échelle logarithmique. Une différence de magnitude d 'une unité correspond à un rapport d'éclat égal à 2.512; pour une différence de 5 magnitudes, le rapport d'éclat est 100 fois, et ainsi de suite.

Magnitude absolue (M). Magnitude d'un objet céleste qu'il aurait s'il était situé à une distance de 10 parsecs.
Magnitude absolue visuelle (Mv). Magnitude absolue d'un objet mesurée à travers un filtre jaune spécial qui simule la sensibilité spectrale de l'oeil humain.
Magnitude apparente (m). Magnitude vue par l'observateur. Une étoile tout juste visible à l'oeil nu par une nuit claire et sans Lune est approximativement de magnitude 6.
Méridien céleste. Grand cercle passant par les pôles célestes et le zénith de l'observateur.
Messier (catalogue de). Liste de 103 objets non stellaires, compilée par Charles Messier en 1770 et étendue à 109 ou 110 objets.
Météore. Synonyme d'étoile filante, ce mot désigne le phénomène lumineux qui se produit lorsqu'à son entrée dans l'atmosphère terrestre, un morceau de roche ou de métal est chauffé jusqu'à l'incandescence par les frottements.
Météorite. Fragment qui subsiste d'un corps solide venu de l'espace après sa traversée de l'atmosphère et qui tombe sur Terre.
Météoroïde. Corps céleste qui traverse l'espace et qui provoque des phénomènes lumineux lors de son passage dans l'atmosphère terrestre.
Mira ou variable Mira. Etoile variable à longue période comme omicron Mira.
Monture azimutale. Monture de lunette ou de télescope à deux axes perpendiculaires, l'un horizontal et l'autre vertical, permettant d'orienter l'instrument en hauteur et en azimuth.
Monture équatoriale. Monture de lunette ou de télescope à deux axes, l'un parallèle à la ligne des pôles (axe de rotation de la Terre) appelé axe horaire et l'autre perpendiculaire au premier et nommé axe de déclinaison. Un entraînement autour de l'axe horaire permet de compenser le mouvement diurne.
Mouvement diurne. Mouvement apparent des étoiles, uniforme d'est en ouest et dû à la rotation de la Terre d'ouest en est.
Mouvement propre. Mouvement angulaire apparent d'une étoile dans le ciel; exprimé en seconde d'arc par an.

Naine. Etoile de la séquence principale; par exemple, le Soleil.
Nébuleuse. Région de gaz et de poussières dans une galaxie qui peut être observée optiquement.
Nébuleuse diffuse galactique (GN). Nuage irrégulier de gaz luminescent et de poussières qui tire sa luminosité d'une étoile chaude et brillante toute proche.
Nébuleuse obscure. Nébuleuse formant une silhouette sombre car elle absorbe la lumière venant de derrière elle; également appelée nébuleuse en absorption.
Nébuleuse planétaire (PN). Coquille de gaz éjectée par une étoile; masse gazeuse luminescente de forme éllipsoïdale ou sphérique qui pourrait être le reste d'une ancienne nova.

Neutrons (étoile à). Etoile petite (20 km de diamètre), dense (un milliard de tonnes par cm^3), résultant de l'effondrement d'une étoile de masse relativement élevée, après avoir passé le stade de supernova.
NGC. Initiales précédant les numéros des objets enregistrés dans le catalogue de nébuleuses et d'amas publié par J.L.E. Dreyer en 1888. (New General Catalogue)
Noeuds. Points où l'orbite d'une planète ou d'un satellite coupe l'écliptique. Le *noeud ascendant* et le *noeud descendant* sont respectivement les points où passe la planète quand elle va du sud au nord et du nord au sud.
Nova. Etoile qui explose; son éclat augmentant brusquement et temporairement de 10 à 15 magnitudes.
Nutation. Mouvement giratoire décrit par l'axe de rotation de la Terre et qui se superpose à la précession; période de 19 ans.

Objectif. Elément collecteur de lumière d'une lunette ou d'un télescope.
Occultation. Quand un corps céleste en masque un autre plus petit (par exemple, lorsque la Lune cache une étoile ou que Jupiter passe devant un de ses satellites), on parle plutôt d'occultation que d'éclipses.
Oculaire. Combinaison de lentilles grossissant l'image fournie par l'objectif.
Opposition. Une planète est en opposition quand sa longitude et celle du Soleil diffèrent de 180°.
Orbite. Courbe fermée parcourue par un corps qui se meut autour d'un autre.
Ouverture. Diamètre de l'objectif ou du miroir qui reçoit la lumière pour former l'image.

Parallaxe. Déplacement de la position apparente d'une étoile dû au mouvement annuel de la Terre autour du Soleil.
Parsec. Distance à laquelle le rayon de l'orbite terrestre (1 U.A.) paraît sous un angle de 1 seconde d'arc; 1 parsec vaut 3.261633... années lumière.
Passage. Quand un corps céleste de petite taille passe devant un autre beaucoup plus gros, le phénomène est appelé passage plutôt qu'éclipse.
Pénombre. Lors d'une éclipse, partie de l'ombre de la Terre ou de la Lune où le disque solaire est visible. Egalement zone externe, moins sombre des taches solaires.
Périgée. Point de l'orbite de la Lune ou d'un satellite artificiel où cet objet est le plus près de la Terre.
Périhélie. Point d'une orbite le plus proche du Soleil.
Photosphère. Surface visible du Soleil ou d'une autre étoile.
Planète. Corps céleste de forme sphérique qui ne brille que par la lumière stellaire qu'il reçoit et réfléchit.

Pluie d'étoiles filantes. Synonyme d'essaim de météores.
Point vernal ou Equinoxe de printemps. Intersection de l'écliptique et de l'équateur céleste.
Pôles célestes. Points dans le ciel où l'axe de la Terre, s'il était prolongé, rencontrerait la sphère céleste.
Précession des équinoxes. L'axe de rotation de la Terre change lentement de direction, en gardant une inclinaison constante par rapport à l'écliptique et en faisant un tour complet en 26 000 ans. La conséquence est que le point vernal dérive vers l'ouest de 50'' par an.
Premier vertical. Grand cercle de la sphère céleste allant de l'est à l'ouest en passant par le zénith et perpendiculaire au méridien.
Protubérance. Jets de gaz s'élevant au-dessus de la surface du Soleil; visibles sur le limbe.
Pulsar. Etoile à neutrons en rotation émettant des ondes radio ayant une période de l'ordre de 0.001 à 4 secondes.

Quadrature. Une planète est en quadrature lorsque sa longitude diffère de 90° de celle du Soleil.
Quasar. Objet quasi stellaire dont le spectre révèle un décalage vers le rouge très important; selon la loi de Hubble ces quasars seraient les objets les plus éloignés encore décelables.

Radiant. Point de la sphère céleste d'où semblent provenir les météorites d'un essaim donné. Il s'agit d'un effet de perspective.
Raie spectrale. Signature des atomes des différents éléments présents dans l'atmosphère d'une étoile. Ces atomes absorbent ou émettent la lumière à des longueurs d'onde bien précises.
Révolution. Mouvement d'un corps autour d'un autre.
Rotation. Mouvement d'un corps qui tourne sur lui-même autour d'un axe.

Satellite. Objet en orbite autour d'une planète.
Séparation. Distance angulaire (mesurée en degrés, minutes et secondes d'arc) entre les composantes d'un système d'étoiles double.
Séquence principale. Pendant la première partie de sa vie, une étoile brûle son hydrogène par fusion nucléaire; de telles étoiles forment une bande - la séquence principale - sur un diagramme indice de couleur-magnitude.
Soleil. Etoile naine de type G2, centre du système solaire.
Solstice. Epoque de l'année où le Soleil a sa plus grande déclinaison boréale (*solstice d'été*) ou australe (*solstice d'hiver*).
Spectre. Décomposition de la lumière selon la couleur, la longueur d'onde ou la fréquence.
Sphère céleste. Sphère imaginaire entourant la Terre, sur laquelle sont attachés les étoiles et autres objets célestes.
Supergéante. Etoile plus brillante et plus grande que les géantes de même couleur et même température. Seules les étoiles les plus mas-

sives deviennent des supergéantes après le stade de géante rouge.
Supernova. Explosion et destruction d'une étoile très massive.
Synodique. Relatif à l'alignement de trois corps, souvent la Terre, le Soleil et un troisième corps comme la Lune ou une planète.

Tache solaire. Aire assombrie de la surface du Soleil.
Télescope ou réfracteur. Instrument d'observation dont l'objectif est constitué par un miroir.
Télescope catadioptrique. Instrument dont l'objectif est constitué par une combinaison lentille-miroir.
Temps Sidéral (TS). Temps des étoiles ; angle horaire du point vernal, qui est égal à l'ascension droite des objets au méridien local.
Temps Universel (TU). Heure du fuseau origine ou heure de Greenwich.
Terminateur. Ligne de démarcation entre la zone illuminée et la zone dans l'ombre sur la surface de la Lune ou d'une planète.
Transit. Passage d'une planète inférieure à travers le disque solaire. Egalement, passage d'un objet à travers le méridien de l'observateur.
Trou noir. Région de l'espace dans laquelle une masse est concentrée de façon si dense que rien, même pas la lumière ne peut s'en échapper.
Type spectral. Une des différentes classes de température dans laquelle les étoiles sont placées d'après l'analyse de leur spectre ; OBAFGKM en ordre décroissant de température.

Unité astronomique (U.A.). Valeur de la distance moyenne de la Terre au Soleil, égale au demi-grand axe de l'orbite terrestre, soit 149 598 770 km.

Variable. Etoile dont l'éclat apparent change avec le temps.
Vent solaire. Courant de particules émises par le Soleil qui se répandent dans l'espace interplanétaire.
Vertical ou cercle vertical. Tout grand cercle de la sphère céleste passant par le zénith et perpendiculaire à l'horizon.
Verticale d'un lieu. Direction du fil à plomb en ce lieu.

Zénith. Point de rencontre de la sphère céleste et de la prolongation vers le haut de la direction de la verticale ; point directement au-dessus de l'observateur, 90° au-dessus de l'horizon.
Zodiaque. Traditionnellement formé de douze constellations qui encerclent le ciel le long de l'écliptique et dans lesquelles le Soleil, la Lune et les planètes semblent se déplacer.

BIBLIOGRAPHIE

Atlas, Catalogues, Annuaires

Ephémérides astronomiques, publiées annuellement par la Société Astronomique de France en supplément au numéro de décembre de la revue *l'Astronomie* , pour le Soleil, la Lune, les grandes planètes et leurs satellites, quelques petites planètes, les éclipses de Soleil et de Lune.

Le ciel étoilé - Der Sternenhimmel, édité annuellement sous le patronage de la Société Astronomique de Suisse par Robert A. Naef ; éditions Sauerlaender, Aarau (Suisse). Contient, en plus des éphémérides (Soleil, Lune, planètes, astéroïdes, comètes, essaims de météores, éclipses, occultations), les données nécessaires à l'observation des phénomènes astronomiques pour chaque jour de l'année ainsi qu'un recueil d'objets intéressants (étoiles doubles, amas, nébuleuses, galaxies, etc.). Texte en allemand.

Atlas photographique de la Lune, G. Viscardy.

Annuaire du bureau des longitudes, Gauthier-Villars, Paris.

La Connaissance des temps, Gauthier-Villars, Paris.

American ephemeris et *Nautical almanach.*

Cartes célestes tournantes «Sirius» (éditée par la Société Astronomique de Berne), *«Planiciel»* ou *«Ciel 2000.0»* (éditée par l'Observatoire Astronomique d'Aniane), indiquant, à une date et une heure donnée la portion de l'hémisphère céleste visible et facilitant la détermination de l'heure sidérale et de l'angle horaire.

Sky Catalogue 2000.0, Hirshfeld, Alan et Sinnott, Roger W. Cambridge, Mass. : Sky Publishing Corp. 1982 (vol. 1) et 1983 (vol. 2). Le volume 1 contient une liste d'étoiles ; le volume 2 donne des listes d'étoiles doubles, de variables, de galaxies, d'amas, de nébuleuses et d'autres objets. Positions pour l'époque 2000.0.

Astronomical Tables of the Sun, Moon and Planets, Meeus, Jean. Richmond, Va. : Willmann-Bell. 1983. Listes de phénomènes astronomiques (oppositions et conjonctions des planètes, éclipses, transits, etc.).

Sky Atlas 2000.0, Tirion, Wil. Cambridge, Mass. Sky Publishing Corp. et New York : Cambridge University Press. 1982. Atlas du ciel en 36 planches à grande échelle utilisé dans le Chapitre VII de ce guide, avec des étoiles d'une demi-magnitude plus faible.

Périodiques

L'Astronomie : Revue mensuelle de la Société Astronomique de France.

Ciel et Espace : Revue bimestrielle de l'Association Française d'Astronomie.

Ciel et Terre : Revue de la Société Belge d'Astronomie, de Météorologie et de Physique du Globe.

Orion : Revue bilingue de la Société Astronomique Suisse.

De fréquents articles relatifs à des problèmes astronomiques sont publiés dans des revues scientifiques comme *la Recherche*, *Pour la Science*, *Sciences et Avenir*, etc.

Revues en anglais

Astronomy (mensuel).

Sky and Telescope (mensuel) : journal standard des observateurs amateurs américains.

Observation et calculs astronomiques

Serge Bouiges : *Calcul astronomique pour amateurs adapté à l'emploi d'un calculateur ou d'un micro-ordinateur*. Ed. Masson, Paris, 1981.

P. Bourge, J. Dragesco, Y. Dargery : *La Photographie Astronomique d'Amateur*. Ed. Paul Montel, 1979.

A. Danjon et A. Couder, *Lunettes et télescopes*. Librairie scientifique et technique Blanchard, Paris, 1979.

Peter Duffet-Smith : *Practical Astronomy with your Calculator*. New York: Cambridge University Press, 1981.

Michel Dumont : *L'observation du ciel*. Ed. Atlas, Paris, 1986.

Jean Meeus : *Astronomical Formulas for Calculators*. 1982.

Sociétés

Société Astronomique Suisse
Dr. Peter Gerber, Président
Juravorstadt 57
CH-2502 Bienne

Association Française d'Astronomie,
115, rue de Charenton, F-75012 Paris.

Société Astronomique de France,
3, rue Beethoven, F-75016 Paris.

Les adresses des différents groupements régionaux peuvent être obtenues auprès de ces sociétés.

INFORMATION SUR LES TELESCOPES

L'oeil collecte la lumière de façon très efficace, mais toute cette lumière doit passer au travers de sa minuscule pupille. Un télescope recueille beaucoup plus de lumière dans un temps donné et permet ainsi de voir des objets plus faibles. Plus les lentilles ou le miroir d'un télescope sont grands, plus vous voyez de détails fins. Les télescopes peuvent aussi agrandir, mais c'est généralement moins important que leur pouvoir d'accumulation de la lumière, ou *pouvoir de résolution*. Il n'est pas utile d'amplifier une image faible ou floue.

L'instrument le plus simple, la *lunette astronomique* ou *réfracteur*, se compose de lentilles (fig. 162). Le *télescope* ou *réflecteur* utilise des miroirs pour collecter et focaliser la lumière, tel le traditionnel télescope de Newton (fig. 161). (Plus un télescope est grand, meilleure sera sa résolution. Ainsi les grands instruments permettent de voir des objets moins lumineux et plus de détails.) En général, les télescopes ont des diamètres supérieurs à 10 cm. Actuellement, les plus populaires auprès des amateurs sont les *télescopes catadioptriques* combinant la réfraction et la réflection, donc len-

Fig. 160. Photographies prises avec un appareil 35 mm et un objectif standard de 50 mm à f/2. Une pose de 30 secondes (*à gauche*) montre la constellation d'Orion, avec sa nébuleuse. Une pose de 2 minutes (*à droite*) montre plus d'étoiles, mais elles présentent des traînées. L'étoile brillante Sirius est en bas à gauche; son image est déformée car elle se trouve sur le bord du champ.

tilles et miroirs. Le plus connu d'entre eux est celui de type Schmidt-Cassegrain (fig. 163). Ces instruments sont remarquables par la qualité des photographies puisqu'ils permettent d'obtenir de grandes surfaces du ciel.

L'amateur qui désire acheter un instrument doit veiller attentivement aux qualités suivantes (par ordre d'importance): 1) perfection de l'exécution des parties optiques et mécaniques; 2) clarté; 3) grossissement.

La solidité de la *monture* joue également un rôle capital. Une lunette ou un télescope montés sur un léger trépied branlant ne donneront que des images mouvantes ou brouillées. Plus le grossissement utilisé est fort, plus l'agitation est gênante.

Il existe deux types fondamentaux de monture: *azimutale* et *équatoriale*. La monture azimutale, la plus simple, est essentiellement utilisée pour de petites lunettes. Elle consiste en un support d'axe vertical qui permet d'orienter l'instrument dans n'importe quel azimuth; on peut également incliner la lunette à volonté. Par suite du mouvement apparent circulaire et uniforme des étoiles, dû à la rotation de la Terre et appelé *mouvement diurne*, l'observateur doit corriger continuellement en azimuth et en hauteur la position de sa lunette pour suivre l'objet visé.

On peut simplifier singulièrement le travail en inclinant l'axe jusqu'à ce qu'il soit pointé vers le pôle céleste. Lorsqu'on a visé l'objet à observer, il suffit alors de bloquer l'instrument dans sa position par rapport à l'axe de déclinaison et ensuite de lui communiquer un mouvement régulier autour de l'axe horaire, lui-même

Fig. 161. Télescope de Newton ou réflecteur.

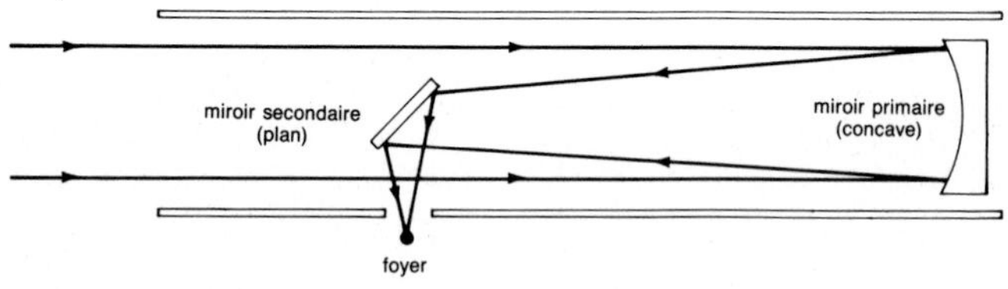

Fig. 162. Lunette ou réfracteur.

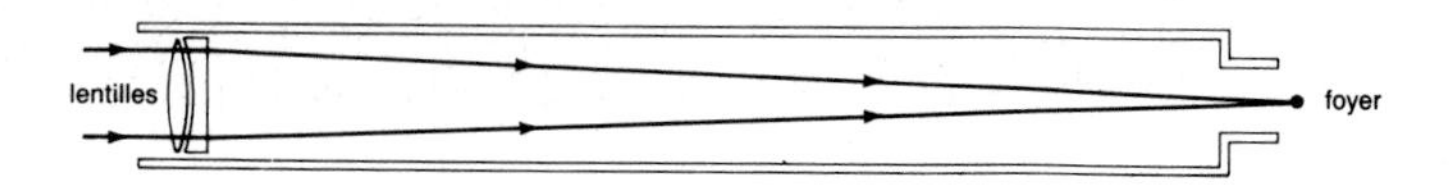

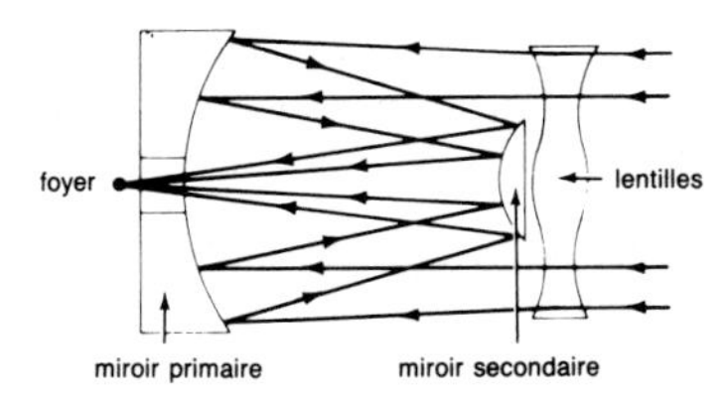

Fig. 163. Télescope catadioptrique de type Schmidt-Cassegrain.

parallèle à l'axe de rotation de la Terre. L'objet peut ainsi être maintenu apparemment immobile dans le champ de vision. La rotation régulière s'obtient avec un mécanisme d'horlogerie ou un moteur électrique. C'est le principe de la monture équatoriale ; elle est utilisée dans la plupart des télescopes.

Index

Index

Crédit Photo
Planches couleur

Pl.1 (© 1980 Ben Mayer)
Pl.2 (© 1980 Ben Mayer)
Pl.3 (© 1980 Ben Mayer)
Pl.4 (© 1980 Ben Mayer)
Pl.5 (© 1980 Ben Mayer)
Pl.6 (Meade Instruments Corp.)
Pl.7 (© 1979 Ben Mayer)
Pl.8 (© 1979 Ben Mayer)
Pl.9 (© 1959 California Institute of Technology)
Pl.10 (© 1979 Ben Mayer)
Pl.11 (© 1979 Ben Mayer)
Pl.12 (© 1980 Royal Observatory, Edinburgh)
Pl.13 (Meade Instruments Corp.)
Pl.14 (Jay M. Pasachoff)
Pl.15 (© 1961 California Institute of Technology)
Pl.16 (© 1980 Ben Mayer)
Pl.17 (© 1980 Ben Mayer)
Pl.18 (© 1980 James D. Wray, McDonald Observatory)
Pl.19 (© 1980 Ben Mayer)
Pl.20 (© 1980 Ben Mayer)
Pl.21 (© 1980 Ben Mayer)
Pl.22 (Lick Observatory photo)
Pl.23 (© 1979 Ben Mayer)
Pl.24 (© James D. Wray, McDonald Observatory)
Pl.25 (© 1979 Ben Mayer)
Pl.26 (© 1979 Ben Mayer)
Pl.27 (© 1980 Ben Mayer)
Pl.28 (© 1980 Ben Mayer)
Pl.29 (© 1980 Ben Mayer)
Pl.30 (© 1979 Ben Mayer)
Pl.31 (© James D. Wray, McDonald Observatory)
Pl.32 (© 1980 Ben Mayer)
Pl.33 (© 1980 Anglo-Australien Telescope Board)
Pl.34 (© 1977 Hans Vehrenberg)
Pl.35 (© 1977 Hans Vehrenberg)
Pl.36 (© 1977 Hans Vehrenberg)
Pl.37 (© 1965 California Institute of Technology)
Pl.38 (© James D. Wray, McDonald Observatory)
Pl.39 (© 1981 Anglo-Australian Telescope Board)
Pl.40 (© 1977 Hans Vehrenberg)
Pl.41 (© 1980 Anglo-Australian Telescope Board)
Pl.42 (© 1979 R.J. Dufour)
Pl.43 (U.S. Naval Observatory)
Pl.44 (U.S. Naval Observatory)
Pl.45 (© 1980 Anglo-Australian Telescope Board)
Pl.46 (© 1981 Anglo-Australian Telescope Board)
Pl.47 (© 1977 Hans Vehrenberg)
Pl.48 (Lick Observatory photo)
Pl.49 (© 1979 R.J. Dufour)
Pl.50 (© 1965 California Institute of Technology)
Pl.51 (U.S. Naval Observatory)
Pl.52 (© 1977 Hans Vehrenberg)
Pl.53 (© 1977 Hans Vehrenberg)
Pl.54 (© 1979 Anglo-Australian Telescope Board)
Pl.55 (© 1979 Royal Observatory, Edinburgh)
Pl.56 (NASA)
Pl.57 (Suginami Science Education Center)
Pl.58 (NASA/Ames, U.S. Geological Survey, and M.I.T.)
Pl.59 (JPL/NASA)
Pl.60 (International Planetary Patrol/Lowell Observatory)
Pl.61 (JPL/NASA)
Pl.62 (Lunar and Planetary Laboratory, (University of Arizona)
Pl.63 (JPL/NASA)
Pl.64 (JPL/NASA)
Pl.65 (JPL/NASA)
Pl.66 (Catalina Observatory, University of Arizona)
Pl.67 (JPL/NASA)
Pl.68 (JPL/NASA)
Pl.69 (© 1976 Ben Mayer)
Pl.70 (Richard E. Hill)
Pl.71 (Dennis di Cicco)
Pl.72 (George V. Coyne, S.J., Vatican Observatory)
Pl.73 (Jay M. Pasachoff)
Pl.74 (Jay M. Pasachoff)
Pl.75 (Don Pearson)
Pl.76 (© 1982 DayStar Filter Corp.)
Pl.77 (R.J. Poole/DayStar Filter Corp.)
Pl.78 (Jay M. Pasachoff)
Pl.79 (Jay M. Pasachoff)
Pl.80 (William C. Atkinson)
Pl.81 (Jay M. Pasachoff)
Pl.82 (Jay M. Pasachoff)

TABLE DES MATIÈRES

TABLES DES MATIÈRES

Achevé d'imprimer pour le compte des Éditions
DELACHAUX & NIESTLÉ SA
sur les presses de G.E.A.
à Milan
3e trimestre 1989
Imprimé en Italie

CARTE GENERALE DU CIEL

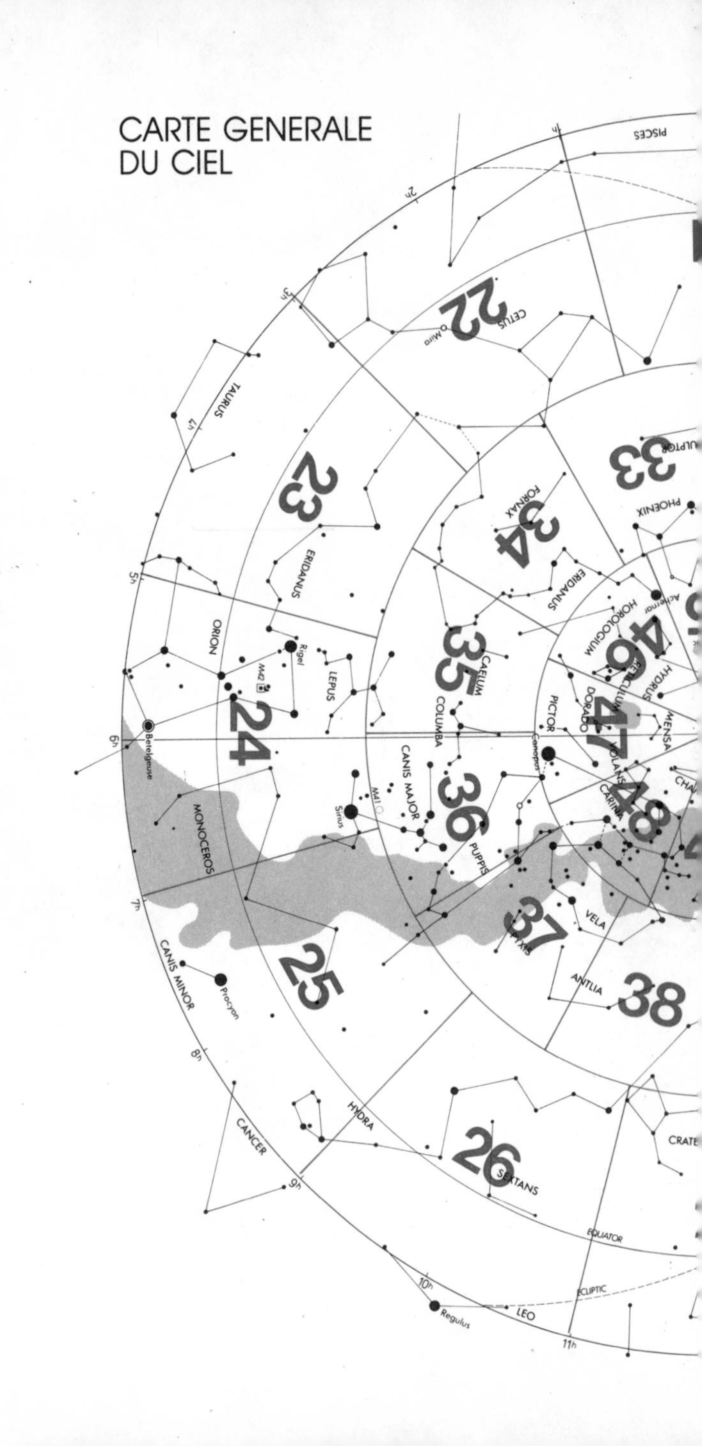